U0249224

现代数学基础丛书·典藏版　15

概率论基础和随机过程

王寿仁　编著

科学出版社

北京

内 容 简 介

本书在测度论的基础上，叙述了随机过程的理论。本书理论性较强，叙述亦较严谨，主要内容包括一般理论(过程的可分性、可测性和样本连续性)；独立增量过程；鞅论；Brown 运动和随机微分方程。

本书可供大学高年级学生和有关研究工作者参考。

图书在版编目(CIP)数据

概率论基础和随机过程/王寿仁编著. —北京：科学出版社，1986.5 (2016.6 重印)

(现代数学基础丛书·典藏版；15)

ISBN 978-7-03-006996-2

I.①概… II.①王… III.①概率论 ②随机过程 IV.①O21

中国版本图书馆 CIP 数据核字(2016) 第 113029 号

责任编辑：张 扬／责任校对：林青梅

责任印制：徐晓晨／封面设计：王 浩

科学出版社 出版

北京东黄城根北街 16 号

邮政编码：100717

http://www.sciencep.com

北京厚诚则铭印刷科技有限公司印刷

科学出版社发行 各地新华书店经销

*

1986 年 5 月第 一 版 开本：B5(720×1000)

2016 年 6 月印 刷 印张：20 1/4

字数：259 000

定价：138.00 元

(如有印装质量问题，我社负责调换)

前　　言

我于 1963—1964 年为中国科学技术大学概率论专门化的五年级学生讲授概率论，又于 1979 年为中国科学技术大学研究生院讲授概率论，这本书就是以这两次讲稿的内容为基础写成的.

概率论的内容非常丰富，要想在一个课程里把概率论的主要分支全都系统地加以介绍，那是不可能的. 因此就需要有所选择，在选择时，难免要受到讲授者的偏爱而有所取舍. 我在设计这个课程时，除了讲授概率论和随机过程的基础部分，如条件概率和随机分析外，着重介绍对今后的工作带普遍性而有影响的内容，所以在随机过程方面，我选了三个过程作为主要的内容，这就是独立增量过程、鞅和 Brown 运动. 目前关于这三个过程，国内也缺乏系统介绍的书，所以本书恰是一个补充.

独立增量过程和 Brown 运动是随机过程里的经典分支，独立增量过程的研究已较完善，但高维 Brown 运动的研究还在发展. 许多随机分析的基本概念和问题，都起源于对独立增量过程的研究，而且这两个具体过程的深刻结果对马氏过程和鞅的研究提供了背景材料，从而它们具有启发作用. 鞅论在六十年代得到了划时代的发展，直到现在仍是概率论里很活跃的一个分支，通过对它的研究，已经发展起来所谓一般过程论. 同时它为其它分支，例如滤波、随机控制、随机微分方程及点过程等也提供了新的研究工具. 所以我认为这三种随机过程是从事概率论及其应用的学者必不可少的基本知识.

由于水平有限，缺点和错误在所难免，希读者指正.

目　　录

第一章　基本概念

§1. 引　　言

概率论是研究随机现象的规律的数学理论，由于在它的发展中总是结合着具体的随机现象来讨论问题，所以这一数学分支里的术语都带有形象性，直到现在我们仍然沿用这些形象性的术语，因为这些术语的直观含义对概率论的发展还有启示作用，而且不断地引出新概念、新方法及研究方向. 概率论在整个数学领域里占有一定的地位，与其它分支有着密切的联系，对整个数学的发展也起着影响. 现在欲掌握概率论的本质，必须采用测度论的观点. 本节目的在于给出用测度论观点的直观背景.

所谓随机现象就是当我们做实验或观察这种现象时，其结果是许多可能结果中的一个，而不能在实验或观察前完全预言. 例如掷一个骰子，我们不能说掷下去准得什么点. 用数学研究客观规律时，首先要把客观事物理想化，在概率论里，第一个理想化是关于实验或观察的可能结果应由哪些东西构成的问题. 我们把实验或观察的结果叫做事件. 事件分为简单事件和复合事件，以掷一个骰子为例，“掷得结果为⚀”是一个简单事件，“掷得为⚁”，…“掷得为⚅”都是简单事件. 又如“掷得为双”，这就是或者“为⚁”或者“为⚃”或者“为⚅”. 又如“掷得结果少于四点”，这就是或者“为⚀”或者“为⚁”或者“为⚂”. 由此可见“掷得为双”．“掷得结果少于四点”都可以分解为简单事件，这样的事件叫做复合事件. 简单事件代表可以想象的结果，不可能再分解，所有这些简单事件构成理想化实验的基本的可能结果. 我们把一个实验的所有简单事件的全体叫做基本空间，记之为 Ω，每个简单事件叫做点. 于是牵涉到实验的一切事件都可用点来表达，复合事件可以分解为点.

例如"掷得结果小于四点"这一事件(用A表示),则$A=\{$⚀,⚁,⚂$\}$是由三个点构成的. 在数学里我们称A为基本空间Ω里的一个子集合,又如令事件B表示"掷得为单",则$B=\{$⚀,⚂,⚄$\}$,B也是Ω里的子集合. 由此可见事件无非就是基本空间Ω里的点构成的集合. 为了在理论上合理起见,我们需要加上空集这个概念,它就是不包含任何点的集合,我们记之为$\varnothing$,在实验中$\varnothing$相应于"不可能事件",总之我们一旦谈论概率时,首先必须结合着所给定的基本空间来讨论,我们从基本空间和它的点的概念出发,这些是原始的无定义的概念,正如欧氏几何的公理化中点和直线是无定义的概念一样. 事件就是由点构成的集合,我们说事件A由某些点构成,就是说这些点表示在实验里能使事件A发生的那些结果. 今后用$A, B, \cdots$等大写拉丁字母表示事件. "事件A, B为不相容或互斥"、"事件A是事件B的反事件"、"事件A, B同时发生"、"事件A, B至少一个发生"以及事件A发生就引起事件B发生,这些直观说法分别相应于集合的如下关系及运算:"集A, B无公共点或不相交"、"A, B互为余集"、"A, B的交"、"A, B的并"以及"A是B的子集". 交及并的运算对可数个集合也有重要的意义,并且有直观的背景. 例如我们做这样的实验,一次接一次地重复掷一个骰子,这时基本空间Ω的点(也可以叫元素)是由⚀⚁⚂⚃⚄⚅这六个符号组成的无穷序列. 在这个实验里可以谈论这样的事件A_1:"直到头一次出现⚀"我们令A_n表示事件"直到第n次才出现⚀",A_n包含点$(X_1, \cdots, X_{n-1}$, ⚀, $Y_{n+1}, Y_{n+2}, \cdots)$其中每个$X_1, \cdots, X_{n-1}$都不是⚀,每个$Y_{n+1}, Y_{n+2}, \cdots$可以是那六个符号里的任何一个,$A_n$是由无穷个点构成的集,而

$$A=\sum_{n=1}^{\infty} A_n,$$

这表示事件A是事件$(A_i, i=1, 2, \cdots)$的可数并. 要求事件经过可数个集合运算所得到的集合仍为事件,反映在集合论里,就是要求Ω里的某些集构成的族对可列交及并都为封闭,这就是说Ω里所有事件的总体构成σ域,通常我们把事件σ域记为$\mathscr{F}$.

事件的概率是描述这个事件出现的可能性的大小，对每个事件 A 要赋予一个数值 $P(A)$ 以表示它出现的可能性. 事件的概率就是 σ 域 $\mathscr{F}$ 上的集函数 $P(\cdot)$，此集函数反映事件的概率的客观规律. 例如在掷一次骰子的试验里，每个符号出现的概率应为 1/6，而集 {⚀⚁⚂} 的概率为1/2等等. 与概率的直观常识相对照，容易看出 $\mathscr{F}$ 上的集函数 $P(\cdot)$ 是一个测度，且有就范性：$P(\Omega)=1$.

直观看，随机变量就是随着机会的不同而取不同值的变量，即是依赖机会的一个函数，也就是随着随机试验的结果而变的函数，它的值域为 $\boldsymbol{R}=(-\infty,\infty)$，定义域为 Ω. 这样说还不完全，因为谈到随机变量 $X(\omega)$ 时，还要知道这个随机变量取某个或某些值的概率，例如需要知道 $\{X<\alpha\}$ 的概率是多少，其中 $\alpha\in\boldsymbol{R}$. 回答这个问题首先需知 $\{X<\alpha\}$ 是一个事件，这样才能谈到它的概率，这一要求反映在实函数论里就是要求随机变量 X 是可测空间 $(\Omega,\mathscr{F})$ 到 $(\boldsymbol{R},\mathscr{B}(\boldsymbol{R}))$ 的可测映象，此处 $\mathscr{B}(\boldsymbol{R})$ 是 $\boldsymbol{R}$ 中的 Borel 域.

现在让我们再以掷一次骰子为例. 令 $X(\omega)=$"ω 的点数"，所以 $X(\omega)$ 的可能值为 $1,2,\cdots,6$ 中的一个，$\{X=1\}$ 的概率为 1/6，$\{X\in(1,2,3)\}$ 或 $\{X\leqslant 3\}$ 的概率为 1/2. X 的每个可能值乘以相应的概率的总和：$1\cdot\frac{1}{6}+2\cdot\frac{1}{6}+\cdots+6\cdot\frac{1}{6}=\frac{1+2+\cdots+6}{6}$ 叫做随机变量 X 的均值，这个数在概率论里很重要. 如果骰子不是匀称的，即如

$$P(X=i)=p_i,\quad i=1,2,\cdots,6$$

其中 $p_i\geqslant 0$, $p_1,\cdots,p_6$ 不全相等，$\sum_{i=1}^{6}p_i=1$. 这时 X 的均值等于 $\sum_{k=1}^{6}kp_k$. 把均值概念推广于一般的随机变量上，就是通常的测度空间上的积分概念.

经过这样的初步讨论，可以看出概率与测度之间的对应关系，可以把对应关系列表如下：

概率空间	就范的测度空间 $(\Omega, \mathscr{F}, P)$
简单事件	Ω中的点 ω
事件 A	可测集 A，即 $A \in \mathscr{F}$
不可能事件	空集 $\varnothing$
概率为 1 (a.s.)	几乎处处 (a.e.)
随机变量	$(\Omega, \mathscr{F})$ 到 $(\boldsymbol{R}, \mathscr{B}(\boldsymbol{R}))$ 上的可测映象
均值(或期望)	可测函数对 P 的积分

易知随机变量的 Borel 函数 (有穷值的)仍是随机变量. 若随机变量 X 使得$\int_\Omega X^+(\omega)P(d\omega)$ 及$\int_\Omega X^-(\omega)P(d\omega)$ 中至少一个为有穷，其中 $X^+(\omega) = \max(X(\omega), 0) \triangleq X(\omega) \vee 0$, $X^-(\omega) = \max(-X(\omega), 0) = -X(\omega) \vee 0 = -(X(\omega) \wedge 0)$，则称随机变量 X 的积分存在. 当随机变量 X 的积分存在时，我们把 X 的积分叫做 X 的期望，并记之为

$$EX = \int_\Omega X(\omega)P(d\omega).$$

令 X 为随机变量，对 $\boldsymbol{R}$ 中 Borel 集 S，定义

$$P_X(S) = P\{X \in S\}, \quad S \in \mathscr{B}(\boldsymbol{R}).$$

这个定义于 $\mathscr{B}(\boldsymbol{R})$ 上的集函数叫做随机变量 X 的分布. 因为 X 是有穷值的，故 $X^{-1}(\boldsymbol{R}) = \Omega$，又因在 X 的映象下，Borel 集的和的逆象为其各加项的逆象的和，故有

$$P_X(\boldsymbol{R}) = 1,$$

$$P_X(\Sigma S_i) = \Sigma P_X(S_i), \quad S_i \in \mathscr{B}(\boldsymbol{R}), \quad (S_i) \text{ 不相交}.$$

由此可见 P_X 是 $\mathscr{B}(\boldsymbol{R})$ 上的概率测度. 这样一来，随机变量 X 在它的值域空间 $\boldsymbol{R}$ 上诱导出一个新的概率空间 $(\boldsymbol{R}, \mathscr{B}(\boldsymbol{R}), P_X)$，这个概率空间叫做随机变量 X 的样本概率空间.

X 的分布函数 $F_X(x)$ 是由下列关系定出：

$$F_X(x) = P_X(-\infty, x] = P\{X \leqslant x\}, \quad x \in \boldsymbol{R}.$$

显见 $F_X(x)$ 为非降、右连续函数，且

$$F_X(-\infty) \equiv \lim_{x \to -\infty} F(x) = 0,$$

$$F_X(+\infty) \equiv \lim_{x \to \infty} F(x) = 1.$$

定理 1.1.1 设 $F(x)$ $(x \in \boldsymbol{R})$ 为非降右连续函数，且 $F(-\infty) = 0$, $F(+\infty) = 1$，于是它必是某一概率空间上某个随机变量的分布函数.

证 考虑可测空间 $(\boldsymbol{R}, \mathscr{B}(\boldsymbol{R}))$，令

$P(a, b] = F(b) - F(a)$， 其中 $a, b \in \boldsymbol{R}$， $a \leqslant b$.

由测度拓张定理知 P 可以拓张成为 $\mathscr{B}(\boldsymbol{R})$ 上的概率测度.这样便得基本概率空间 $(\boldsymbol{R}, \mathscr{B}(\boldsymbol{R}), P)$. 定义随机变量 $X(x) = x$, $x \in \boldsymbol{R}$, 于是 $F(x)$ 就是 $X(x)$ 的分布函数. 证毕

注 不只有一个这样的概率空间，例如还可以这样取基本概率空间: $\Omega = [0, 1]$, $\mathscr{F} = \mathscr{B}[0, 1]$($[0,1]$ 里的 Borel 集的全体), P 为$\mathscr{F}$上的 Lebesgue 测度 λ, 取 F 的逆 F^{-1}:

$$F^{-1}(\omega) = \inf\{s: F(s) > \omega\}, \quad \omega \in [0, 1].$$

易知 $F^{-1}(\omega)$, $\omega \in [0, 1]$ 是单调增的. 每个 ω 为 $F^{-1}(\omega)$ 右连续点,否则存在 h, 使得下式成立

$F^{-1}(\omega) < h < F^{-1}(\omega+) \leqslant F^{-1}(\omega + \varepsilon)$, 对任意 $\varepsilon > 0$. 这就是说 $F(h) > \omega$, 且 $F(h) \leqslant \omega + \varepsilon$, 对任意 $\varepsilon > 0$, 这是不可能的,故 $F^{-1}(\omega)$ 为右连续增函数. 对每个 s 往证

$$F(s) = \inf\{\omega \in [0, 1], \quad F^{-1}(\omega) > s\}. \tag{1}$$

事实上,对每个 $s \in \boldsymbol{R}$,

$$F^{-1}(F(s)) \geqslant s,$$

从而对任意 $\varepsilon > 0$, $F^{-1}(F(s + \varepsilon)) \geqslant s + \varepsilon > s$, 由此可知

$$F(s + \varepsilon) \geqslant \inf\{\omega: F^{-1}(\omega) > s\}.$$

但 F 为右连续,由上式得

$$F(s) \geqslant \inf\{\omega: F^{-1}(\omega) > s\}. \tag{2}$$

设 ω 使得 $F^{-1}(\omega) > s$, 由 F^{-1} 的定义知有 $F(s) \leqslant \omega$, 从而

$$F(s) \leqslant \inf\{\omega: F^{-1}(\omega) > s\}. \tag{3}$$

故由 (2) 及 (3) 得证 (1).

由 (1) 知

$$\lambda\{\omega: F^{-1}(\omega) \leqslant y\} = \inf\{\omega: F^{-1}(\omega) > y\} = F(y).$$

由此可知 $\{[0,1], \mathscr{B}[0,1], \lambda\}$ 上的随机变量 $F^{-1}(\omega)$ 的分布函数为 F.

定理 1.1.2 令 $g(\cdot)$ 为 $\boldsymbol{R}$ 到 $\boldsymbol{R}$ 的 Borel 函数, X 为基本概率空间 $(\Omega, \mathscr{F}, P)$ 上的随机变量 (今后提到随机变量就是指在给定的基本概率空间 $(\Omega, \mathscr{F}, P)$ 上的随机变量), 于是随机变量 $g(X)$ 的分布由随机变量 X 的分布 P_X 所决定, 若等式一方存在, 则有

$$Eg(X) = \int_{\boldsymbol{R}} g(x) P_X(dx) = \int_{\boldsymbol{R}} g(x) dF_X(x). \tag{4}$$

证 由前知 $g(X)$ 是随机变量. 由定义有

$$\{g(X) \in S\} = \{X \in g^{-1}(S)\}, \quad S \in \mathscr{B}(\boldsymbol{R}),$$

但 $g^{-1}(S)$, 是 Borel 集, 故

$$P_{g(X)}(S) = P_X(g^{-1}(S)), \quad S \in \mathscr{B}(\boldsymbol{R}).$$

由此知定理的第一部分成立. 欲证第二部分, 只需对 $g \geqslant 0$ 的特殊情形加以证明, 又由单调收敛定理知, 只需对 g 为非负简单函数的情形加以证明即可. 又由积分的可加性知, 只需对 $g(x) = I_S(x)$ 的情形加以证明即可, 此处 $I_S(x)$ 为 S 的示性函数,

$$I_S(x) = \begin{cases} 1, & x \in S, \\ 0, & x \notin S. \end{cases}$$

这时

$$g(X(\omega)) = I_S(X(\omega)) = I_{\{X \in S\}}(\omega),$$

于是 (4) 的右方等于

$$\int_{\boldsymbol{R}} g(x) P_X(dx) = \int_{\boldsymbol{R}} I_S(x) P_X(dx) = P_X(S),$$

而 (4) 的左方等于

$$Eg(X) = \int_{\Omega} I_{\{X \in S\}}(\omega) P(d\omega) = P\{X \in S\}.$$

由分布 P_X 的定义知上二式相等, 故 (4) 得证. 证毕

由定理 1.1.1 及 1.1.2 可知, 我们在基本概率空间 $(\Omega, \mathscr{F}, P)$

上考虑随机变量 X 的分布问题时，可以代之考虑样本空间 $(\boldsymbol{R}, \mathscr{B}(\boldsymbol{R}), P_X)$ 上定义的随机变量 $\tilde{X}(x)=x$ 的分布问题. 这样一来，当 $A\in\mathscr{B}(\boldsymbol{R})$ 时

$$P\{X\in A\}=P_X(A)=P_X(x\in A)=P_X\{\tilde{X}\in A\}.$$

如果记 $\sigma(X)\triangleq X^{-1}(\mathscr{B}(\boldsymbol{R}))=\{X^{-1}(B),\ B\in\mathscr{B}(\boldsymbol{R})\}$（这就是使 X 为可测的最小子 σ 域，也叫做由 X 所产生的子 σ 域），那么 $X(\omega)$ 是 $(\Omega, \sigma(X), P)$ 到 $(\boldsymbol{R}, \mathscr{B}(\boldsymbol{R}), P_X)$ 的可测映象，使得 $(\Omega, \sigma(X), P)$ 上的随机变量 X 变到 $(\boldsymbol{R}, \mathscr{B}(\boldsymbol{R}), P_X)$ 上的随机变量 $\tilde{X}$，且对任意 Borel 函数 g，在此映象下，随机变量 $g(X)$ 变为 $(\boldsymbol{R}, \mathscr{B}(\boldsymbol{R}), P_X)$ 上的随机变量 $g(X)$，且有

$$\int_\Omega g(X(\omega))P(d\omega)=\int_{\boldsymbol{R}} g(x)P_X(dx),$$

假若上式一方存在.

§2. 矩及常用不等式

随机变量的矩在概率论的研究中起着重要的作用。在简单的 Марков 及 Чебышев 不等式里，在特征函数的展开里都出现矩. 依 r 阶矩收敛也是概率论里的重要概念.研究独立随机变量和时，特别是采用截尾法研究独立随机变量和时，就是以矩作为基础的.

定义 1.2.1 令 X 为随机变量，对任意 $r>0$，X^r 的期望 EX^r 叫做 X 的 r 阶矩；如果 EX^r 存在，则 $|X|^r$ 的期望 $E|X|^r$（永远存在）叫做 X 的 r 阶绝对矩.

定义 1.2.2 若 $E|X|^r<\infty$，则说 X 属于 $L_r(r>0)$，此处 L_r 是由所有的具有有穷 r 阶绝对矩的随机变量组成的空间.

关于 L_r 空间的一般性质，例如它是线性完备距离空间等等性质，可在一般的实变函数论书中找到，这里不再重复.

下面我们只给出一些常用的不等式和简单性质:

(1) 由 $|X|^{r'}\leqslant 1+|X|^r$，$0<r'\leqslant r$ 立刻推知若 $E|X|_r<\infty$，则 $E|X|^{r'}<\infty$，对一切 $0<r'\leqslant r$，因而 $E|X|^{r'}$ 存在

且有穷.

(2) 由

$$|a+b|^r \leqslant c_r|a|^r + c_r|b|^r, \quad r>0,$$

此处

$$c_r = \begin{cases} 1, & r \leqslant 1, \\ 2^{r-1}, & r \geqslant 1, \end{cases}$$

立刻得到 c_r 不等式

$$E|X+Y|^r \leqslant c_r E|X|^r + c_r|Y|^r, \quad r>0,$$

其中 X, Y 都是随机变量.

(3) 在下列不等式中

$$|ab| \leqslant \frac{1}{r}|a|^r + \frac{1}{s}|b|^s, \quad r>1, \ \frac{1}{r}+\frac{1}{s}=1,$$

取 $a = X/E^{\frac{1}{r}}|X|^r$, $b = Y/E^{\frac{1}{s}}|Y|^s$ 得到 Hölder 不等式

$$E|XY| \leqslant E^{\frac{1}{r}}|X|^r \cdot E^{\frac{1}{s}}|Y|^s, \quad r>1, \ \frac{1}{r}+\frac{1}{s}=1.$$

Hölder 不等式的特款为 Schwarz 不等式

$$E|XY| \leqslant \sqrt{E|X|^2 \cdot E|Y|^2}.$$

(4) Minkowski 不等式

$$E^{\frac{1}{r}}|X+Y|^r \leqslant E^{\frac{1}{r}}|X|^r + E^{\frac{1}{r}}|Y|^r, \quad r \geqslant 1.$$

事实上,当 $r=1$ 时,此不等式显然成立. 当 $r>1$ 时, 由 Hölder 不等式知

$$\begin{aligned} E|X+Y|^r &\leqslant E|X||X+Y|^{r-1} + E|Y||X+Y|^{r-1} \\ &\leqslant E^{\frac{1}{r}}|X|^r E^{\frac{1}{s}}|X+Y|^{(r-1)s} + E^{\frac{1}{r}}|Y|^r E^{\frac{1}{s}}|X \\ &\quad + Y|^{(r-1)s} \\ &\leqslant (E^{\frac{1}{r}}|X|^r + E^{\frac{1}{r}}|Y|^r) E^{\frac{1}{s}}|X+Y|^r. \end{aligned}$$

把此不等式两边除以 $E^{\frac{1}{s}}|X+Y|^r$ 即得 Minkowski 不等式.

(5) $\log E|X|^r$, $r \geqslant 0$ 是 r 的凸函数

欲证此,取 $r'<r$, 在 Schwarz 不等式里把 X 代以 $|X|^{(r-r')/2}$, Y

代以 $|X|^{(r+r')/2}$ 得

$$E^2|X|^r \leqslant E|X|^{r-r'} \cdot E|X|^{r+r'},$$

取对数,得

$$\log E|X|^r \leqslant \frac{1}{2}(\log E|X|^{r-r'} + \log E|X|^{r+r'}).$$

由此知 $\log E|X|^r$ 是 r 的凸函数.

(6) $E^{\frac{1}{r}}|X|^r$ 是 r 的非降函数

欲证此,在 (r, y) 平面上考虑 $y = \log E|X|^r$ 的图象,此图象经过 $(0, 0)$ 点. 由于 $\log E|X|^r$ 是 r 的凸函数,故当 $r \geqslant 0$ 时,由 $(0, 0)$ 到 $(r, \log E|X|^r)$ 的直线的斜率 $\frac{1}{r}\log E|X|^r$ 是 r 的非降函数. 所以 $E^{\frac{1}{r}}|X|^r$ 也是 r 的非降函数.

(7) 若 f 为 $\boldsymbol{R}^n$ 里凸区域 D 上的连续凸函数,$X_1, \cdots, X_n$ 为可积随机变量,且 $(X_1, \cdots, X_n) \in D$, a.s. 则

$$E[f(X_1, \cdots, X_n)] \leqslant f(EX_1, \cdots, EX_n).$$

往证此不等式. 由 $(X_1, \cdots, X_n) \in D$, a.s. 不难看出 $(EX_1, \cdots, EX_n) \in D$. 取 D 里任意一点 $(x_1^0, \cdots, x_n^0)$,于是经过 $\boldsymbol{R}^{n+1}$ 里点 $(x_1^0, \cdots, x_n^0, f(x_1^0, \cdots, x_n^0))$ 的超平面必在曲面 f 之上,设 $(\lambda_1(x^0), \cdots, \lambda_n(x^0))$ 为这个超平面的方向余弦,其中 $x^0 = (x_1^0, \cdots, x_n^0)$,则对 D 里任意点 $(x_1, \cdots, x_n)$ 有

$$f(x_1, \cdots, x_n) \leqslant f(x_1^0, \cdots, x_n^0) + \sum_1^n \lambda_i(x^0)(x_i - x_i^0).$$

特别,取 $(x_1^0, \cdots x_n^0) = (EX_1, \cdots, EX_n)$, $(x_1, \cdots, x_n) = (X_1 \cdots, X_n)$ 代入上式,右方变为 $f(EX_1, \cdots, EX_n) + \sum_1^n \lambda_i(EX)(X_i - EX_i)$,这是可积随机变量,其积分为 $f(EX_1, \cdots, EX_n)$,从而左方 $f(X_1, \cdots, X_n)$ 的积分存在,故得

$$Ef(X_1, \cdots, X_n) \leqslant f(EX_1, \cdots, EX_n).$$

特别,对任意可积正随机变量 X, Y 有

$$E(X^\alpha Y^{1-\alpha}) \leqslant E^\alpha X E^{1-\alpha} Y, \quad 0 < \alpha < 1,$$

$$E(X^{\frac{1}{p}}+Y^{\frac{1}{p}})^p \leqslant (E^{\frac{1}{p}}X+E^{\frac{1}{p}}Y)^p; \quad 1\leqslant p<\infty.$$

由这两个不等式容易推出 Hölder 及 Minkowski 不等式。

如果令 $\|X\|_p \triangleq E^{\frac{1}{p}}|X|^p$，$1\leqslant p<\infty$，

$$\|X\|_\infty \triangleq \sup\{x: P(|X|>x)>0\},$$

则 $0\leqslant \|X\|_1 \leqslant \|X\|_p \leqslant \|X\|_q \leqslant \|X\|_\infty \leqslant \infty, (1<p<q<\infty)$,

$$P(|X|\neq 0)=0 \Longleftrightarrow \|X\|_p=0, (1\leqslant p\leqslant\infty).$$

此外，对任意 $c<\|X\|_\infty$ 及 $1\leqslant p<\infty$ 有

$$\|X\|_\infty \geqslant E^{\frac{1}{p}}|X|^p \geqslant E^{\frac{1}{p}}(|X|^p I_{[|X|\geqslant c]})$$

$$\geqslant c[P(|X|\geqslant c)]^{\frac{1}{p}}$$

令 $p\to\infty$，再令 $c\uparrow\|X\|_\infty$，由上不等式得

$$\lim_{p\to\infty}\|X\|_p=\|X\|_\infty.$$

(8) 矩不等式

令 g 为 $\boldsymbol{R}$ 上非负 Borel 函数，X 为任意随机变量. 若 g 在 $[0,\infty)$ 上非降，且为偶函数，则对每个 $a\geqslant 0$ 有

$$\frac{Eg(X)-g(a)}{\|g(X)\|_\infty} \leqslant P\{|X|\geqslant a\} \leqslant \frac{Eg(X)}{g(a)}.$$

若 g 只在 $\boldsymbol{R}$ 上非降，则上不等式里中间那一项可以换为 $P\{X\geqslant a\}$，$a\in\boldsymbol{R}$.

欲证此不等式. 当 g 为偶函数且在 $[0,\infty)$ 上非降时，我们有

$$Eg(X)=\int_{|X|\geqslant a} g(X(\omega))P(d\omega)+\int_{|X|<a} g(X(\omega))P(d\omega),$$

但

$$g(a)P\{|X|\geqslant a\} \leqslant \int_{|X|\geqslant a} g(X(\omega))P(d\omega)$$

$$\leqslant \|g(X)\|_\infty P\{|X|\geqslant a\},$$

$$0\leqslant \int_{|X|<a} g(X(\omega))P(d\omega) \leqslant g(a),$$

故

$$g(a)P\{|X|\geqslant a\} \leqslant Eg(X) \leqslant \|g(X)\|_\infty P\{|X|\geqslant a\}+g(a).$$

由此推出矩的基本不等式. 当 g 为 $\boldsymbol{R}$ 上非降的情形，证法相同.

特款

(i) 取 $g(x)=e^{rx}$, $r>0$, 得

$$\frac{Ee^{rX}-e^{ra}}{\|e^{rX}\|_\infty}\leqslant P\{X\geqslant a\}\leqslant e^{-ra}Ee^{rX}.$$

(ii) 取 $g(x)=|x|^r$, $r>0$, 得 Марков 不等式

$$\frac{E|X|^r-a^r}{\||X|^r\|_\infty}\leqslant P\{|X|\geqslant a\}\leqslant\frac{E|X|^r}{a^r}.$$

在特殊情形 $r=2$ 时,这个不等式就是 Чебышев 不等式.

注意,对基本概率空间上的随机变量,若令

$$d(X,Y)=E\frac{|X-Y|}{1+|X-Y|},$$

则 $d(X,Y)$ 具有如下的性质:

$$d(X,Z)\leqslant d(X,Y)+d(X,Z)$$

$$d(X,Y)=0\Longrightarrow X=Y\text{ a.s.}$$

两个随机变量 a.s 相等,就称它们为等价的. 依这种等价关系,随机变量可以分成等价类. 给定一个随机变量 X,我们把它所属的等价类记作 $\tilde{X}$,即 $\tilde{X}=\{X':X'=X\text{ a.s.}\}$, 显见 $\tilde{X}$ 由其中的任何一个元素所决定. 由此可见以等价随机变量类为点的空间, 取 $d(\cdot,\cdot)$作为距离后就构成一个完备距离空间,而且按这个距离的收敛和后面所提的依概率收敛是一致的.

§3. 收 敛 概 念

定义 1.3.1 设 (X_n) 为随机变量序列,我们说 X_n 概率为 1 地收敛到随机变量 X, 若

$$P\{\omega:\lim_{n\to\infty}X_n(\omega)=X(\omega)\}=1.$$

这时记之为$\lim\limits_{n\to\infty}X_n=X$ a.s. 或 $X_n\to X$ a.s.

我们说随机变量序列 (X_n) 概率为 1 地是 Cauchy 序列,如果 $X_m-X_n\to0$ a.s. 当 $m,n\to\infty$ 或 $X_{n+\gamma}-X_n\to0$ a.s. 当 $n\to$

∞，一致对 γ.

由 Cauchy 准则立刻知道 $X_n \to X$ a.s. 的充要条件是 (X_n) 概率为 1 地是 Cauchy 序列. 由定义和上面的讨论不难看出，随机变量序列收敛到随机变量的问题实际上是随机变量等价类序列收敛到随机变量等价类的问题.

命题 1.3.2 欲使随机变量序列 (X_n) a.s. 收敛到一个随机变量，当且仅当对任意 $\varepsilon > 0$ 有

$$P\left\{\bigcap_{n=1}^{\infty} \bigcup_{m=1}^{\infty} |X_{n+m} - X_n| \geqslant \varepsilon\right\} = 0. \tag{1}$$

这个条件等价于:

$$P\left\{\bigcup_{m=1}^{\infty} |X_{n+m} - X_n| \geqslant \varepsilon\right\} \to 0, \quad (n \to \infty). \tag{2}$$

证 使 (X_n) 为 Cauchy 序列集可表为

$$\{X_{n+\gamma} - X_n \to 0\} = \bigcap_k \bigcup_n \bigcap_m \left\{ |X_{n+m} - X_n| < \frac{1}{k}\right\},$$

由此立刻推出条件 (1). (2) 与 (1) 等价显然. 证毕

命题 1.3.3 设 (X_n) 为随机变量序列，若存在正数序列 (ε_n)，$\sum_{n=1}^{\infty} \varepsilon_n < \infty$，使得

$$\sum_{n=1}^{\infty} P\{|X_{n+1} - X_n| > \varepsilon_n\} < \infty, \tag{3}$$

则 (X_n) 概率为 1 地收敛.

证 令 $A_n = \{|X_{n+1} - X_n| > \varepsilon_n\}$，$n \geqslant 1$.

由 $P\{\limsup_m A_m\} = \lim_{n\to\infty} P\left\{\bigcup_{m\geqslant n} A_m\right\} \leqslant \lim_{n\to\infty} \sum_{m\geqslant n} P(A_m)$，及条件 (3) 知 $P\{\limsup_m A_m\} = 0$. 在零概率 $\limsup_m A_m$ 外，定义取正整数值的随机变量 N 如下:

$$N(\omega) = \begin{cases} n, \text{在} \bigcup_{m\geqslant n} A_m - \bigcup_{m>n} A_m \text{上}, \\ 0, \text{在} \left(\bigcup_{m\geqslant 1} A_m\right)^c \text{上}. \end{cases}$$

考虑序列 $\{X_{n+1}(\omega)-X_n(\omega)\}$，由 $N(\omega)$ 的定义知当 $n \geqslant N(\omega)+1$ 时，$|X_{n+1}(\omega)-X_n(\omega)| \leqslant \varepsilon_n$，由此知 当 $\omega \notin \limsup_m A_m$ 时，存在极限

$$\lim_{n\to\infty} X_n(\omega)=\lim_{n\to\infty}\left[X_1(\omega)+\sum_1^{n-1}(X_{j+1}(\omega)-X_j(\omega))\right]. \quad \text{证毕}$$

定义 1.3.4 随机变量序列 (X_n) 称为依概率趋于随机变量 X，若对任意 $\varepsilon>0$，

$$\lim_{n\to\infty} P\{|X_n-X|>\varepsilon\}=0.$$

依概率收敛记为 $X_n \xrightarrow[p]{} X$ 或 $p\lim_{n\to\infty} X_n=X$.

Cauchy 准则仍能成立，随机变量序列 (X_n) 依概率收敛的充要条件是序列依概率为 Cauchy 序列，即是 $X_m-X_n \xrightarrow[p]{} 0$ $(m, n\to\infty)$.

这一准则的证明包含于下列命题的证明里，而这个命题阐明概率为 1 地收敛与依概率收敛之间的关系.

命题 1.3.5 设 (X_n) 为随机变量序列. (1) 若 $X_n\to X$ a.s. 则 $X_n \xrightarrow[p]{} X$. (2) 若 $X_n \xrightarrow[p]{} X$，则可找到上升子列 (n_k) 使得 $X_{n_k}\to X$ a.s.

证 证明分几步:

(i) $X_n\to X$a.s. $\Rightarrow X_n \xrightarrow[p]{} X$. 这由下列关系立刻推出:

$$\{X_n\to X\}=\bigcap_{k=1}^{\infty}\bigcup_{n=1}^{\infty}\bigcap_{\gamma=1}^{\infty}\left\{|X_{n+\gamma}-X|<\frac{1}{k}\right\}.$$

(ii) $X_n \xrightarrow[p]{} X \Rightarrow (X_m-X_n) \xrightarrow[p]{} 0$ $(m, n\to\infty)$.

事实上对任意 $\varepsilon>0$ 有

$$P\{|X_m-X_n|>\varepsilon\}\leqslant P\left\{|X_m-X|>\frac{\varepsilon}{2}\right\} + P\left\{|X_n-X|>\frac{\varepsilon}{2}\right\},$$

由此立刻推出 $(X_m - X_n) \xrightarrow[p]{} 0 \ (m, n \to \infty)$.

(iii) 若 $X_m - X_n \xrightarrow[p]{} 0 \ (m, n \to \infty)$ 则可找到子列 (n_k) 及随机变量 X 使得 $X_{n_k} \to X$ a.s. $(n_k \to \infty)$, $X_n \xrightarrow[p]{} X$. 实际上,我们取 $n_1 = 1$. 用归纳法取 (n_k), 设 n_{k-1} 取定,对 k 存在 N 使得

$$P\left\{|X_r - X_s| > \frac{1}{2^k}\right\} < \frac{1}{3^k}, \quad 当 \ r, s \geqslant N > n_{k-1}.$$

取 n_k 等于使上不等式成立的那个最小的 N. 于是, $\sum_k P\left\{|X_{n_{k+1}} - X_{n_k}| > \frac{1}{2^k}\right\} < \sum_k \frac{1}{3^k} < \infty$. 故由命题 1.3.3 知存在 $\lim_{n_k \to \infty} X_{n_k} = X$ a.s. 此外

$$P\{|X_n - X| > \varepsilon\} \leqslant P\left\{|X_n - X_{n_k}| > \frac{\varepsilon}{2}\right\} + P\left\{|X_{n_k} - X| > \frac{\varepsilon}{2}\right\},$$

令 n 及 $k \to \infty$, 由假设及 (i) 立刻推知 $X_n \xrightarrow[p]{} X$. 证毕

命题 1.3.6 设 (X_n) 为随机变量序列. X_n 依概率趋于随机变量 X 的充要条件是对任意 $r > 0$ 有

$$E\frac{|X_n - X|^r}{1 + |X_n - X|^r} \to 0 \quad (n \to \infty).$$

证 在矩不等式里,取 $g(x) = \dfrac{|x|^r}{1 + |x|^r}$, $r > 0$,

得:

$$E\frac{|X|^r}{1 + |X|^r} - \frac{\varepsilon^r}{1 + \varepsilon^r} \leqslant P\{|X| \geqslant \varepsilon\} \leqslant \frac{1 + \varepsilon^2}{\varepsilon^2} E\frac{|X|^r}{1 + |X|^r},$$

对任意 $\varepsilon > 0$. 由此立刻推出本命题. 证毕

定义 1.3.7 随机变量序列 (X_n) 称为 r 均方趋于随机变量 X, 此处 $r > 0$, 若每个 X_n 具有有穷 r 阶矩,且当 $n \to \infty$ 时,

$E|X_n - X|^r \to 0$. r 均方收敛简记为 $X_n \xrightarrow[r]{} X$。

命题 1.3.8 设 (X_n) 为随机变量序列，$r > 0$，

(1) 当 $X_n \xrightarrow[r]{} X$ 时， $E|X|^r < \infty$;

(2) 当 $X_n \xrightarrow[r]{} X$ 时， $E|X_n|^r \to E|X|^r$;

(3) 当 $X_n \xrightarrow[r]{} X$ 时， $X_n \xrightarrow[p]{} X$; 反之若 $X_n \xrightarrow[p]{} X$，且 X_n 几乎处处一致有界，即 $\|X_n\|_\infty < K$（常数），$n \geqslant 1$，则 $X_n \xrightarrow[r]{} X$。

证 (1) 由 c_r 不等式有

$$E|X|^r = E|X - X_n + X_n|^r \leqslant c_r E|X - X_n|^r + c_r|X_n|^r < \infty.$$

(2) 当 $r \leqslant 1$ 时，由 c_r 不等式有

$$|E|X_n|^r - E|X|^r| \leqslant E|X_n - X|^r \to 0 \quad (n \to \infty).$$

当 $r > 1$ 时，由 Minkowski 不等式有

$$|E^{\frac{1}{r}}|X_n|^r - E^{\frac{1}{r}}|X|^r| \leqslant E^{\frac{1}{r}}|X_n - X|^r \to 0 (n \to \infty).$$

(3) 由 Марков 不等式的特款 (ii)，对任意 $\varepsilon > 0$，有

$$\frac{E|X_n - X|^r - \varepsilon^r}{\||X_n - X|^r\|_\infty} \leqslant P\{|X_n - X| \geqslant \varepsilon\} \leqslant \frac{E|X_n - X|^r}{\varepsilon^r}.$$

由此立刻推出 (3). 证毕

我们考虑随机变量序列 (X_n) 的收敛问题时，已经知道依概率收敛是最弱的一种收敛. 但在概率论里还有一种关于随机变量序列的分布函数的收敛也是很重要的，而且它弱于依概率收敛.

定义 1.3.9 若当 $n \to \infty$ 时随机变量序列 X_n 的分布函数 $F_n(\cdot)$ 弱收敛于随机变量 X 的分布函数 $F(\cdot)$（即 $F_n(X) \to F(X)$，当 X 为 F 的连续点），则称 X_n 依律趋于 X，简记为 $X_n \xrightarrow[\mathscr{L}]{} X$。

命题 1.3.10 若 $X_n \xrightarrow[p]{} X$，则 $X_n \xrightarrow[\mathscr{L}]{} X$。

证 对任意 x 及 x' 有

$$\{X \leqslant x'\} = \{X \leqslant x', X_n \leqslant x\} + \{X \leqslant x', X_n > x\} \subset$$

$$\subset\{X_n \leqslant x\} + \{X \leqslant x',\ X_n > x\},$$

由此有

$$P\{X \leqslant x'\} \leqslant F_n(x) + P\{X \leqslant x',\ X_n > x\},\ \text{当}\ x' < x.$$

由假设知，当 $n \to \infty$ 时有

$$P\{X \leqslant x',\ X_n > x\} \leqslant P\{|X_n - X| \geqslant x - x'\} \to 0.$$

故由上不等式得

$$F(x') \leqslant \liminf_{n\to\infty} F_n(x),\ \text{当}\ x' < x.$$

同理，把 X 与 X_n 互调，x 与 x' 互调可得

$$\limsup_{n\to\infty} F_n(x) \leqslant F(x''),\ \text{当}\ x < x''.$$

于是当 $x' < x < x''$ 时有

$$F(x') \leqslant \liminf_{n\to\infty} F_n(x) \leqslant \limsup_{n\to\infty} F_n(x) \leqslant F(x'')$$

若 X 为 F 的连续点，令 $x'\uparrow x$, $x''\downarrow x$，则由上不等式导出

$$\lim_{n\to\infty} F_n(x) = F(x),\ x\ \text{为}\ F\ \text{的连续点}.$$

这就是说 $X_n \xrightarrow[\mathscr{L}]{} X$. 证毕

同样推理，只是把 X 换为 X_n'，且令 x', x'' 都是 F 的连续点，可以得到

系 1.3.11 若 $X_n - X_n' \xrightarrow[p]{} 0$，且 $X_n' \xrightarrow[\mathscr{L}]{} X$，则 $X_n \xrightarrow[\mathscr{L}]{} X$.

只是当 $X_n \xrightarrow[p]{} c$ (c 常数)时，$X_n \xrightarrow[\mathscr{L}]{} c$ 且反之亦然. 所谓 $X_n \xrightarrow[\mathscr{L}]{} c$ 就是说 $F_n(\cdot)$ 弱趋于在 c 点有单位跳的分布函数 $I_{[c,\infty)}(x)$.

§4. 一致可积性及均方收敛

定义 1.4.1 一族可积随机变量 $(X_n,\ n\in I)$ 称为一致可积，若

$$\sup_I \int_{|X_n|>a} |X_n| P(d\omega) \to 0,\ (a\to\infty).$$

此处足标集 I 不限为可数集.

命题 1.4.2 设随机变量族 $(X_n,\ n\in I)$ 被可积随机变量 X 绝对控制，即 $|X_n| \leqslant X$ a.s., $n\in I$，则此族为一致可积. 特别，有

穷个随机变量构成的族为一致可积.

证 由条件知

$$\int_{\{|X_n|>a\}}|X_n|P(d\omega)\leqslant\int_{\{X>a\}}XP(d\omega)\to 0,\ a\to\infty.$$

对特款部分,取 $X=\sum|X_n|$ 即可. 证毕

命题 1.4.3 随机变量族 $(X_n, n\in I)$ 为一致可积的充要条件是下列两条:

(i) (一致 P 绝对连续)对任意 $\varepsilon>0$, 存在 $\delta>0$ 使得

$$\sup_{n\in I}\int_A|X_n(\omega)|P(d\omega)\leqslant\varepsilon\quad 当\ P(A)\leqslant\delta;$$

(ii) $\sup\limits_{n\in I}\int_\Omega|X_n|P(d\omega)<\infty$.

证 必要性. 若 $(X_n, n\in I)$ 为一致可积, 对任意 $A\in\mathscr{F}$, 及 $a>0$ 有

$$\int_A|X_n|P(d\omega)=\int_{A\{|X_n|\geqslant a\}}|X_n|+\int_{A\{|X_n|<a\}}|X_n|$$
$$\leqslant\int_{|X_n|\geqslant a}|X_n|+aP(A).$$

由一致可积性,对任意 $\varepsilon>0$, 取 a 使 $\sup\limits_I\int_{|X_n|\geqslant a}|X_n|<\frac{\varepsilon}{2}$.

由上不等式得

$$\sup_{n\in I}\int_A|X_n|P(d\omega)<\frac{\varepsilon}{2}+aP(A).\tag{1}$$

取 A 使 $P(A)<\frac{\varepsilon}{2a}$, 由上式得

$$\sup_{n\in I}\int_A|X_n|P(d\omega)<\varepsilon,$$

此即 (i). 往证 (ii). 对任意 $\varepsilon>0$,由 (1) 得

$$\sup_I\int_\Omega|X_n|P(d\omega)$$
$$\leqslant\frac{\varepsilon}{2}+a<\infty.$$

这就证明了 (**ii**) 成立.

充分性. 若 (i), (ii) 成立,则由 (ii) 知

$$\sup_I P\{|X_n|\geqslant a\}\leqslant\frac{1}{a}\qquad \sup_I\int_\Omega|X_n|\to 0\quad(a\to\infty).$$

再由 (i) 知,当 $a\to\infty$ 时,

$$\sup_I\int_{|X_n|\geqslant a}|X_n|P(d\omega)\to 0,$$

故 $(X_n,n\in I)$ 为一致可积. 证毕

定理 1.4.4 设 (X_n) 为 $L_r(r>0)$ 中的随机变量序列. 则下述各条等价:

(i) (X_n) 在 L_r 中收敛;

(ii) (X_n) 在 L_r 中为 Cauchy 序列,即当 $m,\ n\to\infty$ 时

$$E|X_m-X_n|^r\to 0;$$

(iii) $(|X_n|^r)$ 为一致可积,且存在随机变量 X, 使

$$X_n\xrightarrow[p]{}X\ (n\to\infty).$$

证

(i) ⇒ (ii) 由 c_r 不等式有

$$E|X_m-X_n|^r\leqslant c_rE|X_m-X|^r+c_rE|X_n-X|^r\to 0,$$
$$n,\ m\to\infty.$$

(ii) ⇒ (iii) 设 (ii) 成立,对任意 $\varepsilon>0$, 存在 $N>0$ 使得:

$$\int_\Omega|X_m-X_n|^rP(d\omega)<\varepsilon,\ \text{当}\ m,n\geqslant N.\qquad(2)$$

但由 c_r 不等式,对任意 $A\in\mathscr{F}$, 有

$$\int_A|X_n|^rP(d\omega)\leqslant c_r\int_A|X_m|^r+c_r\int_A|X_n-X_m|^r.\qquad(3)$$

由 (2), (3) 知, 取 $m=N$, 当 $n\geqslant N$ 时, 有

$$\int_A|X_n|^rP(d\omega)\leqslant c_r\sup_{m\leqslant N}\int_A|X_m|^r+c_r\varepsilon.\qquad(4)$$

因为N个随机变量族 $(X_1,\cdots,X_N)$ 必是一致可积的 (命题 1.4 2), 由 (4) 立刻推知,随机变量列 $(|X_n|^r)$ 满足命题 1.4.2 里的条件 (i) 及 (ii), 从而 $(|X_n|^r)$ 为一致可积. 此外对任意 $\varepsilon>0$, 有

$$P\{|X_m - X_n| > \varepsilon\} \leqslant \frac{1}{\varepsilon^r} E|X_m - X_n|^r \to 0,\ m, n \to \infty,$$

由此立刻推知 $X_n \xrightarrow[p]{} X$.

(iii) ⇒ (i) 当 (iii) 成立时, $|X|^r$ 为可积, 事实上,若令 (n_l) 为子列使得 $X_{n_l} \to X$ a.s. 则必有 $|X_{n_l}| \to |X|$, 故由 Fatou 引理知

$$E|X|^r \leqslant \liminf_{n_l \to \infty} E|X_{n_l}|^r \leqslant \sup_n E|X_n|^r < \infty$$

(因为 $(|X_n|^r)$ 一致可积).

此外有

$$\begin{aligned}\int_\Omega |X_n - X|^r P(d\omega) &\leqslant \int_{|X_n - X| \leqslant \varepsilon} |X_n - X|^r \\ &\quad + \int_{|X_n - X| > \varepsilon} |X_n - X|^r \\ &\leqslant \varepsilon^r + c_r \int_{|X_n - X| > \varepsilon} |X_n|^r \\ &\quad + c_r \int_{|X_n - X| > \varepsilon} |X|^r.\end{aligned}$$

因为当 $n \to \infty$ 时, $P\{|X_n - X| > \varepsilon\} \to 0$, 对任意 $\varepsilon > 0$. 又因 $(|X_n|^r)$ 为一致可积,故

$$\int_{|X_n - X| > \varepsilon} |X_n|^r \to 0\ (n \to \infty),$$

$$\int_{|X_n - X| > \varepsilon} |X|^r \to 0,\ (n \to \infty).$$

故由上不等式知

$$\lim_{n \to \infty} \int_\Omega |X_n - X|^r P(d\omega) = 0$$

这就是 (1). 证毕

系 1.4.5 若 $X_n \xrightarrow[p]{} X\ (n \to \infty)$, 且 $\sup E|X_n|^r < \infty$, 则 $X_n \xrightarrow[L_{r'}]{} X$, 当 $r' < r$.

证 由上定理知,只需验证 $(|X_n|^{r'})$ 为一致可积. 因

$$\int_{|X_n| \geqslant a} |X_n|^{r'} \leqslant \frac{1}{a^{r-r'}} \int_{|X_n| > a} |X_n|^r \leqslant$$

$$\leqslant \frac{1}{a^{r-r'}} \int |X_n|^r$$

$$\leqslant \frac{1}{a^{r-r'}} \sup_n E|X_n|^r \to 0, \quad a \to \infty$$

故 $(|X_n|^{r'})$ 为一致可积族. 证毕

系 1.4.6 若 $X_n \underset{p}{\longrightarrow} X\ (n \to \infty)$, 且 $|X_n| \leqslant Y \in L_r$, 当 $n \geqslant n_0$, 则 $X_n \underset{L_r}{\longrightarrow} X$.

证 只需证 $(|X_n|^r)$ 为一致可积,由命题 1.4.2 立刻得到. 证毕

定理 1.4.7 设 $(X_n, n \in I)$ 为可积随机变量族,它为一致可积的充要条件是: 存在 $\boldsymbol{R}_+$ 上的非负函数 G,使得 $\lim\limits_{t \to \infty} \frac{G(t)}{t} = \infty$,且

$$\sup_{n \in I} E\ G(|X_n|) < \infty$$

证 充分性. 对任意 $\varepsilon > 0$, 令

$$a = \frac{1}{\varepsilon} \sup_{n \in I} EG(|X_n|),$$

选择 c 足够大,使 $\frac{G(t)}{t} \geqslant a$ 当 $t \geqslant c$. 于是在集 $\{|X_n| \geqslant c\}$ 上 $|X_n| \leqslant G(|X_n|)/a$, 对 $n \in I$. 因此有

$$\int_{|X_n| \geqslant c} |X_n| P(d\omega) \leqslant \frac{1}{a} \int_{|X_n| \geqslant c} G(|X_n|) P(d\omega)$$

$$\leqslant \frac{1}{a} \sup_{n \in I} EG(|X_n|) = \varepsilon,$$

对 $n \in I$. 故 $(X_n, n \in I)$ 为一致可积.

必要性. 选择上升趋于 $+\infty$ 的正整数列 (c_k) 使得

$$\sup_{n \in I} \int_{|X_n| \geqslant c_k} |X_n| P(d\omega) \leqslant 2^{-k}. \tag{5}$$

对每个 $X_n, n \in I$ 有

$$\int_{|X_n| \geqslant c_k} |X_n| P(d\omega) \geqslant \sum_{m=c_k}^{\infty} mP\{m < |X_n| \leqslant m+1\}$$

$$= \sum_{m=c_k}^{\infty} m[P\{|X_n| > m\} - P\{|X_n| > m+1\}]$$

$$\geqslant \sum_{m=c_k}^{\infty} P\{|X_n| > m\}. \tag{6}$$

由(5), (6)知 $\sum_{k=1}^{\infty} \sum_{m=c_k}^{\infty} P\{|X_n| > m\} \leqslant \sum_{k=1}^{\infty} \frac{1}{2^k} = 1$ 对每个 X_n, $n \in I$. 但

$$\sum_{k=1}^{\infty} \sum_{m=c_k}^{\infty} P\{|X_n| > m\} = \sum_{m=1}^{\infty} g_m P\{|X_n| > m\}$$

此处, $g_m = \sum_{k=1}^{\infty} I_{(c_k \leqslant m)}$, 即 $(k: c_k \leqslant m)$ 中元素的个数. 显见当 $m \uparrow +\infty$ 时, $g_m \uparrow +\infty$. 定义

$$g(t) = \sum_{m=1}^{\infty} g_m I_{[m, m+1]}(t),$$

$$G(t) = \int_0^t g(s) ds.$$

容易验证 $\lim_{t \to \infty} \frac{G(t)}{t} = \infty$ (因为 $g_m \uparrow +\infty (m \uparrow +\infty)$). 此外, 对任意$X_n$, $n \in I$ 有

$$EG(|X_n|) = \sum_{k=1}^{\infty} \int_{k < |X_n| \leqslant k+1} G(|X_n|) P(d\omega)$$

$$= \sum_{k=1}^{\infty} \int_{k < |X_n| \leqslant k+1} \left[\sum_{i=1}^{k-1} g_i + g_k(|X_n| - k)\right] P(d\omega)$$

$$\leqslant \sum_{k=1}^{\infty} \left(\sum_{i=1}^{k} g_i\right) P\{k < |X_n| \leqslant k+1\}$$

$$\leqslant \sum_{k=1}^{\infty} g_k P\{|X_n| > k\} \leqslant 1,$$

从而 $\sup_{n \in I} EG(|X_n|) < \infty$. 证毕

今后还要用到一族随机变量为一致可积的另一充要条件, 为了叙述这一充要条件, 我们需要可积随机变量序列的弱收敛概

念.

定义 1.4.8 可积随机变量序列 (X_n) 叫做弱收敛于可积随机变量 X, 若对每个有界随机变量 Y, 有

$$\lim_{n\to\infty} EX_nY = EXY.$$

一族随机变量称为弱紧，如果族里的每个随机变量序列包含弱收敛子序列.

定理 1.4.9 (Dunford-Pettis 弱紧准则) 可积随机变量族 $(X_n, n\in I)$ 为一致可积的充要条件是该族为弱紧.

我们不去证明此定理，读者可参阅 [18].

§5. 随机向量、随机序列及随机函数

m 维随机向量 X 是指由 m 个随机变量 $X_1, \cdots, X_m$ 所构成的向量,其中 X_i 叫做第 i 个分量. 随机向量 X 的定义域是基本空间 Ω, 其值域是 m 维实数空间 $\boldsymbol{R}^m$. 若把 $\boldsymbol{R}^m$ 里的 Borel 域 (即由 $\boldsymbol{R}^m$ 里所有区间 $A_1\times\cdots\times A_m$, $A_k\in\mathscr{B}(\boldsymbol{R})$ 上的最小 σ 域) 记为 $\mathscr{B}(\boldsymbol{R}^m)=\mathscr{B}(\boldsymbol{R})^m$, 则随机向量 X 是可测空间 $(\Omega, \mathscr{F})$ 到 $(\boldsymbol{R}^m, \mathscr{B}(\boldsymbol{R}^m))$ 上的可测映象. 把 $\mathscr{B}(\boldsymbol{R})$ 在可测映象 X_k 下的逆 $X_k^{-1}(\mathscr{B}(\boldsymbol{R}))$ 记作 $\sigma(X_k)$, 则 $\sigma(X_k)$ 是 $\mathscr{F}$ 的子 σ 域. 令 $\mathscr{B}(\boldsymbol{R}^m)$ 在可测映象 X 下的逆记作 $\sigma(X)=\sigma(X_1, \cdots, X_m)$, 则 $\sigma(X)$ 也是 $\mathscr{F}$ 的子 σ 域. $\sigma(X)$ 及 $\sigma(X_k)$ 分别叫做随机向量 X 及随机变量 X_k 在基本概率空间中所生成的子 σ 域. 现在考察 $\sigma(X)$ 及 $\sigma(X_k)$, $k=1, 2, \cdots, m$ 之间的关系. $\boldsymbol{R}^m$ 中的区间 $(-\infty, x)$, $x=(x_1, \cdots, x_m)$ 在 X 映象下的逆为

$$\begin{aligned} X^{-1}(-\infty, x) &= \{\omega: X(\omega)<x\} \\ &= \{\omega: X_i(\omega)<x_i,\ i=1, 2, \cdots, m\} \\ &= \bigcap_{i=1}^{m}\{X_i<x_i\}. \end{aligned} \tag{1}$$

由此可见, $X^{-1}(-\infty, x)$ 是 $\sigma(X_i)$ 中的事件 $\{X_i<x_i\}$, $i=1, 2,$

$\cdots, m$ 的交. 但 Borel 域 $\mathscr{B}(\boldsymbol{R}^m)$ 是含所有区间 $(-\infty, x)$ 的最小 σ 域，所以由 (1) 知 $\sigma(X)$ 是含所有形为 $\{X_i < x_i\}, i = 1, 2, \cdots, m$的事件的交的最小 σ 域，从而也含有 $\sigma(X_i), i = 1, \cdots, m$ 中事件的交及并. 因此称 $\sigma(X) = \sigma(X_1, \cdots, X_m)$ 为 $(\sigma(X_i), i = 1, 2, \cdots, m)$ 的复合 σ 域. 随机向量 X 也可以看作可测空间 $(\Omega, \sigma(X))$ 到 $(\boldsymbol{R}^m, \mathscr{B}(\boldsymbol{R}^m))$ 上的可测映象. 如果每个 $EX_i, i = 1,2, \cdots, m$ 存在，则随机向量 X 的数学期望定义为各分量的数学期望所构成的向量

$$EX = (EX_1, \cdots, EX_m);$$

其中 EX 是 $\boldsymbol{R}^m$ 中的一个点.

在某些场合需要考虑取复数值的随机变量，$X = X' + iX''$，其中 X' 及 X'' 是取实数值的随机变量. X 的值域为复数平面，即 $\boldsymbol{R} \times \boldsymbol{R}$ 平面. 复值随机变量 X 的数学期望定义为复平面上的点 $EX = EX' + iEX''$，如果 EX' 及 EX'' 存在. 由此可见复数值随机变量 X 是二维随机变量的一种表达. 关系 $|EX| \leqslant E|X|$ 仍能成立，因为把 X 表为极坐标时 $X = \rho e^{i\theta}$, $EX = re^{it}$ 时，则有

$$r = e^{-it} E\rho e^{i\theta} = E\rho e^{i(\theta - t)} = E\rho\cos(\theta - t) \leqslant E\rho.$$

m 维随机向量 X 的分布 $P_X(S), S \in \mathscr{B}(\boldsymbol{R}^m)$，定义为

$$P_X(S) = P\{X \in S\},$$

其中 P 是基本概率空间里的那个概率. 易知 P_X 是 Borel 域 $\mathscr{B}(\boldsymbol{R}^m)$ 上的一个概率测度. 所以随机向量 X 在其值域空间上诱导出一个概率空间 $(\boldsymbol{R}^m, \mathscr{B}(\boldsymbol{R}^m), P_X)$，此概率空间叫做 X 的样本空间. 函数

$$\begin{aligned} F_X(x) &= F_{X_1,\cdots,X_m}(x_1, \cdots, x_m) = P_X(-\infty, x] \\ &= P\{X_i \leqslant x_i, i = 1, 2, \cdots, m\} \end{aligned}$$

叫做随机向量 X 的分布函数. F_X 具有下列性质: 若 $a < b (a_i < b_i, i = 1,2,\cdots,m)$，则

(i) $F_X(a, b] = \Delta_{b-a} F_X(a) \geqslant 0$.

此处

$$\Delta_{b-a} F_X(a) = \Delta_{b_1 - a_1} \cdots \Delta_{b_m - a_m} F_X(a_1, \cdots, a_m),$$

而

$$\Delta_{b_i-a_i}f(a_i)=f(b_i)-f(a_i),\ i=1,2,\cdots,m.$$

(ii) $F_X(a,b]\to 0,\ b\downarrow a$.

(iii) $F_X(x)\to 0$ 若有一个 $x_i\to-\infty$.

(iv) $F_X(x)\to 1$, 若 $(x_1,\cdots,x_m)\to(+\infty,\cdots,+\infty)$.

定理 1.1.1, 1.1.2 及命题 1.3.10 对随机向量的情形仍成立，它们的证明也相似,下面仅叙述这些定理.

定理 1.5.1 每个具有性质(i)—(iv)的函数 $F(x)$ 是 $(\boldsymbol{R}^m,\mathscr{B}(\boldsymbol{R}^m),P_X)$ 上随机向量 $X(x)=x$ 的分布函数,这里

$$P_X(a,b]=F(a,b].$$

定理 1.5.2 令 g 为 $\boldsymbol{R}^m$ 上的有穷值 Borel 函数, X 为随机向量,于是 $g(X)$ 必为随机变量,且 $g(X)$ 的分布由 X 的分布 P_X 所决定,还有

$$Eg(X)=\int_{\boldsymbol{R}^m}g(x)P_X(dx)\left(=\int_{\boldsymbol{R}^m}g(x)dF_X(x)\right),$$

若等式的一方存在.

定理 1.5.3 若随机向量序列 (X_n) 依概率趋于随机向量 X, 则 $F_{X_n}\underset{\mathscr{C}}{\to}F_X$.

由定理 1.5.1 及 1.5.2 可知，当我们考虑随机向量 X 的概率性质时，可以代之考虑样本空间 $(\boldsymbol{R}^m,\mathscr{B}(\boldsymbol{R}^m),P_X)$ 上的随机向量 $\tilde{X}(x)=x$ 的概率性质,即对任意 $A\in\mathscr{B}(\boldsymbol{R}^m)$ 有

$$P\{X\in A\}=P_X(A)=P_X(x\in A)=P_X\{\tilde{X}\in A\}.$$

随机向量 $X(\omega)$ 是基本概率空间 $(\Omega,\sigma(X),P)$ 到 $(\boldsymbol{R}^m,\mathscr{B}(\boldsymbol{R}^m),P_X)$ 上的可测变换，使得此基本概率空间上的随机向量 X 变为样本空间上的随机向量 $\tilde{X}(x)=x$, 而且对任意有穷值 Borel 函数 g, $g(X(\omega))$ 变为 $g(x)$, 且

$$\int_\Omega g(X(\omega))P(d\omega)=\int_{\boldsymbol{R}^m}g(x)P_X(dx),$$

若等式一方存在.

随机变量族 $X=(X_t,t\in T)$ 称为随机函数(过程), 如果参

数集 T 是 $\bar{\boldsymbol{R}}=[-\infty, \infty]$ 上的一个区间．如果参数集 T 是可数集 $(t_k, k=1, 2, \cdots)$，则 X 称为随机序列，可记作

$$(X_{t_k}, k=1, 2, \cdots)=(X_n, n=1, 2, \cdots).$$

令 $\boldsymbol{R}^T=\prod_{t\in T}\boldsymbol{R}$ 为函数空间，即 $\boldsymbol{R}^T$ 中的元素 $x_T=(x_t, t\in T)$ 是定义于 T 上的函数．这样一来，随机函数 X 是定义于 $(\Omega, \mathscr{F})$ 上取值于 $\boldsymbol{R}^T$ 上的映象，并且是可测映象．为了说明可测性，我们需要指明 $\boldsymbol{R}^T$ 里的 Borel 域如何构成．对任意正整数 n，任意实数 $a_{t_1}, \cdots, a_{t_n}$，$\boldsymbol{R}^T$ 中的集合：

$$\{x_T: x_{t_1}\leqslant a_{t_1}, \cdots, x_{t_n}\leqslant a_{t_n}\}$$

叫做 $\boldsymbol{R}^T$ 里的区间．含所有这样的区间的最小 σ 域 $\mathscr{B}^T\triangleq\mathscr{B}(\boldsymbol{R}^T)$ 叫做 $\boldsymbol{R}^T$ 中的 Borel 域，并记作

$$\mathscr{B}^T=\prod_{t\in T}\mathscr{B}_t,$$

$\mathscr{B}_t$ 是 $\boldsymbol{R}$ 中的 Borel 域．$\mathscr{B}^T$ 也称为 $(\mathscr{B}_t, t\in T)$ 的插乘 σ 域．易知 Borel 域 $\mathscr{B}^T$ 是含所有的以有穷维 Borel 集 S_{T_n} 为底的柱集 $C(S_{T_n})=S_{T_n}\times\prod_{t\in T-T_n}\boldsymbol{R}_t$ 的最小 σ 域，此处 S_{T_n} 是 Borel 域 $\mathscr{B}\left(\prod_{t\in T_n}\boldsymbol{R}_t\right)=\prod_{t\in T_n}\mathscr{B}_t$ 中的集合，而 T_n 是 T 的有穷子集．

另一方面，显见以可数维 Borel 集为底的柱集的全体构成 $\mathscr{B}^T$ 的子 σ 域．但这个以可数维 Borel 集为底的柱集的全体又包含所有的以有穷维 Borel 集为底的柱集，故它又包含 σ 域 $\mathscr{B}^T$．由此知，$\mathscr{B}^T$ 也就是以可数维 Borel 集为底的柱集的全体．

$\boldsymbol{R}^T$ 中每个区间在 X 的映象下的逆象是 $\mathscr{F}$ 中的集，因此由逆映象的一般原理推知 $\mathscr{B}^T$ 中任意集合的逆象也是 $\mathscr{F}$ 可测的，而且 $X^{-1}(\mathscr{B}^T)$ 构成 $\mathscr{F}$ 的子 σ 域．故 X 是可测空间 $(\Omega, \mathscr{F})$ 到可测空间 $(\boldsymbol{R}^T, \mathscr{B}^T)$ 上的可测映象．$X^{-1}(\mathscr{B}^T)$ 是含所有如下形状的集合的最小 σ 域：

$$\{X_{t_1}\in B_{t_1}, \cdots, X_{t_n}\in B_{t_n}\}=\prod_{k=1}^{n}\{X_{t_k}\in B_{t_k}\},$$

此处 $B_{t_k}\in\mathscr{B}_{t_k}$，$n$ 为任意正整数，$t_1,\cdots,t_n$ 为 T 中的任意参数．由此可见 $X^{-1}(\mathscr{B}^T)$ 也是含所有有穷交 $\prod_{k=1}^{n} A_{t_k}$，$A_{t_k}\in\sigma(X_{t_k})$ 的最小 σ 域．所以子 σ 域 $X^{-1}(\mathscr{B}^T)$ 叫做随机函数 X 在基本概率空间上所产生的子 σ 域，可以记为 $X^{-1}(\mathscr{B}^T)=\sigma(X)=\sigma(X_t,\ t\in T)$．于是可以把随机函数 X 看作是可测空间 $(\Omega,\sigma(X))$ 到 $(\boldsymbol{R}^T,\mathscr{B}^T)$ 上的可测映象．

设 T' 为另一参数集，$g_T{}'(\cdot)$ 是 $(\boldsymbol{R}^T,\mathscr{B}^T)$ 到 $(\boldsymbol{R}^{T'},\mathscr{B}^{T'})$ 上的 Borel 函数，$X_T=(X_t,\ t\in T)$ 是 $(\Omega,\mathscr{F})$ 上的随机函数，于是 $g_T{}'(X_T)$ 必是 $(\Omega,\mathscr{F})$ 到 $(\boldsymbol{R}^{T'},\mathscr{B}^{T'})$ 上的随机函数．这就是说随机函数的 Borel 函数仍是随机函数．实际上有

$$
\begin{aligned}
\sigma(g_T{}'(X_T)) &= (g_T{}'(X_T))^{-1}(\mathscr{B}^{T'}) \\
&= (g_T{}'X_T)^{-1}(\mathscr{B}^{T'}) \\
&= X_T^{-1}g_{T'}^{-1}(\mathscr{B}^{T'})\subset X_T^{-1}(\mathscr{B}^T) \\
&= \sigma(X_T)\subset\mathscr{F}.
\end{aligned}
$$

由此可见 $g_T{}'(X_T)$ 是 $(\Omega,\mathscr{F})$ 到 $(\boldsymbol{R}^{T'},\mathscr{B}^{T'})$ 上的可测映象．此外还知，随机函数 $g_T{}'(X_T)$ 在 $(\Omega,\mathscr{F})$ 中所产生的子 σ 域 $\sigma(g_T{}'(X_T))$ 是 X_T 所产生的子 σ 域 $\sigma(X_T)$ 的子 σ 域．

随机函数 $X_T=(X_t,\ t\in T)$ 的分布 P_X 如下定义

$$P_{X_T}(S)=P\{X_T\in S\},\quad S\in\mathscr{B}^T.$$

P_{X_T} 在 $\boldsymbol{R}^T$ 的任意有穷插乘空间 $\boldsymbol{R}^{T_N}=\prod_{t\in T_N}\boldsymbol{R}_t$（$T_N$ 为 T 的有穷子集）上决定的有穷维分布为

$$P_{X_{T_N}}(S_{T_N})=P_{X_T}(C(S_{T_N}))=P\{X_T\in C(S_{T_N})\},$$

其中 $S_{T_N}\in\mathscr{B}^{T_N}=\prod_{t\in T_N}\mathscr{B}_t$．$P_{X_{T_N}}(\cdot)$ 称为边际分布．边际分布族 $(P_{X_{T_N}},T_N\subset T)$ 是无矛盾族，这就是说，若 R' 及 R'' 是 R^T 的两个有穷插乘空间，且其上的边际分布分别记为 P' 及 P''，若 R''' 是 R' 及 R'' 的公共有穷插乘空间，则 P'，P'' 及 P_{X_T} 在 R''' 上决定的有穷维分布都相同．

反之，若 $\mathbb{R}^T$ 上的概率测度族 $(P_{T_N}, T_N \subset T)$ 为无矛盾族，则此族在 $\mathbb{R}^T$ 的 Borel 域 $\mathscr{B}^T$ 上唯一地扩张成一个概率测度 P_T. 这是有名的 Колмогоров 定理，其证明如下：

对每个 Borel 柱集 $C(B_{T_N})$，$B_{T_N} \subset \mathscr{B}^{T_N} = \prod_{t \in T_N} \mathscr{B}_t$，我们定义概率 P_T 如下

$$P_T(C(B_{T_N})) = P_{T_N}(B_{T_N}).$$

易见 P_T 在所有 Borel 柱集构成的族 $\mathscr{C}_T$ 上是有穷可加的，而 $\mathscr{C}_T$ 本身是一个域. 所以欲证此定理，只须引用测度扩张定理即可，因此需验证 P_T 在 $\mathscr{C}_T$ 上于空集 $\varnothing$ 处连续. 这就要证，对任意 $\varepsilon > 0$，若 Borel 柱集列 $C(B_n) \downarrow A$，其中 B_m 是 $\boldsymbol{R}_1 \times \cdots \times \boldsymbol{R}_n$ 中有穷个区间之和，而且对每个 n，恒有

$$P_T(C(B_n)) = P_{(1,2,\cdots,n)}(B_n) > \varepsilon,$$

则 A 非空. 为简便计，记 $P_{(1,2,\cdots,n)} = P_n$. 因为 P_n 为有界且从下连续，所以在 $\boldsymbol{R}_1 \times \cdots \times \boldsymbol{R}_n$ 中每个区间里可以找到一个有界闭区间，使它的 P_n 测度与原区间的 P_n 测度任意地接近. 这样一来，在每个 B_n 里可以找到一个有界闭 Borel 集 B'_n（是有穷个有界闭区间之和）使得 $P_n(B_n - B'_n) < \varepsilon/2^{n+1}$，故有

$$P_T(C(B_n) - C(B'_n)) = P_n(B_n - B'_n) < \varepsilon/2^{n+1}.$$

若记 $C(B'_1) \cap \cdots \cap C(B'_n) = C_n$，则

$$\begin{aligned} P_T(C(B_n) - C_n) &\leqslant P_T(C(B_n) - C_1) + \cdots \\ &\quad + P_T(C(B_n) - C_n) \\ &\leqslant P_T(C(B_1) - C_1) + \cdots \\ &\quad + P_T(C(B_n) - C_n) \\ &< \frac{\varepsilon}{2^2} + \frac{\varepsilon}{2^3} + \cdots + \frac{\varepsilon}{2^{n+1}} \\ &< \frac{\varepsilon}{2}. \end{aligned}$$

因为 $C_n \subset C(B'_n) \subset C(B_n)$，由上式得

$$P_T(C_n) > P_T(C(B_n)) - \frac{\varepsilon}{2} > \frac{\varepsilon}{2}.$$

由此可见每个 C_n 非空，所以可在 C_n 里选一个点 $x^{(n)} = (x_1^{(n)}, x_2^{(n)}, \cdots)$. 由 $C_1 \supset C_2 \supset \cdots$ 知对每个 $p = 0, 1, \cdots, x^{(n+p)} \in C_n \subset C(B'_n)$ 从而 $(x_1^{(n+p)}, \cdots, x_n^{(n+p)}) \in B'_n$ 又因 B'_n 为有界，故可取子列 (n_{1k}) 使得 $x_1^{(n_{1k})} \to x_1 (k \to \infty)$. 在这子列中又可选子列 (n_{2k}) 使得 $x_2^{(n_{2k})} \to x_2$，依此类推，于是对角序列 $(x_1^{(n_{kk})}, \cdots, x_m^{(n_{kk})}, \cdots) = x^{(n_{kk})} \to x = (x_1, \cdots, x_m \cdots)$，而且 $(x_1^{(n_{kk})}, \cdots, x_m^{(n_{kk})}) \to (x_1, \cdots, x_m) \in B'_m$，对每个 m. 所以 $x \in C(B'_m) \subset C(B_m)$，对每个 m. 故

$$x \in \bigcap_{m=1}^{\infty} C(B_m) = A,$$

这就证明了 A 非空. Колмогоров 定理得证. 证毕

随机函数 X_T 在值域空间 $(\mathrm{R}^T, \mathscr{B}^T)$ 上诱导出一个概率测度 P_{X_T}，这个新的概率空间 $(\boldsymbol{R}^T, \mathscr{B}^T, P_{X_T})$ 叫做随机函数 X_T 的样本概率空间. 由此可知，当我们讨论随机函数 X_T 的概率性质时，我们可以考虑样本概率空间 $(\boldsymbol{R}^T, \mathscr{B}^T, P_{X_T})$ 上的随机函数 $\widetilde{X}_T = (\widetilde{X}_t(x_T) = x_t, t \in T)$ 的概率性质. 随机函数 $\widetilde{X}_T$ 的有穷子族 $(\widetilde{X}_{t_1}, \cdots, \widetilde{X}_{t_N})$ 的分布同于 $(X_{t_1}, \cdots, X_{t_N})$ 的分布，即

$$\begin{aligned} P_{X_T}(\widetilde{X}_{t_i} \in A_{t_i}, i = 1, \cdots, N) &= P_{X_T}(x_{t_i} \in A_{t_i}, i = 1, \cdots, N) \\ &= P(X_{t_i} \in A_{t_i}, i = 1, \cdots, N). \end{aligned}$$

我们还可以这样地看，$X_T(\omega)$ 是把概率空间 $(\Omega, \sigma(X_T), P)$ 变为 $(\boldsymbol{R}^T, \mathscr{B}^T, P_{X_T})$ 的变换，它把原空间上的随机函数 X_T 变为相空间上的随机函数 $\widetilde{X}_T$，把 X_T 的 Borel 函数 $g_{T'}(X_T(\omega))$ 变为 $\widetilde{X}_T$ 的 Borel 函数 $g_{T'}(\widetilde{X}_T(x_T)) = g_{T'}(x_T)$，且有

$$\int_{\Omega} g_{T'}(X_T(\omega)) P(d\omega) = \int_{\boldsymbol{R}^T} g_{T'}(x_T) P_{X_T}(dx_T),$$

若一方存在.

上面已经说过，当我们考虑随机函数 X_T 时，我们可以把基本概率空间 $(\Omega, \mathscr{F}, P)$ 中的 σ 域 $\mathscr{F}$ 换为 X_T 所产生的子 σ 域 $\sigma(X_T)$

$= X_T^{-1}(\mathscr{B}^T)$. 若 $g_{T'}$ 是 $(\boldsymbol{R}^T, \mathscr{B}^T)$ 到 $(\boldsymbol{R}^{T'}, \mathscr{B}^{T'})$ 上的可测映象（即 Borel 函数），则 $g_{T'}(X_T)$ 是 $(\Omega, \sigma(X_T))$ 到 $(\boldsymbol{R}^{T'}, \mathscr{B}^{T'})$ 上的可测映象. 反之，若已知 $f(\omega)$ 是 $(\Omega, \sigma(X_T))$ 到 $(\boldsymbol{R}^{T'}, \mathscr{B}^{T'})$ 上的可测函数，是否可以找到一个由 $(\boldsymbol{R}^T, \mathscr{B}^T)$ 到 $(\boldsymbol{R}^{T'}, \mathscr{B}^{T'})$ 上的 Borel 函数 g，使得

$$f(\omega) = g(X_T(\omega))?$$

我们对此问题给以如下回答，当 $\boldsymbol{R}^{T'} = \bar{\boldsymbol{R}} = [-\infty, \infty]$时，必有 g 存在.

定理 1.5.4 （复合函数定理）设 Ω 为任意空间，$(\mathscr{X}, \mathscr{A})$ 为任意可测空间. $X(\omega)$ 为 Ω 到 $\mathscr{X}$ 的变换，若 $f(\omega)$ 是 $(\Omega, X^{-1}(\mathscr{A}))$ 到 $(\bar{\boldsymbol{R}}, \mathscr{B}(\bar{\boldsymbol{R}}))$ 上的可测函数，此处 $\mathscr{B}(\bar{\boldsymbol{R}})$ 是 $[-\infty, \infty] = \bar{\boldsymbol{R}}$ 上的 Borel 域，于是存在 $(\mathscr{X}, \mathscr{A})$ 到 $(\bar{\boldsymbol{R}}, \mathscr{B}(\bar{\boldsymbol{R}}))$ 的可测函数 g，使得 $f = gX$.

证 对每个正整数 n，令

$$B_{n,k} = \left\{\omega: \frac{k}{2^n} \leqslant f(\omega) < \frac{k+1}{2^n}\right\}, \quad k = 0, \pm 1, \cdots,$$

$$B_{n,\infty} = \{\omega: f(\omega) = +\infty\},$$
$$B_{n,-\infty} = \{\omega: f(\omega) = +\infty\}.$$

由假设知 $B_{n,k}$, $k = 0, \pm 1, \cdots, \pm\infty$ 都是 $X^{-1}(\mathscr{A})$ 可测的，故在 σ 域 $\mathscr{A}$ 中可以找到 $A_{n,k}$，使得

$$B_{n,k} = X^{-1}(A_{n,k}).$$

令
$$A'_{n,k} = A_{n,k} - \bigcup_{j \neq k} A_{n,j},$$

则由逆象性质有

$$X^{-1}(A'_{n,k}) = X^{-1}(A_{n,k}) - \bigcup_{j \neq k} X^{-1}(A_{n,j})$$

$$= B_{n,k} - \bigcup_{j \neq k} B_{k,j},$$

但 $B_{n,j} \cap B_{n,k} = \varnothing$，当 $j \neq k$，故 $X^{-1}(A'_{nk}) = B_{n,k}$. 定义由 $(\mathscr{X}, \mathscr{A})$ 到 $(\bar{\boldsymbol{R}}, \mathscr{B}(\bar{\boldsymbol{R}}))$ 上的可测函数如下:

$$g_n(x) = \sum_k \frac{k}{2^n} I_{A'_{n,k}}(x), \quad (\text{每个} A'_{n,k} \in \mathscr{A}).$$

显见

$$g_n(X(\omega)) = \sum_k \frac{k}{2^n} I_{\{X(\omega) \in A'_{n,k}\}}(\omega)$$

$$= \sum_k \frac{k}{2^n} I_{B_{n,k}}(\omega).$$

由此知，当 $n \to \infty$ 时 $g_n(X(\omega)) \to f(\omega)$.

另一方面，当 $n \to \infty$ 时，使 $g_n(x)$ 趋于极限（我们记此极限为 $g(x)$）的那些 x 构成的集合 S 必是 $\mathscr{A}$ 可测的.

比较以上两个极限关系，我们得到 $X(\Omega) \subset S$. 当 $x \notin S$ 时，定义 $g(x) = 0$，我们就把 $g(\cdot)$ 拓展成为 $\mathscr{X}$ 上的函数，拓展后的 $g(\cdot)$ 是 $(\mathscr{X}, \mathscr{A})$ 到 $(\bar{\boldsymbol{R}}, \mathscr{B}(\bar{\boldsymbol{R}}))$ 上的可测函数，而且

$$f(\omega) = gX(\omega). \text{ 证毕}$$

若 $(\mathscr{X}, \mathscr{A}) = (\boldsymbol{R}^T, \mathscr{B}^T)$，于是 $X = X_T = (X_t, t \in T)$，且 $X^{-1}(\mathscr{A}) = X_T^{-1}(\mathscr{B}^T) = \sigma(X_T)$. 因为 $\mathscr{B}^T$ 就是所有的以可数维 Borel 集 S_{T_c} 为底的柱集 $C(S_{T_c})$ 的全体，此处 T_c 是 T 中任意可数子集，所以 $\sigma(X_T) = X_T^{-1}\{C(S_{T_c}), T_c \subset T\} = \{X_{T_c}^{-1}(S_{T_c}), T_c \subset T\}$. 故 $\sigma(X_T)$ 中的集合（即由 X_T 所决定的事件）无非就是由 X_T 的某一可数子族 X_{T_c} 的逆所定义的集合，亦即 X_T 的可数截面 X_{T_c} 所定义的集合，这样便得

系 1.5.5 可测空间 $(\Omega, \sigma(X_T))$ 上的实函数 $f(\omega)$（可以取值 $\pm\infty$）为可测的充要条件是：存在一个 $\boldsymbol{R}^T$ 上的 Borel 函数 $g(\boldsymbol{x}_T)$（可以取值 $\pm\infty$），使得

$$f(\omega) = g(X_T(\omega)),$$

而且 $g(X_T(\omega))$ 只依赖于 X_T 的可数截面 X_{T_c}，即 $gX_T = gX_{T_c}$.

注 gX_T 只依赖于 X_T 的可数截面 X_{T_c}，这一事实可以从定理 1.5.4 的证明中看出，因为每个 $B_{n,k} \in \sigma(X_T)$，故 $B_{n,k}$ 只依赖于 X_T 的可数截面.

第二章　条件概率及条件期望

§1. 初 等 情 形

设 X 为基本概率空间 $(\Omega, \mathscr{F}, P)$ 上的随机变量，A 为一事件，即 $A \in \mathscr{F}$. 我们想在某一给定的条件下，定义 X 的条件期望及 A 的条件概率. 先让我们考虑初等情形，从这种情形可以直观地看清一般概念的实质.

我们知道，对初等情形，在已知事件 B 发生的条件下，事件 A 的条件概率 $P(A|B)$，就是在重复地做试验中，当 B 发生时 A 发生的频率. 如果我们直观地把 B 的概率 $P(B)$ 看作是事件 B 发生的频率，把事件 A, B 同时发生的概率 $P(AB)$ 看作是事件 AB 发生的频率，那么 $P(A|B)$ 应定义为

$$P(A|B) = \frac{P(AB)}{P(B)}, \text{ 若 } P(B) > 0.$$

若 $P(B) = 0$，则 $P(AB) = 0$，于是 $P(A|B)$ 无意义. 今后设 $P(B) > 0$. $P(A|B)$ 作为 A 的集合函数，它具有下列性质：

$$P(\Omega|B) = 1,$$

$$P(A|B) \geqslant 0, \ A \in \mathscr{F},$$

$$P\left(\sum_{j=1}^{\infty} A_j | B\right) = \sum_{j=1}^{\infty} P(A_j | B).$$

由此可见 $P(\cdot|B)$ 是可测空间 $(\Omega, \mathscr{F})$ 上的一个概率测度. 若随机变量 X 对此概率测度的积分存在，则称此积分为已知事件 B 发生的条件下，X 的条件期望，记作 $E(X|B)$，所以

$$E(X|B) = \int_{\Omega} X(\omega) P(d\omega|B).$$

因为 $P(\cdot|B)$ 在 $\{AB^c, A \in \mathscr{F}\}$ 上等于零，所以上边等式的右方

等于 $\int_B X(\omega)P(d\omega|B)$. 但对 $A\subset B, A\in\mathscr{F}$ 时

$$P(A|B)=\frac{P(AB)}{P(B)}=\frac{P(A)}{P(B)}.$$

所以上边的积分又等于

$$\frac{1}{P(B)}\int_B X(\omega)P(d\omega).$$

由此可见，在已知事件 B 发生的条件下，X 的条件期望 $E(X|B)$ 由下式给出：

$$P(B)E(X|B)=\int_B X(\omega)P(d\omega)=E(XI_B). \tag{1}$$

若 $P(B)>0$, $E(X|B)$ 有意义；若 $P(B)=0$, $E(X|B)$ 无意义. 此处 $I_B(\omega)=1$, 若 $\omega\in B$; $I_B(\omega)=0$, 若 $\omega\notin B$. 这个式子可以视为条件期望的定义式. 特别取 $X=I_A$, $A\in\mathscr{F}$ 时，由上定义式得到

$$P(B)E(I_A|B)=P(AB).$$

由此可见条件概率是条件期望的特殊情形，即 $P(A|B)=E(I_A|B)$.

条件期望具有下述性质：

若 $X\geqslant 0$, 则 $E(X|B)\geqslant 0$. 若 a 为常数，则 $E(a|B)=a$.

若 X_i 为非负或可积随机变量，且对一切 n, $\sum_{i=1}^{n} X_i$ 被某个可积随机变量绝对控制，则 $E\left(\sum_1^{\infty} X_i|B\right)=\sum_1^{\infty} E(X_i|B)$.

现在我们考虑在已知随机变量 $Y=y$ 的条件下（或者说已给 $Y=y$ 时），随机变量 X 的条件期望 $E(X|Y=y)$. 一方面这个条件期望就是在已知事件 $\{Y=y\}$ 发生时，X 的条件期望，另一方面这个条件期望随着 Y 取的值 y 的不同而改动，所以它是 y 的函数. 例如我们取 Y 为特殊随机变量：$Y=I_B$, 这时事件 B 发生就是 $Y=1$, 事件 B^c 发生就是 $Y=0$, 于是给随机变量 Y 时，随

机变量X的条件期望可以等于 $E(X|Y=1)=E(X|B)$，也可以等于 $E(X|Y=0)=E(X|B^c)$. 因此，必需把条件期望（条件概率）理解为ω的函数才能看出它的全部意义. 我们仍用这个特例来说明如何把条件期望理解为ω的函数，设$\mathscr{G}$为集合B及B^c上的最小子σ域，我们将一个ω的函数 $E(X|\mathscr{G})(\omega)$（或简写为$E(X|\mathscr{G})$）定义如下：

$$E(X|\mathscr{G})(\omega)=\begin{cases}E(X|B), & \omega\in B,\\ E(X|B^c), & \omega\notin B.\end{cases}$$

通过这样定义的ω的函数，我们就把给定事件B时，X的条件期望理解为函数$E(X|\mathscr{G})$的一个可能值.

再推广一些，设可测集列$(B_n, n=1, 2, \cdots)$是Ω的一个分割，令 $\mathscr{G}=\sigma(B_n, n=1, 2, \cdots)$，即含 $(B_n, n=1, 2, \cdots)$ 的最小子σ域，设EX存在，$P(B_n)\geqslant 0$，对一切n. 定义ω的函数如下：

$$E(X|\mathscr{G})(\omega)=\sum_{j=1}^{\infty}E(X|B_j)I_{B_j}(\omega).$$

在上式中如果对某个 j，$P(B_j)=0$，则 $E(X|B_j)$ 无意义，所以$E(X|\mathscr{G})$只在$\mathscr{G}$中零概集上无意义，换言之，$E(X|\mathscr{G})(\omega)$在零概集以外都有意义. 通过这个函数，我们就把给定B_n时X的条件期望理解为函数 $E(X|\mathscr{G})$ 的一可能值. 因此得到条件期望的构造性的定义.

定义 2.1.1 设随机变量X的积分存在，按等价意义所定义的下列$\mathscr{G}$可测函数

$$\begin{aligned}E(X|\mathscr{G})&=\sum_{j=1}^{\infty}\left(\frac{1}{P(B_j)}\int_{B_j}X(\omega)P(d\omega)\right)I_{B_j}\\&=\sum_{j=1}^{\infty}E(X|B_j)I_{B_j}\end{aligned}\tag{2}$$

叫做已给子σ域$\mathscr{G}$时X的条件期望，此处$\mathscr{G}$是含$(B_n, n=1, 2, \cdots)$的最小子σ域，而$(B_n, n=1, 2, \cdots)$是Ω的一个分割，且

$B_n \in \mathscr{F}$, $n=1,2,\cdots$. 注意这里所谓"按等价意义"是指可以在 $\mathscr{G}$ 的零概集上不计.

特别言之,若随机变量 $X=I_A$, $A\in\mathscr{F}$, 则按等价意义所定义的 $\mathscr{G}$ 可测函数 $E(I_A|\mathscr{G})=P(A|\mathscr{G})$ 叫做已给子 σ 域 $\mathscr{G}$ 时 A 的条件概率.

在这里, 我们说"已给子 σ 域 $\mathscr{G}$ 时"而不说"已给可测分割 $(B_n, n=1,2,\cdots)$ 时"的条件期望,是因为 $E(X|\mathscr{G})$ 不只可以定出已给事件 B_n 时 X 的条件期望, 而且可以定出已给 $\mathscr{G}$ 可测任意事件 B 时 X 的条件期望 $E(X|B)$, $P(B)>0$. 事实上,若 $B\in\mathscr{G}$, 则 B 必然是 (B_n) 中某些集的并, 例如说 $B=\sum' B_j$, 于是由 (1) 有

$$
\begin{aligned}
P(B)E(X|B) &= \int_B XP(d\omega)=\sum{}'\int_{B_j} XP(d\omega) \\
&= \sum{}' P(B_j)E(X|B_j) \\
&= \int_B E(X|\mathscr{G})P(d\omega) \\
&= \int_B E(X|\mathscr{G})P_{\mathscr{G}}(d\omega). \qquad (3)
\end{aligned}
$$

此处 $P_{\mathscr{G}}$ 是 P 局限于子 σ 域 $\mathscr{G}$ 上的概率测度. 由此式知 $E(X|B)$ 可以由 $E(X|\mathscr{G})$ 算出. 关系 (3) 可以用来作为条件期望 $E(X|\mathscr{G})$ 的描述性的定义,我们给出下列定义.

定义 2.1.2 令 X 为一随机变量, 其积分存在, $\mathscr{G}$ 为 $\mathscr{F}$ 的子 σ 域. 已给子 σ 域 $\mathscr{G}$ 时 X 的条件期望 $E(X|\mathscr{G})$ 定义为某个 $\mathscr{G}$ 可测函数, 使得它对 $P_{\mathscr{G}}$ 的不定积分等于 X 对 P 的不定积分在 $\mathscr{G}$ 上的局限,即对任意 $B\in\mathscr{G}$ 有

$$
\int_B XP(d\omega)=\int_B E(X|\mathscr{G})P_{\mathscr{G}}(d\omega). \qquad (4)
$$

因为不定积分 $\int_B XP(d\omega)$, $B\in\mathscr{G}$ 对 $P_{\mathscr{G}}$ 为绝对连续, 故在 $P_{\mathscr{G}}$ 测度的等价意义下确定一个 $\mathscr{G}$ 可测的 $E(X|\mathscr{G})$ 使得 (4) 成立. 换言之, $E(X|\mathscr{G})$ 可在一个 $P_{\mathscr{G}}$ 零概集上任意改动或者不定义.

这两个定义等价. 由构造性定义 2.1.1 推出描述性定义 2.1.2

已如上述. 现在验证由描述性定义推出构造性定义, 即验证当 $\omega \in B_i$, $P(B_i) > 0$ 时, 由 (4) 式所确定的 $E(X|\mathscr{G})(\omega) = E(X|B_i)$. 首先必有: 当 $\omega \in B_i$ 时, $E(X|\mathscr{G})(\omega)$ 为常数. 事实上, 若 $E(X|\mathscr{G})(\omega)$ 不为常数, 它至少取两个不同的值, 这样一来在 B_i 中有非空的 $\mathscr{G}$ 可测子集, 这是不可能的, 因为 $\mathscr{G} = \sigma(B_n, n = 1, 2, \cdots)$. 所以当 $\omega \in B_i$ 时 $E(X|\mathscr{G})(\omega)$ 为常数. 由 (4) 得

$$\int_{B_i} XP(d\omega) = P(B_i)E(X|\mathscr{G})(\omega), \quad \omega \in B_i,$$

故

$$E(X|\mathscr{G})(\omega) = \frac{1}{P(B_i)}\int_{B_i} XP(d\omega) = E(X|B_i).$$

亦即 $E(X|\mathscr{G}) = \sum_i E(X|B_i)I_{B_i}$, 这就是构造性定义 1.1.1.

最后, 对初等情形, 我们再返回来从定义条件概率入手, 然后定义条件期望. 令 $\mathscr{G}$ 仍是包含 $(B_n, n = 1, 2, \cdots)$ 的最小子 σ 域, 此处 $B_n \in \mathscr{F}$, 且 $(B_n, n = 1, 2, \cdots)$ 是 Ω 的一个分割. 对任意 $A \in \mathscr{F}$, 可以给出已给子 σ 域 $\mathscr{G}$ 时 A 的条件概率的构造性定义及描述性定义如下:

定义 2.1.3 (构造性定义) $P(A|\mathscr{G})$ 是定义于 Ω 上的 $\mathscr{G}$ 可测函数:

$$P(A|\mathscr{G}) = \sum_j \frac{P(AB_j)}{P(B_j)} I_{B_j} = \sum_j P(A|B_j)I_{B_j}. \tag{5}$$

此定义等式可以对一个 $\mathscr{G}$ 中零概集不计, 换言之, 是 $P(A|\mathscr{G})$ 按等价意义定义的.

定义 2.1.4 (描述性定义) $P(A|\mathscr{G})$ 是定义于 Ω 上的某一个 $\mathscr{G}$ 可测函数, 它满足下列关系, 对任意 $B \in \mathscr{G}$, 有

$$P(AB) = \int_B P(A|\mathscr{G})P_{\mathscr{G}}(d\omega). \tag{6}$$

此定义本身即蕴含着 $P(A|\mathscr{G})$ 按等价意义来决定.

这两个定义的等价性的证法同上.

若令 B_0 为 $(B_n, n=1,2,\cdots)$ 里所有零概集之和，我们可以在 $P(A|\mathscr{G})$ 的等价类里选取一个如下的代表(也叫做版本)：对每个 $A\in\mathscr{F}$,

$$P(A|\mathscr{G})(\omega)=\begin{cases}P(AB_j)/P(B_j), & 若\ \omega\in B_j,\ P(B_j)>0,\\ P(A), & 若\ \omega\in B_0,\end{cases}$$

这样，选取的版本对每个 $\omega\in\Omega$，它都是 $\mathscr{F}$ 上的概率测度 $P(\cdot|\mathscr{G})(\omega)$. 如果随机变量 X 的期望 EX 存在，则对每个 $\omega\in\Omega$，下列积分也存在

$$\int_\Omega X(\omega')P(d\omega'|\mathscr{G})(\omega),$$

它是 ω 的函数，具有下述性质：当 $\omega\in B_j$ 而 $B_j\not\subset B_0$ 时

$$\begin{aligned}\int_\Omega X(\omega')P(d\omega'|\mathscr{G})(\omega)&=\int_\Omega X(\omega')\frac{P(d\omega'\cdot B_j)}{P(B_j)}\\&=\frac{1}{P(B_j)}\int_{B_j}X(\omega')P(d\omega')\\&=E(X|B_j).\end{aligned}$$

由此可见，当 $\omega\notin B_0$ 时

$$\int_\Omega X(\omega')P(d\omega'|\mathscr{G})(\omega)=E(X|\mathscr{G})(\omega).$$

这样，当我们由条件概率出发时，我们可以定义随机变量 X 的条件期望为 X 对条件概率 $P(\cdot|\mathscr{G})$ 的积分的等价类，即

$$E(X|\mathscr{G})\triangleq\int_\Omega X(\omega')P(d\omega'|\mathscr{G})\ \text{a.s.}$$

如果 EX 存在.

§2. 一 般 情 形

在上节里，当我们考虑条件概率或条件期望时，作为已知条件的子 σ 域 $\mathscr{G}$ 是由 Ω 的可数可测分割产生的. 如果所考虑的条件子 σ 域 $\mathscr{G}$ 不是这样，那么上节里的构造性定义就无法应用了. 但是描述性的定义仍然可用，这主要是由于有 Radon-Nikodym 定理

作为工具.

设 $(\Omega, \mathscr{F}, P)$ 为基本概率空间, $\mathscr{G}$ 为 $\mathscr{F}$ 的子 σ 域,令 P 局限于 $\mathscr{G}$ 上的概率测度记为 $P_{\mathscr{G}}$, 于是有下列定义:

定义 2.2.1 设随机变量 X 的积分存在, 对任意 $A \in \mathscr{G}$, 已给子 σ 域 $\mathscr{G}$ 时 X 的条件期望 $E(X|\mathscr{G})$ 是满足下列关系的 $\mathscr{G}$ 可测函数的等价类中的任何一个:

$$\int_A XP(d\omega) = \int_A E(X|\mathscr{G})P_{\mathscr{G}}(d\omega). \tag{1}$$

由此定义立刻知道条件期望有下列简单性质:

1) $E[E(X|\mathscr{G})] = EX$,

2) 若 X 本身为 $\mathscr{G}$ 可测 (可记为 $X \in \mathscr{G}$), 则 $E(X|\mathscr{G}) = X$ a.s., 特别有 $E(X|\mathscr{F}) = X$ a.s.

3) $E(X|\mathscr{G}) = E(X^+|\mathscr{G}) - E(X^-|\mathscr{G})$ a.s.

此定义是有意义的, 因为 X 对 P 的不定积分 $\varphi(A) = \int_A X P(d\omega)$, $A \in \mathscr{F}$ 是 σ 可加的,而且对 P 绝对连续,从而 $\varphi(\cdot)$ 局限于子 σ 域 $\mathscr{G}$ 上 (记作 $\varphi_{\mathscr{G}}(\cdot)$) 也是 σ 可加的,且对 $P_{\mathscr{G}}$ 绝对连续. 故由 Radon-Nikodym 定理知,必存在 $\mathscr{G}$ 可测函数 $E(X|\mathscr{G})$ 满足等式 (1), 而且任意与之等价的 $\mathscr{G}$ 可测函数也满足等式 (1). $E(X|\mathscr{G})$ 就是这个等价类里的一个版本,它在 ω 处所取的值记作 $E(X|\mathscr{G})(\omega)$. 注意在定义里只要求 X 的积分存在, 但由于 X 是随机变量, 故 X 的不定积分 $\varphi(\cdot)$ 在 $\mathscr{F}$ 上为 σ 有穷, 可是这不保证 $\varphi(\cdot)$ 局限于子 σ 域 $\mathscr{G}$ 的 $\varphi_{\mathscr{G}}(\cdot)$ 也是 σ 有穷,例如取 $\mathscr{G} = \{\phi, \Omega\}$ 且 $\varphi(\Omega) = +\infty$. 由此可见, 当 X 的积分存在时, $\phi_{\mathscr{G}}(\cdot)$ 不见得是 σ 有穷,所以 $E(X|\mathscr{G})$ 不见得对几乎一切 ω 为有穷. 但当 X 为可积时, φ 及 $\varphi_{\mathscr{G}}$ 都有界, 从而 $E(X|\mathscr{G})$ 对几乎所有 ω 为有穷.

记 $\mathscr{E} = \{X: EX$ 存在, X 为随机变量$\}$. 对每个 $X \in \mathscr{E}$ 就存在 $E(X|\mathscr{G})$, 从而 $E(\cdot|\mathscr{G})$ 可以看作是 $\mathscr{E}$ 到 $\mathscr{G}$ 可测函数构成的空间的映象, $\mathscr{G}$ 可测函数构成的空间里的一个点代表一个等价类.

所以有时候我们把记号 $E(\cdot|\mathscr{G})$ 叫作已给子 σ 域 $\mathscr{G}$ 的条件期望. 另外也可以把 $E(\cdot|\mathscr{G})$ 作是定义于 $\Omega\times\mathscr{E}$ 看上取值于 $\bar{\boldsymbol{R}}$ 上的函数，在 (ω, X) 处之值就是 $E(X|\mathscr{G})(\omega)$.

把 $E(\cdot|\mathscr{G})$ 局限于 $\mathscr{F}$ 可测集 B 的示性函数时，就得到已给子 σ 域 $\mathscr{G}$ 时的条件概率 $P(\cdot|\mathscr{G})$. 故对任意 $B\in\mathscr{F}$，条件概率 $P(B|\mathscr{G})$ 满足:

$$\int_A P(B|\mathscr{G})P_{\mathscr{G}}(d\omega)=\int_A I_B P(d\omega)=P(AB),$$

对一切 $A\in\mathscr{G}$.

令 $Y_T=(Y_t, t\in T)$ 为一随机函数，即 Y_T 是由可测空间 $(\Omega,\mathscr{F})$ 到可测函数空间 $(\mathbb{R}^T, \mathscr{B}(\mathbb{R}^T))$ 的可测映象. 由前面的讨论知 Y_T 在可测空间 $(\Omega,\mathscr{F})$ 中产生一个 $\mathscr{F}$ 的子 σ 域 $\sigma(Y_T)=Y_T^{-1}(\mathscr{B}(\boldsymbol{R}^T))$. 令 $X\in\mathscr{E}$，于是存在 $E(X|\sigma(Y_T))$，这个条件期望叫做已给随机函数 Y_T 时 X 的条件期望，可以简记为 $E(X|Y_T)$. 由定义知，对每个 $A\in\sigma(Y_T)$ 有

$$\int_A E(X|Y_T)P_{\sigma(Y_T)}(d\omega)=\int_A XP(d\omega), \tag{2}$$

其中 $E(X|Y_T)$ 是 $\sigma(Y_T)$ 可测函数，可以在一个 $P_{\sigma(Y_T)}$ 零概集上不计. 由复合函数定理的系 1.5.5 知，存在 $\mathbb{R}^T$ 上的 Borel 函数 g，使得 $E(X|Y_T)=g(Y_T)$，而且当 T 为无穷集时，$g(Y_T)$ 只依赖于 Y_{T_c}，即 $g(Y_T)=g(Y_{T_c})$，此处 T_c 是 T 的某个可数子集.

对每个 $B\in\mathscr{B}(\boldsymbol{R}^T)$，$Y_T$ 的分布是

$$P_{Y_T}(B)=P(Y_T^{-1}(B))=P\{Y_T\in B\},$$

P_{Y_T} 是 $\mathscr{B}(\boldsymbol{R}^T)$ 上的概率测度. 于是对任意 $B\in\mathscr{B}(\boldsymbol{R}^T)$ 有

$$\begin{aligned}\int_{Y_T^{-1}(B)} E(X|Y_T)P_{\sigma(Y_T)}(d\omega)&=\int_{Y_T^{-1}(B)} g(Y_T)P_{\sigma(Y_T)}(d\omega)\\&=\int_{\Omega} g(Y_T)I_{Y_T^{-1}(B)}P_{\sigma(Y_T)}(d\omega)\\&=\int_{\Omega} g(Y_T)I_B(Y_T)P_{\sigma(Y_T)}(d\omega)\\&=\int_{\boldsymbol{R}^T} g(y_T)I_B(y_T)P_{Y_T}(dy_T)\end{aligned}$$

$$= \int_B g(y_T) P_{Y_T}(dy_T).$$

由此，结合 (2) 式可知，对任意 $B \in \mathscr{B}(\boldsymbol{R}^T)$ 有

$$\int_{Y_T^{-1}(B)} X P(d\omega) = \int_B g(y_T) P_{Y_T}(dy_T). \tag{3}$$

公式 (3) 就是通常所说的已给 $Y_T = y_T$ 时 X 的条件期望的定义式，也就是 $E(X \mid Y_T = y_T) = g(y_T)$. 由此可见，当我们把 $E(X \mid Y_T)$ 理解为 Y_T 的样本空间上的 Borel 函数时，即当给定 $Y_T = y_T$ 时，其值为 $E(X \mid Y_T)(y_T) = g(y_T) = E(X \mid Y_T = y_T)$.

同上可以知道对任意 $A \in \mathscr{F}$，给定 Y_T 时 A 的条件概率

$$P(A \mid Y_T) = E(I_A \mid Y_T).$$

§3. 条件期望的性质

本节将介绍条件期望的性质，为了避免重复，本节里所提到的积分或期望都假设它们存在. 仍设 $\mathscr{F}$ 的子 σ 域 $\mathscr{G}$ 为已给. 条件期望 $E(X \mid \mathscr{G})$, $X \in \mathscr{E}$，具有和积分相类似的性质.

命题 2.3.1

(i) 若 $X = c$ (常数) a.s.，则 $E(c \mid \mathscr{G}) = c$ a.s. 若 $X \geqslant Y$ a.s.，则 $E(X \mid \mathscr{G}) \geqslant E(Y \mid \mathscr{G})$ a.s.

(ii) 线性性：对任意常数 c_1, c_2 及 X, $Y \in \mathscr{E}$ 有

$$E(c_1 X + c_2 Y \mid \mathscr{G}) = c_1 E(X \mid \mathscr{G}) + c_2 E(Y \mid \mathscr{G}) \text{ a.s.}$$

这是条件期望定义的简单推论. 特别有：

$P(\Omega \mid \mathscr{G}) = 1$ a.s., $P(\phi \mid \mathscr{G}) = 0$ a.s., $P(A \mid \mathscr{G}) \geqslant 0$ a.s.，对任意 $A \in \mathscr{F}$.

命题 2.3.2 (条件期望的单调收敛定理) 若 $0 \leqslant X_n \uparrow X$ a.s.，则 $0 \leqslant E(X_n \mid \mathscr{G}) \uparrow E(X \mid \mathscr{G})$ a.s.

证 因为 $X_n \leqslant X_{n+1}$ a.s，故 $E(X_n \mid \mathscr{G}) \leqslant E(X_{n+1} \mid \mathscr{G})$ a.s. 所以当 $n \to \infty$ 时概率为 1 地存在 $\lim\limits_{n\to\infty} E(X_n \mid \mathscr{G})$. 记此极限为 X', X' 为 $\mathscr{G}$ 可测. 但对任意 $B \in \mathscr{G}$ 有

$$\int_B E(X_n|\mathscr{G})P_{\mathscr{G}}(d\omega) = \int_B X_n P(d\omega).$$

由积分的单调收敛性，当 $n\to\infty$ 时，由上式得

$$\int_B X' P_{\mathscr{G}}(d\omega) = \int_B XP(d\omega), \text{ 对任意 } B\in\mathscr{G}.$$

由此知 $X' = E(X|\mathscr{G})$ a.s.，所以

$$0 \leqslant E(X_m|\mathscr{G}) \uparrow E(X|\mathscr{G}) \text{ a.s. 证毕}$$

由单调收敛性立刻推出：

若对每个 n，$X_n \geqslant Y$，Y 为可积随机变量，且 $X_n \uparrow X$ a.s.，则

$$E(X_n|\mathscr{G}) \uparrow E(X|\mathscr{G}) \text{ a.s.}$$

$$P\left(\sum_{k=1}^{\infty} A_k|\mathscr{G}\right) = \sum_{k=1}^{\infty} P(A_k|\mathscr{G}) \text{ a.s.，此处 } \mathscr{F} \text{ 可测集 } (A_k)$$

是不交的。

命题 2.3.3（条件期望的 Fatou 引理） 设 X，Z 为可积随机变量，若随机变量序列 (X_n) 中每个 $X_n \geqslant Y$ a.s.（或 $X_n \leqslant Z$ a.s.），则分别有

$$E\left(\liminf_{n\to\infty} X_n|\mathscr{G}\right) \leqslant \liminf_{n\to\infty} E(X_n|\mathscr{G}) \text{ a.s.},$$

$$\left(\limsup_{n\to\infty} E(X_n|\mathscr{G}) \leqslant E(\limsup_{n\to\infty} X_n|\mathscr{G}) \text{a.s.}\right).$$

特别有，若 $Y\leqslant X_n \leqslant Z$ a.s.，$n=1,2,\cdots$，且 $X_n\to X$ a.s.，则 $E(X_n|\mathscr{G})\to E(X|\mathscr{G})$ a.s.

证 先考虑特殊情形：$X_n\geqslant 0$ a.s. $n=1,2,\cdots$ 这时

$$X_n \geqslant \inf_{k\geqslant n} X_k \uparrow \liminf_{n\to\infty} X_n.$$

故由单调收敛定理知

$$\liminf_{n\to\infty} E(X_n|\mathscr{G}) \geqslant \lim_{n\to\infty} E(\inf_{k\geqslant n} X_k|\mathscr{G})$$

$$= E(\liminf_{n\to\infty} X_n|\mathscr{G}) \text{ a.s.},$$

对一般情形考虑 $X_n - Y$ 即可。证毕

命题 2.3.4（r 均方收敛） 若 $X_n \xrightarrow[L_r]{} X$，$r\geqslant 1$，则 $E(X_n|\mathscr{G}) \xrightarrow[L_r]{} E(X|\mathscr{G})$。

证 这里需要对条件期望的凸函数不等式(参看命题 2.3.5).由此不等式立刻推知

$$E|E(X_n|\mathscr{G}) - E(X|\mathscr{G})|^r = E|E(X_n - X|\mathscr{G})|^r$$
$$\leqslant E(E(|X_n - X|^r|\mathscr{G}))$$
$$= E|X_n - X|^r \to 0. \text{ 证毕}$$

数学期望所满足的不等式对条件期望 a.s. 成立. c_r 不等式 $(r > 0)$、Hölder 不等式以及 Minkowski 不等式都对条件期望 a.s. 成立,其证法也相似. 只是对凸函数不等式要稍加留意,我们把凸函数不等式叙述如下:

命题 2.3.5 若 g 为 $\boldsymbol{R}$ 上连续凸函数,且 $E(g(X))$ 存在,则

$$g(E(X|\mathscr{G})) \leqslant E(g(X)|\mathscr{G}) \text{ a.s.} \tag{1}$$

证 当 X 为有界时,$|X| < c$ (常数),由凸函数不等式有

$$g(X) - g(E(X|\mathscr{G})) \geqslant \lambda(E(X|\mathscr{G}))(X - E(X|\mathscr{G})),$$

对此不等式双方取 $E(\cdot|\mathscr{G})$,得(要用到后面的命题 2.3.7)

$$E(g(X)|\mathscr{G}) \geqslant g(E(X|\mathscr{G})) \text{ a.s.}$$

若 X 无界,取

$$X_{m,n} = \begin{cases} X, & -m \leqslant X \leqslant n, \\ n, & n \leqslant X, \\ -m, & X \leqslant -m. \end{cases}$$

于是对 $X_{m,n}$ 凸函数不等式 a.s. 成立,即

$$g(E(X_{m,n}|\mathscr{G})) \leqslant E[g(X_{m,n}|\mathscr{G})] \text{ a.s.}$$

令 $n \to \infty$,再令 $m \to \infty$ 由单调收敛定理推出(1). 证毕

下面的一系列命题是讲条件期望 $E(\cdot|\mathscr{G})$ 具有平滑性.

命题 2.3.6 在 $\mathscr{G}$ 中每个非零概的原子 B 上,$E(X|\mathscr{G})$ 为常数,且等于 $E(X|B)$,即等于 X 在 B 上依 P 的平均

$$\frac{1}{P(B)}\int_B XP(d\omega).$$

注 B 是 $\mathscr{G}$ 原子,即是说除了它自己和空集 $\varnothing$ 外,B 不再含任何 $\mathscr{G}$ 可测子集了.

证 首先证 $\omega \in B$ 时,$E(X|\mathscr{G})(\omega)$ 为常数. 用反证法,设

$E(X|\mathscr{G})$ 至少在 $\mathscr{G}$ 原子 B 上取两个值 a 及 b，$a \neq b$。于是 $B \cap \{E(X|\mathscr{G}) = a\}$ 和 $B \cap \{E(X|\mathscr{G}) = b\}$ 为非空且 $\mathscr{G}$ 可测. 它们都是 B 的子集，这与 B 为 $\mathscr{G}$ 原子相矛盾. 故在 B 上 $E(X|\mathscr{G})$ 为常数，例如说等于 c，往证 $c = E(X|B)$. 由定义知

$$\int_B XP(d\omega) = \int_B E(X|\mathscr{G})P_{\mathscr{G}}(d\omega) = cP(B).$$

但由假设 $P(B) > 0$ 知

$$c = \frac{1}{P(B)}\int_B XP(d\omega) = E(X|B). \quad \text{证毕}$$

这个性质告诉我们 X 的值在 $\mathscr{G}$ 上被平滑了，即是说，X 在 $\mathscr{G}$ 的非零概原子上不一定为常数，但经过条件期望的作用后，$E(X|\mathscr{G})$ 却在 $\mathscr{G}$ 的非零概原子上为常数，而这个常数又是 X 的值在原子上依测度 P 所求的平均值. 所以 $E(X|\mathscr{G})$ 的值总是 X 的某些值在 $\mathscr{G}$ 原子上的平均，这就是说 $E(X|\mathscr{G})$ 把 X 平滑了.

由定义知道，若 X 为 $\mathscr{G}$ 可测，则 $E(X|\mathscr{G}) = X$ a.s. 把此推广得到:

命题 2.3.7 若 $X \in \mathscr{G}$，则 $E(XY|\mathscr{G}) = XE(Y|\mathscr{G})$ a.s.

证 当 $X = I_{B'}$，$B' \in \mathscr{G}$ 时，由定义知，对任意 $B \in \mathscr{G}$ 有

$$\begin{aligned}\int_B E(I_{B'}Y|\mathscr{G})P_{\mathscr{G}}(d\omega) &= \int_B I_{B'}YP(d\omega) = \int_{BB'} YP(d\omega) \\ &= \int_{BB'} E(Y|\mathscr{G})P_{\mathscr{G}}(d\omega) \\ &= \int_B I_{B'}E(Y|\mathscr{G})P_{\mathscr{G}}(d\omega).\end{aligned}$$

因为 B 为任意 $\mathscr{G}$ 可测集，所以由上式立刻推知: $E(I_{B'}Y|\mathscr{G}) = I_{B'}E(Y|\mathscr{G})$ a.s. 由条件期望的线性性(命题 2.3.1 (ii)) 知，当 X 为 $\mathscr{G}$ 可测简单函数时，也有 $E(XY|\mathscr{G}) = XE(Y|\mathscr{G})$ a.s. 再用 $\mathscr{G}$ 可测简单函数列单调地逼近一般的 $\mathscr{G}$ 可测随机变量，于是就由条件期望的单调收敛性推出本命题. 证毕

这个性质说明，若 X 已然 $\mathscr{G}$ 可测了，把 $E(\cdot|\mathscr{G})$ 作用于 X 上就无需再加以平滑了. 如果把 $E(\cdot|\mathscr{G})$ 看作平滑运算，那么 $\mathscr{G}$

愈粗平滑的愈彻底．所以当子σ域$\mathscr{G}'$与$\mathscr{G}$粗些，即$\mathscr{G}'\subset\mathscr{G}$时，先作平滑手续$E(\cdot|\mathscr{G})$再作平滑手续$E(\cdot|\mathscr{G}')$应该等于作一次平滑手续$E(\cdot|\mathscr{G}')$，因为$E(\cdot|\mathscr{G}')$平滑的彻底些．把这叙述为如下命题：

命题 2.3.8 若子σ域$\mathscr{G}'\subset\mathscr{G}$，则 a.s. 有

$$E[E(X|\mathscr{G})|\mathscr{G}'] = E(X|\mathscr{G}') = E[E(X|\mathscr{G}')|\mathscr{G}].$$

证 只需证前两项 a.s. 相等．对任意 $B\in\mathscr{G}'$ 有

$$\begin{aligned}\int_B E[E(X|\mathscr{G})|\mathscr{G}']P_{\mathscr{G}'}(d\omega) &= \int_B E(X|\mathscr{G})P_{\mathscr{G}}(d\omega)\\ &= \int_B XP(d\omega)\\ &= \int_B E(X|\mathscr{G}')P_{\mathscr{G}'}(d\omega).\end{aligned}$$

因为B为任意$\mathscr{G}'$可测集，故由上等式立刻得到

$$E[E(X|\mathscr{G})|\mathscr{G}'] = E(X|\mathscr{G}') \text{ a.s.}.$$ 证毕

把命题 2.3.7 及 2.3.8 综合起来就可得到一般的平滑性公式．

命题 2.3.9 若 $\mathscr{G}'\subset\mathscr{G}$，$X'\in\mathscr{G}$，则

$$E(XX'|\mathscr{G}') = E[X'E(X|\mathscr{G})|\mathscr{G}'] \text{ a.s.}$$

特别有

$$E(XX'|Y) = E[X'E(X|X', Y)|Y] \text{ a.s.}$$

§4. 独 立 性

独立性是概率论里一个重要概念．两个事件A_1, A_2称为相互独立的，如果 $P(A_1\cap A_2) = P(A_1)P(A_2)$．两个事件类$\mathscr{C}_1\mathscr{C}_2$称为相互独立的，如果$\mathscr{C}_1$中任意事件与$\mathscr{C}_2$中任意事件是相互独立的．两个随机变量$X_1, X_2$称为相互独立的，是因为它们在基本概率空间中所产生的子σ域$\sigma(X_1)$及$\sigma(X_2)$是相互独立事件类．

定理 2.4.1 若随机变量X, Y为相互独立，且X及Y为可积，则XY为可积，且

$$E[XY] = EX\cdot EY.$$

证 先证 X 及 Y 都是非负简单函数的情形：$X=\sum x_i I_{A_i}$，$Y=\sum y_k I_{B_k}$，此处诸 A_i 及 B_k 都 $\mathscr{F}$ 可测. 因为 $A_i=\{X=x_i\}$，$B_k=\{Y=y_k\}$，且由 X 及 Y 为独立知 $P(A_iB_k)=P(A_i)P(B_k)$，故

$$EXY=\sum_{i,k} x_i y_k P(A_iB_k)=\sum_{i,k} x_i y_k P(A_i)P(B_k)$$

$$=EXEY.$$

当 X，Y 为非负可积随机变量时，考虑简单函数

$$X_n=\sum_{j=1}^{n2^n}\frac{j-1}{2^n}I_{\left(\frac{j-1}{2^n}\leqslant X<\frac{j}{2^n}\right)}+nI_{(n\leqslant X)},$$

$$Y_n=\sum_{k=1}^{n2^n}\frac{k-1}{2^n}I_{\left(\frac{k-1}{2^n}\leqslant Y<\frac{k}{2^n}\right)}+nI_{(n\leqslant Y)}.$$

因为 X 和 Y 相互独立，由定义立刻知 X_n 和 Y_n 也相互独立，故由上面所证，必有 $EX_nY_n=EX_nEY_n$. 但 $0\leqslant X_n\uparrow X$，$0\leqslant Y_n\uparrow Y$，故 $0\leqslant X_nY_n\uparrow XY$. 令 $n\to\infty$，用单调收敛定理于 $EX_nY_n=EX_nEY_n$ 便得 $EXY=EXEY$.

最后证一般情形. 由 X 与 Y 为独立知 X^+ 或 X^- 或 $|X|$ 与 Y^+ 或 Y^- 或 $|Y|$ 相互独立，而它们都是非负可积随机变量，从而由上证得知 $E|XY|=E|X|E|Y|$，所以 XY 为可积. 此外

$$\begin{aligned}EXY&=E(X^+-X^-)(Y^+-Y^-)\\&=EX^+Y^+-EX^+Y^--EX^-Y^++EX^-Y^-\\&=EX^+EY^+-EX^+EY^--EX^-EY^++EX^-EY^-\\&=EXEY.\end{aligned}$$ 证毕

定理 2.4.2 若子 σ 域 $\mathscr{G}$ 与可积随机变量 X 所产生的子 σ 域 $\sigma(X)$ 为独立，则 $E(X|\mathscr{G})=EX$ a.s.

证 对任意 $A\in\mathscr{G}$，由假设 I_A 与 X 相互独立，故由上定理推知

$$\int_A E(X|\mathscr{G})P_{\mathscr{G}}(d\omega)=\int_A XP(d\omega)$$

$$= \int X I_A P(d\omega) = EXEI_A$$

$$= \int_A EXP_{\mathscr{G}}(d\omega).$$

因为 A 为任意 $\mathscr{G}$ 可测集，故由上等式对一切 A 都成立，得

$$E(X|\mathscr{G}) = EX \text{ a.s.} \quad \text{证毕}$$

特别有： $E(Y|X) = EY$ a.s.，若 X，Y 为相互独立的随机变量. $P(A|\mathscr{G}) = P(A)$ a.s.，若 A 与 $\mathscr{G}$ 相互独立.

定理 2.4.3 设 $\mathscr{C}_1$，$\mathscr{C}_2$ 为 $\mathscr{F}$ 可测集合构成的集合类，$\mathscr{G}$ 为给定的子 σ 域，若对任意 $A_1 \in \mathscr{C}_1$，$A_2 \in \mathscr{C}_2$ 有

$$P(A_1A_2|\mathscr{G}) = P(A_1|\mathscr{G})P(A_2|\mathscr{G}) \text{ a.s.}, \tag{1}$$

则说事件类 $\mathscr{C}_1$，$\mathscr{C}_2$ 为已给子 σ 域 $\mathscr{G}$ 时的条件独立.

若取 $\mathscr{G} = \mathscr{F}$，(1) 式则化为 $I_{A_1A_2} = I_{A_1}I_{A_2}$ a.s. 因为这个关系永远成立，所以任意两个事件永远是已给 $\mathscr{F}$ 时条件独立. 于是，给定 $\mathscr{F}$ 时的条件独立这一概念不足道. 另一方面若取 $\mathscr{G}$ 为最粗的子 σ 域: $\{\phi, \Omega\}$，并且它与 $\mathscr{C}_1$，$\mathscr{C}_2$ 中的任意事件相互独立，则 (1) 变为:

$$P(A_1A_2) = P(A_1)P(A_2).$$

由此可见通常的独立性就是已给最粗子 σ 域时的条件独立性.

定理 2.4.4 欲使子 σ 域 $\mathscr{G}_1$ 及 $\mathscr{G}_2$ 为给定子 σ 域 $\mathscr{G}$ 时的条件独立，当且仅当对任意 $B_2 \in \mathscr{G}_2$ 有

$$P(B_2|\mathscr{G}_1 \vee \mathscr{G}) = P(B_2|\mathscr{G}) \text{ a.s.} \tag{2}$$

(或对任意 $B_1 \in \mathscr{G}_1$ 有 $P(B_1|\mathscr{G}_2 \vee \mathscr{G}) = P(B_1|\mathscr{G})$ a.s.)

注: $\mathscr{G}_1 \vee \mathscr{G} = \sigma(\mathscr{G}_1, \mathscr{G})$ 即含 $\mathscr{G}$ 及 $\mathscr{G}_1$ 的最小子 σ 域.

证 由定义，子 σ 域 $\mathscr{G}_1$ 及 $\mathscr{G}_2$ 为给定子 σ 域 $\mathscr{G}$ 时的条件独立，就是说，对任意 $B_1 \in \mathscr{G}_1$，$B_2 \in \mathscr{G}_2$ 有

$$E(I_{B_1}I_{B_2}|\mathscr{G}) = E(I_{B_1}|\mathscr{G})E(I_{B_2}|\mathscr{G}) \text{ a.s.} \tag{3}$$

由此知，欲证本定理需证 (3) 等价于

$$E(I_{B_2}|\mathscr{G}_1 \vee \mathscr{G}) = E(I_{B_2}|\mathscr{G}) \text{ a.s.} \tag{2'}$$

但 (3) 的左右方各等于

$$E(I_{B_1}I_{B_2}|\mathscr{G}) = E[I_{B_1}E(I_{B_2}|\mathscr{G}_1 \vee \mathscr{G})|\mathscr{G}] \text{ a.s.},$$

$$E(I_{B_1}|\mathscr{G})E(I_{B_2}|\mathscr{G}) = E[I_{B_1}E(I_{B_2}|\mathscr{G})|\mathscr{G}] \text{ a.s.}$$

由此知，欲证本定理需证(2′)等价于

$$E[I_{B_1}E(I_{B_2}|\mathscr{G}_1\vee\mathscr{G})|\mathscr{G}] = E[I_{B_1}E(I_{B_2}|\mathscr{G})|\mathscr{G}] \text{ a.s.} \quad (4)$$

往证(2′)⇒(4). 把(2′)双方乘以 I_{B_1}，再取条件期望运算 $E[\cdot|\mathscr{G}]$ 即得(4).

往证(4)⇒(2′). 对任意 $B\in\mathscr{G}$，由(4)知

$$\int_B I_{B_1}E(I_{B_2}|\mathscr{G}_1\vee\mathscr{G})P(d\omega) = \int_B I_{B_1}E(I_{B_2}|\mathscr{G})P(d\omega),$$

即

$$\int_{BB_1} E(I_{B_2}|\mathscr{G}_1\vee\mathscr{G})P(d\omega) = \int_{BB_1} E(I_{B_2}|\mathscr{G})P(d\omega).$$

但 $E(I_B|\mathscr{G}_1\vee\mathscr{G})$ 及 $E(I_{B_2}|\mathscr{G})$ 都是 $\mathscr{G}\vee\mathscr{G}_1$ 可测，而且由上知，它们在所有集合 BB_1, $B\in\mathscr{G}$, $B_1\in\mathscr{G}_1$ 上的积分相等，所以除去在一个 $\mathscr{G}_1\vee\mathscr{G}$ 可测的零概集外，它们是相等的. 这就证明了(2′) a.s. 成立. 证毕

定义 2.4.5 如果事件类族里任意有穷个事件类为独立，那么此族 $\{\mathscr{C}_k, k\in I\}$ 称为独立. 此处足标集 I 不限定为可数集.

命题 2.4.6 设 $\{\mathscr{C}_k, k\in I\}$ 为一族事件类，每个 $\mathscr{C}_k$ 非空. 若

(i) 每个类 $\mathscr{C}_k$ 对有限交封闭，

(ii) $\{\mathscr{C}_k, k\in I\}$ 为独立.

则 $\{\sigma(\mathscr{C}_k), k\in I\}$ 为独立.

证 显见对每个 $\mathscr{C}_k$，可以把零概集和概率为一地集增补进去. 若 $D_1\supset D_2$ 都是 $\mathscr{C}_k$ 的集，则可把 D_1-D_2 增补到 $\mathscr{C}_k$ 中去，因为当 $C_j\in\mathscr{C}_j$ 时 $(j\neq k)$，对任意 n 个 C_j 有

$$\begin{aligned}P\Big\{(D_1-D_2)\cap\bigcap_{j\neq k}C_j\Big\} &= P\Big\{D_1\cap\bigcap_{j\neq k}C_j\Big\} \\ &\quad - P\Big\{D_2\cap\bigcap_{j\neq k}C_j\Big\} \\ &= (P(D_1)-P(D_2))\prod_{j\neq k}P(C_j)\end{aligned}$$

$$= P(D_1 - D_2)\prod_{j\neq k} P(C_j).$$

若 $D_i \in \mathscr{C}_k$, $i = 1, 2, \cdots$, $D_i D_l \neq \varnothing$, $i \neq l$, 则可把 $\sum_i D_i$ 增补到 $\mathscr{C}_k$ 中去,因为

$$P\left\{\left(\sum_i D_i\right)\bigcap_{j\neq k} C_j\right\} = \sum_i P\left(D_i \cap \bigcap_{j\neq k} C_j\right)$$

$$= \sum_i P(D_i)\prod_{j\neq k} P(C_j)$$

$$= P\left(\sum_i D_i\right)\prod_{j\neq k} P(C_j).$$

若 $D_m \in \mathscr{C}_k$, $\lim\limits_m D_m = D$, 则可把 D 增补到 $\mathscr{C}_k$ 中去,因为

$$P\left(D_m \cap \bigcap_{j\neq k} C_j\right) = P(D_m)\prod_{j\neq k} P(C_j),$$

令 $m \to \infty$ 得

$$P\left(D \cap \bigcap_{j\neq k} C_j\right) = P(D)\prod_{j\neq k} P(C_j).$$

由上所述立刻推出本命题. 证毕

系 2.4.7 若子 σ 域族 $\{\mathscr{F}_n, n \in I\}$ 是独立的, 若 $\{I_j, I_j \subset I, j \in J\}$ 是 I 的不相交的子集类,则 $\{\sigma(\mathscr{F}_k, k \in I_j), j \in J\}$ 仍为独立.

证 令

$$\mathscr{C}_{I_j} = \left\{\bigcap_{k\in K} A_k, A_k \in \mathscr{F}_k, K \text{ 是 } I_j \text{ 的任意有穷子集}\right\}.$$

于是, $\{\mathscr{C}_{I_j}, j \in J\}$ 具有命题 2.4.6 中 (i) (ii) 两条性质. 但 $\sigma(\mathscr{F}_k, k \in I_j) = \sigma(\mathscr{C}_{I_j})$, 故应用命题 2.4.6 得证本系. 证毕

定义 2.4.8 设 $(\mathscr{F}_n, n = 1, 2, \cdots)$ 为任意一串 $\mathscr{F}$ 的子 σ 域,我们定义它们的尾 σ 域为

$$\bigcap_N \bigvee_{n\geqslant N} \mathscr{F}_n,$$

此处$\bigvee\limits_{n\geq N}\mathscr{F}_n\triangleq\sigma(\mathscr{F}_n, n\geq N)$，尾 σ 域里的集合叫做尾事件.

定理 2.4.9 (Колмогоров 零一律) 设 $(\mathscr{F}_n, n=1, 2, \cdots)$为一串 $\mathscr{F}$ 的子 σ 域，它们独立，则尾事件的概率或等于 0 或等于 1. 换言之，尾 σ 域等价于 σ 域 $\{\varnothing, \Omega\}$.

证 由系 2.4.7 知，若 $N>M$ 则族 $\{\mathscr{F}_k, k\leq M, \sigma(\mathscr{F}_n, n\geq N)\}$ 为独立. 但尾 σ 域是 $\sigma(\mathscr{F}_n, n\geq N)=\bigvee\limits_{n\geq N}\mathscr{F}_n$ 的子 σ 域，从而对任意 M，族 $\{\mathscr{F}_k, k\leq M$, 尾 σ 域$\}$ 为独立，由此知族 $\{\mathscr{F}_k, k\geq 1$, 尾 σ 域$\}$ 为独立. 特别有尾 σ 域与它自己独立，即对任意尾事件 B 恒有

$$P(B\cap B)=P(B)P(B).$$

这就是说 $P(B)=0$ 或 1. 证毕

系 2.4.10 设随机变量 X 对一串独立的 $\mathscr{F}$ 的子 σ 域$(\mathscr{F}_n, n=1, 2, \cdots)$的尾 σ 域可测，则 X 几乎处处为常数.

系 2.4.11 设 X_n, $n=1, 2, \cdots$为相互独立随机变量序列，则 X_n 或 a.s. 收敛或 a.s. 发散，X_n 的极限为退化随机变量；$\sum\limits_1^\infty X_n$ 或 a.s. 收敛或 a.s. 发散. 此外若 $\alpha_n\to 0(n\to\infty)$，则 $\alpha_n\sum\limits_1^n X_k$ 的极限为退化随机变量.

最后我们附带给出一个经典但常要用到的引理.

引理 2.4.12 (Borel-Cantelli) 设 $(A_n, n=1, 2, \cdots)$ 为一串事件，则

$$\sum_{n=1}^{\infty}P(A_n)<\infty\Rightarrow P\{\limsup_n A_n\}=0,$$

$$\sum_{n=1}^{\infty}P\left(A_n\,\Big|\,\bigcap_1^{n-1}A_n^c\right)=\infty\Rightarrow P\left(\sup_n A_n\right)=1.$$

它的下列特款叫做 Borel 零一律：当诸事件 A_n 为独立时，则依 $\sum_n P(A_n)$ 收敛或发散而有 $P\{\limsup_n A\} = 0$ 或 1。

证 因为

$$P(\sup_{m\geqslant n} A_m) \leqslant \sum_{m\geqslant n} P(A_m),$$

故当 $\sum P(A_n) < \infty$ 时，

$$\lim_{n\to\infty} \sum_{m\geqslant n} P(A_m) = 0,$$

所以

$$P(\limsup A_n) \leqslant \lim_{n\to\infty} P(\sup_{m\geqslant n} A_m) = 0.$$

另一方面

$$\begin{aligned} P(\sup_n A_n) &= 1 - P(\inf_n A_n^c) \\ &= 1 - \prod_n P\left(\bigcap_1^n A_m^c\right) \Big/ P\left(\bigcap_1^{n-1} A_m^c\right) \\ &= 1 - \prod_n P\left(A_n^c \,\Big|\, \bigcap_1^{n-1} A_m^c\right) \\ &= 1 - \prod_n \left\{1 - P\left(A_n \,\Big|\, \bigcap_1^{n-1} A_m^c\right)\right\}, \end{aligned}$$

但

$$0 \leqslant \prod_n \left\{1 - P\left(A_n \,\Big|\, \bigcap_1^{n-1} A_m^c\right)\right\} \leqslant e^{-\sum_n P\left(A_n \,\middle|\, \bigcap_1^{n-1} A_m^c\right)} = 0,$$

从而

$$P(\sup_n A_n) = 1.$$ 证毕

系 2.4.13 设随机变量序列 X_n 相互独立，且 $X_n \to 0$ a.s.，则对任意 $c > 0$，$\sum_n P(|X_n| > c) < \infty$。

证 令 $A_n=(|X_n|>c)$，因为 $X_n\to 0$ a.s.，故 $P(\limsup\limits_n A_n)=0$. 由于 X_n 相互独立，诸 A_n 也相互独立. 再用 Borel 零一律知 $\sum\limits_n P(|X_n|>c)<\infty$. 证毕

§5. 正则条件概率

当我们在 §1 里讨论初等情形时，作为已给条件的子 σ 域 $\mathscr{C}$ 是由 Ω 的一个可数的 $\mathscr{F}$ 可测分割 (B_i) 所产生的最小 σ 域. 在 §1 的结尾时，我们指出可以在条件概率的等价类里选一个版本 $P(\cdot|\mathscr{G})(\omega)$，使得对每个 $\omega\in\Omega$，它都是 $\mathscr{F}$ 上的概率测度. 于是当随机变量 X 的期望存在时，X 的条件期望 $E(X|\mathscr{G})$ 等价于 X 对概率测度 $P(\cdot|\mathscr{G})$ 的积分.

在一般情形下，初看起来这一结论也应该成立，但按照 §3 里所得到的性质，只能有

(i) $P(\cdot|\mathscr{G})$ 几乎处处具有概率测度的性质:

$$P(\Omega|\mathscr{G})=1 \text{ a.s.},\quad P(A|\mathscr{G})\geqslant 0 \text{ a.s.},$$

$$P\left(\sum_1^\infty A_i|\mathscr{G}\right)=\sum_1^\infty P(A_i|\mathscr{G}) \text{ a.s.}$$

(ii) $E(\cdot|\mathscr{G})$ 几乎处处具有积分的基本性质:

$$E\left(\sum_{i=1}^n x_i I_{A_i}|\mathscr{G}\right)=\sum_{i=1}^n x_i P(A_i|\mathscr{G}) \text{ a.s.},$$

$$E(X|\mathscr{G})=E(X^+|\mathscr{G})-E(X^-|\mathscr{G}) \text{ a.s.},$$

$$0\leqslant X_n\uparrow X\Rightarrow E(X_n|\mathscr{G})\uparrow E(X|\mathscr{G}) \text{ a.s.}$$

由此可见，在一般情形下欲谈依条件概率的积分时，首先要求对每个 $\omega\in\Omega$，$P(\cdot|\mathscr{G})(\omega)$ 是一个 $\mathscr{F}$ 上的概率测度，或至少要求在一个固定的 P 零概集 N 之外，$P(\cdot|\mathscr{G})(\omega)$ 是一个概率测度，因为条件期望只需在一个固定的 $\mathscr{G}$ 可测零概集之外有定义即可. 欲使这一要求得到满足，我们就要对每个 $A\in\mathscr{F}$，从 $P(A|\mathscr{G})$ 的等

价类中选一个版本，使得当 $\omega \notin N$（零概集）时，$P(\cdot|\mathscr{G})(\omega)$ 是 $\mathscr{F}$ 上的概率测度．对初等情形我们取 $N=B_0$ 就行了（参看 §1 最后一段），但对一般情形就需加以某些限制才能保证有一个固定的零概集 N．满足这一要求的条件概率叫做正则条件概率，可以说正则条件概率是按等价意义定义的，因为当 $\omega \in N$ 时，$P(\cdot|\mathscr{G})(\omega)$ 可以任意改动，从而不妨取 $P(\cdot|\mathscr{G})(\omega)=P_N(\cdot)$ 为任意概率测度．这样一来对每个 $\omega \in \Omega$，$P(\cdot|\mathscr{G})(\omega)$ 都是概率测度了．对此我们给出了下列定义．

定义 2.5.1 正则条件概率 $P(\cdot|\mathscr{G})(\cdot)$ 是 $\Omega \times \mathscr{F}$ 上的函数，在 (ω, A) 处之值为 $P(A|\mathscr{G})(\omega)$，且具有下列性质：

(i) 当 $A \in \mathscr{F}$ 固定时，$P(A|\mathscr{G})(\cdot)$ 是 $\mathscr{G}$ 可测函数；当 ω 固定时，$P(\cdot|\mathscr{G})(\omega)$ 是 $\mathscr{G}$ 上的概率测度．这一性质简称"$\mathscr{F}$ 可测的 $\mathscr{F}$ 上概率"．

(ii) 对任意 $A \in \mathscr{F}$，$B \in \mathscr{G}$ 有

$$\int_B P(A|\mathscr{G})(\omega)P_{\mathscr{G}}(d\omega)=P(AB).$$

正则条件概率在一般情形下不一定存在，如果它存在具有初等情形的那些优良性质．我们有

定理 2.5.2（积分定理） 若 $P(\cdot|\mathscr{G})(\cdot)$ 为正则条件概率，且随机变量 X 的积分存在，则

$$E(X|\mathscr{G})=\int_\Omega X(\omega')P(d\omega'|\mathscr{G}) \text{ a.s.}$$

证 只需对 X 为事件的示性函数的情形加以证明即可，而对一般的 X，可以采用常用办法．因为对每个 $\omega \in \Omega$，$P(\cdot|\mathscr{G})(\omega)$ 是 $\mathscr{F}$ 上的概率测度，故当 $A \in \mathscr{F}$ 时，有

$$P(A|\mathscr{G})(\omega)=\int_\Omega I_A(\omega')P(d\omega'|\mathscr{G})(\omega),\ \omega \in \Omega,$$

这就是

$$E(I_A|\mathscr{G})=P(A|\mathscr{G})=\int_\Omega I_A(\omega')P(d\omega'|\mathscr{G}). \text{ 证毕}$$

正则条件概率 $P(\cdot|\mathscr{G})(\cdot)$ 局限于任意子 σ 域 $\mathscr{F}'$ 上仍不

失其正则性，即它仍是 $\mathscr{G}$ 可测 $\mathscr{F}'$ 上概率. 但其逆并不成立，不过在探求正则条件概率时，先考虑局限于某个子 σ 域 $\mathscr{F}'$ 上的正则条件概率也可能方便些.

设 X 为基本概率空间 $(\Omega, \mathscr{F}, P)$ 上的一族随机变量，X 取值于可测空间 $(\mathscr{X}, \mathscr{B}(\mathscr{X}))$. 由 X 产生的子 σ 域记为 $\sigma(X)$.

定义 2.5.3 若对每个 $\omega \in \Omega$，给定子 σ 域 $\mathscr{G}$ 时的条件概率 $P(A|\mathscr{G})(\omega)$ 局限于子 σ 域 $\sigma(X)$ 上，则称它为已给子 σ 域 $\mathscr{G}$ 时的 X 的条件分布. 记之为 $P^{\mathscr{G}}(\omega, B)$, $\omega \in \Omega$, $B \in \sigma(X)$.

已给子 σ 域 $\mathscr{G}$ 时 X 的条件分布 $P^{\mathscr{G}}(\cdot, \cdot)$ 是 $\Omega \times \sigma(X)$ 上的函数，由下列两个条件刻划:

(CDi) $P^{\mathscr{G}}(\omega, B)$ 当 B 固定时，作为 ω 的函数是 $\mathscr{G}$ 可测的；当 ω 固定时，作为 $\sigma(X)$ 上的集函数时是概率测度；

(CDii) 对任意 $A \in \mathscr{G}$ 及 $B \in \sigma(X)$ 时，有

$$\int_A P^{\mathscr{G}}(\omega, B) P_{\mathscr{G}}(d\omega) = P(AB).$$

前面说过，条件概率 $P(\cdot|\mathscr{G})(\cdot)$ 不见得是正则的，因而它局限于 $\sigma(X)$ 也不见得是正则的. 那么在什么条件下能保证 X 的条件分布存在呢？欲解答此问题，需要引进一个新的定义. 已给子 σ 域 $\mathscr{G}$ 时，就有条件概率 $P(\cdot|\mathscr{G})$. 现在对每个 $S \in \mathscr{B}(\mathscr{X})$，定义 $Q^{\mathscr{G}}(\omega, S)$ 如下:

$$Q^{\mathscr{G}}(\omega, S) = P(X \in S|\mathscr{G})(\omega) \text{ a.s.}(P_{\mathscr{G}}). \tag{1}$$

显见 $Q^{\mathscr{G}}(\cdot, \cdot)$ 是二元函数，当 S 固定时，$Q^{\mathscr{G}}(\cdot, S)$ 是 $\mathscr{G}$ 可测函数；但当 ω 固定时，$Q^{\mathscr{G}}(\omega, \cdot)$ 不见得是 $\mathscr{B}(\mathscr{X})$ 上的概率测度.

定义 2.5.4 若满足 (1) 的 $Q^{\mathscr{G}}(\omega, S)(\omega \in \Omega, S \in \mathscr{B}(\mathscr{X}))$ 对每个 $\omega \in \Omega$ 都是 $\mathscr{B}(\mathscr{X})$ 上的概率测度，则称 $Q^{\mathscr{G}}(\cdot, \cdot)$ 为给定子 σ 域 $\mathscr{G}$ 时 X 的混合条件分布.

我们加上"混合"这个形容词，是因为 ω 在 Ω 中，而 S 是 X 的取值空间 $\mathscr{X}$ 里的 Borel 集. X 的条件分布与混合条件分布之间的关系如下.

命题 2.5.5 设 X 为任意随机变量族，若已给子 σ 域 $\mathscr{G}$ 时，X

的条件分布存在，则必存在X的一个混合条件分布. 此外若X的值域S_X是 Borel 集 ($S_X \in \mathscr{B}(\mathscr{X})$) 时，其逆也成立.

证 第一部分易证. 由假设知 $P(X\in S|\mathscr{G})(\omega)$ 当ω固定时必是$\mathscr{B}(\mathscr{X})$上的概率测度，故若定义

$$Q^{\mathscr{G}}(\omega,S)\triangleq P(X\in S|\mathscr{G})(\omega),$$

这个$Q^{\mathscr{G}}(\cdot,\cdot)$满足条件 (1)，而且对每个固定的$\omega\in\Omega$，它是$\mathscr{B}(\mathscr{X})$上的概率测度. 这就证明了存在一个给定子$\sigma$域$\mathscr{G}$时$X$的混合条件分布.

反之，已知$Q^{\mathscr{G}}(\cdot,\cdot)$是已给子$\sigma$域$\mathscr{G}$时$X$的混合条件分布，且$X$的值域$S_X$是 Borel 集，我们需要对每个 $B\in\sigma(X)$，定义$\mathscr{G}$可测的$P^{\mathscr{G}}(\omega, B)$，使得对每个固定的$\omega\in\Omega$，$P^{\mathscr{G}}(\omega,\cdot)$是$\sigma(X)$上的概率测度. 在一般情形下，$\sigma(X)$可测集$B$可以是不同的 Borel 集$S$, S'的逆象，即 $X^{-1}(S)=X^{-1}(S')=B$，但当X的值域S_X为 Borel 集时，我们有

$$\begin{aligned}Q^{\mathscr{G}}(\omega,S_X^c)&=P(X\in S_X^c|\mathscr{G})(\omega)\\&=P(\varnothing|\mathscr{G})(\omega)=0.\end{aligned}$$

当$\omega\notin N$时，此处N为$P_{\mathscr{G}}$零概集. 此外因为

$$X^{-1}(SS'^c)=X^{-1}(S)X^{-1}(S'^c)=BB^c=\varnothing,$$
$$X^{-1}(S^cS')=X^{-1}(S^c)X^{-1}(S')=B^cB=\varnothing,$$

所以SS'^c及S^cS'都属于S_X^c. 从而有

$Q^{\mathscr{G}}(\omega,S)=Q^{\mathscr{G}}(\omega,SS')=Q^{\mathscr{G}}(\omega,S')$，当$\omega\notin N$. 由此看出，对每个$B\in\sigma(X)$，我们可以按照 (1) 式选$\mathscr{G}$可测，$\sigma(X)$上的概率测度$P^{\mathscr{G}}(\omega,B)$如下:

$$P^{\mathscr{G}}(\omega,B)=\begin{cases}Q^{\mathscr{G}}(\omega,S), & \omega\notin N,\\ Q^{\mathscr{G}}(\omega_0,S), & \omega\in N.\end{cases}$$

此处ω_0为N^c中的任意固定点，$X^{-1}(S)=B$, $S\in\mathscr{B}(\mathscr{X})$. 这样选的$P^{\mathscr{G}}(\cdot,\cdot)$就是$X$的条件分布. 证毕

当X的条件分布存在时，有如下的积分定理.

命题 2.5.6 (局限积分定理)设随机变量X的条件分布$P^{\mathscr{G}}(\omega, B)$, $\omega\in\Omega$, $B\in\sigma(X)$ 存在，$g(\cdot)$ 为X的取值空间 $\mathscr{X}$ 上的

Borel 函数,且设 $g(X)$ 的积分存在,于是有

$$
\begin{aligned}
E[g(X)|\mathscr{G}](\omega) &= \int_{\Omega} g(X(\omega'))P^{\mathscr{G}}(\omega, d\omega') \\
&= \int_{\mathscr{X}} g(x)Q^{\mathscr{G}}(\omega, dx).
\end{aligned}
$$

证 由条件分布的定义可知,当 $g(x) = I_S(x), S \in \mathscr{B}(\mathscr{X})$ 时,此定理成立. 然后再用常用的办法证明一般情形. 证毕

在什么条件下,X 的条件分布存在? 下面定理解答了此问题.

定理 2.5.7 (混合条件分布的存在定理) 若随机变量族 X 为可数族,则对任意已给的子 σ 域 $\mathscr{G}$, X 的混合条件分布必存在.

若设 X 的值域是一个 Borel 集,则对任意已给的子 σ 域 $\mathscr{G}$, X 的条件分布必存在.

证 由命题 2.5.5 知,只需证本定理的前半部分就可以了. 先证 $X = (X_1, \cdots X_n)$ 的情形. 但为简便计,只对 $n = 1$ 的情形加以证明,对一般的 n, 证法相同,只是符号繁些而已. 对 $\boldsymbol{R}$ 中每个有理点 r, 定义

$$
F^{\mathscr{G}}(\omega, r) \triangleq P(X \leqslant r|\mathscr{G})(\omega), \quad \omega \in \Omega.
$$

此式右方是条件概率 $P(\cdot|\mathscr{G})(\cdot)$ 等价类里的一个固定的版本. 由条件概率的一般性质推知 $F^{\mathscr{G}}(\omega, r)$ 有下列性质:

$$
F^{\mathscr{G}}(\omega, -\infty) = 0, \ F^{\mathscr{G}}(\omega, +\infty) = 1, \ 当\ \omega \notin N_0;
$$

$$
0 \leqslant F^{\mathscr{G}}(\omega, r) \leqslant F^{\mathscr{G}}(\omega, r'), \ 若\ r \leqslant r', \ \omega \notin N_{rr'};
$$

$$
F^{\mathscr{G}}(\omega, r') \downarrow F^{\mathscr{G}}(\omega, r), \ 当\ r' \downarrow r, \ \omega \notin N_r.
$$

此处 N_0, $N_{rr'}$, N_r 都是 $\mathscr{G}$ 可测零概集, 而 r, r' 都是有理数. 对一切 r, r' 求并得:

$$
N = N_0 \cup \Big(\bigcup_{r<r'} N_{rr'}\Big) \cup \Big(\bigcup_{r} N_r\Big),
$$

N 仍是 $\mathscr{G}$ 可测零概集. 对 $\forall x \in \boldsymbol{R}$, 令

$$
F^{\mathscr{G}}(\omega, x) \triangleq \begin{cases} \lim\limits_{r \downarrow x} F^{\mathscr{G}}(\omega, r), \omega \notin N, \\ F^{\mathscr{G}}(\omega_0, x), \ \omega \in N. \end{cases}
$$

此处 ω_0 是 N^c 里的任意选定的点. 这样定义的 $F^{\mathscr{G}}(\omega, x)$ 对每个

固定的 $\omega\in\Omega$，作为 x 的函数是 $\boldsymbol{R}$ 上的分布函数. 从而由它可以定义 $\mathscr{B}(\boldsymbol{R})$ 上的概率测度 $Q^{\mathscr{G}}(\omega,\cdot)$ 如下:

$$Q^{\mathscr{G}}(\omega,(-\infty,x])\triangleq F^{\mathscr{G}}(\omega,x),\ \omega\in\Omega.$$

下面验证 $Q^{\mathscr{G}}(\omega,S)$是已给子 σ 域$\mathscr{G}$时的 X 的混合条件分布，此处 $\omega\in\Omega$, $S\in\mathscr{B}(\boldsymbol{R})$. 为此需证对固定的 $S\in\mathscr{B}(\boldsymbol{R})$, $Q^{\mathscr{G}}(\cdot,S)$ 是 $\mathscr{G}$ 可测，且对 $\forall S\in\mathscr{B}(\boldsymbol{R})$, (1) 式 a.s. 成立，即

$$Q^{\mathscr{G}}(\omega,S)=P(X\in S|\mathscr{G})(\omega),\ \text{a.s.}$$

由 $Q^{\mathscr{G}}(\omega,S)$ 的构造可知，当 $S=(-\infty,r]$ 时，所欲证者成立. 于是由条件概率 $P(\cdot|\mathscr{G})(\cdot)$ 的性质可知，当 S 为有理区间的有穷和时，所欲证者也成立. 再由单调取极限性可知，对有理区间有穷和所构成的域上最小单调域里的任意集 S，所欲证者也成立. 这便证明了当 X 为有穷个随机变量族时，已给子 σ 域 $\mathscr{G}$ 时 X 的混合条件分布必存在.

最后往证，当 X 为可数随机变量族 $(X_n,n=1,2,\cdots)$ 时，给定子 σ 域 $\mathscr{G}$ 时 X 的混合条件分布必存在. 如上，当我们对固定的 n，选定等价类中的一个版本 $F^{\mathscr{G}}(\omega,r_1,\cdots,r_n)$ 之后，我们可对 $n+1$ 如此选定等价类中的一个版本 $F^{\mathscr{G}}(\omega,r_1,\cdots,r_n,r_{n+1})$ 使得它们为相容，即对 $\forall\omega\in\Omega$ 有

$$\lim_{r_{n+1}\to\infty}F^{\mathscr{G}}(\omega,r_1,\cdots,r_n,r_{n+1})=F^{\mathscr{G}}(\omega,r_1,\cdots,r_n).$$

用上述办法，对每个 n 就可构造 $\boldsymbol{R}^n$ 中 Borel 集上的概率测度，这样便得一族无矛盾的概率测度，从而这一族决定 $\mathscr{B}(\boldsymbol{R}^\infty)$ 上一个概率测度. 这就是 X 的混合条件分布. 证毕

在第一章里已经说过，考虑可数随机变量族 X 时，常常代之考虑样本空间 $(\boldsymbol{R}^\infty,\mathscr{B}(\boldsymbol{R}^\infty),P_X)$ 上的随机变量族 $\widetilde{X}$:

$$\widetilde{X}(x)=(\widetilde{X}_1(x),\widetilde{X}_2(x),\cdots)=(x_1,x_2,\cdots)=x.$$

这时 $\widetilde{X}$ 的值域为 $\prod_{n=1}^{\infty}\boldsymbol{R}_n(\boldsymbol{R}_n=\boldsymbol{R})$，它是 Borel 集，故由上定理推出.

系 2.5.8 在可数随机变量族的样本空间上的条件概率可以化为正则条件概率，而且任意子族的条件分布必存在.

样本空间上随机变量族 $\widetilde{X}$ 里的第 n 个坐标随机变量 $\widetilde{X}_n$ ($\widetilde{X}_n(x)=x_n$)，在已给前 $n-1$ 个坐标随机变量 $(\widetilde{X}_1,\cdots,\widetilde{X}_{n-1})$ 的条件下的条件分布

$$P^{(\widetilde{X}_1,\cdots,\widetilde{X}_{n-1})}(x,\widetilde{X}_n\in S)=P(\widetilde{X}_n\in S\mid \widetilde{X}_1,\cdots,\widetilde{X}_n)(x) \tag{2}$$

在 x 处之值可以记作

$$P(x_1,\cdots,x_{n-1};S), \tag{3}$$

因为由 (2) 知，这个条件分布是 $(x_1,\cdots,x_{n-1})$ 的可测函数，也是 $S\in\mathscr{B}(\boldsymbol{R})$ 上的概率测度. 所以 $P(x_1,\cdots,x_{n-1};S)$ 就是已给子 σ 域 $\prod\limits_{k=1}^{n-1}\mathscr{B}_k$，$\mathscr{B}_k=\mathscr{B}(\boldsymbol{R})$ 时的 $\widetilde{X}_k$ 的条件分布. 令 $g(x_1,\cdots,x_n)$ 为任意 Borel 函数，$Eg(\widetilde{X}_1,\cdots,\widetilde{X}_n)$ 存在，由平滑性有

$$E(g(\widetilde{X}_1,\cdots,\widetilde{X}_n)\mid\mathscr{B}_1)=E\left\{E(g(\widetilde{X}_1,\cdots,\widetilde{X}_n)\mid\prod_1^2 B_k)\mid\mathscr{B}_1\right\}$$

$$=E\left\{E\left\{\cdots E\left\{E\left\{g(\widetilde{X}_1,\cdots,\widetilde{X}_n)\mid\prod_1^{n-1}\mathscr{B}_k\right\}\Big|\prod_1^{n-2}\mathscr{B}_k\right\}\right.\right.$$

$$\left.\left.\cdots\Big|\prod_1^2\mathscr{B}_k\right\}\mid\mathscr{B}_1\right\},$$

$$Eg(\widetilde{X}_1,\cdots,\widetilde{X}_n)=E\{E(g(\widetilde{X}_1,\cdots,\widetilde{X}_n)\mid\mathscr{B}_1)\}$$

因为条件分布存在，所以上边二个等式的右方可以写成积分形状. 我们得到

$$E(g(\widetilde{X}_1,\cdots,\widetilde{X}_n)\mid\mathscr{B}_1)(x_1)$$

$$=\int_{\boldsymbol{R}}P(x_1;dx_2)\int_{\boldsymbol{R}}\cdots\int_{\boldsymbol{R}}g(x_1,\cdots,x_n)P(x_1,\cdots,x_{n-1};dx_n),$$

$$Eg(\widetilde{X}_1,\cdots,\widetilde{X}_n)$$

$$=\int_{\boldsymbol{R}}P(dx_1)\int_{\boldsymbol{R}}P(x_1;dx_2)\int_{\boldsymbol{R}}\cdots\int_{\boldsymbol{R}}g(x_1,\cdots,x_n)\cdot$$

$$\cdot P(x_1,\cdots,x_{n-1};dx_n).$$

特别，若取 $g(x_1,\cdots,x_n)=I_S$，S 为 n 维 Borel 集；由后一等式可知，$(\widetilde{X}_1,\widetilde{X}_2,\cdots)$ 的有穷维分布族可以由 $\widetilde{X}_1$ 的分布 $P(\ )$及条件分布族 $P(x_1;\cdot)$，$P(x_1,x_2;\cdot)$，$\cdots$ 所决定.

第三章　随机函数的一些基本概念

§1. 随机函数的一般性质

前面已经讲过，定义于基本概率空间$(\Omega, \mathscr{F}, P)$上的一族随机变量$X=(X_t, t\in T)$叫做随机函数，参数集T可以是$\bar{\boldsymbol{R}}$中的有穷集、可数集或一个区间．当T为有穷集时，X就是有穷个随机变量，这时有关X的一切概率问题都比较容易处理，我们感兴趣的是T为无穷集的情形，当T为可数集时，$X=(X_n, n\geqslant 1)$称为随机序列，当T为区间时，X称为随机过程．对任何情形我们给如下的一般定义．

定义 3.1.1　随机函数$X=(X_t, t\in T)$是空间$T\times\Omega$到$\mathbb{R}$的映象．当t固定时，$X_t(\cdot)$是基本概率空间$(\Omega, \mathscr{F}, P)$上的随机变量．当ω固定时，$X_{\cdot}(\omega)$是定义于T上的实函数，$X_{\cdot}(\omega)$叫做样本函数或轨道．

为了研究当t变动时，随机变量族$(X_t(\cdot), t\in T)$的分析性质，例如当$t\to t_0$时，随机变量在t_0处是否有极限，如有极限是否等于$X_{t_0}(\cdot)$等等，这时就需要随机变量的收敛概念，我们知道主要有三种收敛，即依概率收敛、概率为一地收敛及$L_r(r>0)$收敛．

设有两个随机函数$X=(X_t, t\in T)$及$Y=(Y_t, t\in T)$，我们称X，Y为等价的（或互为修正），如果对每个$t\in T$，存在零概集N_t，使得$X_t(\omega)=Y_t(\omega)$，对一切$\omega\notin N_t$．注意如果T为非可数集，那么$N=\bigcup\limits_{t\in T}N_t$不见得是零概集，甚至不是可测集．

定义 3.1.2　设X，Y为随机函数，它们的参数集$T=\boldsymbol{R}_+=$

$[0,\infty)$若 $\bigcup_{t\in \boldsymbol{R}_+}\{X_t\neq Y_t\}$ 为零概集，则称随机函数 X 与 Y 无区别. 与恒为零的随机函数无区别的随机函数叫做不足道随机函数.

等价随机函数的概率性质是相同的，因为概率性质是借助概率分布来刻划的. 但随机函数的分析性质则不然，当 T 为非可数集时，我们可以举例说明等价类里的随机函数的某些分析性质不见得为类中每个成员所共有，因为分析性质不能单用它们的共同分布来描述. 例如取 $T=[0,1]$，取 $\Omega=[0,1]$，$\mathscr{F}$ 为 $[0,1]$ 里的 Lebesgue 集所构成，$\mathscr{F}$ 上的概率测度为 Lebesgue 测度. 我们定义随机函数类如下，其中每个成员 $(X_t, t\in T)$ 为:

$$X_t(\omega)=\begin{cases}1, & \omega=\omega_t,\\ 0, & \omega\neq\omega_t.\end{cases}$$

这里点 ω_t 除了依赖于 t 外也与随机函数类中的成员有关. 同时这一类里的任意两个随机函数是等价的，因为在 t 处使它们不相等的 ω 最多有两个点.

现在考虑这个等价类里每个成员的上确界 $X_T^*(\omega)$:

$$X_T^*(\omega)=\sup_{t\in T}X_t(\omega)=\begin{cases}1, & \omega\in(\omega_t, t\in[0,1]),\\ 0, & \omega\notin(\omega_t, t\in[0,1]).\end{cases}$$

假设这个等价类里的一个随机函数所对应的 $(\omega_t, t\in[0,1])$ 取为空集，另一个随机函数所对应的 $(\omega_t, t\in[0,1])$ 取为 $[0,1]$ (即 $\omega_t=t$)，第三个随机函数所对应的 $(\omega_t, t\in[0,t])$ 取为 $[0,1]$ 里的任意集 A (即 $\omega_t=tI_A(t)$)，其中 A 不加可测性的限制. 这时，我们可以看到，虽然这三个随机函数是等价的，但第一个随机函数在 $T=[0,1]$ 上的上确界处处为零，第二个的上确界处处为 1，而第三个的上确界在 A 上为 1，A 外为 0. 如果 A 选为不可测，则此上确界也是不可测.

由上讨论可知，为了考虑随机函数的分析性质，当我们一般地考虑随机函数等价类时，不能保证类里每个成员都具有同一分析性质. 所以我们还要对等价类加以限制，即考虑等价类里的子类，使得在 T 中取极限时的结果仍为可测，从而所有的分析性质可以用它们共同的分布来描写. 限制条件是由 Doob 所给，这主要是要求当参数集为非可数集且当 $t \to t_0$ 时，X_t 的上下极限仍应是随机变量，这一要求归结为随机函数的可分性，下一节我们专门来讨论这个性质.

下面我们考虑样本性质，随机函数 $X = (X_t, t \in T)$ 在 ω 处的样本 $X_\cdot(\omega)$ 是 T 上的函数，对 T 上的函数，我们可以考虑可测性、可积性、连续性等等. 若存在一个零概集 N，使得 $\omega \notin N$ 时，样本 $X_\cdot(\omega)$ 具有如上所指的性质，则称随机函数 X 的几乎所有样本具有此性质，或说 a.s. 样本具有此性质. 现在对连续性来加以考察. 设存在一个零概集 N，若当 $\omega \notin N$ 时，样本 $X_\cdot(\omega)$ 为 T 上的连续函数，则称 X 为 a.s. 样本连续. 如果对固定的 $t_0 \in T$，存在零概集 N_{t_0}，使得当 $\omega \notin N_{t_0}$ 时，$X_t(\omega) \to X_{t_0}(\omega)(t \to t_0)$，那么我们称随机函数在 t_0 处概率为 1 地连续(或在 t_0 处 a.s. 连续). 如果对每个 $t_0 \in T$，随机函数 X 都在 t_0 处 a.s. 连续，那么就称 X 在 T 上 a.s. 连续. 显见 a.s. 样本连续必是 a.s. 连续，但反之则不然，因为 $\bigcup\limits_{t_0 \in T} N_{t_0}$ 不见得可测，从而更谈不到它是零概集. 为了把 a.s. 样本连续与 a.s. 连续刻划得更清楚，我们引进下列定义:

定义 3.1.3 若当 $t \to t_0$ 时，$X_t \underset{\text{a.s.}}{\to} X_{t_0}$ 不成立，即

$$P\{\lim_{t \to t_0} X_t = X_{t_0}\} < 1,$$

则说 t_0 为随机函数 X 的固定间断点.

定义 3.1.4 当 ω 固定时，样本函数 $X_\cdot(\omega)$ 在点 $t(\omega)$ 处为间断，但 $t(\omega)$ 不是固定间断点，则称 $t(\omega)$ 为 X 的可动间断点.

由定义可知，t_0 为固定间断点的充要条件是

$$P\{\lim_{t \to t_0} X_t \neq X_{t_0}\} > 0.$$

由此可见随机函数为 a.s. 连续就是说它没有固定间断点. 但如上所述 a.s. 连续不见得 a.s. 样本连续，请看下面的例子. 取 $\Omega = (0, 1)$，$P =$ Lebesgue 测度，$T = (0, 1)$，考虑随机函数:

$$X_t(\omega)=\begin{cases}0, & t<\omega,\\ 1, & t\geqslant\omega.\end{cases}$$

可见对任意 $t_0\in T$，$\{\omega: \lim\limits_{t\to t_0} X_t(\omega)\neq X_{t_0}(\omega)\}=\{\omega: \omega=t_0\}$，这告诉我们每个点 t_0 都不是固定间断点，所以这个随机函数是 a.s. 连续．但是它不是 a.s. 样本连续，因为无论取什么零概集 N，当 $\omega\notin N$ 时，样本 $X_\cdot(\omega)$ 在 $t=\omega$ 处不连续．这个随机函数的间断点是随着样本改变而改变的，是可动间断点．于是随机函数为 a.s. 样本连续，这意味着它除了无固定间断点外，而且在某个固定零概集外，也没有可动间断点．

定理 3.1.5 设 $X=(X_t, t\in T)$ 为随机函数，T' 为 T 的极限点集．对每个 $t\in T'$，X 的依概率左右极限之一存在，记之为 X_{t-} 及 X_{t+}．于是在 T' 里存在最多为可数的子集 T_c，使得当 $t\in T'-T_c$ 时，有 $X_{t+}=X_{t-}$ a.s.．

证 在第一章里已经说过，若随机变量 X, Y 的距离用下式定义：

$$d(X, Y)=E\frac{|X-Y|}{1+|X-Y|},$$

则以等价随机变量类为点的空间是完备距离空间，按这个距离的收敛和依概率收敛相同．随机函数的等价类就是定义于 T 上而取值于这个距离空间的一个函数．因此本定理就作为定义于 T 上取值于完备距离空间的函数 $\xi=(\xi_t, t\in T)$ 的相应定理．这就是说，对每个 $t\in T'$，ξ_{t+} 及 ξ_{t-} 中至少有一个存在．于是在 T' 里存在可数集 T_c，使得当 $t\in T'-T_c$ 时，$\xi_{t+}=\xi_{t-}$．往证这一改述定理．

若 t 为 T 中孤立点或 T 的单边极限点，则 ξ_{t+}，ξ_{t-} 中至少有一个不存在，但这样的 t 最多有可数个，因为不相交的区间最多为可数个 $(T\subset\bar{\boldsymbol{R}})$．我们把这样的点都预先归入 T_c 里，这样一来，只需考虑 T' 里为双边极限的那种点就可以了．令 ξ 在 t 点的振动记作 $\omega(t)$：

$$\omega(t)=\lim_{\delta\to 0}\sup_{t-\delta<t',t''<t+\delta} d(\xi_{t'},\xi_{t''}),$$

再令

$$T'_n = T'\cap\left\{t:\omega(t)\geqslant\frac{1}{n}\right\},$$

往证 T'_n 最多为可数集. 对每个 $t\in T'_n$, 由假设知 ξ 在 t 处左右极限之一存在. 例如说 ξ_{t-} 存在, 于是在 t 之左方必有邻域(以 t 为右端点的邻域), 使得在这个邻域内每个点上 ξ 的振动必小于 $\frac{1}{n}$. 所以存在以 t 为右端点的小邻域, 在其内没有 T'_n 的点, 故 T'_n 的每一点最多是 T'_n 的单边极限点. 这就证明了 T'_n 最多为可数集. 把 $\bigcup\limits_n T'_n$ 归入 T_c, 于是在 $T-T'_c$ 的每个 t 上, $\omega(t)=0$. 这就是说 $\xi_{t+}=\xi_{t-}$. 证毕

注 特别当 $t\in T\ (T'-T_c)$ 时, 则有 $X_{t-}=X_t=X_{t+}$ a.s. 若 $T=T'$, 则 X 在 $T-T_c$ 上依概率连续. 若 $T'=\overline{T}$ (T 的闭包), 则 X 在 $\overline{T}-T_c$ 上可以开拓为依概率连续的随机函数.

这个定理最有意思的应用场合是当 T 为一个区间的情形. 如果已知依概率的单边极限里至少一个存在, 则除了一个最多可数个 t 值外, 概率为 1 地有 $X_{t+}=X_t=X_{t-}$.

下面的定理很简单而且几乎是显然的, 然而它在很多地方要用到.

定理 3.1.6 若随机函数 $X=(X_t,\ t\in T)$ 的几乎所有样本在每个点 t 上都存在右极限 X_{t+}, 且 X 为依概率连续(即在每个 $t\in T$ 上依概率连续), 则它必有一个 a.s. 样本右连续的修正.

证 由假设知, 有零概集 N_0, 使得当 $\omega\notin N_0$ 时, 对每个 $t\in T$, 有 $\lim\limits_{\varepsilon\to 0}X_{t+\varepsilon}(\omega)=X_{t+}(\omega)$. 定义

$$\widetilde{X}_t(\omega)=\begin{cases}X_{t+}(\omega), & \omega\notin N_0,\\ \text{常数}, & \omega\in N_0.\end{cases}$$

显见随机函数 $\widetilde{X}$ 的 a.s. 样本为右连续. 往证 X 与 $\widetilde{X}$ 等价. 由假

设知当 $\varepsilon \to 0$ 时，$X_{t+\varepsilon} \xrightarrow[p]{} X_t$，故可找一串 (ε_n)，$\varepsilon_n \downarrow 0$ 及零概集 N_t 使得当 $\omega \notin N_t$ 时，$\lim\limits_{n\to\infty} X_{t+\varepsilon_m}(\omega) = X_t(\omega)$. 所以当 $\omega \notin N_0 \cup N_t$ 时，有

$$\widetilde{X}_t(\omega) = X_{t+}(\omega) = \lim_{\varepsilon\to 0} X_{t+\varepsilon}(\omega)$$
$$= \lim_{n\to\infty} X_{t+\varepsilon_n}(\omega) = X_t(\omega).$$

这就证明了 X 与 $\widetilde{X}$ 等价. 证毕

定义 3.1.7 设随机函数 $X = (X_t, t \in T)$ 的参数集 T 是 $\bar{\boldsymbol{R}}$ 里一个区间，令 $\mathscr{T} = T \cap \mathscr{B}(\bar{\boldsymbol{R}})$. 把 $X_t(\omega)$ 看作是 $T \times \Omega$ 上的函数，如果它是可测空间 $(T \times \Omega, \mathscr{T} \otimes \mathscr{F})$ 到 $(\boldsymbol{R}, \mathscr{B}(\boldsymbol{R}))$ 的可测映象，则称 X 为 Borel (可测随机过程，简称为可测随机过程.

由 Fubini 定理知二元可测函数的截口为一元可测，故可测随机过程 X 在 t 处的截口 $X_t(\cdot)$ 为随机变量. 这和上面随机函数的一般定义无矛盾. 另一方面可测随机过程 X 在 ω 处的截口 $X_\cdot(\omega)$，是 $\mathscr{T}$ 可测的 (Borel 函数). 在 $(T, \mathscr{T})$ 上给 Lebesgue 测度 λ，取插乘可测空间 $(T \times \Omega, \mathscr{T} \otimes \mathscr{F})$ 中的零测集 F，$(\lambda \times P)(F) = 0$，如果当 $(t, \omega) \notin F$ 时，X 与一个可测随机过程相等，我们就称 X 为 a.e. Borel 可测随机过程.

研究随机过程的样本性质时，对于可测随机过程这一概念是必不可少的，下面将看到任意随机过程再稍加某种限制后，即可认为它是可测的，也就是说在这种限制下，可以找到它的可测修正. 可测随机过程有下列性质:

命题 3.1.8 设 X 为可测随机过程，若 $X \geqslant 0$ 或积分

$$\int_T E|X_t| d\mu(t) < \infty,$$

则随机过程对 μ 的积分 $\int_T X_t(\omega) d\mu(t)$ a.s. 存在有穷，此处 μ 是 $\mathscr{T}$ 上的有穷测度. 在此条件下，还有

$$E\int_T X_t(\omega) d\mu(t) = \int_T EX_t d\mu(t).$$

若 τ 是取值于 T 中的随机变量，则 X_τ 也是随机变量.

证 此命题的前一半就是 Fubini 定理. 后一半容易证明.对任意 $B\in\mathscr{B}(\boldsymbol{R})$，有

$$\{\omega: X_\tau\in B\}=\{\omega:(\tau(\omega),\omega)\in[(t,\omega): X_t(\omega)\in B]\}.$$

由等式右方立刻看出这个集合是 $\mathscr{F}$ 可测的，从而 X_τ 为随机变量. 证毕

关于随机过程还可引进其它更有意思的可测性. 为此我们先约定 $T=\boldsymbol{R}_+=[0,\infty)$，$\mathscr{T}=\mathscr{B}(\boldsymbol{R}_+)$. 给了随机过程 $X=(X_t,t\in\boldsymbol{R}_+)$，对每个 $t\in\boldsymbol{R}_+$. 考虑子 σ 域 $\sigma(X_s,s\leqslant t)$（记之为 $\mathscr{F}_t^X$），这一子 σ 域是由 $(X_s,s\leqslant t)$ 所产生的子 σ 域. 显见当 $0\leqslant s<t<\infty$ 时，$\mathscr{F}_s^X\subset\mathscr{F}_t^X$. 族 $(\mathscr{F}_t^X,t\in\boldsymbol{R}_+)$ 叫做随机过程 X 所产生的自然子 σ 域族，它是一族上升的子 σ 域族，且对每个 t，$X_t\in\mathscr{F}_t^X$. 由此可见，对于一个随机过程 X 就有一族满足上面所说的那些性质的子 σ 域族. 更一般地，可以先设可测空间 $(\Omega,\mathscr{F})$ 中有了一族上升的子 σ 域 $(\mathscr{F}_t,t\in\boldsymbol{R})$，使它对我们所考虑的随机过程起到自然子 σ 域族的性质. 下面我们对这一预先给定的上升子 σ 域族 $(\mathscr{F}_t,t\in\boldsymbol{R}_+)$ 作如下规定. 对每个 $t\in\boldsymbol{R}_+$，令

$$\mathscr{F}_{t+}=\bigcap_{s>t}\mathscr{F}_s,$$

$$\mathscr{F}_{t-}=\bigvee_{s<t}\mathscr{F}_s=\sigma\Big(\bigcup_{s<t}\mathscr{F}_s\Big),$$

族 $(\mathscr{F}_t,t\in\boldsymbol{R}_+)$ 称为右连续的，如果对任意 $t\in\boldsymbol{R}_+$，$\mathscr{F}_t=\mathscr{F}_{t+}$. 易知若令 $\mathscr{Y}_t=\mathscr{F}_{t+}$，则族 $(\mathscr{Y}_t,t\in\boldsymbol{R}_+)$ 是右连续的.

定义 3.1.9 定义于 $(\boldsymbol{R}_+\times\Omega)$ 上的随机过程称为 $(\mathscr{F}_t)$ 适应的，如果对每个 $t\in\boldsymbol{R}_+$，$X_t\in\mathscr{F}_t$.

由以上讨论可知，任意随机过程对其自然子 σ 域族适应.

定义 3.1.10 定义于 $\boldsymbol{R}_+\times\Omega$ 上的随机过程 $(X_t,t\in\boldsymbol{R}_+)$ 称为循序可测的，如果对每个 $t\in\boldsymbol{R}_+$，映象 $(s,\omega)\to X_s(\omega)$ 是可测空间 $([0,t]\times\Omega,\mathscr{B}[0,t]\otimes\mathscr{F}_t)$ 到 $(\boldsymbol{R},\mathscr{B}(\boldsymbol{R}))$ 的可测函数.

循序可测随机过程显然是 $(\mathscr{F}_t)$ 适应的. 但一般讲来，适应

过程未必是循序可测的．循序可测随机过程必是可测过程．

定理 3.1.11 每个 $(\mathscr{F}_t)$ 适应的右（或左）连续随机过程

$$X = (X_t, t \in \boldsymbol{R}_+)$$

必为循序可测．

证 只证左连续情形．对固定的 $t \in \boldsymbol{R}_+$ 及每个正整数 n，定义随机过程 $X^{(n)}$ 如下：

$$X_s^{(n)}(\omega) = X_0(\omega) I_{\{0\}}(s) + \sum_{k=1}^{\infty} X_{\frac{kt}{2^n}}(\omega) T_{\left(\frac{k-1}{2^n}t, \frac{k}{2^n}t\right]}(s).$$

$X^{(n)}$ 是 $([0, t] \times \Omega, \mathscr{B}[0, t] \otimes \mathscr{F}_t)$ 到 $(\boldsymbol{R}, \mathscr{B}(\boldsymbol{R}))$ 的可测函数，从而 $\lim\limits_{n \to \infty} X^{(n)} = X$ 限于 $[0, t] \times \Omega$ 上，是 $\mathscr{B}[0, t] \otimes \mathscr{F}_t$ 可测的，即 X 是循序可测的．证毕

若 $\boldsymbol{R}_+ \times \Omega$ 中一个子集 A 的示性函数 $I_A(t, \omega), t \in \boldsymbol{R}_+, \omega \in \Omega$ 为循序可测随机过程，则称 A 为循序（可测）子集．A 为循序子集的充要条件是，对每个 $t \in \boldsymbol{R}_+$，$A \cap [0, t] \times \Omega \in \mathscr{B}[0, t] \otimes \mathscr{F}_t$．$\boldsymbol{R}_+ \times \Omega$ 中所有循序子集构成 $\mathscr{B}(\boldsymbol{R}_+) \otimes \mathscr{F}$ 的一个子 σ 域，这个子 σ 域叫做循序子 σ 域．

为要随机过程 X 是循序可测的，当且仅当 X 看作 $\boldsymbol{R}_I \times \Omega \to \boldsymbol{R}$ 上的映象时，它是循序子 σ 域可测的．

§2. 可 分 性

我们考虑随机函数 $X = (X_t, t \in T)$，令 $\overline{T}$ 为 T 的闭包，记区间 $\left(t - \frac{1}{n}, t + \frac{1}{n}\right) \triangleq I_n(t)$．对每个 $t \in \overline{T}, \omega \in \Omega$，熟知 X 的上下极限为：

$$\overline{X}_t(\omega) = \limsup_{s \to t} X_s(\omega) = \inf_n \sup_{s \in TI_n(t)} X_s(\omega),$$

$$\underline{X}_t(\omega) = \liminf_{s \to t} X_s(\omega) = \sup_n \inf_{s \in TI_n(t)} X_s(\omega).$$

我们知道 $\overline{X}_\cdot(\omega)$ 为上半连续（即对每个 $t_0 \in \overline{T}$，

$$\limsup_{t\to t_0} \overline{X}_t(\omega) = \overline{X}_{t_0}(\omega)),$$

$$\underline{X}_t(\omega) \leqslant X_t(\omega) \leqslant \overline{X}_t(\omega), (t \in \overline{T}),$$

若 t 为 T 的孤立点，此不等式左、中、右三项相等，$\underline{X}_t < \infty$ a.s.，$\overline{X}_t > -\infty$ a.s. 但由前讨论知，当 T 为非可数时，$\overline{X}_t$ 及 $\underline{X}_t$ 不一定 $\mathscr{F}$ 可测，因为我们取上下确界时这是对一切 $s \in TI_n(t)$ 而言的. 所以欲保证它们为 $\mathscr{F}$ 可测，那就要求，可以把形如 TI（I 开区间）的集合换为 SI，但不影响上下确界，此处 S 是 T 中的某个可数子集. 这一要求就是一个限制，此限制条件叫做可分性.

定义 3.2.1 当 T 为非可数集时，$X = (X_t, t \in T)$ 为一随机函数，如果存在 T 的一个可数子集 $S = (s_j)$，使得对任意开区间 I（$TI \neq \varnothing$），恒有

$$(S_1) \qquad \inf_{s_j \in SI} X_{s_j} = \inf_{t \in TI} X_t, \quad \sup_{s_j \in SI} X_{s_j} = \sup_{t \in TI} X_t,$$

则称 X 为可分的，集 S 叫做 X 的分离集.

显见定义条件 (S_1) 等价于：

$$(S_2) \qquad \inf_{SI} X_t \leqslant \inf_{TI} X_t, \quad \sup_{SI} X_t \geqslant \sup_{TI} X_t,$$

(S_2) 又与下列条件等价：

$$(S_3) \qquad \inf_{SI} X_t \leqslant X_{t'} \leqslant \sup_{SI} X_t, \forall t' \in TI.$$

由 (S_2) 可见，若 S 为分离集，则在 S 上再加上任意可数集后所得的集合仍为分离集.

命题 3.2.2 随机函数 X 为可分的，且其分离集为 $S = (s_j)$，当且仅当下列三个条件之一成立：

$$(S_1') \qquad \liminf_{s_j \to t} X_{s_j} = \liminf_{s \to t} X_s,$$

$$\limsup_{s_j \to t} X_{s_j} = \limsup_{s \to t} X_s, \quad t \in \overline{T},$$

$$(S_2') \qquad \liminf_{s_j \to t} X_{s_j} \leqslant \liminf_{s \to t} X_s,$$

$$\limsup_{s_j \to t} X_{s_j} \geqslant \limsup_{s \to t} X_s, \quad t \in \overline{T},$$

$$(S_3') \qquad \liminf_{s_j \to t} X_{s_j} \leqslant X_t \leqslant \limsup_{s_j \to t} X_{s_j}, \quad t \in T.$$

证 先证这三个条件等价. 显见 $(S_1')\Longleftrightarrow(S_2')$, $(S_2')\Rightarrow(S_3')$. 往证 $(S_3')\Rightarrow(S_2')$. 对每个 $t'\in T$, 由 (S_3') 有

$$\liminf_{s_j\to t'} X_{s_j}\leqslant X_{t'}.$$

令 $t'\to t(\varepsilon\overline{T})$, 则有

$$\liminf_{t'\to t}\liminf_{s_j\to t} X_{s_j}\leqslant\liminf_{t'\to t} X_{t'}.$$

但 $\liminf_{s_j\to t'} X_{s_j}$ 是 t' 的下半连续函数, 故以上不等式的右方等于 $\liminf_{s_j\to t} X_{s_j}$, 从而这个不等式变为 (S_2') 的第一个不等式. 同样可证 (S_2') 的第二个不等式成立.

剩下要证带撇的条件等价于不带撇的条件. 先证 $(S_2)\Rightarrow(S_2')$. 在 (S_2) 里取 $I=I_m(t)$, $t\in\overline{T}$, 再令 $n\to\infty$, 即得 (S_2'). 再证 $(S_3')\Rightarrow(S_3)$. 首先对任意 $t\in TI$, 总可找到正整数 n_0, 使 $I_{n_0}(t)\subset I$, 故当 $n\geqslant n_0$ 时有

$$\inf_{s_j\in SI} X_{s_j}\leqslant\inf_{s_j\in SI_n} X_{s_j}\leqslant\liminf_{s_j\to t} X_{s_j}.$$

应用 (S_3'), 便得

$$\inf_{s_j\in SI} X_s\leqslant X_t,\ \forall t\in TI,$$

这就是 (S_3') 的前一部分. 同样可证后一部分. 证毕

由可分性的定义条件 (S_1) 可以看出, X 是以 S 为分离集的可分随机函数, 即等同于下列事实: 对任意开区间 I 及任意闭区间 C, 下列条件成立:

$$(S)\qquad \{X_t\in C,\ t\in TI\}=\{X_{s_j}\in C,\ s_j\in SI\}.$$

这个等式的右方集合为 $\mathscr{F}$ 可测,而且包含等式左方的集合,所以当 (S) 成立时,左方集合必为 $\mathscr{F}$ 可测(一般说来它未必可测). 由条件 (S) 可以引出一个更一般性的可分概念:

定义 3.2.3 随机函数 $X=(X_t,\ t\in T)$ 称为对闭集类可分, 如果在 T 中存在可数子集 S, 使得对任意开区间 I 及任意闭集 A, 恒有

$$(S')\qquad \{X_t\in A,\ t\in TI\}=\{X_{s_j}\in A,\ s_j\in SI\}.$$

显见对闭集类可分必是可分.

引进可分性概念解决了研究随机函数的某些分析性质时所遇到的困难，另一方面这一概念并不是一个严重的限制. 下面我们可以看到对每个随机函数 X 可以找到一个对闭集类可分的修正，如此先证下列引理.

引理 3.2.4 **设** $X=(X_t,\ t\in T)$ 为一随机函数，C 为任意 Borel 集，于是在 T 中可以找到最多为可数的子集 $S=(s_j)$，使得对任意 $t\in T$ 有

$$P\{X_{s_j}\in C,\ s_j\in S;\ X_t\notin C\}=0.$$

令 $\mathscr{C}_0=(C_k)$ 为可数个 Borel 集 C_k 组成的族，$\mathscr{C}$ 是 $\mathscr{C}_0$ 里可数个集的交集所构成的集合类. 于是在 T 里可以找到可数子集 S，使得对任意 $t\in T$，存在零概集 N_t. 当 $C\in\mathscr{C}$ 时

$$\{X_{s_j}\in C,\ s_j\in S;\ X_t\notin C\}\subset N_t.$$

证 在 T 中任取一参数 s_1，设 $s_1,\cdots,s_n$ 已经取好，我们用下列办法选 S_{m+1}. 令

$$\sup_{t\in T}P\{X_{s_j}\in C,\ j\leqslant n;X_t\notin C\}=p_n,$$

若 $p_n=0$，就不再选 s_{n+1}，取 $S=(s_1,\cdots,s_n)$. 若 $p_n>0$，选 $s_{n+1}\in T$ 使

$$P\{X_{s_j}\in C,\ j\leqslant n;\quad X_{s_{n+1}}\notin C\}\geqslant p_n\left(1-\frac{1}{n}\right).$$

因
$$\sum_n P\{X_{s_j}\in C,\ j\leqslant n;\ X_{s_{n+1}}\notin C\}\leqslant 1,$$

故当 $n\to\infty$ 时，$p_n\to 0$. 于是

$$P\{X_{s_j}\in C,\ s_j\in S;X_t\notin C\}$$
$$\leqslant P\{X_{s_j}\in C,\ j\leqslant n;\ X_t\notin C\}\leqslant p_n\to 0.$$

由此知，引理第一部分得证.

对 $\mathscr{C}_0$ 里的每个集 C_k，由引理的第一部分知，在 T 里存在最多为可数个子集 $S^{(k)}$，令

$$S=\bigcup_{C_k\in\mathscr{C}_0}S^{(k)},$$

S 仍是 T 中的可数子集. 对每个 $t\in T$ 令

$$N_t=\bigcup_{C_k\in\mathscr{C}_0}\{X_{s_j}\in C_k,\ s_j\in S;\ X_t\notin C_k\}.$$

因为 $\{X_{s_j}\in C_k,\ s_j\in S;\ X_t\notin C_k\}\subset\{X_{s_j}\in C_k,\ s_j\in S^{(k)};\ X_t\notin C_k\}$, 由引理的第一部分知 $P\{X_{s_j}\in C_k,\ s_j\in S^{(k)};\ X_t\notin C_k\}=0$, 故 $P(N_t)=0$. 对任意 $C\in\mathscr{C}$, $C=\bigcap\limits_l C_l$, 故

$$\{X_t\notin C\}\subset\bigcup_l\{X_t\notin C_l\},$$

因而有

$$\{X_{s_j}\in C,\ s_j\in S;\ X_t\notin C\}\subset\bigcup_l\{X_{s_j}\in C,\ s_j\in S,\ X_t\notin C_l\}$$

$$\subset\bigcup_l\{X_{s_j}\in C_l,\ s_j\in S;\ X_t\notin C_l\}\subset N_t.$$

由此知引理第二部分得证. 证毕

定理 3.2.5 (可分修正定理) 设 $X=(X_t,\ t\in T)$ 为一随机函数,于是存在它的一个修正 $\widetilde{X}$, 使得 $\widetilde{X}$ 对闭集类可分.

证 我们要构造一个与 X 等价的随机函数 $\widetilde{X}$ 及 T 中的可列子集 S, 使 $\widetilde{X}$ 对闭集类可分,即对每个开区间 I 及每个闭集 C, 有

$$\{\widetilde{X}_{s_j}\in C,\ s_j\in SI\}=\{\widetilde{X}_t\in C,\ t\in TI\}. \tag{1}$$

因为每个开区间是以有理数为端点或以无穷为端点的开区间的可数并, 所以只需对 I 以有理数为端点或以无穷为端点的开区间的情形证明 (1) 式成立即可. 令 $\mathscr{C}_0$ 表示所有的以有理数或以无穷为端点的闭、开区间的有穷并构成的,令 $\mathscr{C}$ 为 $\mathscr{C}_0$ 中元素的可数交构成的集合类. 显见 $\mathscr{C}$ 里包含所有闭集. 于是由引理 3.2.4 知,对每个有理开区间 I_r, 当我们考虑随机函数 $(X_t,\ t\in TI_r)$ 时, 可以找到可数集 $S_r\subset TI_r$, 使得对每个闭集 C 及每个 $t\in TI_r$, 存在零概集 N_{tr} 有

$$\{X_s\in C,\ s\in S_r;\ X_t\notin C\}\subset N_{tr}, \tag{2}$$

令 $N_t = \bigcup_r N_{tr}$，于是 $P(N_t) = 0$；令 $S = \bigcup_r S_r$，S 仍为可数集，且 $S \subset T$. 不妨设 S 稠密于 T，否则可在 S 上随便并上一个 T 中的可数稠密子集，仍记为 S. 定义随机函数 $(\tilde{X}_t, t \in T)$ 如下：

$$\tilde{X}_t(\omega) = \begin{cases} X_t(\omega), & t \in S, \ \omega \in \Omega, \\ X_t(\omega), & t \notin S, \ \omega \notin N_t, \\ \limsup\limits_{s_j \to t} X_{s_j}(\omega), & t \notin S, \ \omega \in N_t. \end{cases}$$

$\tilde{X}_t(\cdot)$ 当然是随机变量，显见 $\tilde{X}_t(\omega) = X_t(\omega)$，$\omega \notin N_t$，故 $\tilde{X}$ 是 X 的修正. 往证 $\tilde{X}$ 对闭集类可分，即对 I_r 及闭集 C，(1) 成立. 欲证 (1)，只需证 (1) 的左方是右方的子集. 设 $\omega \in \{\tilde{X}_{s_j} \in C, s_j \in SI_r\}$，往证当 $t \in TT_r$ 时，$\tilde{X}_t(\omega) \in C$（已知 $\tilde{X}_{s_j}(\omega) \in C$，故可设这个 $t \notin S$）. 下面我们分两种情形来讨论. (i) 若 $\omega \in N_t$，则由 $\tilde{X}$ 的定义知 $\tilde{X}_t(\omega) = \limsup\limits_{s_j \to t} X_{s_j}(\omega) \in C$，因为 C 为闭集. (ii) 若 $\omega \notin N_t$，从而必有 r 使 $\omega \notin N_{tr}$. 由 (2) 及 $\tilde{X}$ 的定义知

$$\omega \notin \{X_s \in C, s \in I_r S = S_r; X_t \notin C\}$$
$$= \{\tilde{X}_s \in C, s \in I_r S; \tilde{X}_t \notin C\}.$$

但因 $\omega \in \{\tilde{X}_{s_j} \in C, s_j \in I_r S\}$，故由上得知必有 $\tilde{X}_t(\omega) \in C$. 证毕

在上面讨论可分性时，每个定义关系都是对每个 $\omega \in \Omega$ 成立的. 如果我们只限定 ω 在某个零概集之外，定义关系成立，我们就说随机函数为几乎可分（或 a.s. 可分）. 若随机函数为可分，则任何与它无区别的随机函数必为几乎可分. 所以当我们只注意研究随机函数几乎所有样本性质时，几乎可分换为可分，并不妨害问题的普遍性.

在可分性的定义 (S_1)，(S_2) 或 (S_3) 里，对于一个随机函数 X，如果只限这些定义关系在一个依赖于开区间 I 的零概集 $N(I)$ 之外成立，则随机函数 X 必几乎可分，因为在定义里不必考虑所有的开区间 I，而只需考虑所有有理数或无穷端点的开区间 I_r 即可. 这时取 $N = \bigcup_r N(I_r)$，于是当 $\omega \notin N$ 时，定义条件对每个开区间

I 都成立.

如前所说,若 S 为分离集,我们把 T 中任意可数子集并到 S 上所得的集仍是分离集. 这样一来可以认为分离集 S 在 T 中稠密,它必包含 T 的孤立点. 如果 T 为区间,我们常常认为所有有理点或所有二进位点都属于分离集.

最后注明,若 X 为几乎可分,而且我们只知道,对任意 $t\in T$,当 $\omega\notin N_t$ 时,(S_1'),(S_2'),(S_3') 中的一个对 $S_0\subset T$ 成立(注意,因为零概集 N_t 依赖于 t,所以不能由于 (S_1'),(S_2'),(S_3') 中的一个成立,推出 X 为几乎可分),则 S_0 必为分离集. 事实上,若当 $\omega\notin N_t$ 时,(S_3') 成立,则当 $\omega\notin N_t$ 时,(S_3) 成立(使之成立的参数集为 S_0). 但由于 X 本身几乎可分,故存在固定的零概集 N_0 及分离集 S,使得当 $\omega\notin N_0$ 时,(S_2) 对分离集 $S=(s_k')$ 成立. 综合上述,当 $\omega\notin N_0\cup\left(\bigcup\limits_k N_{s_k'}\right)$ 时,有

$$\inf_{s_j\in IS_0} X_{s_j}\leqslant \inf_{s_{k'}\in IS} X_{s_{k'}}\leqslant \inf_{t\in TI} X_t,$$

此不等式的前两项的不等式,由 (S_3) 对 S_0 成立而得;后两项的不等式,由 (S_2) 对 S 成立而得. 由此不等式又知 (S_2) 对 S_0 成立,当 $\omega\notin N_0\cup\left(\bigcup\limits_k N_{s_{k'}}\right)$. 这就是说 X 为几乎可分,其分离集为 S_0.

§3. 可分随机函数的性质

对可分的随机函数,当其参数沿着参数集趋于某个固定极限时,允许我们沿着某个可数子集(即分离集)去趋于那个极限,使所得结果不变. 下一个定理说明对于单边趋于固定极限时也有同样性质.

定理 3.3.1 设 $X=(X_t, t\in T)$ 为可分随机函数,S 为其分离集. 令 t 为 T 的左极限点,于是在 S 内可以找到上升序列 (s_n'),$\lim\limits_{n\to\infty} s_n'=t$,使得当 $\omega\notin N_t\ (P(N_t)=0)$ 时,有

$$\liminf_{t' \uparrow t} X_{t'}(\omega) = \liminf_{t \to \infty} X_{s'_n}(\omega),$$

$$\limsup_{t' \uparrow t} X_{t'}(\omega) = \limsup_{n \to \infty} X_{s'_n}(\omega).$$

当 t 为 T 的右极限点时,也有相似的结果.

注意,这个定理告诉我们,如果 $\lim\limits_{t_n \uparrow t} X_{t_n}$ a.s. 存在,虽然这个例外的零概集依赖序列 (t_n),但必有 $\lim\limits_{t' \uparrow t} X_{t'}$ a.s. 存在.

证 可设 X 为有界,否则考虑 arctg X. 对每个 n,令

$$I_n = \left(t - \frac{1}{n}, \frac{1}{n}\right),$$

由可分性 (S_1) 知,在 SI_n 内可以找到有穷集 $S_{n,m} = (s_{n,k}, k \leqslant m)$ 使得

$$P\left\{\inf_{k \leqslant m} X_{s_{n,k}} - \inf_{TI_n} X_{t'} > \frac{1}{n}\right\} < \frac{1}{n},$$

$$P\left\{\sup_{TI_n} X_{t'} - \sup_{k \leqslant m} X_{s_{n,k}} > \frac{1}{n}\right\} < \frac{1}{n}.$$

把 $\bigcup\limits_n S_{n,m}$ 重新排列成一个上升序列 (s'_k), $s'_k \uparrow t$, 于是由以上两个不等式便有

$$P\left\{\inf_{s'_k \in I_m} X_{s'_k} - \inf_{TI_n} X_{t'} > \frac{1}{n}\right\}$$
$$\leqslant P\left\{\inf_{k \leqslant m} X_{s_{n,k}} - \inf_{TI_n} X_{t'} > \frac{1}{n}\right\} < \frac{1}{n},$$

$$P\left\{\sup_{I_n T} X_{t'} - \sup_{s'_k \in I_n} X_{s'_k} > \frac{1}{n}\right\}$$
$$\leqslant P\left\{\sup_{I_n T} X_{t'} - \sup_{k \leqslant m} X_{s_{n,k}} > \frac{1}{n}\right\} < \frac{1}{n}.$$

由此知当 $n \to \infty$ 时有

$$\inf_{s'_k \in I_n} X_{s'_k} - \inf_{TI_n} X_{t'} \xrightarrow[P]{} 0,$$

$$\sup_{TI_n} X_{t'} - \sup_{s'_k \in I_n} X_{s'_k} \xrightarrow[P]{} 0.$$

而且当 $n \to \infty$ 时

$$\inf_{s'_k \in I_n} X_{s'_k} \to \varliminf_{k\to\infty} X_{s'_k}, \quad \inf_{TI_n} X_{t'} \to \varliminf_{t'\uparrow t} X_{t'},$$

$$\sup_{s'_k \in I_n} X_{s'_k} \to \varlimsup_{k\to\infty} X_{s'_k}, \quad \sup_{TI_n} X_{t'} \to \varlimsup_{t'\uparrow t} X_{t'}.$$

由以上极限关系推知,存在零概集 N'_t 及 N''_t 使得

$$\varliminf_{k\to\infty} X_{s'_k}(\omega) = \varliminf_{t'\uparrow t} X_{t'}(\omega), \quad \omega \notin N'_t,$$

$$\varlimsup_{k\to\infty} X_{s'_k}(\omega) = \varlimsup_{t'\uparrow t} X_{t'}(\omega), \quad \omega \notin N''_t.$$

令 $N_t = N'_t \cup N''_t$,即得本定理. 证毕

定理 3.3.2 设 $X = (X_t, t \in T)$ 为 a.s. 可分的随机函数,依概率连续,于是有

(i) T 中任意可数稠密子集必为分离集;

(ii) 令 $I = [a, b]$, $a, b \in T$, 设对任意 n, 在 TI 中有

$$S_n = (s_{n1}, s_{n2}, \cdots, s_{nk_n}),$$

使得当 $n \to \infty$ 时, S_n 在 TI 中趋于稠密,即

$$\lim_{n\to\infty} \sup_{t\in TI} \inf_j |t - s_{nj}| = 0.$$

于是当 $n \to \infty$ 时,有

$$\inf_{k\leqslant k_n} X_{s_{nk}} \xrightarrow[P]{} \inf_{TI} X,$$

$$\sup_{k\leqslant k_m} X_{s_{nk}} \xrightarrow[P]{} \sup_{TI} X;$$

(iii) 若依概率连续加强为 a.s. 连续,则 (ii) 里的依概率收敛加强为 a.s. 收敛.

证

(i) 取 T 中任意一个可数稠密子集 S,往证 S 为分离集. 对任意 $t \in T$. 有 S 中的序列 (s_j), $s_j \to t$. 由依概率连续性知,存在 (s_j) 中的子序列 (s'_j), $s'_j \to t$, 且 $X_{s'_j}(\omega) \to X_t(\omega)$ 当 $\omega \notin N_t$,

$$P(N_t) = 0.$$

故有

$$\liminf_{s_j\to t} X_{s_j}(\omega) \leqslant X_t(\omega) \leqslant \limsup_{s_j\to t} X_{s_j}(\omega), \quad \omega \notin N_t.$$

这就是说当 $\omega \notin N_t$ 时，S 使可分性定义 (S_3') 成立. 故由上节的最后的注知 S 是分离集.

(ii) 可设 $(X_t, t\in TI)$ 有界，否则考虑 $\operatorname{arctg} X$. 令 $S=(s_j)$ 为 $(X_t, t\in TI)$ 的分离集，且可设 I 的端点 a, b 也属于 S. 由 a.s. 可分性知，当 $m\to\infty$ 时有

$$\inf_{j\leqslant m} X_{s_j} \downarrow \inf_{t\in TI} X_t, \quad \text{a.s.}$$

另一方面，由于 $S_n=(s_{n1},\cdots,s_{nk_n})$ 在 TI 内趋于稠密，所以对每个 s_j, $j\leqslant m$, X_{s_j} 必是 $(X_{s_{nk}}, k=1,\cdots,k_n, n=1,2,\cdots)$ 里的一个子序列的依概率极限(由于随机函数是依概率连续). 于是对任意 $\varepsilon>0$,

$$\lim_{n\to\infty} P\{\inf_{k\leqslant k_n} X_{s_{nk}} \geqslant \inf_{j\leqslant n} X_{s_j}+\varepsilon\}=0.$$

但

$$\begin{aligned}
&P\{\inf_{k\leqslant k_n} X_{s_{nk}} - \inf_{t\in TI} X_t \geqslant 2\varepsilon\} \\
\leqslant\, &P\{\inf_{j\leqslant m} X_{s_j} - \inf_{t\in TI} X_t \geqslant \varepsilon\} \\
&+ P\{\inf_{k\leqslant k_n} X_{s_{nk}} - \inf_{j\leqslant m} X_{s_j} \geqslant \varepsilon\},
\end{aligned}$$

先令 $n\to\infty$，再令 $m\to\infty$ 便得

$$\inf_{k\leqslant k_n} X_{s_{nk}} \xrightarrow[p]{} \inf_{t\in TI} X_t, \quad (n\to\infty).$$

同理可证明 sup 的情形.

(iii) 由假设及 S_n 在 TI 内趋于稠密，所以每个 X_{s_j} 必是 $(X_{s_{nk}}, k=1,\cdots,k_n, n=1,2,\cdots)$中的一个子序列的 a.s. 极限 $(n\to\infty)$. 故对每个 s_j，有

$$\limsup_{n\to\infty} \inf_{k\leqslant k_n} X_{s_{nk}} \leqslant X_{s_j} \quad \text{a.s.}$$

由此得

$$\limsup_{n\to\infty} \inf_{k\leqslant k_n} X_{s_{nk}} \leqslant \inf_{s_j\in S} X_{s_j} = \inf_{t\in TI} X_t \quad \text{a.s.} \tag{1}$$

但对每个 n 有 $\inf\limits_{t\in TI} X_t \leqslant \inf\limits_{k\leqslant k_n} X_{s_{nk}}$，故

$$\inf_{t\in TI} X_t \leqslant \lim_{n\to\infty} \inf \inf_{k\leqslant k_n} X_{s_{nk}}. \tag{2}$$

于是由 (1), (2) 得

$$\lim_{n\to\infty} \inf_{k\leqslant k_n} X_{s_{nk}} = \inf_{t\in TI} X_t \text{ a.s.}$$

同样可证 sup 的情形. 证毕

注 若对每个 n, $S_n \subset S_{n+1}$, 于是对任意 $\omega \in \Omega$, $\sup\limits_{k\leqslant k_n} X_{s_{nk}}(\omega)$, $\inf\limits_{k\leqslant k_n} X_{s_{nk}}(\omega)$ 对 n 而言是单调的, 这时在 (ii) 的假设下, 我们所考虑的极限必是概率为 1 地存在.

定理 3.3.3 设随机函数 $X=(X_t, t\in T)$, 故参数集 T 是 Borel 集. 若 X 可分且在 T 上概率为 1 地连续, 则 X 为 $(T\times\Omega, \mathscr{B}(T)\otimes\mathscr{F})$ 到 $(\boldsymbol{R}, \mathscr{B}(\boldsymbol{R}))$ 上的 a.e. Borel 可测随机函数. 此外 X 的几乎所有样本的间断点集合是 Lebesgue 零测集.

证 对 $k=0, \pm1, \pm2, \cdots$ 及 $n=1, 2, \cdots$ 取

$$\underline{X}_k^{(n)}(\omega) = \inf_{t\in T[\frac{k-1}{2^n}, \frac{k}{2^n})} X_t(\omega),$$

$$\overline{X}_k^{(n)}(\omega) = \sup_{t\in T[\frac{k-1}{2^n}, \frac{k}{2^n})} X_t(\omega).$$

定义随机函数如下:

$$\underline{X}_t^{(n)}(\omega) = \sum_k \underline{X}_k^{(n)}(\omega) I_{T[\frac{k-1}{2^n}, \frac{k}{2^n})}(t) (\uparrow \underline{X}_t(\omega)),$$

$$\overline{X}_t^{(n)}(\omega) = \sum_k \overline{X}_k^{(n)}(\omega) I_{T[\frac{k-1}{2^n}, \frac{k}{2^n})}(t) (\downarrow \overline{X}_t(\omega)).$$

因为 X 是可分的, 而 T 为 Borel 集, 故 $\underline{X}^{(n)}$ 及 $\overline{X}^{(n)}$ 为 $\mathscr{B}(T)\otimes\mathscr{F}$ 可测, 从而 $\overline{X}$ 及 $\underline{X}$ 也为 $\mathscr{B}(T)\otimes\mathscr{F}$ 可测, 且对每个 t 有

$$\underline{X}_t(\omega) \leqslant X_t(\omega) \leqslant \overline{X}_t(\omega). \tag{3}$$

令

$$L = \{(t, \omega): \underline{X}_t(\omega) \neq \overline{X}_t(\omega)\}$$

L 为 $\mathscr{B}(T)\otimes\mathscr{F}$ 可测, 由 (3) 知, 当 $(t, \omega) \notin L$ 时, 有

$$\underline{X}_t(\omega) = X_t(\omega) = \overline{X}_t(\omega), \tag{4}$$

另一方面,由于假设 X 是 a.s. 连续的,所以当 $t \in T$ 时,有零概集 N_t,使 $\omega \notin N_t$ 时,有

$$\underline{X}_t(\omega) = X_t(\omega) = \overline{X}_t(\omega).$$

这与 (4) 相同,故知 L 在每个 t 处的截口 $L_t \subset N_t$,因此 L 是 $\lambda \times P$ 零测集(λ 为 Lebesgue 测度),从而由 Fubini 定理知除了一个零概集外,L 在 ω 处的截口 L_ω 是 Lebesgue 零测集. 于是当 $(t, \omega) \notin L$ 时,$X_t(\omega) = \underline{X}_t(\omega) = \overline{X}_t(\omega)$ 为 $(T \times \Omega, \mathscr{B}(T) \otimes \mathscr{F})$ 到 $(\boldsymbol{R}, \mathscr{B}(\boldsymbol{R}))$ 上的可测随机函数,而且当 ω 在一个零概集外,$\lambda(L_\omega) = 0$,这就是说对几乎一切 ω,样本函数 $X.(\omega)$ 的不连续点集是 Lebesgue 零测集. 证毕

注 若 $T_1 \subset T$, $\lambda(T_1) = 0$, 当 $t \in T - T_1$ 时, X_t 为 a.s. 连续,则定理还成立. 事实上,对每个 $t \in T - T_1$, $L_t \subset N_t$.

定理 3.3.4 (可测修正定理) 设 $X = (X_t, t \in T)$ 为依概率连续的随机函数,T 为 Borel 集,于是有 X 的修正 $\widetilde{X}$,它对闭集类可分且 a.e. Borel 可测.

证 由可分修正定理知,存在对闭集类可分修正,因为 X 依概率连续,所以这个对闭集类可分的修正也依概率连续,从而一开始不妨设 X 对闭集类可分,其分离集为 $S = (s_j)$,此外还可设 T 及 X 都有界.

对每个正整数 n,令 S 中的 $s_1, s_2, \cdots, s_n$ 按大小排列后记为

$$s_1^{(n)} < s_2^{(n)} < \cdots < s_n^{(n)},$$

且令 $s_0^{(n)} = -\infty$. 定义随机函数:

$$Y_t^{(n)}(\omega) = \sum_k X_{s_{k-1}^{(n)}} I_{T[s_{k-1}^{(n)}, s_k^{(n)})}(t).$$

因为 T 是 Borel 集,故 $Y^{(n)}$ 为 Borel 可测随机函数. 因为 X 依概率连续,故当 $n \to \infty$ 时,

$$Y_t^{(n)} \xrightarrow[P]{} X_t,$$

从而 (5)

$$p\lim_{n,m\to\infty}(Y_t^{(n)}-Y_t^{(m)})=0.$$

又因 T 及 $Y^{(n)}$ 有界，故由有界收敛定理得

$$\int_T E|Y_t^{(n)}-Y_t^{(m)}|d\lambda(t)\to 0\quad(m,m\to\infty).$$

于是，$Y_t^{(n)}(\omega)\xrightarrow[\lambda\times P]{}Y_t(\omega)$，且 y 为 Borel 可测，从而有子序列 (n') 及 $\lambda\times P$ 零测集 M，使得当 $(t,\omega)\notin M$ 时，$\lim\limits_{n'\to\infty}Y_t^{(n')}(\omega)=Y_t(\omega)$. 所以当 t 不属于一个 λ 零测集 T_0 时，$y_t^{(n')}\xrightarrow[\text{a.s.}]{}Y_t$，而且可以认为 $T_0\supset S$（否则把 S 并入 T_0 里），故由 (5) 知

$$X_t(\omega)=Y_t(\omega),\ t\in T-T_0,\ \omega\in N_t,\ P(N_t)=0.$$

定义随机函数 $\widetilde{X}$ 如下:

$$\widetilde{X}_t(\omega)=\begin{cases}Y_t(\omega), & (t,\omega)\in M^c\cap((T-T_0)\times\Omega),\\ X_t(\omega), & 其它.\end{cases}$$

$\widetilde{X}$ 必是 a.e. Borel 可测(因为 Y 为 Borel 可测)，$\widetilde{X}$ 是 X 的修正. 往证 $\widetilde{X}$ 对闭集类可分，其分离集为 S. 因为已经知道 $T_0\supset S$，所以 $\widetilde{X}_{s_j}(\omega)=X_{s_j}(\omega)$，此外当 $s_{k(t)}^{(n')}\leqslant t<S_{k(t)+1}^{(n')}$ 时，

$$\widetilde{X}_t(\omega)=\begin{cases}Y_t(\omega)=\lim\limits_{n'\to\infty}X_{s_{k(t)}^{(n')}}(\omega), & t\in T-T_0,\ \omega\notin M_t,\\ X_t(\omega), & t\in T-T_0,\ \omega\in M_t,\\ X_t(\omega), & t\in T_0,\end{cases}$$

此处 M_t 为 M 在 t 处的截口. 故对任意闭集 C 及开区间 I，有

$$\begin{aligned}\{\widetilde{X}_{s_j}\in C,\ s_j\in SI\}&=\{X_{s_j}\in C,\ s_j\in SI\}\\&=\{X_t\in C,\ t\in TI\}\\&=\{\widetilde{X}_t\in C,\ t\in TI\}.\end{aligned}$$

这就是说 $\widetilde{X}$ 对闭集类可分，分离集为 S. 证毕

注 若 X 在 λ 零测集 T_1 外为依概率连续，本定理仍成立，因为这时只需在其证明中把 T_1 归入 T_0 即可.

对闭集类可分的随机函数的样本函数具有一个特性，这个特性用下列定义来刻划.

定义 3.3.5 设 $f(\cdot)$ 为 T 上实函数，S 为 T 中稠密子集. 如

果对 $t \in T$ 及每个正整数 n，都有

$$f(t) \in \overline{\{f(s): s \in S(I_n(t) - \{t\})\}},$$

此处 $I_m(t) = \left(t - \frac{1}{n},\ t + \frac{1}{n}\right)$，$\overline{\{\}}$ 为集 $\{\}$ 的闭包，则说函数 f 在 t 处为可分，分离集为 S.

用这个特性可以给出对闭集类可分的随机函数的另一定义.

定理 3.3.6 若 X 对闭集类可分，其分离集为 S（必在 T 中稠密），则其样本函数在 $T-S$ 的每一点上为可分，其分离集为 S. 反之若 S 为 T 中稠密子集，而且每个样本函数在 $T-S$ 的每一点上为可分，其分离集为 S，则 X 对闭集类可分，其分离集为 S.

证 设 X 对闭集类可分，分离集 S 在 T 中稠密. 对任意给定的 $t_0 \in T-S$ 及任意 $n \geqslant 1$，有

$$\overline{\{X_s(\omega),\ s \in S(I_n(t_0) - \{t_0\})\}} = \overline{\{X_s(\omega),\ s \in SI_n(t_0)\}} \triangleq A(\omega),$$

$A(\omega)$ 为闭集. 上式就是说 $X_s(\omega) \in A(\omega)$，对一切 $s \in SI_n(t_0)$. 但 X 对闭集类可分，故 $X_t(\omega) \in A(\omega)$ 对一切 $t \in TI_n(t_0)$，特别有 $X_{t_0}(\omega) \in A(\omega)$. 这就证明了 $X_{\cdot}(\omega)$ 在 t_0 上可分.

反之，设对每个 ω，样本函数 $X_{\cdot}(\omega)$ 在 $T-S$ 的每点上为可分. 往证对任意闭集 C 及开区间 I，如果 $X_s(\omega) \in C$，对每个 $s \in SI$，则 $X_t(\omega) \in C$，对每个 $t \in TI$. 这时只需证当 $t \in (T-S)I$ 时，$X_t(\omega) \in C$. 选 n 足够大使 $I_n(t) \subset I$，于是 $X_s(\omega) \in C$ 对每个 $s \in SI_n(t)$. 因 $t \notin S$，故有 $X_s(\omega) \in C$ 对每个 $s \in S(I_n(t) - \{t\})$，这就是说

$$\{X_s(\omega): s \in S(I_m(t) - \{t\})\} \subset C.$$

由样本函数的可分性知

$$X_t(\omega) \in \overline{\{X_s(\omega): s \in S(I_n(t) - \{t\})\}} \subset C.$$ 证毕

定理 3.3.7 设 X 对闭集类可分，分离集为 S，且 X 依概率左连续，则几乎所有样本函数在 T 的每个点上为可分，分离集为 S.

证 对每个 $s \in S$，因 X 依概率左连续，故可找 $(s_n(s)) \subset S$,

$$s_n(s) < s, \quad \lim_{n\to\infty} s_n(s) = s,$$

使得

$$\lim_{n\to\infty} X_{s_n(s)} = X_s \text{ a.s.}$$

令 $N(s) = \{X_{s_n(s)} \not\to X_s\}$，$N(s)$ 为零概集，取 $N = \bigcup_{s\in S} N(s)$，$N$ 仍为零概集．往证当 $\omega \notin N$，样本函数 $X_\cdot(\omega)$ 在 T 的每个点上为可分．由上定理知 $X_\cdot(\omega)$ 在 $T\text{-}S$ 的每个点上为可分，故只需证它在 S 的每个点上为可分．对任意 $s\in S$ 及任意正整数 n，可找正整数 M，使得

$$s_m(s) \in S[I_m(s) - \{s\}], \; m \geqslant M,$$

故

$$\begin{aligned} X_{s_m(s)}(\omega) &\in \{X_{s'}(\omega),\; s' \in S[I_n(s) - \{s\}]\} \\ &\subset \overline{\{X_{s'}(\omega),\; s' \in S[I_n(s) - \{s\}]\}}. \end{aligned}$$

令 $m\to\infty$，由上证当 $\omega \notin N$ 时，$X_{s_m(s)}(\omega) \to X_s(\omega)$，故由上面关系得到

$$X_s(\omega) \in \overline{\{X_{s'}(\omega),\; s' \in S[I_n(s) - \{s\}]\}},$$

对任意 n．这就证明了当 $\omega \notin N$ 时，样本函数 $X_\cdot(\omega)$ 在 S 的每个点上为可分，分离集为 S．证毕

§4. 连 续 性

定义 3.4.1 设 f 为 T 上的实函数，若在 t_0 处，f 的左、右极限存在且有穷，但 $f(t_0+) \neq f(t_0-)$，则称 f 在 t_0 处为第一类间断（或简单间断）．若 f 在 t_0 处为第一类间断，且 $f(t_0) \in [f(t_0+)\wedge f(t_0-), f(t_0+)\vee f(t_0-)]$，则称 f 在 t_0 处为跳．f 的非第一类间断称为第二类间断．

定理 3.4.2 设 $X = (X_t, t\in T)$ 为可分随机函数，于是几乎所有样本函数的非固定间断的第一类间断必是跳．若 X 对闭集类

可分，则在这些跳处，样本函数为左或右连续.

证 设 $S=(s_j)$ 为分离集. 每个 s_j 处或者是 X 的固定间断或者不是. 如果 s_j 不是固定间断，则有零概集 N_{s_j}，使得当 $\omega\notin N_{s_j}$ 时，样本函数 $X_\cdot(\omega)$ 在 s_j 处为连续，令 $N=\bigcup\limits_{s_j\in S}N_{s_j}$，故当 $\omega\notin N$ 时，$X_\cdot(\omega)$ 在 S 的每个点处或为连续或为固定间断. 当 $\omega\notin N$ 时，考虑 $X_\cdot(\omega)$ 的第一类间断点 t，而且 t 不是固定间断点. 由上所证这个 t 必不属于 S，且 $X_{t-}(\omega)$ 及 $X_{t+}(\omega)$ 为有穷不等. 可设 $X_{t+}(\omega)<X_{t-}(\omega)$（另一情形同样处理），往证 t 必是跳，即 $X_t(\omega)$ 必在这两个单边极限当中. 对任意 $\varepsilon>0$，可以找到足够小的开区间 $I\ni t$，使得

$$X_{s_j}(\omega)\in[X_{t+}(\omega)-\varepsilon,\ X_{t-}(\omega)+\varepsilon],\quad s_j\in SI.$$

故由可分性定义 (S) 知:

$$X_t(\omega)\in[X_{t+}(\omega)-\varepsilon,\ X_{t-}(\omega)+\varepsilon],$$

因 ε 为任意，故由这个关系推知 $X_{t+}(\omega)\leqslant X_t(\omega),\ \leqslant X_{t-}(\omega)$. 这就证明了当 $\omega\notin N$ 时，t 是 $X_\cdot(\omega)$ 的跳，第一部分得证.

若设 X 对闭集类可分，当 $\omega\notin N$ 时仍考虑 $X_\cdot(\omega)$ 的第一类间断点 t，而且 t 不是固定间断点. 同上知 $t\notin S$，记

$$I_n=\left(t-\frac{1}{n},\ t+\frac{1}{n}\right),$$

令

$$C_n(\omega)\triangleq\overline{\{X_{s_j}(\omega),\ s_j\in SI_n\}}.$$

由于 X 对闭集类可分，故 $X_t(\omega)\in C_n(\omega)$, $n=1,2,\cdots$, 从而

$$X_t(\omega)\in\bigcap_n C_n(\omega),$$

但 $\bigcap\limits_n C_n(\omega)$ 只含 $X_{t+}(\omega)$ 及 $X_{t-}(\omega)$. 故 $X_t(\omega)$ 必与其中之一重合，即 $X_\cdot(\omega)$ 在 t 处为左或右连续. 证毕

令

$$\alpha(I)(\omega) \triangleq \sup_{t',t''\in TI} |X_{t'}(\omega) - X_{t''}(\omega)|,$$

$$\beta(I)(\omega) \triangleq \inf_{t\in TI} \{\alpha(I\cap(-\infty,t))(\omega) + \alpha(I\cap(t,+\infty))(\omega)\},$$

$\alpha(I)(\omega)$ 及 $\beta(I)(\omega)$ 分别叫做样本函数 $X_\cdot(\omega)$ 在区间 I 上的振动及单边振动. 对固定的 $t\in T$, 若以 t 为内点的区间列 (I_n) 下降趋于 $\{t\}$, 则 $\alpha(I_n)(\omega)\to\alpha(t)(\omega)$, $\beta(I_n)(\omega)\to\beta(t)(\omega)$, $\alpha(t)(\omega)$ 及 $\beta(t)(\omega)$ 分别是 $X_\cdot(\omega)$ 在 t 点的振动及单边振动. 显见 $\alpha(t)(\omega)=0$ 当且仅当 $X_\cdot(\omega)$ 在 t 点连续, $\beta(t)(\omega)=0$ 当且仅当 $X_\cdot(\omega)$ 在 t 点没有第二类间断. 此外当 $t'_n\uparrow t$, $t''_n\downarrow t$ 时, 若

$$X_{t'_n}(\omega) - X_{t''_n}(\omega)\to 0,$$

$X_\cdot(\omega)$ 在 t 点不能有第一类间断.

定理 3.4.3 设 $X=(X_t, t\in[a,b])$ 为可分随机过程, 分离集为 S, 令 $a, b\in S_n=(s_{n,1},\cdots,s_n,k_m)$, $S_{n,i}\leqslant S_{n,i+1}$, $S_n\uparrow S$, 记 $I_{nk}=[s_{n,k}, s_{n,k+1}]$. 对任意 $\varepsilon>0$, 当 $n\to\infty$ 时:

若 $P\{\max\limits_k \alpha(I_{nk})\geqslant\varepsilon\}\to 0$, 则 X 的 a.s. 样本为连续.

若 $P\{\max\limits_k \beta(I_{nk})\geqslant\varepsilon\}\to 0$, 则 X 的 a.s. 样本除了可能有第一类间断外为连续.

若 $P\{\max\limits_k |X_{s_{n},k} - X_{s_{n},k+1}|\geqslant\varepsilon\}\to 0$, 则 X 的 a.s. 样本除了可能有第二类间断外为连续.

证 令 $p_n=P\{\max\limits_k \alpha(I_{nk})\geqslant\varepsilon\}$. 由假设可以找到子序列 $(p_{n'})$ 使 $\Sigma p_{n'}<\infty$. 于是由 Borel-Cantelli 引理知, 对任意 $\varepsilon>0$ 存在零概集 N_ε, 当 $\omega\notin N_\varepsilon$ 时有正整数 $\nu_\varepsilon(\omega)$, 使得 $\max\limits_k \alpha(I_{n',k})(\omega)\leqslant\varepsilon$, 当 $n'\geqslant\nu_\varepsilon(\omega)$ 时.

对任意 $t\in(a,b)$, 若 $t\notin S$, 则有一串下降的 $I_{n',k}$ 以 t 为内点, 且 $I_{n',k}\to\{t\}$; 若 $t\in S$, 则当 n' 大时可以把以 t 为端点的两个相邻的 $I_{n',k}$, $I_{n',k+1}$ 并起来. 于是总有 $\max\limits_k \alpha(I_{n',k}\cup I_{n',k+1})\leqslant 2\varepsilon$, 当 $n'\geqslant\nu_\varepsilon(\omega)$ 时. 令 $n'\to\infty$ 得: $\alpha_t(\omega)\leqslant 2\varepsilon$. 但 ε 任意, 故

$\alpha_t(\omega)=0$ 这就是说当 $\omega \notin N_\varepsilon$ 时，$X_\cdot(\omega)$ 在 t 处为连续，$t\in(a,b)$. 当 $t=a$，或 b 时，连续是单边的. 对其它情形证法相同. 证毕

特款 首先设下列各式取上确界，是对一切 $[t,t+h]\subset[a,b]$ 而取的，$O_\varepsilon(h)$ 具有性质 $O_\varepsilon(h)=0(h)\ (h\to 0)$，对任意 $\varepsilon>0$.

若 $\sup P\{\alpha[t,t+h]\geqslant\varepsilon\}=O_\varepsilon(h)$，则 X 的 a.s. 样本为连续 (Динкин).

若 $\sup P\{\beta[t,t+h]\geqslant\varepsilon\}=O_\varepsilon(h)$，则 X 的 a.s. 样本为连续，除了可能有第一类间断 (Динкин).

若 $\sup P\{|X_{t+h}-X_t|\geqslant\varepsilon\}=O_\varepsilon(h)$，则 X 的 a.s. 样本为连续，除了可能有第二类间断 (Дабрушин).

现在证明以上三条，为方便书写把 $[a,b]$ 换为 $[0,1]$ 去考虑. 分离集可以取为 $\left(\frac{k}{2^n},\ k=0,1,\cdots,2^n,\ n=1,2\cdots\right)$ (定理 3.3.2)，这时

$$P\{\max\alpha(I_{nk})\geqslant\varepsilon\}\leqslant\sum_k P\{\alpha(I_{nk})\geqslant\varepsilon\}$$

$$\leqslant 2^n O_\varepsilon\left(\frac{1}{2^n}\right).$$

定理 3.4.4 设 $X=(X_t,\ t\in[0,1])$ 为可分随机过程，$g(\cdot)$ 及 $q(\cdot)$ 为定义于 $(0,\delta)$ 上正的非降函数，且

$$\int_0^\delta g(h)\frac{dh}{h}<\infty,\quad \int_0^\delta q(h)\frac{dh}{h^2}<\infty.$$

若对每个 $t\in T$ 有

$$P\{|X_{t+h}-X_t|\geqslant g(h)\}\leqslant q(h),$$

则 X 为 a.s. 样本连续.

证 对每个正整数 $m\geqslant 0$，记

$$Z_m=\sup_{0\leqslant k<2^m}|X_{\frac{k+1}{2^m}}-X_{\frac{k}{2^m}}|.$$

由假设知

$$P\{Z_m \geqslant g(2^{-m})\} \leqslant \sum_{0 \leqslant k < 2^m} P\{|X_{\frac{k+1}{2^m}} - X_{\frac{k}{2^m}}| \geqslant g(2^{-m})\} \leqslant 2^m q(2^{-m}),$$

但

$$\sum_{m>n} g(2^{-m}) \leqslant \frac{1}{\log 2} \sum_{m=n+1}^{\infty} \int_{2^{-m}}^{2^{-(m-1)}} g(h) \frac{dh}{h} = \frac{1}{\log 2} \int_0^{2^{-n}} g(h) \frac{dh}{h} < \infty,$$

$$\sum_{m>n} 2^m q(2^{-m}) \leqslant \sum_{m=n+1}^{\infty} \int_{2^{-m}}^{2^{-(m-1)}} q(h) \frac{dh}{h^2} = \int_0^{2^{-n}} q(h) \frac{dh}{h^2} < \infty,$$

故 $\sum_{m>n} P\{Z_m \geqslant g(2^{-m})\} \leqslant \sum_{m>n} 2^m q(2^{-m}) < \infty$. 由 Borel-Cantelli 引理知 $\bigcap_{m \geqslant 1} \bigcup_{k \geqslant m} \{Z_k > g(2^{-k})\} = N$ 为零概集，所以当 $\omega \notin N$ 时存在取正整数值的随机变量 $K(\omega)$，使得当 $k \geqslant K(\omega)$ 时，有

$$\sum_{m>k} Z_m(\omega) \leqslant \sum_{m>k} g(2^{-m}).$$

此处

$$K(\omega) = \begin{cases} 0, & \omega \in \bigcap_{k \geqslant 1} \{Z_m < g(2^{-m})\}, \\ l, & \omega \in \bigcap_{k \geqslant l} \{Z_m < g(2^{-m})\}, \omega \in \bigcap_{k \geqslant l+1} \{Z_m < g(2^{-m})\}, \end{cases}$$

$$l = 1, 2, \cdots.$$

另一方面，因 X 依概率连续（因为 $g(h), q(h) \to 0$ 当 $h \to 0$），故由定理 3.3.2 知 $S = \{k/2^n, 0 \leqslant k \leqslant 2^n, n = 1, 2, \cdots\}$ 为分离集，由可分性知

$$\sup_{\substack{|t-s| < h \\ t,s \in [0,1]}} |X_t - X_s| = \sup_{\substack{|t-s| < h \\ t,s \in S}} |X_t - X_s|.$$

若 $t \in S$ 且对每个 n，$\left|t-\frac{k}{2^n}\right|<\frac{1}{2^n}$，则 t 可表为

$$t=\frac{k}{2^n}\pm\sum_{m=n+1}^{n'}\frac{\tau_m}{2^m},\ \tau_m=0\ 或\ 1,\ n'\geqslant n.$$

由三角不等式得

$$|X_t-X_{\frac{k}{2^n}}|\leqslant\sum_{m=n+1}^{n'}Z_m\leqslant\sum_{m>n}Z_m.$$

故若 $t, s\in S$ 且 $|t-s|<\frac{1}{2^n}$，则必有正整数 k 使得

$$\left|s-\frac{k}{2^n}\right|<\frac{1}{2^n},\ \left|t-\frac{k}{2^n}\right|<\frac{1}{2^n}，所以有$$

$$|X_t-X_s|\leqslant|X_t-X_{\frac{k}{2^n}}|+|X_s-X_{\frac{k}{2^n}}|$$

$$\leqslant 2\sum_{m>n}Z_m.$$

于是当 $\omega\notin N$ 时，有

$$\sup_{\substack{|t-s|<\frac{1}{2^n}\\ t,s\in[0,1]}}|X_t(\omega)-X_s(\omega)|=\sup_{\substack{|t-s|<h\\ t,s\in S}}|X_t(\omega)-X_s(\omega)|$$

$$\leqslant 2\sum_{m>n}Z_m(\omega)\leqslant 2\sum_{m>n}g(2^{-m})\to 0(n\to\infty).$$

这就是说，几乎所有样本为连续．证毕

我们可以得到更精密的结果．若 $h>0$，n 为正整数使得

$$\frac{h}{2}\leqslant\frac{1}{2^n}<h,$$

则当 $\omega\notin N$，且 $h\leqslant 2^{-K(\omega)}$ 时（这时 $n\geqslant K(\omega)$）有

$$\sup_{|t-s|<\frac{h}{2}}|X_t(\omega)-X_s(\omega)|\leqslant\sup_{|t-s|<\frac{1}{2^n}}|X_t(\omega)-X_s(\omega)|$$

$$\leqslant 2\sum_{m>n}Z_m(\omega)\leqslant 2\sum_{m>n}g(2^{-m})$$

$$\leqslant \frac{2}{\log 2}\int_0^{2^{-n}} g(u)\frac{du}{u} \leqslant \frac{2}{\log 2}\int_0^h g(\omega)\frac{du}{u}.$$

由此得:

系 3.4.5 在定理 3.4.4 的假设下，存在一随机变量 $H=2^{-k}$，使得当 $\omega \notin N$ 时，有

$$\sup_{|t-s|<\frac{h}{2}} |X_t(\omega) - X_s(\omega)| \leqslant \frac{4}{\log 2}\int_0^h g(u)\frac{du}{u},$$

若 $h \leqslant H(\omega)$.

作为应用，我们由上定理推出:

定理 3.4.6 (Колмогоров) 若可分随机函数 $X=(X_t, t\in[0, 1])$ 满足

$$E|X_{t+h} - X_t|^\alpha \leqslant Ch^{1+\beta},$$

此处 α, β, C 为正常数，则对每个 $\gamma < \beta/\alpha$ 有

$$\frac{1}{h^\gamma}\sup_{|t-s|<h} |X_t - X_s| \xrightarrow[\text{a.s.}]{} 0 \quad (h\downarrow 0).$$

特别有: X 的几乎所有样本函数为连续.

证 对任意给定的 $\varepsilon > 0$ 及 $0 < \gamma < \beta/\alpha$，函数 $g(h)=\varepsilon h^\gamma$，$q(h) = C\varepsilon^{-\alpha}h^{1+(\beta-\alpha\gamma)}$ 满足定理 3.4.4 的条件，事实上有

$$\begin{aligned} P\{|X_{t+h} - X_t| > \varepsilon h^\gamma\} &\leqslant (\varepsilon h^\gamma)^{-\alpha}E|X_{t+h}-X_t|^\alpha \\ &\leqslant C\varepsilon^{-\alpha}h^{1+\beta-\alpha\gamma} = q(h). \end{aligned}$$

此外

$$\int_0^h g(h)\frac{du}{u} = \frac{\varepsilon}{\gamma}h^\gamma, \quad \int_0^h q(u)\frac{du}{u^2} = C\varepsilon^{-\alpha}\frac{h^{\beta-\alpha\gamma}}{\beta-\alpha\gamma}.$$

所以由系 3.4.5 知，当 h 足够小时，对几乎一切 ω 有

$$\sup_{|t-s|<h} |X_t(\omega) - X_s(\omega)| \leqslant \frac{4}{\log 2}\frac{\varepsilon}{\gamma}h^\gamma.$$

因为 ε 为任意，由上不等式得证本定理. 证毕

熟知若一个实函数 f 的定义域 T 为紧集时，且 f 在 T 上为连续，则它在 T 上为一致连续. 对随机函数也有同样结果，即若 X 依概率（概率为 1 地或 r 均方连续于 T 上等等），则它在 T 上必一致

的依概率(概率为1地等等)连续.

随机函数 $X=(X_t, t\in[0,1])$ 称为高斯过程(或正态过程),如果对 $[0,1]$ 中任意几个参数 $t_1, \cdots, t_n$, $(X_{t_1}, \cdots, X_{t_n})$ 的联合分布为正态分布. 记此正态分布的均值为 $(m(t_1), \cdots, m(t_n))$,协方差为 $R(t_i, t_j)$, $1\leqslant i, j\leqslant n$. 注意随机函数的参数区间取为 $[0,1]$ 并不妨碍一般性. 现在我们考察正态过程 X 的几乎所有样本函数为连续的条件. 随机变量 X_t 的特征函数为

$$\varphi(\lambda, t)=Ee^{i\lambda X_t}=e^{im(t)\lambda-\frac{\lambda^2}{t}\sigma^2(t)},$$

此处 $\sigma^2(t)=R(t,t)$. 如果 X_t 为 a.s. 样本连续,则由 Lebesgue 控制收敛定理知,对任意固定的 λ, 特征函数 $\varphi(\lambda, t)$ 是 t 的连续函数,于是由

$$\sigma^2(t)=-\frac{1}{\lambda^2}[\log\varphi(\lambda, t)+\log\varphi(-\lambda, t)],$$

$$m(t)=\frac{1}{i\lambda}\left[\log\varphi(\lambda, t)+\frac{\lambda^2}{2}\sigma^2(t)\right],$$

知 $\sigma^2(t)$ 及 $m(t)$ 为 t 的连续函数. 由此可见, $\sigma^2(t)$ 及 $m(t)$ 为连续函数是 X 的 a.s. 样本连续的必要条件. 要考虑充分条件,先考察 $X_t-m(t)\triangleq\widetilde{X}_t$, 于是

$$E(\widetilde{X}_{t_2}-\widetilde{X}_{t_1})^2=R(t_2, t_2)-2R(t_1, t_2)+R(t_1, t_1).$$

由此及定理 3.4.6 得到:

命题 3.4.7 设 $X=(X_t, t\in[0,1])$ 为可分高斯过程,若 $m(t)$ 连续,且存在常数 $C>0$ 及 $\alpha>0$, 使得

$$|R(t_2, t_2)-2R(t_1, t_2)+R(t_1, t_1)|$$
$$\leqslant C|t_2-t_1|^\alpha, \quad t_1, t_2\in[0,1],$$

则 X 的几乎所有样本连续.

特别当 X 为不分的 Brown 运动时(即 $m(t)=0$, $R(s,t)=s\wedge t$), 则它的几乎所有样本连续.

证 往证下列关系即可: 对任意 $\gamma<\frac{\alpha}{2}$,

$$\lim_{h\downarrow 0} h^{-\gamma} \sup_{|t-s|\leqslant h} |X_t - X_s| = 0 \text{ a.s.}$$ 证毕

§5. 可选时(停时)

设 $(\Omega, \mathscr{F}, P)$ 为基本概率空间，取参数集 T 或为 $\boldsymbol{R}_+$ 或为 $\boldsymbol{N}=(0,1,2,\cdots)$. 令 $(\mathscr{F}_t, t\in T)$ 为一族上升子 σ 域，即 $\mathscr{F}_s \subset \mathscr{F}_t \subset \mathscr{F}$，对一切 $s<t$.

定义 3.5.1 取值于 $\bar{\boldsymbol{R}}_+$ 或 $\bar{\boldsymbol{N}}=(0,1,2,\cdots,+\infty)$ 上的随机变量 τ 称为 $(\mathscr{F}_t)$ 可选时 (或称停时，简记为 O.t.)，如果对每个 $t\in \boldsymbol{R}_+(\boldsymbol{N})$ 有

$$\{\tau\leqslant t\}\in \mathscr{F}_t(\{\tau=n\}\in \mathscr{F}_n).$$

现在以离散情形说明停时的合理性．例如一个人在他赌博时决定当他赌胜一百次就停止赌博，停止赌博的时刻 τ 当然是一个随机变量．$(\tau=n)$ 就是说当他赌到第 n 次时，他才赌胜一百次．$\mathscr{F}_n$ 是赌到第 n 次时，赌博者所能掌握到的信息，故 τ 该不该等于 n 是依赖他赌到 n 次才能知道，所以 $(\tau=n)\in\mathscr{F}_n$. 由此可知若以 τ 表示某一随机事件发生的时刻，则 $\{\tau\leqslant t\}$ 表示这一随机事件在 t 以前已经发生，$\mathscr{F}_t$ 可以理解为到时刻 t 为止我们所能有的信息，故 $\{\tau\leqslant t\}$ 应属于 $\mathscr{F}_t$.

显然常值 t 是可选时．若 τ 为可选时，则 $\tau+t(t\geqslant 0)$ 仍为可选时．

下面给出一些简单性质：

引理 3.5.2 若 τ 为取值于 $\bar{\boldsymbol{R}}_+$ 的随机变量使 $\{\tau<t\}\in\mathscr{F}_t$，$t\geqslant 0$，且族 $(\mathscr{F}_t)$ 为右连续，则 τ 为 $(\mathscr{F}_t)$ 可选时．

注意，有些性质可以直接推到离散的 $(\mathscr{F}_n)$ 的情形，有些性质则对离散参数情形是无意义的．

证 由假设 $(\tau<t)\in\mathscr{F}_t$ 知 $(\tau\leqslant t)\in\mathscr{F}_{t+\varepsilon}$ 对任意 $\varepsilon>0$. 故 $(\tau\leqslant t)\in\mathscr{F}_{t+}=\mathscr{F}_t$. 证毕

引理 3.5.3 若 τ,σ 为可选时，则 $\tau\vee\sigma$, $\tau\wedge\sigma$ 为可选时．若

(τ_k) 为可选时序列，则 $\sup_k \tau_k$ 为可选时．此外若 $(\mathscr{F}_t)$ 为右连续，则 $\inf_k \tau_k$ 为可选时，这时 $\limsup_k \tau_k$, $\liminf_k \tau_k$ 也为可选时.

证 显见，对任意 $t \in \boldsymbol{R}_+$ 有

$$\{\tau \wedge \sigma \leqslant t\} = \{\tau \leqslant t\} \cup \{\sigma \leqslant t\} \in \mathscr{F}_t,$$

$$\{\tau \vee \sigma \leqslant t\} = \{\tau \leqslant t\} \cap \{\sigma \leqslant t\} \in \mathscr{F}_t,$$

$$\{\sup_k \tau_k \leqslant t\} = \bigcap_k \{\tau_k \leqslant t\} \in \mathscr{F}_t,$$

$$\{\inf_k \tau_k < t\} = \bigcup_k \{\tau_k < t\} \in \mathscr{F}_t.$$

由最后一个关系，再加上 $(\mathscr{F}_t)$ 为右连续，便推出 $\inf_k \tau_k$ 为可选时．证毕

定义 3.5.4 可选时 τ 的 τ 前事件 σ 域 $\mathscr{F}_\tau$ 定义为

$$\mathscr{F}_\tau \triangleq \{A \in \mathscr{F}_\infty; A \cap \{\tau \leqslant t\} \in \mathscr{F}_t, t \in \boldsymbol{R}_+\},$$

此处 $\mathscr{F}_\infty \triangleq \bigvee_t \mathscr{F}_t$.

定义 3.5.5 可选时 τ 的严格 τ 前事件 σ 域 $\mathscr{F}_{\tau-}$ 定义为

$$\mathscr{F}_{\tau-} \triangleq \{B \in \mathscr{F}_0; A \cap \{t < \tau\}, A \in \mathscr{F}_t, t \in \boldsymbol{R}_+\}$$

$$\triangleq \{B \in \mathscr{F}_0; A \cap \{t < \tau\}, A \in \bigcup_{s<t} \mathscr{F}, t \in \boldsymbol{R}_+\}.$$

在 $\mathscr{F}_{\tau-}$ 的两个定义里，显见下边的每个元素都属于上边．往证上边的每个元素属于下边．若 $A \in \mathscr{F}_t$，则

$$A \cap \{t < \tau\} = \bigcup_{\substack{t<r \\ r\text{有理数}}} \{A \cap \{r < \tau\}\} \text{ 及 } A \in \bigcup_{s<p} \mathscr{F}_s,$$

对一切 $r > t$. 所以由这两个关系可以看出 $A \cap \{t < \tau\}$ 可以表为下边的元素之并．从而上边的元素属于下边，因此 $\mathscr{F}_{\tau-}$ 的两个定义等价.

定理 3.5.6 设 τ 为可选时，则 $\tau \in \mathscr{F}_{\tau-}$, $\mathscr{F}_{\tau-} \subset \mathscr{F}_\tau$.

证 对任意 $t \in \boldsymbol{R}_+$，由 $\mathscr{F}_{\tau-}$ 的定义知 $\Omega \cap \{t < \tau\} \in \mathscr{F}_{\tau-}$,

即 $\{t<\tau\}\in\mathscr{F}_{\tau-}$，从而 $\{\tau\leqslant t\}\in\mathscr{F}_{\tau-}$，这就是说 τ 为 $\mathscr{F}_{\tau-}$ 可测.

欲证 $\mathscr{F}_{\tau-}\subset\mathscr{F}_{\tau}$，需证 $\mathscr{F}_{\tau-}$ 的元素属于 $\mathscr{F}_{\tau}$. 显然 $\mathscr{F}_{\tau-}$ 的元素 $B(\in\mathscr{F}_0)$，必为 $\mathscr{F}_{\tau}$ 可测. $\mathscr{F}_{\tau-}$ 的另一类元素 $A\cap\{t<\tau\}$ 也为 $\mathscr{F}_{\tau}$ 可测，此处 $A\in\mathscr{F}_t$. 事实上，对任意 s

$$[A\cap\{t<\tau\}]\cap\{\tau\leqslant s\}=\begin{cases}\varnothing, & s\leqslant t,\\ A\cap\{\tau\leqslant s\}\backslash A\cap\{\tau\leqslant t\}, & t<s.\end{cases}$$

由此可见 $[A\cap\{t<\tau\}]\cap\{\tau\leqslant s\}\in\mathscr{F}_s$，对任意 s，这就证明了 $[A\cap\{t<\tau\}]\in\mathscr{F}_{\tau}$. 证毕

定理 3.5.7 若 τ 为可选时，σ 为非负随机变量且 $\sigma\geqslant\tau$，$\sigma\in\mathscr{F}_{\tau}$，则 σ 也是可选时.

证 对任意 $t\in\boldsymbol{R}_+$，因为 $\sigma\in\mathscr{F}_{\tau}$，故 $\{\sigma\leqslant t\}\in\mathscr{F}_{\tau}$. 但由 $\mathscr{F}_{\tau}$ 的定义知，对这个 t 必有

$$\{\sigma\leqslant t\}\cap\{\tau\leqslant t\}\in\mathscr{F}_t.$$

于是由假设 $\tau\leqslant\sigma$ 知 $\{\sigma\leqslant t\}\cap\{\tau\leqslant t\}=\{\sigma\leqslant t\}$，由此及上式得 $\{\sigma\leqslant t\}\in\mathscr{F}_t$，对任意 $t\in\boldsymbol{R}_+$. 这就证明了 σ 为可选时. 证毕

利用这个定理可以证明，对每个可选时 τ，可选一串可选时 (τ_n) 使得 $\tau_n\downarrow\tau$.

事实上取

$$\tau_n=\infty I_{\{\tau=\infty\}}+\sum_k\frac{k}{2^n}I_{\left\{\frac{k-1}{2^n}<\tau\leqslant\frac{n}{2^n}\right\}},\tag{1}$$

易知 $\tau_n\geqslant\tau$，$\tau_n\in\mathscr{F}_{\tau}$（定理 3.5.6），故由定理 3.5.7 知 τ_n 为可选时. 显见 $\tau_n\downarrow\tau$.

定理 3.5.8 设 σ,τ 为可选时，则

(i) $A\in\mathscr{F}_{\sigma}\Rightarrow A\cap\{\sigma\leqslant\tau\}\in\mathscr{F}_{\tau}$;

(ii) $A\in\mathscr{F}_{\sigma}\Rightarrow A\cap\{\sigma<\tau\}\in\mathscr{F}_{\tau-}$.

证

(i) 设 $A\in\mathscr{F}_{\sigma}$，往证对任意 $t\in\boldsymbol{R}_+$，$[A\cap\{\sigma\leqslant\tau\}]\cap\{\tau\leqslant t\}\in\mathscr{F}_t$，我们有

$$[A\cap\{\sigma\leqslant\tau\}]\cap\{\tau\leqslant t\}=$$

$$[A\cap\{\sigma\leqslant t\}]\cap[\sigma\wedge t\leqslant\tau\wedge t]\cap\{\tau\leqslant t\}. \qquad (2)$$

但 $\sigma\wedge t\in\mathscr{F}_t$，这是因为，对任意 $s\in\boldsymbol{R}_+$ 有

$$\{\sigma\wedge t\leqslant s\}=\begin{cases}\Omega, & t\leqslant s,\\ \{\sigma\leqslant s\}, & s<t.\end{cases}$$

故 $\{\sigma\wedge t\leqslant s\}\in\mathscr{F}_s$ 对任意 $s\in\boldsymbol{R}_+$. 同理 $\tau\wedge t\in\mathscr{F}_t$，故 $[\sigma\wedge t\leqslant\tau\wedge t]\in\mathscr{F}_t$. 另一方面 $A\cap\{\sigma\leqslant t\}\in\mathscr{F}_t$（因为 $A\in\mathscr{F}_\sigma$），$\{\tau\leqslant t\}\in\mathscr{F}_t$. 总之 (2) 的右方都 $\mathscr{F}_t$ 可测，从而左方也 $\mathscr{F}_t$ 可测.

(ii) 设 $A\in\mathscr{F}_\sigma$，我们有

$$A\cap\{\sigma<\tau\}=\bigcup_{r\text{有理数}}[A\cap\{\sigma\leqslant r\}\cap\{r<\tau\}]. \qquad (3)$$

但 $A\cap\{\sigma\leqslant r\}\in\mathscr{F}_r$，故 (3) 式右方并里的每项都是 $\mathscr{F}_{\tau-}$ 可测，从而 $A\cap\{\sigma<\tau\}\in\mathscr{F}_{\tau-}$. 证毕

注 在本定理里取 $A=\Omega\in\mathscr{F}_\sigma$，于是 $\{\sigma\leqslant\tau\}\in\mathscr{F}_\tau$，$\{\sigma<\tau\}\in\mathscr{F}_{\tau-}\subset\mathscr{F}_\tau$. 由此知，对任意两个可选时 σ,τ，集合 $\{\sigma\leqslant\tau\}$，$\{\sigma<\tau\}$，$\{\tau<\sigma\}$，$\{\tau\leqslant\sigma\}$ 及 $\{\tau=\sigma\}$ 都是 $\mathscr{F}_\tau$ 可测. 由对称性知也为 $\mathscr{F}_\sigma$ 可测. 但其中只有 $\{\sigma<\tau\}\in\mathscr{F}_{\tau-}$，从而 $\{\tau\leqslant\sigma\}\in\mathscr{F}_{\tau-}$，$\{\tau<\sigma\}$ 及 $\{\sigma\leqslant\tau\}\in\mathscr{F}_{\sigma-}$.

定理 3.5.9 设 τ 为可选时，则对任意 $A\in\mathscr{F}_\infty$，$A\cap\{\tau=\infty\}\in\mathscr{F}_{\tau-}$.

证 集合类 $\{B:B\cap\{\tau=\infty\}\in\mathscr{F}_{\tau-}\}$ 构成 σ 域，故只需证当 $A\in\mathscr{F}_n$ 时 $A\cap\{\tau=\infty\}\in\mathscr{F}_{\tau-}$ 即可. 这时

$$A\cap\{\tau=\infty\}=\bigcap_{m\geqslant n}[A\cap\{\tau>m\}],$$

但此式右方每一项为 $\mathscr{F}_{\tau-}$ 可测. 故 $A\cap\{\tau=\infty\}$ 为 $\mathscr{F}_{\tau-}$ 可测. 证毕

定理 3.5.10 若 σ,τ 为可选时，且 $\sigma\leqslant\tau$，则 $\mathscr{F}_\sigma\subset\mathscr{F}_\tau$，$\mathscr{F}_{\sigma-}\subset\mathscr{F}_{\tau-}$.

证 先证 $\mathscr{F}_\sigma\subset\mathscr{F}_\tau$. 对任意 $A\in\mathscr{F}_\sigma$，由假设知 $A\cap\{\sigma\leqslant\tau\}=A$，但 $A\cap\{\sigma\leqslant\tau\}\in\mathscr{F}_\tau$（定理 3.5.8），故 $A\in\mathscr{F}_\tau$.

欲证 $\mathscr{F}_{\sigma-}\subset\mathscr{F}_{\tau-}$，需证 $\mathscr{F}_{\sigma-}$ 的元素为 $\mathscr{F}_{\tau-}$ 可测. 首先 $\mathscr{F}_{\sigma-}$ 的元素 $B(\in\mathscr{F}_0)$ 也是 $\mathscr{F}_{\tau-}$ 的元素. 考虑 $\mathscr{F}_{\sigma-}$ 的另一种元素 $A\cap\{t<\sigma\}$，$A\in\mathscr{F}_t$. 因为 $A\cap\{t<\sigma\}$ 为 $\mathscr{F}_t$ 可测，故

$$[A\cap\{t<\sigma\}]\cap\{t<\tau\}\in\mathscr{F}_{\tau-},$$

但由假设 $[A\cap\{t<\sigma\}]\cap\{t<\tau\}=A\cap\{t<\sigma\}$，故

$$A\cap\{t<\sigma\}\in\mathscr{F}_{\tau-}.$$ 证毕

定理 3.5.11 若 σ,τ 为可选时，$\sigma\leqslant\tau$，且在 $\{\tau<\infty\}$ 上 $\{\sigma<\tau\}$，则 $\mathscr{F}_{\sigma}\subset\mathscr{F}_{\tau-}$.

证 对每个 $A\in\mathscr{F}_{\sigma-}$ 往证 $A\in\mathscr{F}_{\tau-}$. 由假设有

$$A=[A\cap\{\sigma=0\}]\cup[A\cap\{\sigma<\tau\}]\cup[A\cap\{\tau=\infty\}],$$

但此式右方三项都 $\mathscr{F}_{\tau-}$ 可测，故 A 为 $\mathscr{F}_{\tau-}$ 可测. 证毕

定理 3.5.12 设 (τ_n) 为可选时单调序列.

(i) 若 $\tau_n\downarrow\tau$，则 $\mathscr{F}_{\tau}=\bigcap_n\mathscr{F}_{\tau_n}$，当 $(\mathscr{F}_t)$ 为右连续.

(ii) 若 $\tau_n\uparrow\tau$，则 $\mathscr{F}_{\tau-}=\bigvee_n\mathscr{F}_{\tau_n-}$.

证

(i) 由假设及定理 3.5.10 知，$\mathscr{F}_{\tau}\subset\mathscr{F}_{\tau_n}$，故

$$\mathscr{F}_{\tau}\subset\bigcap_n\mathscr{F}_{\tau_n}.$$

往证反包含关系，即证对任意 $A\in\bigcap_n\mathscr{F}_{\tau_n}$，有 $A\in\mathscr{F}_{\tau}$. 由 $A\in\mathscr{F}_{\tau_n}$，$n=1,2,\cdots$ 知对每个 $t\in\boldsymbol{R}_+$，$A\cap\{\tau_n\leqslant t\}\in\mathscr{F}_t$，但由 $A\cap\{\tau<t\}=\bigcup_n[A\cap\{\tau_n<t\}]\in\mathscr{F}_t$，知

$$A\cap\{\tau\leqslant t\}\in\mathscr{F}_{t+}=\mathscr{F}_t,$$

故 $A\in\mathscr{F}_{\tau}$.

(ii) 由定理 3.5.10 知 $\mathscr{F}_{\tau_n-}\subset\mathscr{F}_{\tau-}$，故 $\bigvee_n\mathscr{F}_{\tau_n-}\subset\mathscr{F}_{\tau-}$.

往证反包含，即证 $\mathscr{F}_{\tau-}$ 的元素为 $\bigvee_n\mathscr{F}_{\tau_n-}$ 可测. 事实上，对每

个 $A\in\mathscr{F}_t$ 有

$$A\cap\{t<\tau\}=\bigcup_n[A\cap\{t<\tau_n\}]\in\bigvee_n\mathscr{F}_{\tau_n-}.$$ 证毕

定理 3.5.13 设 (τ_n) 为可选时单调序列.

(i) 若 $\tau_n\downarrow\tau$, $\tau<\tau_n$ 在 $\{0<\tau_n<\infty\}$ 上，则

$$\mathscr{F}_\tau=\bigcap_n\mathscr{F}_{\tau_n-},$$

若 $(\mathscr{F}_t)$ 右连续.

(ii) 若 $\tau_n\uparrow\tau$, $\tau_n<\tau$ 在 $\{0<\tau<\infty\}$ 上，则

$$\mathscr{F}_{\tau-}=\bigvee_n\mathscr{F}_{\tau_n}.$$

证

(i) 由定理 3.5.11 知 $\mathscr{F}_\tau\subset\mathscr{F}_{\tau_n-}$，故 $\mathscr{F}_\tau\subset\bigcap_n\mathscr{F}_{\tau_n-}$. 往证及包含，由定理 3.5.12 得

$$\bigcap_n\mathscr{F}_{\tau_n-}\subset\bigcap_n\mathscr{F}_{\tau_n}=\mathscr{F}_\tau.$$

(ii) 由定理 3.5.11 知 $\mathscr{F}_{\tau_n}\subset\mathscr{F}_{\tau-}$，故 $\bigvee_n\mathscr{F}_{\tau_n}\subset\mathscr{F}_{\tau-}$. 又由定理 3.5.12 及 3.5.6 有

$$\bigvee_n\mathscr{F}_{\tau_n}\subset\mathscr{F}_{\tau-}=\bigvee_n\mathscr{F}_{\tau_n-}\subset\bigvee_n\mathscr{F}_{\tau_n}.$$

由此推出 $\mathscr{F}_{\tau-}=\bigvee_n\mathscr{F}_{\tau_n}$. 证毕

对任意 $A\in\mathscr{F}_\infty$ 及可选时 τ，定义局限于 A 的 τ 为

$$\tau_A(\omega)=\begin{cases}\tau(\omega), & \omega\in A,\\ +\infty, & \omega\notin A.\end{cases}$$

τ_A 当然是取值于 $\bar{\boldsymbol{R}}_+$ 的随机变量. 对任意 $t\in\boldsymbol{R}_+$，我们有

$$\{\tau_A\leqslant t\}=A\cap\{\tau\leqslant t\},$$

由此可见下列命题成立.

命题 3.5.14 设 $A\in\mathscr{F}_\infty$, τ 为可选时,欲 A 为 $\mathscr{F}_\tau$ 可测当且仅当 τ_A 为可选时.

定义 3.5.15 设 σ, τ 为可选时, $\sigma\leqslant\tau$. 记 $\boldsymbol{R}_+\times\Omega$ 中的子集

$$\{(t,\omega):\sigma(\omega)\leqslant t<\tau(\omega)\}\triangleq[\![\sigma,\tau)\!),$$

$[\![\sigma,\tau)\!)$ 称为随机区间. 同样可以定义其它类型的随机区间 $(\!(\sigma,\tau)\!)$, $(\!(\sigma,\tau]\!]$, $[\![\sigma,\tau]\!]$, 若 $\sigma=\tau$, 则用 $[\![\sigma]\!]$ 代替 $[\![\sigma,\sigma]\!]$ 即

$$[\![\sigma]\!]=\{(t,\omega):\sigma(\omega)=t\}$$

$[\![\sigma]\!]$ 是 σ 在空间 $\boldsymbol{R}_+\times\Omega$ 上的图.对任意

$$s,t\in\boldsymbol{R}_+,\ [\![s,t)\!)=[s,t)\times\Omega.$$

注意随机区间不是空间 $\bar{\boldsymbol{R}}_+\times\Omega$ 中的子集,而只是 $\boldsymbol{R}_+\times\Omega$ 中的子集,所以若对某个 ω, $\sigma(\omega)=\tau(\omega)=+\infty$, 则 $[\![\sigma,\tau]\!]$ 在这个 ω 处的截口为空集. 如果 $\tau\equiv\infty$, 那么 $[\![\sigma,\tau]\!]=[\![\sigma,\tau)\!)$.

定理 3.5.16 每个随机区间是循序可测集.

证 随机区间 $[\![\sigma,\tau)\!)$ 的示性函数 $I_{[\![\sigma,\tau)\!)}(t,\omega)$ 是右连适应过程,故 $[\![\sigma,\tau)\!)$ 是循序可测. 证毕

定理 3.5.17 设 X 是循序过程, τ 是可选时, 则 X_τ 为 $\mathscr{F}_\tau$ 可测.

证 由假设知 $X_\tau\in\mathscr{F}_\infty$ (因为 X 为可测过程), 欲证 X_τ 为 $\mathscr{F}_\tau$ 可测, 需证对任何 $A\in\mathscr{B}(\boldsymbol{R})$, $\mathscr{F}_\infty$ 可测集 $\{X_\tau\in A\}$ 必为 $\mathscr{F}_\tau$ 可测, 即证对任意 $t\in\boldsymbol{R}_+$, $\{X_\tau\in A\}\cap\{\tau\leqslant t\}\in\mathscr{F}_t$. 但是

$$\{X_\tau\in A\}\cap\{\tau\leqslant t\}=\{X_{\tau\wedge t}\in A\}\cap\{\tau\leqslant t\}.\tag{1}$$

我们在定理 3.5.8 的证明过程里已经证了 $\tau\wedge t\in\mathscr{F}_t$. 而 $X_{\tau\wedge t}$ 是 $(\Omega,\mathscr{F}_t)$ 经过 $(\tau(\omega)\wedge t,\omega)$ 到 $([0,t]\times\Omega,\mathscr{B}[0,t]\otimes\mathscr{F}_t)$ 的可测映象及 $([0,t]\times\Omega,\mathscr{B}[0,t]\otimes\mathscr{F}_t)$ 经过 $X_s(\omega)$ 到 $(\boldsymbol{R},\mathscr{B}(\boldsymbol{R}))$ 的可测映象的复合,故 $X_{\tau\wedge t}$ 是 $(\Omega,\mathscr{F}_t)$ 到 $(\boldsymbol{R},\mathscr{B}(\boldsymbol{R}))$ 的可测映象,所以 $\{X_{t\wedge\tau}\in A\}\in\mathscr{F}_t$, 从而由 (1) 知

$$\{X_\tau\in A\}\cap\{\tau\leqslant t\}\in\mathscr{F}_t.\text{ 证毕}$$

因为 τ 可能取 $+\infty$,这时就发生了当 ω 使 $\tau(\omega)=+\infty$ 成立时如何定义 $X_{\tau(\omega)}(\omega)$ 的问题. 若 X_∞ 存在,这时就对每个 $\omega\in\{\tau=\infty\}$, 定义 $X_{\tau(\omega)}(\omega)=X_\infty(\omega)$. 一般情形下不管 X_∞ 存在与否,

可以在 $\{\tau = \infty\}$ 上取 $X_{\tau(\omega)}(\omega) = 0$，亦即用 $X_\tau < I_{\{\tau<\infty\}}$ 来定义 X_τ.

定义 3.5.18 设 A 为 $\boldsymbol{R}_+ \times \Omega$ 里的一个子集. 定义 A 的初遇时为

$$D_A(\omega) = \inf\{t: t \in \boldsymbol{R}_+, (t, \omega) \in A\},$$

这里通常都约定 $\inf \varnothing = +\infty$. 同样可以定义第二次遇时为

$$D_A^{(2)}(\omega) = \inf\{t: D_A(\omega) < t, (t, \omega) \in A\}$$

等等.

下面需要用到有名的可测投影定理，这里只叙述而不加证明，读者可参看 Dellacherier I. T. 32. 这个定理是 Choquet 容度理论的一个简单推论.

定理 3.5.19

设 $\mathscr{F}$ 为完备 σ 域，$\boldsymbol{R}_+ \times \Omega$ 中子集 A 为 $\mathscr{B}(\boldsymbol{R}_+) \otimes \mathscr{F}$ 可测，则 A 在 Ω 上的投影 $\Pi_\Omega(A)$ 为 $\mathscr{F}$ 可测.

定理 3.5.20 若 $\mathscr{F}$，$(\mathscr{F}_t)$ 都用零概集完备化，且 $(\mathscr{F}_t)$ 为右连续族，则循序集 A 的初遇时 D_A 为可选时.

证 需证对任意 $t \in \boldsymbol{R}_+$，$\{D_A < t\} \in \mathscr{F}_t$（因为 $(\mathscr{F}_t)$ 为右连续），我们有

$$\{D_A < t\} = \Pi_\Omega(A \cap [\![0, t)\!)).$$

由于 A 为循序集，故 $A \cap [\![0, t)\!) = A \cap [[0, t) \times \Omega] \in \mathscr{B}[0, t] \times \mathscr{F}_t$，由此利用可测投影定理知 $\Pi_\Omega(A \cap [\![0, t)\!)) \in \mathscr{F}_t$. 证毕

特例. 设 $X = (X_t, t \in \boldsymbol{R}_+)$ 为右连续适应过程，C 为 $\boldsymbol{R}$ 里开集，则

$$D_c(\omega) = \inf\{t \geqslant 0, X_t(\omega) \in C\}$$

为可选时. 事实上，X 为循序可测过程，故 $\{X_t(\omega) \in C\}$ 为循序可测集. 如果不想引用上面的定理，我们可以直接证明这个特例. 其证明如下：因为若令 $B = \boldsymbol{R} \backslash C$，则因 X 为右连续，B 为闭集，故有

$$\{D_c \geqslant t\} = \{\omega: X_s(\omega) \in B, s < t\}$$

$$= \bigcap_{r<t} \{X_r(\omega) \in B\},$$

此处 $r \in \boldsymbol{Q}$(有理数集)，由此知

$$\{D_c < t\} = \bigcup_{r<t} \{X_r \in C\} \in \mathscr{F}_t.$$

第四章　独立增量过程

§1. 一般性讨论

定义 4.1.1　$X=(X_t, t\in \boldsymbol{R}_t)$ 称为独立增量过程，若对任意正整数 $n(n\geqslant 2)$ 及 $\boldsymbol{R}_t t$ 中任意参数 $0\leqslant t_1<t_2<\cdots<t_n$，随机变量 $X_{t_1}, X_{t_2}-X_{t_1}, \cdots, X_{t_n}-X_{t_{n-1}}$ 为相互独立（这里未假定 $X_0=0$ a.s.）.

显然为了决定独立增量过程的有穷维分布，必需知道 X_t 及增量 $X_{t_2}-X_{t_1}$ 的分布，此处 t 及 $t_1<t_2$ 为任意.

如果随机过程 $(X_t, t\in \boldsymbol{R}_t)$ 的所有增量的分布已给，而且对任意 $t_1<t_2<\cdots<t_n(n\geqslant 3)$，增量 $X_{t_2}-X_{t_1}, X_{t_3}-X_{t_2}, \cdots, X_{t_n}-X_{t_{n-1}}$ 为相互独立，那么就可在适当的概率空间上定义独立增量过程 $\tilde{X}$，使得 $\tilde{X}$ 的增量的分布与 X 的相应增量的分布相同，往证此事实. 令 $\varphi_{t_1t_2}(\lambda)$ 为 $X_{t_2}-X_{t_1}$ 的特征函数，对 $0\leqslant t_1<\cdots<t_n$ $(t_0=0)$ 有

$$
Ee^{i\sum\limits_{j=1}^{n}u_j(X_{t_j}-X_0)}=Ee^{i\sum\limits_{j=1}^{n}v_j(X_{t_j}-X_{t_{j-1}})}
$$

$$
=\varphi_{t_0t_1}(v_1)\varphi_{t_1t_2}(v_2)\cdots\varphi_{t_{n-1}t_n}(v_n), \tag{1}
$$

此处 $v_k=u_k+u_{k+1}+\cdots+u_n, k=1,2,\cdots,n$.

我们定义一族有穷维分布 $(F_{t_1\cdots t_n}, n=1,2,\cdots, t_j\in \mathbb{R}_t)$，使其特征函数为

$$
\int e^{i\sum\limits_{1}^{n}u_jx_j}dF_{t_1\cdots t_n}(x_1,\cdots,x_n)=\prod_{j=1}^{n}\varphi_{t_{j-1}t_j}(v_j), \tag{2}
$$

往证这一族分布 $(F_{t_1\cdots t_n}, n=1,2,\cdots, t_j\in \mathbb{R}_t)$ 为无矛盾的. 对任意 $k\leqslant n$，由 (2) 有

$$\int e^{i\sum_{\substack{j=1\\j\neq k}}^{n} u_j x_j} dF_{t_1\cdots t_{k-1}t_{k+1}\cdots t_n}(x_1,\cdots,x_{k-1},x_{k+1},\cdots,x_n)$$

$$= \varphi_{0t_1}(v_1-u_k)\cdots\varphi_{t_{k-2}t_{k-1}}(v_{k-1}-u_k) \cdot \varphi_{t_{k-1}t_{k+1}}(v_{k+1})\cdots\varphi_{t_{n-1}t_n}(v_n). \tag{3}$$

但 $F_{t_1\cdots t_n}(x_1,\cdots,x_{k-1},+\infty,x_{k+1},\cdots,x_n)$ 的特征函数等于

$$\int e^{i\sum_{j\neq k} u_j x_j} dF_{t_1\cdots t_n}(x_1\cdots,x_{k-1},+\infty,x_{k+1},\cdots,x_n)$$

$$= \varphi_{0t_1}(v_1-u_k)\cdots\varphi_{t_{k-2}t_{k-1}}(v_{k-1}-u_k)\cdot \varphi_{t_{k-1}t_k}(v_k-u_k)\varphi_{t_kt_{k+1}}(v_{k+1})\cdots\varphi_{t_{n-1}t_n}(v_n). \tag{4}$$

由 $X_{t_{k+1}}-X_{t_{k-1}}=X_{t_{k+1}}-X_{t_k}+X_{t_k}-X_{t_{k-1}}$ 知

$$\varphi_{t_{k-1}t_{k+1}}(v_{k+1})=\varphi_{t_{k-1}t_k}(v_{k+1})\varphi_{t_kt_{k+1}}(v_{k+1}) = \varphi_{t_{k-1}t_k}(v_k-u_k)\varphi_{t_kt_{k+1}}(v_{k+1})$$

(因为 $v_k=u_k+u_{k+1}+\cdots+u_n=u_k+v_{k+1}$). 用这个关系,比较 (3) 及 (4) 的右方,便知 (3) 与 (4) 右方相等,从而它们所对应的分布相同,即对任意 $k\leqslant n$, 有

$$F_{t_1\cdots t_n}(x_1,\cdots,x_{k-1},+\infty,x_{k+1},\cdots,x_n) = F_{t_1\cdots t_{k-1}t_{k+1}\cdots t_n}(x_1,\cdots,x_{k-1},x_{k+1},\cdots,x_n).$$

这就证明了分布族 $(F_{t_1\cdots t_n}, n=1,2,\cdots, t_j\in \boldsymbol{R}_t)$ 为无矛盾族. 由 Колмогоров 定理知,这一族分布在 $(\boldsymbol{R}^T, \mathscr{B}(\boldsymbol{R}^T))$, $T=\boldsymbol{R}_t$ 上定义一个概率测度 P. 在这个基本概率空间 $(\boldsymbol{R}^T,\mathscr{B}(\boldsymbol{R}^T),P)$ 上取随机过程 $\widetilde{X}:\widetilde{X}_t(x)=x_t-x_0$, $x\in\boldsymbol{R}^T$, $t\in\boldsymbol{R}_t$. 这个过程的有穷维分布族就是 $(F_{t_1\cdots t_n}, n=1,2,\cdots,t_j\in\boldsymbol{R}_t)$. 由 (2) 可以算出增量 $\widetilde{X}_{t_2}-\widetilde{X}_{t_1}$ 的特征函数

$$Ee^{iu(\widetilde{X}_{t_2}-\widetilde{X}_{t_1})}=\int e^{-iux_1+iux_2}dF_{t_1t_2}(x_1,x_2) = \varphi_{0t_1}(0)\varphi_{t_1t_2}(u)=\varphi_{t_1t_2}(u).$$

所以增量 $\widetilde{X}_{t_2}-\widetilde{X}_{t_1}$ 的分布与增量 $X_{t_2}-X_{t_1}$ 的分布相同. 往证 $\widetilde{X}$ 为独立增量过程. 事实上,若任取 $t_1<t_2<t_3<t_4$, 则由 (2) 有

$$Ee^{iu(\widetilde{X}_{t_2}-\widetilde{X}_{t_1})+iv(\widetilde{X}_{t_4}-\widetilde{X}_{t_3})}$$

$$= Ee^{-iuX_{t_1}+iuX_{t_2}-iv\tilde{X}_{t_3}+iv\tilde{X}_{t_4}}$$
$$= \varphi_{0t_1}(0)\varphi_{t_1t_2}(u)\varphi_{t_2t_3}(0)\varphi_{t_3t_4}(v)$$
$$= \varphi_{t_1t_2}(u)\varphi_{t_3t_4}(v).$$

此外还知 $\tilde{X}_0 = 0$，所以 $\tilde{X}$ 为独立增量过程．今后不妨设独立增量过程的 $X_0 = 0$ a.s.

定义 4.1.2 独立增量随机过程 $(X_t, t \in \boldsymbol{R}_t)$ 称为齐次的，如果其增量 $X_t - X_s$ 的分布只与 $t - s$ 有关，此处 $s < t$.

下面举几个独立增量过程的例子.

例 1. Brown 运动．它是齐次独立增量过程，其增量的分布为正态分布，且 $P(X_0 = 0) = 1$,

$$E(X_t - X_s) = 0, \quad E(X_t - X_s)^2 = \sigma^2|t - s|,$$

此处 $\sigma > 0$．这个过程最早由 Bachelier 讨论过，后来 Wiener 加以严格讨论，所以也有人称之为 Wiener 过程．英国生物学家 Brown (1826) 发现在液体中受到液体分子碰撞的小质点作不规则的运动，这种运动被称之为 Brown 运动．Einstein 及 Smoluchovski 证明 Brown 运动质点在时刻 t 的坐标 X_t 可以初步地用这个齐次独立增量过程的样本来近似，其中常数 σ 依赖于质点的质量及液体的粘度．对于这个过程今后还要仔细讨论．前面已证，如果再设这个过程为可分的，则几乎所有样本为连续，今后还要证明几乎所有样本为连续的可分的齐次独立增量过程必是 Brown 运动.

例 2. 设 $\xi_1, \xi_2, \cdots, \xi_n$ 为独立随机变量，取固定的 $0<t_1<t_2<\cdots<t_n$，令

$$X_t = \sum_{t_k<t} \xi_k.$$

过程 X 是独立增量过程，其样本函数是在 $t_1, \cdots, t_n$ 处有跳的简单函数，而且右连续.

这个例子还可以推广，设 (ξ_i) 为一独立随机变量序列，$\sum_1^\infty \xi_i$ 收敛且其和与项的先后次序无关（无条件收敛）．由此知 (ξ_i) 的任意子序列也有此性质．设 (t_i) 为正数列，定义

$$X_t = \sum_{t_k < t} \xi_k,$$

这个级数有意义，而且其和与项的次序无关. 过程 X 为独立增量过程，$X_0 = 0$. 欲求 $X_t - X_s$，$s < t$ 的特征函数 $\varphi_{st}(u)$，先考虑

$$\eta_n = \sum_{\substack{k \leqslant n \\ s \leqslant t_k < t}} \xi_k,$$

显见当 $n \to \infty$ 时，$\eta_n \xrightarrow[\text{a.s}]{} X_t - X_s$. 故由 Lebesgue 控制收敛定理知，当 $n \to \infty$ 时

$$E e^{iu\eta_n} \to \varphi_{st}(u).$$

若 $\varphi_k(u) = E e^{iu\xi_k}$，则有

$$\varphi_{st}(u) = \lim_{n \to \infty} \prod_{\substack{k \leqslant n \\ s \leqslant t_k < t}} \varphi_k(u).$$

由级数的无条件收敛假定知，此乘积与各项的次序无关.

例 3. 齐次 Poisson 过程是齐次独立增量过程，其增量的分布是 Poisson 分布，即当 $s < t$ 时

$$P\{X_t - X_s = k\} = e^{-\lambda(t-s)} \frac{\lambda^k (t-s)^k}{k!}, \quad k = 0, 1, 2, \cdots, \tag{5}$$

λ 为参数. 其增量的特征函数为

$$E e^{iu(X_t - X_s)} = e^{\lambda(t-s)(e^{iu}-1)},$$

而且

$$E(X_t - X_s) = \lambda(t - s), \tag{6}$$
$$E[X_t - X_s - \lambda(t - s)]^2 = \lambda(t - s).$$

现在我们讨论 Poisson 过程的一些性质.

命题 4.1.3 可分的 Poisson 过程的几乎所有样本函数为单调增的阶梯函数，跳跃高度等于 1.

证 由 (5) 知，对任意 $s < t$，$P\{X_t \geqslant X_s\} = 1$，由此，对任意一串 $t_1 < t_2 < \cdots$，当 t 局限于 (t_n) 上，$X_t - X_0$ 概率为 1 地非降，且取非负整数值. 这就是说 $(X_{t_n}, n \geqslant 1)$ 概率为一地非降，且其增量为非负整数. 由可分性假设知可取分离集 S 作为

(t_n)，于是每个样本函数在任意开区间 I 上的上下确界等于它在 IS 上的上下确界．所以当 ω 在某个零概集 N 以外，每个样本函数 $X.(\omega)$ 为非降，只在跳处增长，跳跃高度为正整数，即是当 t_0 为它的跳处，就有

$$X_{t_0-}(\omega) \leqslant X_{t_0}(\omega) \leqslant X_{t_0+}(\omega) = X_{t_0-}(\omega) + n(\omega).$$

此处 $n(\omega)$ 为正整数，$X_t(\omega) - X_0(\omega)$ 除了在跳处以外取整数值．

往证 $P\{n(\omega) > 1\} = 0$．为此考虑任意有穷区间 $(0, s)$，若 $X.(\omega)$ 在 $(0, s)$ 中有一个跳，其跳跃高度大于 1，则对任意 m，

$$\max_{0<j<m} [X_{\frac{j+1}{m}s}(\omega) - X_{\frac{j-1}{m}s}(\omega)] > 1.$$

但

$$\begin{aligned} &P\{\max_{0<j<m} [X_{\frac{j+1}{m}s} - X_{\frac{j-1}{m}s}] > 1\} \\ &\leqslant \sum_{j=1}^{m-1} P\{X_{\frac{j+1}{m}s} - X_{\frac{j-1}{m}s} > 1\} \\ &= (m-1)\left(1 - e^{-2\lambda s/m} - e^{-2\lambda s/m}\frac{2\lambda s}{m}\right) \\ &\to 0(m \to \infty). \end{aligned}$$

这就证明了 X 在 $(0,s)$ 中有一个跳，其跳跃高度大于 1 的概率为 0．证毕

可分 Poisson 过程的样本函数不是连续函数，事实上过程在区间 $(t, t+T)$ 上为连续的概率等于

$$P(X_{t+T} - X_t = 0) = e^{-\lambda T} \to 0, \ T \to \infty.$$

但过程在每个 t_0 处为 a.s. 连续，因为

$$P\{X_{t_0+\varepsilon} - X_{t_0-\varepsilon} > 0\} = 1 - e^{-2c\varepsilon} \to 0(\varepsilon \to 0).$$

在应用时，我们把样本函数的每个跳理解为某个随机事件发生一次，例如对电话总机发生一次呼唤．这样在时间区间 (s, t) 内随机事件发生的次数就是 $X_{t-} - X_{s+}$．因为在每个点上过程 a.s. 连续，所以 $X_{t-} - X_{s+} = X_t - X_s$ a.s. 由此可见如果忽略零概率不计，我们计算在某个区间中随机事件发生的次数时，考虑这

个区间的端点在内或不在内是没有关系的.在这种解释下,(6)中第一式意味着在长为 l 的区间内随机事件发生次数的期望等于 λl,所以 λ 是随机事件的发生率(平均发生率).

若令 $\mu_1, \mu_2, \cdots, \mu_n$ 分别表示在 n 个不相交区间内事件发生的个数,则由过程的增量是独立的知,$\mu_1, \mu_2, \cdots, \mu_n$ 为独立随机变量. 现在让我们考察当事件发生于某个区间内时,其发生时刻在这个区间内是如何分布的,也就是我们考察随机事件在时间区间内的分布规律. 这种分布规律当然是由于此过程为 Poisson 过程这一性质所决定的,我们把这种分布规律叫做依 Poisson 规律分布,而在物理文献中就叫做"随机"分布.

定理 4.1.4 设 $(X_t, t \in \boldsymbol{R}_t)$ 为齐次 Poisson 过程,在已知区间 (s, t) 内随机事件发生 n 次的条件下(即 $X_t - X_s = n$),这 n 次事件发生的时刻在区间 (s, t) 中的分布就是在 (s, t) 中独立地选取 m 个随机点,而每个随机点在 (s, t) 中是一致分布的.

注 一个随机点在 (s, t) 中一致分布就是说它落在 (s, t) 中某个长为 Δ 的子区间内的概率等于 $\Delta/t - s$. 由此定理知,在已知区间 (s, t) 内随机事件发生 n 次条件下,第一次,第二次,…,第 n 次发生时刻,是 (s, t) 中一致分布的 n 个独立抽样的次序统计量.

证 把 (s, t) 分割为 k 个不交子区间(允许有公共端点) $I_1, \cdots, I_k$. 令 $\mu_j, j = 1, 2, \cdots, k$ 为随机事件分别在 $I_j, j = 1, \cdots, k$ 中发生的次数. 由假设的已知条件有 $\sum_1^k \mu_j = n$. 记 I_j 的长为 l_j,于是 $\sum_1^k l_j = t - s$. 因 $\mu_1, \cdots, \mu_k$ 为独立,故

$$
\begin{aligned}
&P\{\mu_j = m_j,\ j = 1, \cdots, k \mid (s, t) \text{ 中事件发生 } n \text{ 次}\} \\
&\quad = \prod_{j=1}^{k} \frac{e^{-\lambda l_j}(\lambda l_j)^{m_j}}{m_j!} \Big/ e^{-\lambda(t-s)} \frac{[\lambda(t-s)]^n}{n!} \\
&\quad = \frac{n!}{m_1! \cdots m_k!} \prod_{j=1}^{k} \left(\frac{l_j}{t-s}\right)^{m_j},
\end{aligned}
$$

当 k 很大，每个 l_i 很小，$m_1, \cdots, m_k$ 里有 n 个等于1，其余等于 0. 我们令 $l_i = dt_i$，于是这个条件概率变为

$$\frac{n!}{(t-s)^n}\prod_{j=1}^{n} dt_j.$$

这就是这 n 个点在 (s, t) 中 $t_1, \cdots, t_n$ 处的条件概率. 证毕

寻求在什么条件下事件在时间区间上依 Poisson 规律分布是很重要的. 下面我们给出事件在时间区间 $[0, \infty)$ 内依 Poisson 规律分布的条件. 在时间区间 $[0, \infty)$ 上每一个点代表事件只发生一次.

定理 4.1.5 若

(i) 在有穷时间区间内事件只能发生有穷次. 我们令 X_t 表示在区间 $[0, t)$ 事件发生的次数. 所以对每个 $t > 0$，X_t 为随机变量，且 $X_0 = 0$.

(ii) 过程为独立增量.

(iii) 过程为齐次.

则事件在 $[0, \infty)$ 内依 Poisson 规律分布，即 $X_{t+k} - X_t$ 依 Poisson 分布.

证 需证 X 为齐次 Poisson 过程. 令在 $[0, t)$ 内事件不发生的概率记作 $\Phi(t)$:

$$\Phi(t) = P\{X_t = 0\}, \ t > 0.$$

$\Phi(t) \neq 0$，否则若 $\Phi(t) \equiv 0$，则在任意小的区间 $[0, t)$ 内事件至少发生一次，这显然与条件 (i) 矛盾. 由条件 (ii), (iii) 有，对 s, $t > 0$ 时

$$\Phi(s+t) = \Phi(s)\Phi(t), \ 且 \ \Phi(s+t) \leqslant \Phi(s). \tag{7}$$

由 (7) 可知，如果对某个 $t_0 > 0$，$\Phi(t_0) = 0$，则必有

$$0 = \Phi(t_0) = \Phi^2\left(\frac{t_0}{2}\right) = \cdots.$$

所以对一切 $t > 0$，有 $\Phi(t) = 0$，这和上面所证矛盾. 由此可见，$\Phi(t)$ 非零、非增而且满足函数方程 (7)，于是 $\Phi(t)$ 必然为下列形

状：

$$\Phi(t) = e^{-\lambda t}, \tag{8}$$

此处 $\lambda \geqslant 0$（$\lambda = 0$ 的情形相应于退化情形，即 $X_t = 0$ a.s. 对一切 t）. 最后再证

$$P\{X_t - X_s = m\} = e^{-\lambda(t-s)}\frac{[\lambda(t-s)]^m}{m!},\ m=1,2,\cdots. \tag{9}$$

由 (8) 知，当 $t \to 0$ 时 $\Phi(t) \to 1$. 所以在任意 $s > 0$ 处事件必不发生，即 $X_{s+} - X_s = 0$ a.s. 由此知欲证 (9) 只需证 $s = 0$ 的情形，即证当 $m = 1, 2, \cdots$ 时

$$P\{X_t = m\} = P\{X_t - X_0 = m\} = e^{-\lambda t}\frac{(\lambda t)^m}{m!}. \tag{10}$$

当 m 大时，有

$$\begin{aligned} P\{X_t = m\} = {} & P\left\{\begin{array}{l}\left(\frac{jt}{2^n}, \frac{(j+1)t}{2^n}\right),\quad 0 \leqslant j \leqslant 2^n - 1 \\ \text{中恰有 } m \text{ 个区间，在其内事件至少发} \\ \text{生一次，而在其余区间内事件不发生}\end{array}\right\} \\ & - P\left\{\begin{array}{l}\left(\frac{jt}{2^n}, \frac{(j+1)t}{2^n}\right),\ 0 \leqslant j \leqslant 2^n - 1 \\ \text{中，恰有 } m \text{ 个区间，在其内事件发生二} \\ \text{次以上，而在其余区间内事件不发生}\end{array}\right\}, \end{aligned} \tag{11}$$

但

$$P\left\{\begin{array}{l}\left(\frac{jt}{2^n}, \frac{(j+1)t}{2^n}\right),\ 0 \leqslant j \leqslant 2^n - 1 \\ \text{中恰有 } m \text{ 个区间，在其内事件发生二} \\ \text{次以上，而在其余区间内事件不发生}\end{array}\right\} \leqslant P(A_n),$$

此处

$$A_n = \left\{\begin{array}{l}\left(\frac{jt}{2^n}, \frac{(j+1)t}{2^n}\right)\ 0 \leqslant j \leqslant 2^n - 1 \text{ 中至少} \\ \text{有一个区间，在其中事件至少发生二次以上}\end{array}\right\}$$

事件列 (A_n) 为降列，当 $\omega \in \lim\limits_{n\to\infty} A_n$ 时，$X_\cdot(\omega)$ 在 $[0, t)$ 内有无

穷个跳，这与条件(i)矛盾，所以$P\{\lim\limits_{n\to\infty} A_n\}=0$. 故(11)右方第二个概率趋于零，(11)右方第一个概率等于

$$\frac{(2^n)!}{m!(2^n-m)!}\left(e^{-\lambda\frac{t}{2^n}}\right)^{2^n-m}\left(1-e^{-\lambda\frac{t}{2^n}}\right)^m$$

$$\to\frac{1}{m!}e^{-\lambda t}(\lambda t)^m(n\to\infty).$$

从而(11)变为$P\{X_t=m\}=e^{-\lambda t}\dfrac{(\lambda t)^m}{m!}$，这就是(10). 证毕

注 若把定理里的条件(iii)去掉，则Φ的明显公式求不到，但$\Phi(t)$仍是非增函数. 若再加上在任意点s上事件不发生的概率为1(即过程在每个s上a.s.连续)，则Φ必为连续. 同样推理可证

$$P\{X_t-X_s=m\}=e^{-[\Psi(s)-\Psi(t)]}\frac{[\Psi(s)-\Psi(t)]^m}{m!},$$

此处$\Psi=\log\Phi$.

定理 4.1.6 设$(X_t, t\in \boldsymbol{R}_t)$为可分的齐次 Poisson 过程，令$\tau_n(\omega)$为样本函数$X_\cdot(\omega)$的第$n$个跳与第$n+1$个跳之间的时间，于是$\tau_0, \tau_1, \cdots$为独立同分布的随机变量，其共同分布为负指数分布:

$$P\{\tau_n>t\}=e^{-\lambda t},\ n=0,1,2,\cdots.$$

注 由命题 4.1.3 知，可分的齐次 Poisson 过程的几乎所有样本函数为阶梯函数，而且过程在每个点上为 a.s. 连续，故不妨设几乎所有样本为右连续(或左连续). 这样一来，就知

$$\tau_0(\omega)=\inf\{t: X_t(\omega)\geqslant 1\},$$

$$\tau_1(\omega)=\inf\{t>\tau_0(\omega),\ X_t(\omega)-X_{\tau_0(\omega)}(\omega)\geqslant 1\}$$

等等，所以$\tau_0, \tau_1, \cdots$都是可选的.

证 由上定理知

$$P(\tau_0>t)=P(X_t=0)=e^{-\lambda t},$$

从而τ_0为负指数分布. 且其分布密度为$\lambda e^{-\lambda t}$. 往求τ_0, τ_1的联合分布. 令$t_0<t_1$，于是有

$$P\{\tau_0 > t_0,\ \tau_0+\tau_1 > t_1\} = P\{X_{t_0}=0,\ X_{t_1}=0 \text{ 或 } 1\}$$
$$= P\{X_{t_0}=0, X_{t_1}=0\} + P\{X_{t_0}=0,\ X_{t_1}=1\}$$
$$= e^{-\lambda t_1} + e^{-\lambda t_0}e^{-\lambda(t_1-t_0)}\lambda(t_1-t_0)$$
$$= e^{-\lambda t_1}[1+\lambda(t_1-t_0)].$$

故 τ_0, τ_1 的联合特征函数为

$$Ee^{iu\tau_0+iv\tau_1} = Ee^{iu\tau_0+iv(\tau_0+\tau_1)-iv\tau_0}$$

$$= \iint\limits_{t_1>t_0} e^{i(u-v)t_0+ivt_1}\frac{\partial^2}{\partial t_0\partial t_1}[e^{-\lambda t_1}(1+\lambda(t_1-t_0))]dt_0dt_1$$

$$= \iint\limits_{t_1>t_0} e^{iut_0+iv(t_1-t_0)}\lambda^2 e^{-\lambda t_1}dt_0dt_1$$

$$= \int_0^\infty e^{iut_0}\lambda e^{-\lambda t_0}dt_0\int_0^\infty e^{ivt_1}\lambda e^{-\lambda t_1}dt_1.$$

由此知 τ_0, τ_1 的联合密度为 $\lambda e^{-\lambda t_0}\lambda e^{-\lambda t_1}$, 从而 τ_0, τ_1 相互独立相同分布, 都是负指数分布. 对 $\tau_0, \tau_1, \cdots, \tau_n$ 的证明也相似. 证毕

利用到达时间 $\tau_0, \tau_1, \tau_2, \cdots$ 间的关系可以构造 Poisson 过程. 令 $\tau_0, \tau_1, \tau_2, \cdots$ 为相互独立相同分布的随机变量, 其共同分布为负指数分布. 定义

$$X_t = \sum_i I_{\{\tau_0+\cdots+\tau_i\leqslant t\}} = \inf\{n,\ \tau_0+\cdots+\tau_n > t\}.$$

于是 $\{X_t,\ t\in \boldsymbol{R}_t\}$ 为 Poisson 过程, $X_0=0$ a.s.

Wiener 过程及 Poisson 过程是齐次独立增量过程的两种典型过程. 今后可以看到独立增量过程基本上可以分解为两类过程的和.

§2. 独立随机变量序列的部分和

设 (X_n) 为一串独立随机变量, 考虑它们所构成的部分和

$$S_n = \sum_1^n X_k\ \ (S_n,\ n\geqslant 0,\ S_0=0).$$

构成一个离散时间参数的独立增量过程. 下两节我们就讨论离散时间参数的独立增量过程的一些性质,这些性质不只本身很重要,而且它们对研究连续时间参数的独立增量过程也是不可缺少的.

定理 4.2.1 (Колмогоров 不等式) 设独立随机变量序列 (X_n) 中每个随机变量为可积,且 $|X_k| \leqslant c(c \leqslant \infty)$, 则对任意 $\varepsilon > 0$, 有

$$1 - \frac{(\varepsilon + 2c)^2}{\sum_1^n \sigma^2 X_k} \leqslant P\{\max_{k \leqslant n} |S_k - ES_k| \geqslant \varepsilon\}$$

$$\leqslant \frac{1}{\varepsilon^2} \sum_1^n \sigma^2 X_k. \qquad (1)$$

证 若有一个 k, 使 $\sigma^2 X_k = E(X_k - EX_k)^2 = +\infty$, 则 (1) 的右方不等式为不足道,而左方不等式变为无意义,因为这时必是 $c = +\infty$. 由此可见,证本定理时不妨设对所有的 k, $\sigma^2 X_k < +\infty$. 另一方面, 若 $c = +\infty$, 则 (1) 的左方不等式不足道, 所以证本定理时不妨还设 $c < +\infty$.

令 $X'_k = X_k - EX_k$, $S'_n = S_n - ES_n$. 先证右方不等式. 令

$$A_k = \{\max_{j \leqslant k} |S'_j| < \varepsilon\},$$

$$B_k = A_{k-1} - A_k = \{|S'_1| < \varepsilon, \cdots, |S'_{k-1}| < \varepsilon, |S'_k| \geqslant \varepsilon\}.$$

于是 $A_0 = \Omega$, $A_n^c = \sum_{k=1}^n B_k$, 由独立性有

$$\begin{aligned} \int_{B_k} S_n'^2 P(d\omega) &= \int (S'_n I_{B_k})^2 = \int [S'_k I_{B_k} + (S'_n - S'_k) I_{B_k}]^2 \\ &= \int (S'_k I_{B_k})^2 + \int (S'_n - S'_k)^2 I_{B_k} \\ &\geqslant \int S_k'^2 I_{B_k} \geqslant \varepsilon^2 P(B_k). \end{aligned}$$

把此不等式对 $k = 1, \cdots, n$ 求和得

$$\varepsilon^2 P(A_n^c) \leqslant \int_{\sum_1^n B_k} S_n'^2 \leqslant E S_n'^2 = \sum_1^n \sigma^2 X_k.$$

由此推出 (1) 的右方不等式.

因为

$$S'_{k-1} I_{A_{k-1}} + X'_k I_{A_{k-1}} = S'_k I_{A_{k-1}} = S'_k I_{A_k} + S'_k I_{B_k},$$

又知 $S'_{k-1} I_{A_{k-1}}$ 与 X'_k 独立,且 $I_{A_k} I_{B_k} = 0$, 故有

$$\begin{aligned} & E(S'_{k-1} I_{A_{k-1}})^2 + E(X'_k I_{A_{k-1}})^2 \\ & \quad = E(S'_k I_{A_k})^2 + E(S'_k I_{B_k})^2. \end{aligned} \tag{2}$$

又由假设知 $|X'_k| \leqslant 2c$, 于是有

$$|S'_k I_{B_k}| \leqslant |S'_{k-1} I_{B_k}| + |X'_k I_{B_k}| \leqslant (\varepsilon + 2c) I_{B_k}. \tag{3}$$

所以当 $k \leqslant n$ 时,由 (2) 及 (3), 并考虑到 $P(A_{k-1}) \geqslant P(A_k)$, 得

$$\begin{aligned} & E(S'_{k-1} I_{A_{k-1}})^2 + \sigma^2 X_k P(A_n) \\ & \quad \leqslant E(S'_{k-1} I_{A_{k-1}})^2 + E(X'_k I_{A_{k-1}})^2 \\ & \quad \leqslant E(S'_k I_{A_k})^2 + (\varepsilon + 2c)^2 P(B_k). \end{aligned}$$

把此不等式对 $k = 1, 2, \cdots, n$ 求和,得

$$\begin{aligned} & \left(\sum_1^n \sigma^2 X_k\right) P(A_n) \\ & \quad \leqslant E(S'_n I_{A_n})^2 + (\varepsilon + 2c)^2 \sum_1^n P(B_k) \\ & \quad \leqslant \varepsilon^2 P(A_n) + (\varepsilon + 2c)^2 P(A_n^c) \\ & \quad \leqslant (\varepsilon + 2c)^2. \end{aligned}$$

由此立刻推出 (1) 的左方不等式. 证毕

定理 4.2.2 设

$$P\{|S_n - S_k| > a\} \leqslant \alpha, \quad k = 1, 2, \cdots, n,$$

此处 $0 < \alpha < 1$. 则对任意 $x > 0$ 有

$$P\{\max_{k \leqslant n} |S_k| \geqslant a + x\} \leqslant \frac{1}{1-\alpha} P\{|S_n| \geqslant x\}.$$

证 令

$$A_k(a + x) = \{\max_{j \leqslant k} |S_j| < a + x\},$$

$$B_k(a+x)=A_{k-1}(a+x)-A_k(a+x).$$

同上，$A_0(a+x)=\Omega$（因为 $S_0=0$），

$$A_n^c(a+x)=\{\max_{j\leqslant n}|S_j|\geqslant a+x\}=\sum_{k=1}^{n}B_k(a+x).$$

由假设，对 $k\leqslant n$ 有

$$\begin{aligned}P\{B_k(a+x)\}&\leqslant\frac{1}{1-\alpha}P\{B_k(a+x)\}P\{|S_n-S_k|\leqslant a\}\\&=\frac{1}{1-\alpha}P\{|S_1|<a+x,\cdots,|S_{k-1}|<a+x,|S_k|\\&\geqslant a+x,\ |S_n-S_k|\leqslant a\}\\&\leqslant\frac{1}{1-\alpha}P\{|S_1|<a+x,\cdots,|S_{k-1}|<a+x,|S_k|\\&\geqslant a+x,\ |S_n|\geqslant x\}.\end{aligned}$$

把上不等式对 $k=1,2,\cdots,n$ 求和得

$$\begin{aligned}&P\{\max_{j\leqslant n}|S_j|\geqslant a+x\}\\&\leqslant\frac{1}{1-\alpha}P\left\{\sum_{k=1}^{n}B_k(a+x),\ |S_n|\geqslant x\right\}\\&\leqslant\frac{1}{1-\alpha}P\{|S_n|\geqslant x\}.\end{aligned}$$

证毕

随机变量 X 称为对称的，如果 X 和 $-X$ 的分布相同．显见独立的对称随机变量序列的部分和也是对称随机变量．

系 4.2.3 设 (X_n) 为独立的对称随机变量序列，则有

$$P\{\sup_{k\leqslant n}|S_k|\geqslant x\}\leqslant 2P\{|S_n|\geqslant x\}.$$

证 因为每个随机变量 X_n 为对称随机变量，故当 $k<n$ 时，S_n-S_k 也为对称随机变量，从而 $P\{S_n-S_k>0\}\leqslant\frac{1}{2}$．把定理 4.2.2 中的 a 取为 0，α 取为$\frac{1}{2}$，即得本系．证毕

定理 4.2.4 设随机变量 $X_1,\cdots,X_n$ 为独立，且

$$|X_j| \leqslant 1 \text{ a.s. } j=1,2,\cdots,n.$$

若对某个正数 a，有

$$P\{|S_n| \geqslant a\} \leqslant \frac{1}{8e}$$

(e 为自然对数的底)，则对任意 m，存在常数 L_m，使得

$$E|S_n|^m \leqslant L_m(1+a)^m.$$

证 先考虑诸 X_j 为对称的特殊情形. 对 $k \leqslant n$，由

$$\begin{aligned}|S_n| &\leqslant |S_n - S_k| + |S_k| \\ &\leqslant |S_n - S_k| + |S_{k-1}| + |X_k|\end{aligned}$$

立刻推知,对任意 $x > 0$ 有

$$\begin{aligned}&P\{|S_n| \geqslant 2x+1\} \\ &\leqslant \sum_{k=1}^{n} P\{|S_1| < x, \cdots, |S_{k-1}| < x, |S_k| \\ &\geqslant x, |S_n - S_k| \geqslant x\} \\ &= \sum_{k=1}^{n} P\{|S_1| < x, \cdots, |S_{k-1}| < x, |S_k| \\ &\geqslant x\} P\{|S_n - S_k| \geqslant x\}.\end{aligned}$$

因为 $|X_j| \leqslant 1$ a.s.，另一方面由对称性知

$$\begin{aligned}P\{S_n - S_k \geqslant x\} &\leqslant 2P\{S_n - S_k \geqslant x, S_k \geqslant 0\} \\ &\leqslant 2P\{S_n \geqslant x\},\end{aligned}$$

故

$$P\{|S_n - S_k| \geqslant x\} \leqslant 2P\{|S_n| \geqslant x\}.$$

从而由以上不等式及定理 4.2.3 得

$$\begin{aligned}&P\{|S_n| \geqslant 2x+1\} \\ &\leqslant 2P\{|S_n| \geqslant x\} \\ &\times \sum_{k=1}^{n} P\{|S_1| < x, \cdots, |S_{k-1}| < x, |S_k| \geqslant x\} \\ &= 2P\{|S_n| \geqslant x\} P\{\sup_{k \leqslant n} |S_k| \geqslant x\} \\ &\leqslant 4[P\{|S_n| \geqslant x\}]^2.\end{aligned}$$

由此递推，得

$$
\begin{aligned}
P\{|S_n| \geqslant 2^m(x+1)-1\}
&\leqslant 4[P\{|S_n| \geqslant 2^{m-1}(x+1)-1\}]^2 \\
&\leqslant 4 \cdot 4^2 \cdots 4^{2^{m-1}}[P\{|S_n| \geqslant x\}]^{2^m} \\
&\leqslant [4P\{|S_n| \geqslant x\}]^{2^m}.
\end{aligned}
$$

若选 x 使得 $P\{|S_n| \geqslant x\} \leqslant \frac{1}{4e}$，$\varepsilon=\frac{1}{4(x+1)}$，利用上不等式得

$$
\begin{aligned}
Ee^{\varepsilon|S_n|} &\leqslant e^{\varepsilon x}P\{|S_n| < x\} \\
&\quad + \sum_{m=1}^{\infty} e^{\varepsilon[2^m(x+1)-1]}P\{|S_n| \geqslant 2^{m-1}(x+1)-1\} \\
&\leqslant e^{\frac{1}{4}} + \sum_{m=1}^{\infty} e^{-3\cdot 2^{m-2}} = L.
\end{aligned} \tag{4}
$$

现在考虑一般情形，设 (X_j')，$j=1$，$\cdots$，n 也是独立随机变量，而且对每个 $j \leqslant n$，X_j 与 X_j' 同分布，且 $X_1,\cdots,X_n,X_1',\cdots,X_n'$ 为相互独立（这时基本概率空间考虑为原来的样本空间自己的插乘即可）. 定义 $X_j^* \triangleq \frac{1}{2}(X_j - X_j')$，$X_j^*$ 为对称随机变量，

令

$$
S_n^* = \sum_{j=1}^{n} X_j^*,\quad S_n' = \sum_{1}^{n} X_j'
$$

（由 X_j 导出 X_j^* 的办法，叫做对称化办法）. 由假设知

$$
\begin{aligned}
P\{|S_n^*| \geqslant a\} &= P\left\{\frac{1}{2}|S_n - S_n'| \geqslant a\right\} \\
&\leqslant P\{(|S_n| \geqslant a)\cup(|S_n'| \geqslant a)\} \\
&\leqslant 2P\{|S_n| \geqslant a\} \leqslant \frac{1}{4e}.
\end{aligned}
$$

若取 $\varepsilon = \frac{1}{4(a+1)}$，则由以上对称情形的不等式（4）得

$$
Ee^{\varepsilon|S_n^*|} \leqslant L,
$$

但 $|S_n^*| \geqslant \frac{1}{2}|S_n| - \frac{1}{2}|S_n'|$，于是由上不等式得

$$Ee^{\frac{\varepsilon}{2}|S_n|} \leqslant L[Ee^{-\frac{\varepsilon}{2}|S_n|}]^{-1}. \tag{5}$$

此外

$$\begin{aligned} Ee^{-\frac{\varepsilon}{2}|S_n|} &\geqslant e^{-\frac{\varepsilon}{2}a}P\{|S_n| \leqslant a\} \\ &\geqslant e^{-\frac{a}{8(a+1)}}\left(1 - \frac{1}{8e}\right) > e^{-\frac{1}{8}}\left(1 - \frac{1}{8e}\right). \end{aligned} \tag{6}$$

故由 (5), (6) 得

$$Ee^{\frac{1}{8(a+1)}|S_n|} \leqslant Le^{\frac{1}{8}}\frac{8e}{8e-1} = H.$$

由此得

$$E\left(\frac{|S_n|}{8(a+1)}\right)^m \leqslant m!Ee^{\frac{1}{8(a+1)}|S_n|} \leqslant m!H,$$

即

$$E|S_n|^m \leqslant m!H8^m(1+a)^m = L_m(1+a)^m.$$ 证毕

§3. 独立随机变量的级数

设 (X_n) 为一串独立随机变量，我们讨论使 $\sum X_n$ 为收敛的条件.

定理 4.3.1 若 $\sum\sigma^2X_k < \infty$，则 $\sum(X_k - EX_k)$ 为 a.s. 收敛. 当 $\sum\sigma^2X_k = \infty$ 且 $|X_k| < c < \infty$, $k = 1, 2, \cdots$ 时，$\sum(X_k - EX_k)$ a.s. 发散.

证 记 $S_n' = S_n - ES_n$, S_n' a.s. 收敛或发散依

$$P\left\{\bigcap_m \bigcup_p [|S_{m+p}' - S_m'| > \varepsilon]\right\}$$

为 0 或 1 而定，此处 ε 为任意正数，由 Колмогоров 不等式（定理 4.2.1）有

$$1 - \frac{(\varepsilon + 2c)^2}{\sum\limits_{m+1}^{m+n} \sigma^2 X_k} \leqslant P\left\{\bigcup_{p=1}^{n} [\,|S'_{m+p} - S'_m| \geqslant \varepsilon]\right\}$$

$$\leqslant \frac{1}{\varepsilon^2} \sum_{m+1}^{m+n'} \sigma^2 X_k. \qquad (1)$$

故当 $\sum \sigma^2 X_k < \infty$，由此不等式推出

$$P\left\{\bigcap_{m} \bigcap_{p} [\,|S'_{m+p} - S'_m| \geqslant \varepsilon]\right\}$$

$$\leqslant P\left\{\bigcup_{p=1}^{\infty} [\,|S'_{m+p} - S'_m| \geqslant \varepsilon]\right\}$$

$$\leqslant \frac{1}{\varepsilon^2} \sum_{m+1}^{\infty} \sigma^2 X_k \to 0 (m \to \infty).$$

另一方面,当 $\sum \sigma^2 X_k = \infty$ 时,由 (1) 推出

$$P\left\{\bigcup_{p=1}^{\infty} [\,|S'_{m+p} - S'_m| \geqslant \varepsilon]\right\} = 1.$$

由此推知 $P\left\{\bigcap_{m} \bigcup_{p} [\,|S'_{m+p} - S'_m| \geqslant \varepsilon]\right\} = 1.$ 证毕

系 4.3.2 若 $|X_k| < c < \infty$，则独立随机变量级数 $\sum X_n$ 为 a.s. 收敛的充要条件是 $\sum EX_n$ 及 $\sum \sigma^2 X_n$ 为收敛.

证 充分性由上定理推出，往证必要性. 利用对称化办法 $X_n^* = X_n - X'_n$，显见

$$|X_n^*| \leqslant |X_n| + |X'_n| \leqslant 2c,$$

$$EX_n^* = 0,\ \sigma^2 X_n^* = \sigma^2 X_n + \sigma^2 X'_n = 2\sigma^2 X_n.$$

由假设知 $\sum X_n$ a.s. 收敛,故 $\sum X'_n$ 也 a.s. 收敛,从而 $\sum X_n^*$ a.s. 收敛. 由定理 4.3.1 知,若 $\sum \sigma^2 X_n^* = +\infty$，则 $\sum X_n^*$ a.s. 发散,此与假设的上述结果矛盾,故必有 $\sum \sigma^2 X_n^* < \infty$，亦即 $\sum \sigma^2 X_n < \infty$. 又用定理 4.3.1 知 $\sum (X_n - EX_n)$ a.s. 收敛,但已知 $\sum X_n$ a.s. 收敛,故必有 $\sum EX_n$ 收敛. 证毕

对任意随机变量 X，我们定义它在 $c > 0$ 处的截尾随机变量

X^c（或 $X(c)$）：

$$X^c = XI_{\{|X|\leqslant c\}}.$$

定理 4.3.3（三级数定理） 独立随机变量的级数 $\sum_1^\infty X_n$ a.s. 收敛的充要条件是，对任意 $c>0$，下列三个级数收敛.

(i) $\sum P\{|X_n|>c\}$,

(ii) $\sum EX_n^c$,

(iii) $\sum \sigma^2 X_n^c$.

证 充分性. 因为 $\sum P\{X_n \neq X_n^c\} = \sum P\{|X_n|>c\}$，所以由条件 (i) 知 $\sum P\{X_n \neq X_n^c\} < \infty$. 故由 Borel-Cantelli 引理知

$$P\left\{\bigcap_{n=1}^\infty \bigcup_{k=m} [X_k \neq X_k^c]\right\} = 0,$$

事件 $\bigcap_{n=1}^\infty \bigcup_{k=m} [X_k \neq X_k^c]$ 就是事件 $\{X_k \neq X_k^c$，无穷个 $k\}$. 所以当 $\omega \notin \{X_k \neq X_k^c$，无穷个 $k\}$ 时，必有取正整数的随机变量 $N(\omega)$，使得当 $n \geqslant N(\omega)$ 时，$X_n(\omega) = X_n'(\omega)$，从而 $\sum X_n(\omega)$ 及 $\sum X_n^c(\omega)$ 同时收敛或发散. 但由条件 (ii) 及 (iii) 知 $\sum X_n^c$ a.s. 收敛(定理 4.3.1)，故 $\sum X_n$ a.s. 收敛.

必要性. 设 $\sum X_n$ a.s. 收敛，于是当 $n\to\infty$ 时 $X_n \xrightarrow[\text{a.s.}]{} 0$. 对任意 $c>0$，$P\{\limsup_n [|X_n|>c]\} = 0$. 故由 Borel 零一律知，级数 (i) 收敛. 由 (i) 的收敛及 $\sum X_n$ a.s. 收敛，同上推理知 $\sum X_n^c$ a.s. 收敛. 由此再应用系 4.3.2 知级数 (ii) 及 (iii) 收敛. 证毕

系 4.3.4 设对任意 n，$X_n \geqslant 0$ a.s. 则独立随机变量级数 $\sum X_n$ a.s. 收敛的充分条件是，对某个 $c>0$，$\sum EX_n^c$ 及 $\sum P\{X_n > c\}$ 为收敛.

证 因为 X_n 非负，故

$$\sigma^2 X_n^c = E(X_n^c - EX_n^c)^2 \leqslant E(X_n^c)^2 \leqslant cEX_n^c,$$

所以 $\sum \sigma^2 X_n^c$ 也收敛. 由三级数定理立刻得本系. 证毕.

定义 4.3.5 随机变量序列 (S_n) 称为依概率有界，若

$$\lim_{c\to\infty}\sup_n P\{|S_n|>c\}=0. \tag{2}$$

定理 4.3.6 设 S_n 为独立随机变量序列 (X_n) 的部分和，欲 (S_n) 为依概率有界，当且仅当存在一串数 (a_n) 使得级数 $\sum(X_n-a_n)$ a.s. 收敛，且 $\sup_n\left|\sum_1^n a_j\right|<K$（常数）.

证 充分性显然，往证必要性． 为此考虑对称化随机变量 X_n^*． 由假设，S_n^* 也依概率有界．对任意 $c>0$，考虑 X_n^* 在 $c/2$ 处的截尾随机变量 $X_n^*\left(\frac{c}{2}\right)=X_n^*I_{[|X_n^*|\leqslant\frac{c}{2}]}$． 由对称性知 $X_n^*\left(\frac{c}{2}\right)$ 及 $X_n^*-X_n^*\left(\frac{c}{2}\right)$ 的联合分布等同于 $X_n^*\left(\frac{c}{2}\right)$ 及 $-X_n^*+X_n^*\left(\frac{c}{2}\right)$ 的联合分布，也等同于 $-X_n^*\left(\frac{c}{2}\right)$ 及 $X_n^*-X_n^*\left(\frac{c}{2}\right)$ 的联合分布，从而有

$$P\left\{\sum_1^n X_j^*\left(\frac{c}{2}\right)\geqslant 0,\ \sum_1^n\left(X_j^*-X_j^*\left(\frac{c}{2}\right)\right)\geqslant x\right\}$$

$$=P\left\{\sum_1^n X_j^*\left(\frac{c}{2}\right)\leqslant 0,\ \sum_1^n\left(X_j^*-X_j^*\left(\frac{c}{2}\right)\right)\geqslant x\right\}.$$

由此得

$$P\left\{\sum_1^n\left(X_j^*-X_j^*\left(\frac{c}{2}\right)\right)\geqslant x\right\}$$

$$=P\left\{\sum_1^n\left(X_j^*-X_j^*\left(\frac{c}{2}\right)\right)\geqslant x,\ \sum_1^n X_j^*\left(\frac{c}{2}\right)\geqslant 0\right\}$$

$$+P\left\{\sum_1^n\left(X_j^*-X_j^*\left(\frac{c}{2}\right)\right)\geqslant x,\ \sum_1^n X_j^*\left(\frac{c}{2}\right)<0\right\}$$

$$\leqslant 2P\left\{\sum_1^n\left(X_j^*-X_j^*\left(\frac{c}{2}\right)\right)\geqslant x,\ \sum_1^n X_j^*\left(\frac{c}{2}\right)\geqslant 0\right\}$$

$$\leqslant 2P\left\{\sum_1^n X_j^* \geqslant x\right\}.$$

又由对称性及这个不等式，得

$$P\left\{\left|\sum_1^n \left(X_j^* - X_j^*\left(\frac{c}{2}\right)\right)\right| \geqslant x\right\}$$

$$\leqslant 2P\left\{\left|\sum_1^n X_j^*\right| \geqslant x\right\}.$$

因为 (S_n^*) 依概率有界，故可找 $c>0$，使得

$$P\left\{\left|\sum_1^n X_j^*\right| \geqslant \frac{c}{2}\right\} \leqslant \frac{1}{8},$$

对一切 n. 所以由定理 4.2.3 及以上两个不等式，知

$$P\left\{\max_{1\leqslant k\leqslant n}\left|\sum_1^k \left(X_j^* - X_j^*\left(\frac{c}{2}\right)\right)\right| \geqslant \frac{c}{2}\right\}$$

$$\leqslant 2P\left\{\left|\sum_1^n \left(X_j^* - X_j^*\left(\frac{c}{2}\right)\right)\right| \geqslant \frac{c}{2}\right\}$$

$$\leqslant 4P\left\{\left|\sum_1^n X_j^*\right| \geqslant \frac{c}{2}\right\} \leqslant \frac{1}{2}, \tag{3}$$

但

$$P\left\{\max_{1\leqslant k\leqslant n}\left|\sum_1^k \left(X_j^* - X_j^*\left(\frac{c}{2}\right)\right)\right| \geqslant \frac{c}{2}\right\}$$

$$= P\left\{\max_{1\leqslant k\leqslant n} |X_k^*| > \frac{c}{2}\right\}$$

$$= 1 - P\left\{\max_{1\leqslant k\leqslant n} |X_k^*| \leqslant \frac{c}{2}\right\}$$

$$= 1 - \prod_1^n \left(1 - P\left\{|X_j^*| > \frac{c}{2}\right\}\right).$$

由此及(3)得

$$\prod_1^n\left(1-P\left\{|X_j^*|>\frac{c}{2}\right\}\right)\geqslant\frac{1}{2}.$$

故知 $\lim\limits_{n\to\infty}\prod\limits_1^n\left(1-P\left\{|X_j^*|>\dfrac{c}{2}\right\}\right)$ 存在，这就是说级数

$$\sum_1^\infty P\left\{|X_j^*|>\frac{c}{2}\right\}<\infty.$$

此外，

$$P\left\{|X_j^*|>\frac{c}{2}\right\}=P\left\{|X_j-X_j'|>\frac{c}{2}\right\}$$

$$\geqslant P\left\{|X_j|>c,\ |X_j'|\leqslant\frac{c}{2}\right\}$$

$$=P\{|X_j|>c\}P\left\{|X_j'|\leqslant\frac{c}{2}\right\}.$$

因为我们假设 (S_n) 为依概率有界，故 (X_n) 也依概率有界，于是可以取 c_0 使得 $P\left\{|X_j'|\leqslant\dfrac{c_0}{2}\right\}\geqslant\dfrac{1}{2}$，对一切 j. 故由上不等式及 $\sum P\left\{|X_j^*|>\dfrac{c_0}{2}\right\}$ 收敛推知 $\sum P\{|X_j|>c_0\}$ 也收敛. 从而有

$$\sum_1^\infty P\{|X_j-X_j(c_0)|>c_0\}=\sum_1^\infty P\{|X_j|>c_0\}<\infty$$

但是 $\{|X_j-X_j(c_0)|>c_0\}=\{|X_j-X_j(c_0)|>0\}$，所以

$$\sum_1^\infty P\{|X_j-X_j(c_0)|>0\}<\infty,$$

由 Borel-Cantelli 引理知 $P\{\limsup\limits_j[|X_j-X_j(c_0)|>0]\}=0$. 这就是当 $\omega\notin\limsup\limits_j[|X_j-X_j(c_0)|>0]$ 时，存在取正整数的随机变量 $N(\omega)$，使得当 $n\geqslant N(\omega)$ 时，

$$|X_n(\omega) - X_n(c_0)(\omega)| = 0,$$
故级数 $\sum(X_j - X_j(c_0))$ a.s. 收敛.

由假设 (S_n) 为依概率有界，知 $\left(\sum_1^n X_j(c_0),\ n \geqslant 1\right)$ 也依概率有界，从而对任意 $\varepsilon > 0$ 存在 R，使得

$$\sup_n P\left\{\left|\sum_1^n X_j(c_0)\right| > R\right\} \leqslant \varepsilon.$$

同时我们由截尾的定义知 $P\left\{\left|\frac{X_j(c_0)}{c_0}\right| \leqslant 1\right\} = 1$，故由定理 4.2.4 知，存在常数 K^2 使得

$$E\left(\sum_1^n X_j(c_0)\right)^2 \leqslant K^2,\ \text{对一切 } n.$$

但是

$$E\left(\sum_1^n X_j(c_0)\right)^2 = \left(\sum_1^n EX_j(c_0)^2\right) + \sum_1^n \sigma^2 X_j(c_0),$$

由以上得知 $\sum_1^\infty \sigma^2 X_j(c_0) < \infty$，$\left(\sum_1^n EX_j(c_0)\right)^2 \leqslant K^2$，对一切 n，即级数 $\sum_1^\infty EX_j(c_0)$ 具有有界部分和. 取 $a_j = EX_j(c_0)$，则由定理 4.3.1 知 $\sum[X_j(c_0) - EX_j(c_0)]$ a.s. 收敛，故 $\sum(X_j - a_j) = \sum(X_j - X_j(c_0)) + \sum(X_j(c_0) - a_j)$ 为 a.s. 收敛. 证毕

定理 4.3.7 若独立随机变量的级数 $\sum X_n$ 依概率收敛，则它必是 a.s. 收敛. 若 S_n 依律收敛，则 S_n 依概率收敛.

证 依律收敛 $\Longrightarrow$ 依概率收敛. 分别记 X_n 的分布函数及特征函数为 $F_n(x)$ 及 $f_n(u)$. S_n 依律收敛就是说 S_n 的分布 $F_1 * F_2 * \cdots * F_n \to F$，在分布函数 F 的连续点上，且 $F_1 * \cdots * F_n(\pm\infty) \to F(\pm\infty)$. 令分布函数 F 的特征函数记为 f，则有

$$f_1(u)\cdots f_n(u) \to f(u),$$

因 f 为特征函数,故存在 $a>0$,使得当 $|u|\leqslant a$ 时 $|f(u)|>\frac{1}{2}$.

所以对任意 $\varepsilon>0$,存在正整数 $N(\varepsilon)$,使得当 $m>n>N(\varepsilon)$ 时有

$$|f_{n+1}(u)\cdots f_m(u)-1|<\varepsilon,\ |u|\leqslant a.$$

令 $f_{nm}\triangleq f_{n+1}\cdots f_m$ (它是 S_m-S_n 的特征函数),

$$F_{nm}=F_{n+1}*\cdots*F_m,$$

于是由上关系得:当 $m>n>N(\varepsilon)$,且 $|u|\leqslant a$ 时

$$\left|\int(1-e^{iux})dF_{nm}(x)\right|<\varepsilon.$$

所以

$$\begin{aligned}0&\leqslant\int\left(1-\frac{\sin ax}{ax}\right)dF_{nm}(x)\\&=\frac{1}{2a}\int_{-a}^{a}\int(1-e^{iux})dF_{nm}(x)du\\&\leqslant\frac{1}{2a}\int_{-a}^{a}\left|\int(1-e^{iux})dF_{nm}(x)\right|du<\varepsilon.\end{aligned}$$

另一方面,对任意 x,存在常数 $c>0$ 使得

$$1-\frac{\sin x}{x}\geqslant c\frac{x^2}{1+x^2}.$$

故由以上两个不等式得

$$\int\frac{a^2X^2}{1+a^2x^2}dF_{nm}(x)<\varepsilon/c.$$

因为 ε 为任意,上式就是说

$$\lim_{n\to\infty}E\frac{a^2(S_m-S_n)^2}{1+a^2(S_m-S_n)^2}=0.$$

此即 S_n 依概率收敛.

再证依概率收敛 $\Longrightarrow$ a.s. 收敛. 因为 S_n 依概率收敛,所以 (S_n) 必依概率有界. 由定理 4.3.6 知,存在序列 (a_n) 使得 $\sum(X_n-a_n)$ a.s. 收敛. 因为 $\sum\limits_{1}^{\infty}a_n$ 视为依概率收敛级数 $\sum X_n$ 及 $\sum$

$(X_n - a_n)$ 之差，故 $\sum_1^{\infty} a_n$ 收敛，从而 $\sum X_n$ a.s. 收敛. 证毕

定义 4.3.8 若存在常数序列 (a_n)，使得独立随机变量序列 (X_n) 所构成的级数 $\sum(X_n - a_n)$ 为 a.s. 收敛，则称级数 $\sum X_n$ 为本质收敛. 常数序列 (a_n) 叫做中心化常数序列.

定理 4.3.9 若独立随机变量的级数 $\sum X_n$ 为本质收敛，其中心化常数序列 (a_n) 等于

$$a_n = s_n - s_{n-1}(s_0 = 0)n = 1, 2, \cdots,$$

此处 s_n 为下列方程的解.

$$E \operatorname{arctg}(S_n - s) = 0.$$

证 先验证方程有唯一解. 当 s 从 $-\infty$ 升到 $+\infty$ 时，$E \operatorname{arctg}(S_n - s)$ 严格地从 $\frac{\pi}{2}$ 降到 $-\frac{\pi}{2}$，而且它是 s 连续函数，故存在唯一的 s_n 使得

$$E \operatorname{arctg}(S_n - s_n) = 0.$$

由假设 $\sum X_n$ 为本质收敛，故存在序列 (d_n) 使得 $S_n - d_n \to S$ a.s. 若能证 $(d_n - s_n)$ 为收敛序列，则本定理即得证. 为此只需证 $(d_n - s_n)$ 有唯一极限点. 设对某一子序列 (n') 有 $d_{n'} - s_{n'} \to c$，c 为有穷或无穷，于是 $S_{n'} - S_{n'} = S_{n'} - d_{n'} + d_{n'} - s_{n'} \to S - c$ a.s. 故由有界收敛定理知

$$E \operatorname{arctg}(S - c) = \lim_{n' \to \infty} E \operatorname{arctg}(S_{n'} - s_{n'}) = 0.$$

由此知 c 为有穷且唯一. 证毕

定义 4.3.10 设 (n_k) 为自然数列 (n) 的任意调换. 若独立随机变量序列的级数 $\sum X_n$ 及 $\sum X_{n_k}$ 都 a.s. 收敛到同一极限，则说级数 $\sum X_n$ 为无条件收敛.

定理 4.3.11 独立随机变量序列 (X_n) 的级数 $\sum X_n$ 为无条件收敛的必要条件是对任意 $c > 0$ 下列级数均收敛:

(i) $\sum|EX_n(c)|$，(ii) $\sum\sigma^2 X_n(c)$，(iii) $\sum P\{|X_n| > c\}$.

反之，若对一个 $c > 0$，上边三个级数均收敛，则 $\sum X_n$ 为无条件

收敛.

证 首先注明，若级数 $\sum(X_n - X_n(c))$ a.s. 收敛，则它是无条件收敛. 这是因为当 ω 不属于某个零概集 N 时，这个级数的加项里只有有穷个不为零. 若条件成立，首先由三级数定理知 $\sum X_n$ a.s. 收敛，令 $X'_n(c) = X_n(c) - EX_n(c)$. 对 (n) 的任意调换 (n_k)，定义

$$k_m = \inf\{l:(n_1,\cdots,n_l)\supset(1,2,\cdots,m)\},$$
$$m = 1,2,\cdots,$$

于是

$$E\left[\sum_{n=1}^{m} X'_n(c) - \sum_{j=1}^{k_m} X'_{n_j}(c)\right]^2$$
$$\leqslant \sum_{n=m+1}^{\infty} \sigma^2 X_n(c),$$

令 $m\to\infty$，得 $E\left[\sum_1^{\infty} X'_n(c) - \sum_{j=1}^{\infty} X'_{n_j}(c)\right]^2 = 0$. 由此知 $\sum X'_n(c) = \sum[X_n(c) - EX_n(c)]$ 无条件收敛，但因 $\sum|EX_n(c)| < \infty$，所以 $\sum X_n(c)$ 无条件收敛. 此外还知 $\sum[X_n - X_n(c)]$ a.s. 收敛，从而必无条件收敛. 于是 $\sum X_n$ 也无条件收敛. 充分性得证.

若 $\sum X_n$ 为无条件收敛，由三级数定理知 (ii) (iii) 成立，$\sum EX_n(c)$收敛，而且还知 $\sum X_n(c)$ 无条件收敛，从而对(n)的任意调换 (n_k) 必有 $\sum_1^{\infty} EX_n = \sum_{k=1}^{\infty} EX_{n_k}$，由此知 $\sum|EX_n| < \infty$，故 (i) 也成立. 证毕

§4. 独立增量过程的样本性质

连续参数的独立增量过程，首先由 de Finetti 开始研究，后来

主要是由 Lévy 加以详细研究 [15]. Doob [5] 及 Loéve [17] 书上都有专门一章介绍独立增量过程的结果.我们采用 Скороход [2] 书上的办法来讨论这一过程. 在这一节里先讨论可分的依概率连续的独立增量过程的样本性质,证明的思想来自 Kinney[13].

定义 4.4.1 设 f 是定义于区间 $[0, b]$ 上的实函数, E 为 $[0, b]$ 的子集. 我们说 f 在 E 上有不少于 m 个 ε 振动 $(\varepsilon > 0)$, 若在 E 中存在 $0 \leqslant t_0 < t_1 < \cdots < t_m \leqslant b$, 使得 $|f(t_i) - f(t_{i-1})| \geqslant \varepsilon$, $i = 1, 2, \cdots, m$. 令

$$\nu_\varepsilon(E) = \max\{m: f \text{ 在 } E \text{ 上有不少于 } m \text{ 个 } \varepsilon \text{ 振动}\},$$

$\nu_\varepsilon(E)$ 叫做 f 在 E 上的 ε 振动的个数

引理 4.4.2 定义于 $[0, b]$ 上的实函数 f 在 $[0, b]$ 上没有第二类间断的充要条件是,对任意 $\varepsilon > 0$, 它在 $[0, b]$ 上只有有穷个 ε 振动.

证 充分性. 往证对每个 $t \in (0, b]$, $f(t-)$ 存在. 令 (t_m) 为任意上升序列, $t_m \uparrow t$. 由条件知,只能找到有穷个 (t_{n_k}), $n_k < n_{k+1}$, 使得 $|f(t_{n_{k+1}}) - f(t_{n_k})| \geqslant \varepsilon$. 这就是说从某个 m 以后, $|f(t_{n+j}) - f(t_n)| < \varepsilon$, $n \geqslant m$, $j > 0$. 即 $(f(t_n))$ 收敛, 亦即 $f(t-)$ 存在. 同样可证,当 ε 振动个数有穷时,对每个 $t \in [a, b)$, $f(t+)$ 也存在.

必要性. 用反证法证,若 ε 振动的个数无穷,往证单边极限不存在,这与假设矛盾. 考虑一种情形,取任意 $t_0 \in (a, b]$, 令 (t_n) 为上升序列, $t_n \uparrow t_0$, 由于 ε 振动个数无穷,故对任意 n, 必有

$$\sup_{m > n} |f(t_m) - f(t_n)| \geqslant \varepsilon,$$

这就是说 $f(t_n)$ 的极限不存在. 证毕

引理 4.4.3 设定义于 $[0, b]$ 上的实函数 f 对 $[0, b]$ 中子集 S 为可分. 对任意 $\varepsilon > 0$, 有

$$\nu_{6\varepsilon}[0, b] \leqslant 3\nu_\varepsilon(S) + 1.$$

证 设 f 在 S 上的 ε 振动个数 $\nu_\varepsilon(S) = n$. 于是在 S 中有点 $t_0 < t_1 < \cdots < t_n$, 使得 $|f(t_k) - f(t_{k-1})| \geqslant \varepsilon$, $k = 1, 2, \cdots, n$.

显见当 $t\in S$, $t<t_0$, 必有 $|f(t)-f(t_0)|<\varepsilon$(否则 ε 振动个数大于 n 了). 同样当 $t\in S$, $t>t_n$, 必有 $|f(t)-f(t_m)|<\varepsilon$. 故由可分性知 f 在 $[0, t_0]$ 及 $[t_n, b]$ 里没有 6ε 振动.

对每个 $s\in(t_k, t_{k+1}]\cap S$, 不等式 $|f(s)-f(t_k)|<\varepsilon$ 及 $|f(s)-f(t_{k+1})|<\varepsilon$ 中至少一个成立, 否则 ε 振动个数大于 n. 下面分两种情形讨论. (i) 若 $|f(t_k)-f(t_{k+1})|\leqslant 3\varepsilon$, 则当 $s\in(t_k, t_{k+1})\cap S$ 时必有 $f(s)\in[f(t_k)\wedge f(t_{k+1})-\varepsilon, f(t_k)\vee f(t_{k+1})+\varepsilon]$. 这样一来, 当 $s\in[t_k, t_{k+1}]$ 时, f 没有 6ε 振动. (ii) 若 $|f(t_k)-f(t_{k+1})|>3\varepsilon$. 这时必存在 $u\in(t_k, t_{k+1})$, 使得当 $s<u$, $s\in(t_k, t_{k+1})\cap S$ 时, $|f(s)-f(t_k)|<\varepsilon$; 而当 $s>u$, $s\in(t_k, t_{k+1})\cap S$ 时, $|f(s)-f(t_{k+1})|<\varepsilon$ (如若不然, 在 $(t_k, t_{k+1})\cap S$ 中必有两个点 $s_1<s_2$, 使得 $|f(s_2)-f(t_k)|<\varepsilon$, $|f(s_1)-f(t_{k+1})|<\varepsilon$. 由此得 $|f(s_1)-f(s_2)|\geqslant\varepsilon$, $|f(s_2)-f(t_{k+1})|\geqslant\varepsilon$, $|f(s_1)-f(t_k)|\geqslant\varepsilon$. 这与 $v_\varepsilon(S)=n$ 矛盾). 所以当 $s\in(t_k, u)\cap S$ 时, $f(s)\in(f(t_k)-\varepsilon, f(t_k)+\varepsilon)$; 当 $s\in(u, t_{k+1})\cap S$ 时, $f(s)\in(f(t_{k+1})-\varepsilon, f(t_k)+\varepsilon)$. 由此知在 $[t_k, t_{k+1}]$ 中 f 不可能有两个以上 6ε 振动. 从而在整个 $[0, b]$ 中 f 的 6ε 振动个数不会超过 $3n+1$. 证毕

定理 4.4.4 设 $X=(X_t, t\in[0, b])$ 为可分的依概率连续的独立增量过程, 于是几乎所有样本函数无第二类间断.

证 由引理 4.4.2 知, 需证对几乎一切 ω 及任意 $\varepsilon>0$, $X.(\omega)$ 只有有穷个 ε 振动. 又由引理 4.4.3 知, 需证对几乎一切 ω 及任意 $\varepsilon>0$, $X.(\omega)$ 在分离集 S 上只有有穷个 ε 振动即可. 令

$$A_k=\left\{\omega: X.(\omega) \text{ 在 } S \text{ 上 } \frac{1}{k} \text{ 振动个数为有穷}\right\}.$$

于是 $\bigcap\limits_k A_k=\left\{\omega: X.(\omega)\text{ 在 } S \text{ 上 } \frac{1}{k}\text{ 振动个数为有穷, 对一切 } k\right\}$, 所以 $\bigcap\limits_k A_k=\{\omega: X.(\omega)$ 在 S 上 ε 振动个数为有穷, 对一切 $\varepsilon>0\}$. 若能证 $P\left(\bigcap\limits_k A_k\right)=1$, 则定理得证. 因为 $A_{k+1}\subset$

A_k，故只需证对任意 k，$P(A_k)=1$． 为此往证对几乎一切 ω，$X.(\omega)$ 在 $[t, t+k]\cap S$ 上的 ε 振动个数为有穷，此处 k 为固定正数．

因为 X 依概率连续，从而依概率一致连续．故对任意 $\varepsilon>0$，可以找到 h，使得当 $|t'-t''|\leqslant h$ 时，有

$$P\left\{|X_{t'}-X_{t''}|\geqslant\frac{\varepsilon}{4}\right\}\leqslant\frac{1}{3}.$$

对长为 h 的区间 Δ，取 $\Delta\cap S$ 里的任意 n 个点 $t_1<t_2<\cdots<t_n$．令

$$\begin{aligned}p_m&=P\{X \text{ 在 } (t_1,\cdots,t_n) \text{ 上的 } \varepsilon \text{ 振动个数} \geqslant m\}\\&=P\{\nu_\varepsilon(t_1,\cdots,t_n)\geqslant m\}.\end{aligned}$$

又令

$$\begin{aligned}B_k=\Big\{&|X_{t_2}-X_{t_1}|<\frac{\varepsilon}{2},\cdots,|X_{t_{k-1}}\\&-X_{t_1}|<\frac{\varepsilon}{2},|X_{t_k}-X_{t_1}|\geqslant\varepsilon\\&\nu_\varepsilon(t_k,\cdots,t_n)\geqslant m-1\Big\},\end{aligned}$$

于是

$$p_m\leqslant\sum_{k=1}^{n}P(B_k).$$

因为 $\nu_\varepsilon(t_k,\cdots,t_n)$ 与$(X_{t_j}-X_{t_1})$，$j=2,\cdots,k$ 相互独立，故

$$\begin{aligned}P(B_k)&=P\Big\{|X_{t_2}-X_{t_1}|<\frac{\varepsilon}{2},\cdots,\\&\qquad|X_{t_{k-1}}-X_{t_1}|<\frac{\varepsilon}{2},\ |X_{t_k}-X_{t_1}|\geqslant\varepsilon\Big\}\\&\qquad\times P\{\nu_\varepsilon(t_k,\cdots,t_n)\geqslant m-1\}\\&\leqslant P\Big\{|X_{t_2}-X_{t_1}|<\frac{\varepsilon}{2},\cdots,|X_{t_{k-1}}-X_{t_1}|\\&<\frac{\varepsilon}{2},\ |X_{t_k}-X_{t_1}|\geqslant\varepsilon\Big\}\end{aligned}$$

$$\times P\{\nu_\varepsilon(t_1,\cdots,t_n)\geqslant m-1\}$$

$$=p_{m-1}P\left\{|X_{t_2}-X_{t_1}|<\frac{\varepsilon}{2},\ \cdots,\ |X_{t_{k-1}}-X_{t_1}|\right.$$

$$\left.<\frac{\varepsilon}{2},\ |X_{t_k}-X_{t_1}|\geqslant\varepsilon\right\},$$

由此得

$$p_m\leqslant p_{m-1}\sum_{k=2}^{n}P\left\{|X_{t_2}-X_{t_1}|\right.$$

$$<\frac{\varepsilon}{2},\cdots,|X_{t_{k-1}}-X_{t_1}|$$

$$\left.<\frac{\varepsilon}{2},\ |X_{t_k}-X_{t_1}|\geqslant\varepsilon\right\}$$

$$\leqslant p_{m-1}P\left\{\sup_{2\leqslant k\leqslant n}|X_{t_k}-X_{t_1}|\geqslant\frac{\varepsilon}{2}\right\}.$$

因为 $|t_k-t_n|<h$，故 $P\left\{|X_{t_n}-X_{t_k}|\geqslant\frac{\varepsilon}{4}\right\}\leqslant\frac{1}{3}$，对 $k=1,2,\cdots,n$. 所以应用定理 4.2.2. 得

$$P\left\{\sup_{2\leqslant k\leqslant n}|X_{t_k}-X_{t_1}|\geqslant\frac{\varepsilon}{2}\right\}$$

$$\leqslant\frac{1}{1-\frac{1}{3}}P\left\{|X_{t_n}-X_{t_1}|\geqslant\frac{\varepsilon}{4}\right\}\leqslant\frac{1}{2},$$

从而

$$p_m\leqslant\frac{1}{2}\,p_{m-1}\leqslant\frac{1}{2^m}.$$

令 $J_p\subset\Delta\cap S$，J_p 为有穷点集. $J_p<J_{p+1}$，$\bigcup_p J_p=\Delta\cap S$. 我们有 $\nu_\varepsilon(J_p)\uparrow\nu_\varepsilon(\Delta\cap S)(p\to\infty)$，于是

$$P\{\nu_\varepsilon(\Delta\cap S)\geqslant m\}=P\{\lim_{p\to\infty}\nu_\varepsilon(J_p)\geqslant m\}$$

$$= \lim_{p \to \infty} P\ \{\nu_\varepsilon(J_p) \geqslant m\} \leqslant \frac{1}{2^m}.$$

由此知 $P\{\nu_\varepsilon(\Delta \cap S) = +\infty\} = \lim\limits_{m\to\infty} P\{\nu_\varepsilon(\Delta \cap S) \geqslant m\} = 0$. 证毕

注 由定理 3.4.2 知，X_t 必在 X_{t-} 及 X_{t+} 之间. 此外还有 $X_t = X_{t+}$ a.s. 事实上，若令

$$A_t^k = \left\{|X_{t+} - X_t| \geqslant \frac{1}{k}\right\},$$

因为 $\lim\limits_{\varepsilon\to 0} X_{t+\varepsilon} = X_{t+}$ a.s. 于是当 $\varepsilon \to 0$ 时

$$P\left\{|X_{t+\varepsilon} - X_{t+}| \geqslant \frac{1}{2k}\right\} \to 0,$$

所以

$$P\{A_t^k\} \leqslant P\left\{|X_{t+} - X_{t+\varepsilon}| \geqslant \frac{1}{2k}\right\}$$

$$+ P\left\{|X_{t+\varepsilon} - X_t| \geqslant \frac{1}{2k}\right\}.$$

由此及依概率连续性推知 $P\{A_t^k\} = 0$. 于是

$$P\{X_{t+} \neq X_t\} \leqslant \sum_k P\{A_t^k\} = 0.$$

由此可见过程 $(X_t,\ t \in [0, b))$ 与 $(X_{t+},\ t \in [0, b))$ 互为修正. 所以在讨论依概率连续的可分独立增量过程时不妨假设它是 a.s. 右连续的. 同样也存在左连续修正.

令 μ_ε 为过程的跳跃绝对高度大于 ε 的个数，即

$$\mu_\varepsilon = \sum_t I_{\{|X_{t+} - X_{t-}| > \varepsilon\}} = \sum_t I_{\{|\Delta X_t| > \varepsilon\}}. \tag{1}$$

注意若过程是右连续的，则 $\Delta X_t = X_{t+} - X_{t-} = X_t - X_{t-}$. 随机过程 X 的几乎所有样本函数为连续当且仅当 $\mu_\varepsilon = 0$ a.s.，对任意 $\varepsilon > 0$. 也即是当且仅当 $\mu_{\frac{1}{k}} = 0$ a.s.，对一切 $k \geqslant 1$.

定理 4.4.5 设 $X = (X_t,\ t \in [0, b])$ 为可分的依概率连续的

独立增量过程，欲X为 a.s. 样本连续，当且仅当对任意 $\varepsilon > 0$ 及任意n个点 $0=t_0 < t_1 < \cdots < t_n = b$，

$$\lim_{\max_k |t_k - t_{k-1}| \to 0} \sum_{k=1}^{n} P\{|X_{t_k} - X_{t_{k-1}}| > \varepsilon\} = 0. \tag{2}$$

证 必要性. 设X的几乎所有样本函数连续于 $[0, b]$，于是几乎所有样本函数必一致连续于 $[0, b]$. 记

$$\Delta_h = \sup_{|t'-t''| \leqslant h} |X_{t'} - X_{t''}|,$$

概率为1地有 $\Delta_h \to 0$ $(h \to 0)$，于是对任意 $\varepsilon > 0$ 有

$$\lim_{h \to 0} P\{\Delta_h > \varepsilon\} = 0. \tag{3}$$

但当 $\max_k |t_k - t_{k-1}| \leqslant h$ 时，$\sup_{1 \leqslant k \leqslant n} |X_{t_k} - X_{t_{k-1}}| \leqslant \Delta_h$，所以有

$$P\{\sup_{1 \leqslant k \leqslant n} |X_{t_k} - X_{t_{k-1}}| > \varepsilon\} \leqslant P\{\Delta_h > \varepsilon\}. \tag{4}$$

可是

$$\begin{aligned}
&P\{\sup_{1 \leqslant k \leqslant n} |X_{t_k} - X_{t_{k-1}}| > \varepsilon\} \\
&= \sum_{k=0}^{n-1} P\{|X_{t_1} - X_{t_0}| \leqslant \varepsilon, \cdots, |X_{t_k} - X_{t_{k-1}}| \\
&\leqslant \varepsilon, |X_{t_{k+1}} - X_{t_k}| > \varepsilon\} \\
&= \sum_{k=0}^{n-1} \left[\prod_{i=1}^{k} P\{|X_{t_i} - X_{t_{i-1}}| \leqslant \varepsilon\}\right] \\
&\qquad \times P\{|X_{t_{k+1}} - X_{t_k}| > \varepsilon\} \\
&\geqslant \sum_{k=0}^{n-1} P\{|X_{t_{k+1}} - X_{t_k}| > \varepsilon\} \prod_{i=1}^{n} P\{|X_{t_i} - X_{t_{i-1}}| \leqslant \varepsilon\} \\
&\geqslant P\{\Delta_h \leqslant \varepsilon\} \sum_{k=0}^{n-1} P\{|X_{t_{k+1}} - X_{t_k}| > \varepsilon\},
\end{aligned} \tag{5}$$

于是由(4)及(5)得

$$\sum_{k=0}^{n-1} P\{|X_{t_{k+1}} - X_{t_k}| > \varepsilon\} \leqslant \frac{P\{\Delta_h > \varepsilon\}}{P\{\Delta_h \leqslant \varepsilon\}}.$$

由此及(3)，立刻推知(2).

充分性. 在条件(2)成立时，往证

$$P\{\mu_{\frac{1}{k}}=0,\ k\geqslant 1\}=1.$$

同上一定理的推理一样，只需证对任意正整数 k，$P\{\mu_{\frac{1}{k}}=0\}=1$，这也就是对任意 $\varepsilon>0$，往证 $P\{\nu_\varepsilon=0\}=1$.

对任意 n，令 $0=t_0^{(n)}<t_1^{(n)}<\cdots<t_n^{(n)}=b$ 为 $[0,b]$ 的一个分割，而且当 $n\to\infty$ 时 $\max\limits_{1\leqslant k\leqslant n}|t_k^{(n)}-t_{k-1}^{(n)}|\to 0$. 记

$$\nu_\varepsilon^{(n)}=\sum_i I_{\{|X_{t_i^{(n)}}-X_{t_{i+1}^{(n)}}|>\frac{\varepsilon}{2}\}}.$$

显见，若对某个 t，$|\Delta X_t|=|X_{t+}-X_{t-}|>\varepsilon$，则当 n 足够大时，如果 $t_i^{(n)}<t<t_{i+1}^{(n)}$，必有 $|X_{t_{i+1}^{(n)}}-X_{t_i^{(n)}}|>\dfrac{\varepsilon}{2}$. 于是对任意子序列 $n_k\to\infty$，有

$$\mu_\varepsilon\leqslant\sum_{k=1}^{\infty}\nu_\varepsilon^{(n_k)},\tag{6}$$

但是 $E\nu_\varepsilon^{(n)}=\sum\limits_{i=1}^{n}P\left\{|X_{t_i^{(n)}}-X_{t_{i-1}^{(n)}}|>\dfrac{\varepsilon}{2}\right\}$. 由定理的条件，对任意 $\delta>0$ 及 $k\geqslant 1$ 可选 n_k，使得

$$\sum_{i=1}^{n_k}P\left\{|X(t_i^{(n_k)})-X(t_{i-1}^{(n_k)})|>\frac{\varepsilon}{2}\right\}\leqslant\frac{\delta}{2^k}.\tag{7}$$

故由(6)及(7)得

$$E\mu_\varepsilon\leqslant\sum_{k=1}^{\infty}E\gamma_\varepsilon^{(n_k)}\leqslant\sum_{k=1}^{\infty}\frac{\delta}{2^k}=\delta.$$

因 δ 为任意，所以对任意 $\varepsilon>0$，有 $E\mu_\varepsilon=0$，这就是说 $\mu_\varepsilon=0$ a.s. 证毕

定理 4.4.6 设 $X=(X_t,\ t\in[0,b])$ 为可分的独立增量过程，且几乎所有样本函数为连续，$X_0=0$. 于是对任意 $m>0$，

$E|X_t|^m$ 为一致有界.

证 对任意 $n>0$, 取分割 $0=t_0^{(n)}<t_1^{(n)}<\cdots<t_n^{(n)}=b$, 且 $\lim\limits_{n\to\infty}\max\limits_k|t_m^{(n)}-t_{m-1}^{(n)}|=0$. 记

$$X_{ni}\triangleq[X(t_i^{(n)})-X(t_{i-1}^{(n)})]I_{\{|X(t_i^{(n)})-X(t_{i-1}^{(n)})|\leqslant 1\}},\tag{8}$$

$$X_n(t)=\sum_{t_i^{(n)}<t}X_{ni}.\tag{9}$$

若对一切 k, $|x_{nk}|=|X(t_k^{(n)})-X(t_{k-1}^{(n)})|\leqslant 1$, 则当 $t_j^{(n)}<t\leqslant t_{j+1}^{(n)}$ 时, $X_n(t)=X(t_j^{(n)})$. 由此知当 $t_j^{(n)}<t\leqslant t_{j+1}^{(n)}$ 时, 对任意 $\varepsilon>0$,

$$\begin{aligned}
&P\{|X_n(t)-X(t)|>\varepsilon\}\\
&\quad=P\{|X_n(t)-X(t)|>\varepsilon,\ \sup_i|X(t_i^{(n)})-X(t_{i-1}^{(n)})|\leqslant 1\}\\
&\qquad+P\{|X_n(t)-X(t)|>\varepsilon,\ \sup_i|X(t_i^{(n)})-X(t_{i-1}^{(n)})|>1\}\\
&\quad\leqslant P\{|X(t_j^{(n)})-X(t)|>\varepsilon\}\\
&\qquad+P\{\sup_i|X(t_i^{(n)})-X(t_{i-1}^{(n)})|>1\}\\
&\quad\leqslant\sup_{|t'-t''|\leqslant\max\limits_i|t_i^{(n)}-t_{i-1}^{(n)}|}P\{|X_{t'}-X_{t''}|>\varepsilon\}\\
&\qquad+\sum_{k=1}^{n}P\{|X(t_k^{(n)})-X(t_{k-1}^{(n)})|>1\}.
\end{aligned}\tag{10}$$

注意此不等式对一切 $t\in[0,b]$ 都成立. 又因X的几乎所有样本为连续,故有

$$\lim_{n\to\infty}\sup_{|t'-t''|\leqslant\max\limits_i|t_i^{(n)}-t_{i-1}^{(n)}|}P\{|X_{t'}-X_{t''}|>\varepsilon\}=0.\tag{11}$$

而且由定理 4.4.5, 知

$$\lim_{n\to\infty}\sum_{k=1}^{n}P\{|X(t_k^{(n)})-X(t_{k-1}^{(n)})|>1\}=0.\tag{12}$$

于是由 (10), (11), (12) 得: 对任意 $\varepsilon>0$, 有

$$\lim_{n\to\infty}\sup_t P\{|X_n(t)-X(t)|>\varepsilon\}=0. \tag{13}$$

但是

$$P\{|X_n(t)|>a\}\leqslant P\{|X_t|>a-\varepsilon\} + P\{|X_n(t)-X_t|>\varepsilon\}, \tag{14}$$

又因X的几乎所有样本为连续,故有界,所以

$$\lim_{n\to\infty}\sup_t P\{|X_t|>a-\varepsilon\}=0. \tag{15}$$

由(13),(14),(15)得

$$\lim_{a\to\infty,\ n\to\infty}\sup_t P\{|X_n(t)|>a\}=0. \tag{16}$$

但由 (8),(9)知 $X_n(t)$ 是绝对值小于1的独立随机变量之和,故由定理4.2.4知,当n足够大时,对任意 $m>0$,存在常数C_m使得

$$E|X_n(t)|^m\leqslant C_m,\ 对一切\ t.$$

另一方面由上证明知 $X_n(t)\xrightarrow[p]{} X_t$ (13). 故由 Fatou 引理知

$$E|X_t|^m\leqslant C_m,$$

对一切t. 证毕

注 如果不设$X_0=0$.则本定理的结论应换为"$E|X_t-X_0|^m$为一致有界".

§5. 可分的依概率连续的独立增量过程所产生的随机测度 $\mu(t,A)$

在本节设 $X=(X_t,\ t\in[0,b])$ 为可分的依概率连续的独立增量过程,于是必存在一个几乎所有样本为右连续的依概率连续且可分的独立增量过程与之等价. 所以不妨认为所考虑的X本身是 a.s. 右连续的. 由定理4.4.4知,X无第二类间断,且其间断为跳. 对任意$\varepsilon>0$,当ω不属于某一零概集N时,每个样本函数为右连续,所以 $X.(\omega)$ 的 $\mu_\varepsilon(\omega)$ 为有穷,此处 $\mu_\varepsilon(\omega)$ 由§4中 (1) 所定义,它等于样本的跳跃绝对高度大于ε的个数.

设 $A \in \mathscr{B}(\boldsymbol{R})$ 且 A 在 $|x| \leqslant \varepsilon$ 之外，于是当 $\omega \notin N$ 时集 $\{t \in [0, b]: \Delta X_t(\omega) \in A\}$ 为有穷集. 记 $X.(\omega)$ 在 t 之前,其跳跃值落入 A 的个数为

$$\mu(t, A)(\omega) = \sum_{s \leqslant t} I_{\{\Delta X_s(\omega) \in A\}}. \tag{1}$$

显见 $\mu(b, \{|x| > \varepsilon\}) = \mu_\varepsilon$. 当 A 固定时，$(\mu(t, A), t \in [0, b])$ 是随机过程、非降且取非负整数值,它叫做 X 的跳值落入 A 的计数过程. 令 $U_\varepsilon = \{|x| > \varepsilon\}$, $\mathscr{B}_\varepsilon = U_\varepsilon \cap \mathscr{B}(\boldsymbol{R})$, 我们有

定理 4.5.1 当 $A(\in \mathscr{B}_\varepsilon)$ 固定时，$(\mu(t, A), t \in [0, b])$ 为依概率连续的独立增量过程. 当 t 固定时,$\mu(t, \cdot)(\omega)$ 是 σ 域 $\mathscr{B}_\varepsilon$ 上的测度.

证 定理的第二结论由定义式 (1) 得知. 我们称 $\mu(t, \cdot)$ 为随机测度[一般地讲可测空间 $(\Omega \times \boldsymbol{R}, \mathscr{F} \otimes \mathscr{B}(\boldsymbol{R}))$ 上的二元函数 $\nu(\omega, A)$, $\omega \in \Omega$, $A \in \mathscr{B}(\boldsymbol{R})$ 称为随机测度，若当 ω 固定时它是 $\mathscr{B}(\boldsymbol{R})$ 上的测度；当 $A(\in \mathscr{B}(\boldsymbol{R}))$ 固定时它是 $\mathscr{F}$ 可测的]. 往证第二结论. 令 $s < t$ 为 $[0, b]$ 中任意两个数，记

$$\mathscr{F}_{[s,t]}^X = \sigma(X_u - X_s, s \leqslant u \leqslant t). \tag{2}$$

于是当 $s < u \leqslant t$ 时，$\Delta X_u = X_u - X_{u-} = \lim\limits_{\varepsilon \downarrow 0} (X_u - X_{u-\varepsilon})$ 为 $\mathscr{F}_{[s,t]}^X$ 可测,从而 $I_{\{\Delta X_u \in A\}}$ 为 $\mathscr{F}_{[s,t]}^X$ 可测. 但因 X 为独立增量过程，故当 $t_1 < t_2 < \cdots < t_n \cdots$ 时，$\mathscr{F}_{[t_1,t_2]}^X$, $\mathscr{F}_{[t_2,t_3]}^X$, $\cdots$, 为独立的子 σ 域,所以 $\mu(t_2, A) - \mu(t_1, A)$, $\mu(t_3, A) - \mu(t_2, A)$, $\cdots$, 也为独立. 这就证明了 $\mu(\cdot, A)$ 为独立增量过程. 由定义知 $\mu(\cdot, A)$ 为右连续. 故有事件 $\{\mu(t-, A) \neq \mu(t, A)\} = \{X_{t-} \neq X_t\}$, 但由于 X 是依概率连续的,所以 $P\{X_{t-} \neq X_t\} = 0$ (参看定理 4.4.4 的注)，从而知对每个 t, $\mu(\cdot, A)$ 在 t 处 a.s. 连续. 证毕

$$X_A(t) \triangleq \sum_{s \leqslant t} \Delta X_s I_{\{\Delta X_s \in A\}}. \tag{3}$$

和上边一样，可以证明 $(X_A(t), t\in[0, b])$ 为依概率连续的独立增量过程.

定理 4.5.2 对任意 $A\in\mathscr{B}_\varepsilon$，存在 $E\mu(t, A)=\Pi(t, A)$，$\Pi(t, \cdot)$ 是 $\mathscr{B}_\varepsilon$ 上有穷测度.

证 因为对任意 $A\in\mathscr{B}_\varepsilon$，$0\leqslant\mu(t, A)\leqslant\mu(t, U_\varepsilon)$，所以只需证 $E\mu(t, U_\varepsilon)$ 存在. 对 $[0, t]$ 及 n 取分割：$0=t_0^{(n)}<\cdots<t_n^{(n)}=t$，且 $\lim\limits_{n\to\infty}\max\limits_j|t_j^{(n)}-t_{j-1}^{(n)}|=0$. 定义

$$\nu^{(n)}(t, \rho)=\sum_{i=1}^{n} I_{\{|X(t_i^{(n)})-X(t_{i-1}^{(n)})|>\rho\}}, \tag{4}$$

易知当 $\rho_1<\rho_2$ 时，$\nu^{(n)}(t, \rho_2)\leqslant\nu^{(n)}(t, \rho_1)$，当 $\rho<\varepsilon$ 时，有

$$\liminf_{n\to\infty}\nu^{(n)}(t, \rho)\geqslant\mu(t, v_\varepsilon), \tag{5}$$

$$\limsup_{n\to\infty}\nu^{(n)}(t, \rho)\leqslant\mu(t, v_\rho).$$

此外，对任意 $\rho>0$，$\mu(t, v_\rho)$ 为 a.s. 有穷. 故 $\nu^{(n)}(t, \rho)$ 对 n 一致依概率有界，即

$$\lim_{c\to\infty}\sup_n P\{\nu^{(n)}(t, \rho)>c\}=0.$$

由(4)知 $\nu^{(n)}(t, \rho)$ 为绝对值小于 1 的独立随机变量和，故由定理 4.2.4 知，对任意 m，存在常数 $L_m(\rho)$，使得 $E|\nu^{(n)}(t, \rho)|^m\leqslant L_m$. 由 Fatou 引理知 $E\ |\limsup\limits_{n\to\infty}\nu^{(n)}(t, \rho)|^m\leqslant L_m(\rho)$. 从而又由(5)知对任意 $\varepsilon>\rho$，$E|\mu(t, v_\varepsilon)|^m\leqslant L_m(\rho)$. 我们证明了对任意 $A\in\mathscr{B}_\varepsilon$，随机变量 $\mu(t, A)$ 具有各阶矩.

设 (A_k) 为 $\mathscr{B}_\varepsilon$ 可测集，两两不交，因为 $\mu(t, \cdot)$ 为随机测度，故有

$$\mu\left(t, \sum_1^\infty A_k\right)=\sum_1^\infty\mu(t, A_k),$$

由此取期望，得

$$\Pi\left(t, \sum_1^\infty A_k\right)=E\mu\left(t, \sum_1^\infty A_k\right)$$

$$= E\sum_{1}^{\infty}\mu(t, A_k) = E\lim_{n\to\infty}\sum_{1}^{n}\mu(t, A_k)$$

$$= \lim_{n\to\infty} E\sum_{1}^{n}\mu(t, A_k) = \lim_{n\to\infty}\sum_{1}^{n}\Pi(t, A_k)$$

$$= \sum_{1}^{\infty}\Pi(t, A_k).$$

上边的极限与求期望可以调换，这是因为

$$0 \leqslant \sum_{1}^{n}\mu(t, A_k) \leqslant \mu\left(t, \sum_{1}^{\infty}A_k\right),$$

且

$$E\mu\left(t, \sum_{1}^{\infty}A_k\right) < \infty.$$ 证毕

定理 4.5.3 设 $A\in\mathscr{B}_\varepsilon$. 由 (3) 所定义的过程 $(X_A(t), t\in[0, b])$ 与过程 $(X_t - X_A(t), t\in[0, b])$ 独立.

证 先考虑特殊的 $A\in\mathscr{B}_\varepsilon, \Pi(b, \partial A) = 0$, 此处 $\partial A = \bar{A}\cap\overline{\boldsymbol{R}-A}$ 是集 A 的边界. 在此特殊情况下证明 X_A 及 $X - X_A$ 是独立的过程. 为此需证: 对任意 l 及任意实数 $z_1, \cdots, z_l, u_1, \cdots, u_l$ 及 $[0, b]$ 中任意 l 个参数, $t_1\ t_2, \cdots, t_l$, 下式成立

$$Ee^{i\sum_{1}^{l}z_jX_A(t_j)+i\sum_{1}^{l}u_j(X_{t_j}-X_A(t_j))}$$

$$= Ee^{i\sum_{1}^{l}z_jX_A(t_j)}\,Ee^{i\sum_{1}^{l}u_j(X_{t_j}-X_A(t_j))}. \tag{6}$$

取 $[0, b]$ 中加密分割 $0 = t_0^{(n)} < t_1^{(n)} < \cdots < t_n^{(n)} = b$, 且

$$\lim_{n\to\infty}\max_j\,(t_j^{(n)} - t_{j-1}^{(n)}) = 0.$$

令

$$X_A^{(n)}(t) = \sum_{t_k^{(n)}\leqslant t}[X(t_k^{(n)}) - X(t_{k-1}^{(n)})]\,I_{\{X(t_k^{(n)})-X(t_{k-1}^{(n)})\in A\}},$$

$$Y^{(n)}(t) = \sum_{t_k^{(n)} \leqslant t} [X(t_k^{(n)}) - X(t_{k-1}^{(n)})]$$

$$\times (1 - I_{\{X(t_k^{(n)}) - X(t_{k-1}^{(n)}) \in A\}}).$$

由假设 $\Pi(b, \partial A) = 0$ 知，概率为 1 地 X 的跳跃高度不落在 A 的边界上．于是当 $n \to \infty$, $X_A^{(n)}(t) \xrightarrow[p]{} X_A(t)$, $Y^{(n)}(t) \xrightarrow[p]{} X_t - X_A(t)$ (因为若 X 在 s 处有跳，则当 $t_j^{(n)} < s \leqslant t_{j+1}^{(n)}$ 时，

$$X(t_{j+1}^{(n)}) - X(t_j^{(n)}) \xrightarrow[p]{} X_s - X_{s-}).$$

所以欲证 (6) 只需证，当 $n \to \infty$ 时有

$$Ee^{i\sum_1^l z_j X_A^{(n)}(t_j) + i\sum_1^l u_j Y^{(n)}(t_j)}$$

$$- Ee^{i\sum_1^l z_j X_A^{(n)}(t_j)} Ee^{i\sum_1^l u_j Y^{(n)}(t_j)} \to 0. \tag{7}$$

记

$$\xi_k^{(n)} = [X(t_k^{(n)}) - X(t_{k-1}^{(n)})] I_{\{X(t_k^{(n)}) - X(t_{k-1}^{(n)}) \in A\}},$$

$$\eta_k^{(n)} = [X(t_k^{(n)}) - X(t_{k-1}^{(n)})](1 - I_{\{X(t_k^{(n)}) - X(t_{k-1}^{(n)}) \in A\}}).$$

欲证 (7)，只需证对任意 $c > 0$，有

$$\lim_{n\to\infty} \sup_{|u_k^{(n)}|, |z_k^{(n)}| \leqslant c} \{Ee^{i\sum_1^n z_k^{(n)}\xi_k^{(n)} + i\sum_1^n u_k^{(n)}\eta_k^{(n)}}$$

$$- Ee^{i\sum_1^n z_k^{(n)}\xi_k^{(n)}} Ee^{i\sum_1^n u_k^{(n)}\eta_k^{(n)}}\} = 0. \tag{8}$$

因为 $\xi_k^{(n)}\eta_k^{(n)} = 0$，故

$$e^{i(z_k^{(n)}\xi_k^{(n)} + u_k^{(n)}\eta_k^{(n)})} = \sum_{r=0}^{\infty} \frac{1}{r!} [i(z_k^{(n)}\xi_k^{(n)} + u_k^{(n)}\eta_k^{(n)})]^r$$

$$= 1 + \sum_{r=1}^{\infty} \frac{1}{r!} [(iz_k^{(n)}\xi_k^{(n)})^r + (iu_k^{(n)}\eta_k^{(n)})^r]$$

$$= e^{iz_k^{(n)}\xi_k^{(n)}} + e^{iu_k^{(n)}\eta_k^{(n)}} - 1,$$

由此有

$$Ee^{i(z_k^{(n)}\xi_k^{(n)}+u_k^{(n)}\eta_k^{(n)})} - Ee^{iz_k^{(n)}\xi_k^{(n)}}Ee^{iu_k^{(n)}\eta_k^{(n)}}$$

$$= -(Ee^{iz_k^{(n)}\xi_k^{(n)}} - 1)(Ee^{iu_k^{(n)}\eta_k^{(n)}} - 1). \tag{9}$$

在下面推导中要利用下列不等式:

$$\left|\prod_1^n a_k - \prod_1^n b_k\right| \leqslant \sum_1^n |a_k - b_k|,$$

$$|a_k| \leqslant 1, \ |b_k| \leqslant 1,$$

因为 $(\xi_k^{(n)}, \eta_k^{(n)})$ 与 $(\xi_{k'}^{(n)}, \eta_{k'}^{(n)})$ 独立，由 (9) 推知 (8) 的左方小于等于

$$\lim_{n\to\infty} \sup_{|u_k^{(n)}|,\,|z_k^{(n)}|\leqslant c} \left|\prod_{k=1}^n Ee^{i(z_k^{(n)}\xi_k^{(n)}+u_k^{(n)}\eta_k^{(n)})}\right.$$

$$\left.-\prod_{k=1}^n Ee^{iz_k^{(n)}\xi_k^{(n)}}Ee^{iu_k^{(n)}\eta_k^{(n)}}\right|$$

$$\leqslant \lim_{n\to\infty} \sup_{|u_k^{(n)}|,\,|z_k^{(n)}|\leqslant c} \sum_{k=1}^n \left|Ee^{i(z_k^{(n)}\xi_k^{(n)}+u_k^{(n)}\eta_k^{(n)})}\right.$$

$$\left.-Ee^{iz_k^{(n)}\xi_k^{(n)}}Ee^{iu_k^{(n)}\eta_k^{(n)}}\right|$$

$$= \lim_{n\to\infty} \sup_{|u_k^{(n)}|,\,|z_k^{(n)}|\leqslant c} \sum_{k=1}^n |Ee^{iz_k^{(n)}\xi_k^{(n)}} - 1|$$

$$\times |Ee^{iu_k^{(n)}\eta_k^{(n)}} - 1|. \tag{10}$$

由此知欲证 (8)，需证 (10) 的右方等于 0. 为此需证

$$\lim_{n\to\infty} \sup_{\substack{1\leqslant k\leqslant n\\|u|\leqslant c}} |Ee^{iu\eta_k^{(n)}} - 1| = 0, \tag{11}$$

$$\lim_{n\to\infty} \sup_{|z_k^{(n)}|\leqslant c} \sum_{k=1}^n |Ee^{iz_k^{(n)}\xi_k^{(n)}} - 1| < \infty. \tag{12}$$

先证 (11). 我们有，当 $|u| \leqslant c$ 时

$$
\begin{aligned}
|Ee^{iu\eta_k^{(n)}}-1| &= \left|\int (e^{iux}-1)dF_{\eta_k^{(n)}}(x)\right| \\
&= \left|\int_{|X|>\delta}+\int_{|X|\leqslant\delta}(e^{iux}-1)\,dF_{\eta_k^{(n)}}(x)\right| \\
&\leqslant 2P\{|\eta_k^{(n)}|>\delta\}+\int_{|X|\leqslant\delta}|e^{iux}-1|dF_{\eta_k^{(n)}}(x) \\
&\leqslant 2P\{|\eta_k^{(n)}|>\delta\}+\int_{|X|\leqslant\delta}|u||x|dF_{\eta_k^{(n)}}(x) \\
&\leqslant 2P\{|X(t_k^{(n)})-X(t_{k-1}^{(n)})|>\delta\}+\delta c.
\end{aligned}
$$

因为 δ 为任意，且 X 依概率连续，所以由此式立刻推出(11). 再证(12). 因为

$$
|e^{iz_k^{(n)}\xi_k^{(n)}}-1|\leqslant 2I_{\{X(t_k^{(n)})-X(t_{k-1}^{(n)})\in A\}},
$$

故

$$
\begin{aligned}
\sum_{k=1}^{n}|Ee^{iz_k^{(n)}\xi_k^{(n)}}-1| &\leqslant \sum_{k=1}^{n}E|e^{iz_k^{(n)}\xi_k^{(n)}}-1| \\
&\leqslant 2\sum_{k=1}^{n}EI_{\{X(t_k^{(n)})-X(t_{k-1}^{(n)})\in A\}} \\
&= 2E\sum_{k=1}^{n}I_{\{X(t_k^{(n)})-X(t_{k-1}^{(n)})\in A\}}.
\end{aligned}
$$

由定理 4.5.2 的证明，知此式右方对 n 一致有界，则(12)得证. 故当 $\Pi(b,\partial A)=0$ 时定理得证.

往证对一般的 $A\in\mathscr{B}_\varepsilon$ 定理也成立. 令

$$
\mathscr{A}=\{A:A\text{ 使定理成立}\}.
$$

类 $\mathscr{A}$ 具有如下性质:

i) $A_n\in\mathscr{A}$, $A_n\uparrow(\downarrow)$, 则 $\bigcup\limits_n A_n\in\mathscr{A}\left(\bigcap\limits_n A_n\in\mathscr{A}\right)$. 这是下述简单事实的推论: 若 $X_n(t)$, $Y_n(t)$ 为独立过程，且当 $n\to\infty$ 时，$X_n\xrightarrow[p]{}X$, $Y_n\xrightarrow[p]{}Y$, 则 X, Y 也独立.

ii) 开集属于 $\mathscr{A}$. 因为每个开集可以表成可数个开区间之和 $\sum_{1}^{\infty} I_n$，而且 $\Pi(b, \partial I_n) = 0$ 对每个 n（因为绝对高度大于 ε 的跳的个数为有穷，对几乎一切 $X.(\omega)$）.

由性质 i)、ii) 知 $\mathscr{A}$ 包含 $\mathscr{B}_\varepsilon$ 中一切集. 证毕

定理 4.5.4 记 $X_\varepsilon(t) \triangleq X_t - X_{\nu_\varepsilon}(t)$. 设 $A_1, A_2, \cdots, A_k$ 为 $\mathscr{B}_\varepsilon$ 可测集，且两两无公共点. 于是 $X_\varepsilon(t)$ 及 $\mu(t, A_1), \cdots, \mu(t, A_k)$ 为独立随机过程.

证 由定理 4.5.3 知 $X_{\nu_\varepsilon}(t)$ 与 $X_\varepsilon(t)$ 为独立的随机过程. 当 $A \in \mathscr{B}_\varepsilon$ 时，过程 $X_{\nu_\varepsilon}(t)$ 的跳值落入 A 的计数过程等于过程 X 的跳值落入 A 的计数过程 $\mu(t, A)$. 由此可知，当 $A \in \mathscr{B}_\varepsilon$ 时，$\mu(t, A)$ 是 $\sigma(X_{\nu_\varepsilon}(s), s \leqslant t)$ 可测的，从而过程 $\mu(t, A)$ 与过程 $X_\varepsilon(t)$ 为独立. 这就证明了过程 $X_\varepsilon(t)$ 与 $\{\mu(t, A_1), \mu(t, A_2), \cdots, \mu(t, A_k)\}$ 独立. 剩下的要证，对任意 i，$\mu(t, A_i)$ 与 $\{\mu(t, A_j), j = 1, \cdots k, j \neq i\}$ 独立. 由定理 4.5.3 知 $X_{A_i}(t)$ 与 $X_t - X_{A_i}(t)$ 独立. 对 $j \neq i$，$X_t - X_{A_i}(t)$ 的跳值落入 A_j 的计数过程等于 X_t 的跳值落入 A_j 的计数过程 $\mu(t, A_j)$，同上推理可知 $\mu(t, A_j)$ 与 $X_{A_i}(t)$ 独立，从而 $\mu(t, A_j)$ 与 $X_{A_i}(t)$ 的跳值落入 A_i 的计数过程 $\mu(t, A_i)$ 独立. 这就证明了 $\mu(t, A_i)$ 与 $\{\mu(t, A_j), j \neq i, j = 1, \cdots, k\}$ 独立. 证毕

由此立刻推出

系 4.5.5 随机测度 $\mu(t, \cdot)$ 在不交集上的值为相互独立.

§6. 依随机测度 $\mu(t, \cdot)$ 的随机积分及 $\mu(t, A)$ 的分布

为了把可分的依概率连续独立增量过程进行分解，我们需要定义 Borel 可测函数 φ 依随机测度 $\mu(t, \cdot)$ 的随机积分:

$$\int_A \varphi(x) \mu(t, dx), \tag{1}$$

此处 $A \in \mathscr{B}_\varepsilon$. 这个积分的定义方法和通常 Lebesgue 积分差不多，只是在取极限时要考虑到概率意义. 任取一串数 $C_k^{(h)}, k=0, \pm 1, \cdots$, 且 $\lim\limits_{k\to-\infty} C_k^{(h)} = -\infty$, $\lim\limits_{k\to\infty} C_k^{(h)} = +\infty$, $0 \leqslant C_{k+1}^{(h)} - C_k^{(h)} \leqslant h$, 此处 h 为任意正数. 令

$$A_k^{(h)} = \{x: C_k^{(h)} \leqslant \varphi(x) < C_{k+1}^{(h)}\} \cap A,$$

$$I_h(A) = \sum_{k=0}^{\infty} C_k^{(h)} \mu(t, A_k^{(h)})$$

$$+ \sum_{h=1}^{\infty} C_{-k}^{(h)} \mu(t, A_{-k}^{(h)}). \tag{2}$$

若当 $h \downarrow 0$ 时, $I_h(A)$ 依概率趋于极限, 我们称其极限为随机积分，并记之为 (1).

现在我们证明此极限 a.s. 存在. 注意在 $\mu(t, A_k^{(h)}), k=0, \pm 1, \cdots$ 里只能有有穷个不为零(因为在 $[0, t]$ 内绝对高度大于 ε 的跳的个数为有穷)，所以级数 (2) 必收敛. 如果在序列 $(C_k^{(h)})$ 中加上一些新的项后构成一个新序列 $(d_k^{(h)})$, 依这个序列构造 (2)，记之为 $I_h'(A)$, 则易知

$$|I_h'(A) - I_h(A)| \leqslant h\mu(t, A).$$

若有两个序列 $(C_k^{(h_1)})$ 及 $(C_k^{(h_2)})$, 由上不等式，得

$$|I_{h_1}(A) - I_{h_2}(A)| \leqslant (h_1 + h_2)\mu(t, A),$$

于是当 $h_1, h_2 \to 0$ 时

$$\lim_{h_1, h_2 \to 0} |I_{h_1}(A) - I_{h_2}(A)| = 0.$$

这就证明了对每个 ω, $\lim\limits_{h\to 0} I_h(A)$ 存在.

下面给出随机积分的一些性质.

1) 对 $\mathscr{B}_\varepsilon$ 里任意 k 个不交集 $A_1, A_2, \cdots, A_k$, 恒有

$$\int_{\bigcup\limits_1^k A_j} \varphi(x)\mu(t, dx) = \sum_1^k \int_{A_j} \varphi(x)\mu(t, dx),$$

而且右方的加项为独立.

2）若 φ_1, φ_2 为 Borel 函数，$A \in \mathscr{B}_E$，α, β 为实数，则

$$\int_A (\alpha\varphi_1(x) + \beta\varphi_2(x))\mu(t, dx)$$

$$= \alpha\int_A \varphi_1(x)\mu(t, dx) + \beta\int_A \varphi_2(x)\mu(t, dx).$$

3）设 φ 为简单函数，即 $\varphi(x) = \sum_1^k \varphi_i I_{A_i}(x)$，$(\varphi_i)$ 为常数，$A_i \in \mathscr{B}_E$，$\bigcup A_i = A$，则

$$\int_A \varphi(x)\mu(t, dx) = \sum_1^k \varphi_i\mu(t, A_i).$$

4）若 $|\varphi(x)| \leqslant C$ 常数，则

$$\left|\int_A \varphi(x)\mu(t, dx)\right| \leqslant C\mu(t, A).$$

若 $\varphi_1 \leqslant \varphi_2$，则

$$\int_A \varphi_1(x)\mu(t, dx) \leqslant \int_A \varphi_2(x)\mu(t, dx).$$

5）若 Borel 函数列 $\varphi_n(x) \to \varphi(x)$，则当 $n \to \infty$ 时

$$\int_A \varphi_n(x)\mu(t, dx) \xrightarrow[p]{} \int_A \varphi(x)\mu(t, dx).$$

只是性质 5）需要证明．下面我们证明性质 5）．如前取一串数 $(C_k^{(h)})$，令 $\phi(x) = \sup_n |\varphi_n(x)|$，于是对 ϕ 所构造的 $I_h(A)$ 满足（注意性质 4））

$$\left|I_h(x) - \int_A \phi(x)\mu(t, dx)\right|$$

$$= \left|\sum_k C_k^{(h)}\mu(t, B_k^{(h)}) - \sum_k \int_{B_k} \phi(x)\mu(t, dx)\right|$$

$$\leqslant h\mu(t, A),$$

此处 $B_k^{(h)} = \{x: C_k^{(h)} \leqslant \phi(x) < C_{k+1}^{(h)}\}$．所以若令

$$m = \max\{C_k^{(h)}: \mu(t, B_k^{(h)}) > 0\},$$

则对任意 $B \subset A$ 有

$$\int_B \psi(x)\mu(t, dx) \leqslant \sum_k C_k^{(h)}\mu(t, B_k^{(h)}) + h\mu(t, A)$$

$$\leqslant m\mu(t, B) + h\mu(t, A).$$

令 $B_n = \{x: \sup_{k \geqslant n} |\varphi_k(x) - \varphi(x)| > \delta\}$，此处 $\delta > 0$。于是

$$B_n \supset B_{n+1}, \quad \bigcap_n B_n = \varnothing,$$

所以当 $n \to \infty$ 时，$\mu(t, B_n) \to 0$. 我们有

$$\left|\int_A (\varphi(x) - \varphi_n(x))\mu(t, dx)\right|$$

$$= \left|\int_{A \cap B_n} + \int_{A \cap B_n^c} (\varphi(x) - \varphi_n(x))\mu(t, dx)\right|$$

$$\leqslant \int_{B_n} |\varphi(x) - \varphi_n(x)|\mu(t, dx) + \delta\mu(t, A)$$

$$\leqslant 2\int_{B_n} \psi(x)\mu(t, dx) + \delta\mu(t, A)$$

$$\leqslant 2[m\mu(t, B_n) + h\mu(t, A)] + \delta\mu(t, A)$$

$$= (\delta + 2h)\mu(t, A) + 2m\mu(t, B_n),$$

但是 δ, h 为任意，且当 $n \to \infty$ 时，$\mu(t, B_n) \to 0$. 由上不等式推出性质 5).

6) 若 $\int_A |\varphi(x)| \Pi(t, dx) < \infty$，则

$$E\int_A \varphi(x)\mu(t, dx) = \int_A \varphi(x)\Pi(t, dx).$$

因为对任意 $A \in \mathscr{B}_\varepsilon$，$E\mu(t, A) = \Pi(t, A)$.

定理 4.6.1 若 $A \in \mathscr{B}_\varepsilon$，则

$$X_A(t) = \int_A x\mu(t, dx). \tag{3}$$

证 先考虑 A 为有界集的情形. 令 $A = \sum_{k=1}^n A_k$，$A_k \in \mathscr{B}_\varepsilon$，$(A_k)$ 无公共点，则

$$\int_A x\mu(t, dx) = \sum_1^n \int_{A_k} x\mu(t, dx).$$

令 $\lambda = \max_k d(A_k)$，此处 $d(A_k)$ 为集 A_k 的直径，在 A_k 中任选一个点 x_k，于是有

$$\begin{aligned}
&|X_{A_k}(t) - x_k\mu(t, A_k)| \\
&= \left|\sum_{s\leqslant t}(\Delta X_s - x_k)I_{\{\Delta X_s\in A_k\}}\right| \\
&\leqslant \lambda\mu(t, A_k),
\end{aligned}$$

从而有

$$\begin{aligned}
&\left|\int_A x\mu(t, dx) - X_A(t)\right| \\
&\leqslant \sum_{k=1}^n \left|\int_{A_k} x\mu(t,dx) - X_{A_k}(t)\right| \\
&\leqslant \sum_{k=1}^n \left\{\left|\int_{A_k} x\mu(t, dx) - x_k\mu(t, A_k)\right|\right. \\
&\qquad \left. + |X_{A_k}(t) - x_k\mu(t, A_k)|\right\} \\
&\leqslant 2\lambda\sum_{k=1}^n \mu(t, A_n) = 2\lambda\mu(t, A).
\end{aligned}$$

由 A 的有界性知可选 n 足够大使 λ 为任意小，所以由上不等式推出，当 A 为有界集时定理成立.

对一般的 $A\in\mathscr{B}_\varepsilon$ 时，取有界 Borel 集 A_n，使得 $\bigcup_n A_n = A$，于是由上面知

$$X_{A_n}(t) = \int_{A_n} x\,\mu(t, dx).$$

令 $n\to\infty$，则 $X_{A_n}(t)\to X_A(t)$，a.s.，又由性质 5)知，上式右方依概率趋于 $\int_A x\mu(t, dx)$. 故对一般的 A 定理也成立. 证毕

下面我们求过程 $\mu(t, A)$ 及 $X_A(t)$, $t\in[0, b]$ 的概率分布.

定理 4.6.2 若 $A\in\mathscr{B}_s$, $t_1<t_2$, 则 $\mu(t_2, A)-\mu(t_1, A)$ 的分布为一般 Poisson 分布:

$$P\{\mu(t_2, A)-\mu(t_1, A)=k\}$$
$$=e^{-(\Pi(t_2,A)-\Pi(t_1,A))}\frac{[\Pi(t_2, A)-\Pi(t_1, A)]^k}{k!},$$
$$k=0, 1, 2\cdots, \tag{4}$$

从而 $(\mu(t, A), t\in[0, b])$ 为一般 Poisson 过程, 其增量的分布参数为 $\Pi(t_2, A)-\Pi(t_1, A)$.

证 对任意 $s<t$, 先证对任意正整数 m, 有

$$P\{\mu(t, A)-\mu(s, A)>m\}$$
$$\leqslant[P\{\mu(t, A)-\mu(s,A)>0\}]^{m+1}. \tag{5}$$

为此,对 $[s, t]$ 引入加密分割 $s=t_0^{(n)}<t_1^{(n)}<\cdots<t_n^{(n)}=t$, 于是由增量为独立,知

$$P\{\mu(t, A)-\mu(s, A)>m\}$$
$$=\lim_{n\to\infty}\sum_{k=1}^{n}P\{\mu(t_{k-1}^{(n)}, A)-\mu(s, A)=0,$$
$$\mu(t_k^{(n)}, A)-\mu(t_{k-1}^{(n)}, A)=1, \mu(t, A)-\mu(t_k^{(n)}, A)$$
$$>m-1\}\leqslant P\{\mu(t, A)-\mu(s, A)>m-1\}$$
$$\times\lim_{n\to\infty}\sum_{k=1}^{n}P\{\mu(t_{k-1}^{(n)}, A)-\mu(s, A)=0,$$
$$\mu(t_k^{(n)}, A)-\mu(t_{k-1}^{(n)}, A)=1\}$$
$$\leqslant P\{\mu(t, A)-\mu(s, A)>m-1\}$$
$$\times P\{\mu(t, A)-\mu(s, A)>0\}.$$

由此立刻得 (5).

对 $[t_1, t_2]$ 引入加密分割 $t_1=\tau_0^{(n)}<\cdots<\tau_n^{(n)}=t_2$, 于是

$$\sum_{i=1}^{n-1}P\{\mu(\tau_{i+1}^{(n)}, A)-\mu(\tau_i^{(n)}, A)>0\}$$

$$\leqslant \sum_{i=1}^{n-1} E\{\mu(\tau_{i+1}^{(n)}, A) - \mu(\tau_i^{(n)}, A)\}$$

$$= E[\mu(t, A) - \mu(s, A)] < \infty. \tag{6}$$

此外,因过程 $\mu(\cdot, A)$ 依概率连续，故在 $[t_1, t_2]$ 中一致地依概率连续,即

$$\lim_{n\to\infty} \max_i P\{\mu(\tau_{i+1}^{(n)}, A) - \mu(\tau_i^{(n)}, A) \geqslant 1\} = 0. \tag{7}$$

利用(5),(6),(7),有

$$\sum_{i=1}^{n-1} [P\{\mu(\tau_{i+1}^{(n)}, A) - \mu(\tau_i^{(n)}, A) > 0\}$$

$$- P\{\mu(\tau_{i+1}^{(n)}, A) - \mu(\tau_i^{(n)}, A) = 1\}]$$

$$= \sum_{i=1}^{n-1} P\{\mu(\tau_{i+1}^{(n)}, A) - \mu(\tau_i^{(n)}, A) > 1\}$$

$$\leqslant \sum_{i=1}^{n-1} [P\{\mu(\tau_{i+1}^{(n)}, A) - \mu(\tau_i^{(n)}, A) > 0\}]^2$$

$$\leqslant \max_i P\{\mu(\tau_{i+1}^{(n)}, A) - \mu(\tau_i^{(n)}, A) > 0\}$$

$$\times \sum_{i=1}^{n-1} P\{\mu(\tau_{i+1}^{(n)}, A) - \mu(\tau_i^{(n)}, A) > 0\} \to 0$$

$$(n \to \infty).$$

由此知

$$P\{\mu(t_2, A) - \mu(t_1, A) = l\}$$

$$= \lim_{n\to\infty} \sum_{i=1}^{n-1} P\{\mu(\tau_i^{(n)}, A) - \mu(t_1, A) = 0,$$

$$\mu(\tau_{i+1}^{(n)}, A) - \mu(\tau_i^{(n)}, A) = 1,$$

$$\mu(t_2, A) - \mu(\tau_{1+i}^{(n)}, A) = l - 1\}$$

$$= \lim_{n\to\infty} \sum_{i=1}^{n-1} P\{\mu(t_2, A) - \mu(\tau_{i+1}^{(n)}, A) = l - 1\}$$

$$\times P\{\mu(\tau_i^{(n)}, A) - \mu(t_1, A) = 0\}$$

$$\times P\{\mu(\tau_{i+1}^{(n)}, A) - \mu(\tau_i^{(n)}, A) = 1\}$$

$$= \lim_{n \to \infty} \sum_{i=1}^{n-1} P\{\mu(t_2, A) - \mu(\tau_{i+1}^{(n)}, A) = l - 1\}$$

$$\times P\{\mu(\tau_i^{(n)}, A) - \mu(t_1, A) = 0\}$$

$$\times P\{\mu(\tau_{i+1}^{(n)}, A) - \mu(\tau_i^{(n)}, A) > 0\}$$

$$= \lim_{n \to \infty} \sum_{i=1}^{n-1} P\{\mu(t_2, A) - \mu(\tau_{i+1}^{(n)}, A) = l - 1\}$$

$$\times [P\{\mu(\tau_{i+1}^{(n)}, A) - \mu(t_1, A) > 0\}$$

$$- P\{\mu(\tau_i^{(n)}, A) - \mu(t_1, A) > 0\}],$$

又由依概率连续性知 $P\{\mu(t_2, A) - \mu(\tau, A) = l - 1\}$ 是 τ 的连续函数，从而由上关系立刻得到

$$P\{\mu(t_2, A) - \mu(t_1, A) = l\}$$

$$= \int_{t_1}^{t_2} P\{\mu(t_2, A) - \mu(\tau, A) = l\}$$

$$\times d_\tau P\{\mu(\tau, A) - \mu(t_1, A) > 0\}. \tag{8}$$

下面先证对任意 $u \leqslant b$, $P\{\mu(u, A) = 0\} > 0$, 且 $P\{\mu(u, A) = 0\}$ 是 u 的非升函数. 只需证前者，用反证法，设此概率为 0，于是对任意 $[0, u]$ 及其分割 $0 = t_0 < t_1 < \cdots < t_n = u$, 有

$$0 = P\{\mu(u, A) = 0\}$$

$$= \prod_{k=1}^{n} P\{\mu(t_k, A) - \mu(t_{k-1}, A) = 0\}.$$

由此知，必存在任意很接近的 $t' < t''$, 使得

$$P\{\mu(t'', A) - \mu(t', A) = 0\} = 0,$$

这就是说

$$P\{\mu(t'', A) - \mu(t', A) \geqslant 1\} = 1.$$

这与 $\mu(\cdot, A)$ 为依概率连续矛盾. 故 $P\{\mu(u, A) = 0\} > 0$, 于是可令

$$P\{\mu(u, A) = 0\} = e^{f(u)},$$

其中 $f(u)$ 是 u 的非升连续函数. 对任意 $t_1 < t_2$, 我们有

$$P\{\mu(t_2, A)=0\}$$
$$=P\{\mu(t_1, A)=0\}P\{\mu(t_2, A)-\mu(t_1, A)=0\},$$

于是

$$P\{\mu(t_2, A)-\mu(t_1, A)=0\}=e^{f(u_2)-f(u_1)}. \tag{9}$$

由(9)及(8)得

$$P\{\mu(t_2, A)-\mu(t_1, A)=1\}$$
$$=\int_{t_1}^{t_2} P\{\mu(t_2, A)-\mu(\tau, A)=0\}$$
$$\times d_\tau P\{\mu(\tau, A)-\mu(t_1, A)>0\}$$
$$=\int_{t_1}^{t_2} e^{f(t_2)-f(\tau)} d_\tau(1-e^{f(\tau)-f(t_1)})$$
$$=-e^{f(t_2)-f(t_1)}(f(t_2)-f(t_1)).$$

再进一步利用(8)得：对 $l \geqslant 0$,

$$P\{\mu(t_2, A)-\mu(t_1, A)=l\}$$
$$=e^{f(t_2)-f(t_1)} \frac{(f(t_1)-f(t_2))^l}{l!}. \tag{10}$$

由此可见，$\mu(t_2, A)-\mu(t_1, A)$ 为一般 Poisson 分布，且其参数 $E\mu(t, A)=-f(t)$. 另一方面，已知 $E\mu(t, A)=\Pi(t, A)$，把这代入(10)就证明了(4). 证毕

注 此定理可由定理 4.1.5 及其附注直接推出.

定理 4.6.3 对任意 $A \in \mathscr{B}_\varepsilon$ 及 $u \in \mathbb{R}$，有

$$Ee^{iu\int_A x\mu(t,dx)}=Ee^{iuX_A(t)}=e^{\int_A(e^{iux}-1)\Pi(t,dx)}. \tag{11}$$

证 如定理 4.6.1 的证明一样，只需考虑 A 为有界的情形即可. 把 A 分割为两两不交的 $\mathscr{B}_\varepsilon$ 中的集 (A_l): $A=\sum_1^n A_l$，且

$$\lambda_n=\max_j d(A_l) \to 0\ (n \to \infty).$$

在 A_k 中任选一个点 x_k，由定理 4.6.1 的证明可知

$$X_A(t)=\lim_{n\to\infty} \sum_{k=1}^n x_k \mu(t, A_k) \text{ a.s.}$$

由此及控制收敛定理知

$$Ee^{iuX_A(t)} = \lim_{n\to\infty} Ee^{i\sum_1^n ux_k\mu(t, A_k)}$$

$$= \lim_{n\to\infty} \prod_1^n Ee^{iux_k\mu(t, A_k)}$$

$$= \lim_{n\to\infty} \prod_1^n e^{(e^{iux_k}-1)\Pi(t, A_k)}$$

$$= e^{\lim\limits_{n\to\infty} \sum_1^n (e^{iux_k}-1)\Pi(t, A_k)}.$$

此外易证

$$\lim_{n\to\infty} \sum_1^n (e^{iux_k} - 1)\Pi(t, A_k)$$

$$= \int_A (e^{iux} - 1)\Pi(t, dx),$$

由此得证本定理. 证毕

§ 7. 独立增量过程的分解

在这一节里我们首先研究可分的且几乎所有样本函数为连续的独立增量过程，然后再对一般的可分的且依概率连续的独立增量过程进行讨论. 这一节的结果主要是由 Lévy 给出.

定理 4.7.1 设 $X = (X_t, t\in [0, b])$ 为可分的独立增量过程,且几乎所有样本函数为连续,则 $X_{t_2} - X_{t_1}$ 必是正态分布.

证 由定理 4.4.6 知，对任意 $m > 0$, $\sup\limits_t E|X_t - X_0|^m < c_m$ (常数). 往证 EX_t 为 t 的连续函数. 令

$$g_N(x) = \begin{cases} 1, & |x| \leqslant N, \\ N + 1 - |x|, & N \leqslant |x| \leqslant N + 1, \\ 0, & |x| \geqslant N + 1. \end{cases}$$

对任意 t 及 t_0，我们有

$$
\begin{aligned}
E|X_t - X_{t_0}| \leqslant & E|(X_{t_0} - X_0)g_N(X_{t_0} - X_0) - (X_{t_0} - X_0)| \\
& + E|(X_t - X_0)g_N(X_t - X_0) - (X_t - X_0)| \\
& + E|(X_t - X_0)g_N(X_t - X_0) \\
& - (X_{t_0} - X_0)g_N(X_{t_0} - X_0)|.
\end{aligned}
$$

当 $t \to t_0$ 时，由控制收敛定理知上式右方第三项的极限为 0，此外

$$
\begin{aligned}
& E|(X_t - X_0)(1 - g_N(X_t - X_0))| \\
& \quad \leqslant E|X_t - X_0| I_{(|X_t - X_0| > N)} \\
& \quad \leqslant [E|X_t - X_0|^2 P\{|X_t - X_0| > N\}]^{\frac{1}{2}} \\
& \quad \leqslant \sup_t E|X_t - X_0|^2/N \leqslant c_2/N.
\end{aligned}
$$

由以上两不等式得

$$
\limsup_{t \to t_0} E|X_t - X_{t_0}| \leqslant 2c_2/N.
$$

但N为任意，由此推知 $\limsup_{t \to t_0} E|X_t - X_{t_0}| = 0$，即当 $t \to t_0$，$EX_t \to EX_{t_0}$.

令 $X'(t) = X_t - X_0 - E(X_t - X_0)$，$X'$ 的几乎所有样本函数仍为连续，从而 $X'(t)$ 的m阶绝对矩为一致有界，即

$$
\sup_t E|X'(t)|^m < C'_m \quad （常数）.
$$

剩下的需证 $X'(t)$ 的增量为正态分布．取 $t_1 < t_2$，在 $[t_1, t_2]$ 引入加密分割 $t_1 = t_0^{(n)} < t_1^{(n)} < \cdots < t_n^{(n)} = t_2$．记

$$
\Delta X'_j = X'(t_{j+1}^{(n)}) - X'(t_j^{(n)}),
$$

必有

$$
\text{(i)} \quad E\left(\sum_1^n (\Delta X'_j)^2\right)^2 \leqslant E|X'(t_2) - X'(t_1)|^4, \tag{1}
$$

$$
\text{(ii)} \quad \lim_{n \to \infty} E \sup_j (\Delta X'_j)^2 = 0, \tag{2}
$$

$$
\text{(iii)} \quad \lim_{n \to \infty} \sum_1^n E|\Delta X'_j|^3 = 0. \tag{3}
$$

我们逐次证明 (i), (ii), (iii). 先证 (i). 由于 $(\Delta X'_k)$ 为独立，且 $E\Delta X'_k = 0$，故

$$E|X'(t_2)-X'(t_1)|^4 = E\left(\sum_1^n \Delta X_k\right)^4$$

$$= E\left\{\sum \Delta X_k'^4 + 4\sum_{i\neq j} \Delta X_i'^3 \Delta X_j'\right.$$

$$+ 3\sum_{i\neq j} \Delta X_i'^2 \Delta X_j'^2 + 6$$

$$\left.\times \sum_{i\neq j\neq k} \Delta X_i'^2 \Delta X_j' \Delta X_k'\right\}$$

$$= E\left\{\sum \Delta X_k'^4 + 3\sum_{i\neq j} \Delta X_i'^2 \Delta X_j'^2\right\}$$

$$\geqslant E\left(\sum \Delta X_k'^2\right)^2.$$

证 (ii) 因为 X' 的几乎所有样本为连续,故由定理 4.4.5 知,对任意 $\varepsilon>0$,有

$$\lim_{n\to\infty}\sum_{j=1}^n P\{|\Delta X_j'|\geqslant\varepsilon\}=0. \tag{4}$$

但

$$\sup_k (\Delta X_k')^2 \leqslant \varepsilon^2 I_{\{\sup_k |\Delta X_k'|<\varepsilon\}}$$

$$+ \sum_1^n \Delta X_k'^2 \left(1 - I_{\{\sup_k |\Delta X_k'|<\varepsilon\}}\right),$$

故由 Schwarz 不等式及 (i) 有

$$E\sup_k (\Delta X_k')^2 \leqslant \varepsilon^2 + E\sum_1^n \Delta X_k'^2 I_{\{\sup_k |\Delta X_k'|\geqslant\varepsilon\}}$$

$$\leqslant \varepsilon^2 + \sqrt{E\left(\sum_1^n \Delta X_k'^2\right)^2 P\{\sup|\Delta X_k'|\geqslant\varepsilon\}}$$

$$\leqslant \varepsilon^2 + \sqrt{E|X'(t_2)-X'(t_1)|^4 \sum_1^n P\{|\Delta X_k'|\geqslant\varepsilon\}}.$$

由此及 (4) 推出 (2).

证 (iii) 因为

$$\sum_{k=1}^{n} E|\Delta X'_k|^3 = E\sum_{1}^{n}|\Delta X'_k|^3$$

$$\leqslant E\left\{\sup_k |\Delta X'_k| \sum_{1}^{n} \Delta X_k'^2\right\}$$

$$\leqslant \sqrt{E\sup_k \Delta X_k'^2 E\left(\sum_{1}^{n} \Delta X_k'^2\right)^2},$$

由 (i) 及 (ii) 推知 (3).

现在计算增量的特征函数.

$$Ee^{iu(X'_{t_2}-X'_{t_1})} = Ee^{iu\sum_{1}^{n}\Delta X'_k} = \prod_{1}^{n} Ee^{iu\Delta X'_k}$$

$$= \lim_{n\to\infty}\prod_{1}^{n} Ee^{iu\Delta X'_k},$$

因为对任意实数 α, $\left|e^{i\alpha}-1-i\alpha+\frac{\alpha^2}{2}\right| \leqslant \frac{|\alpha|^3}{6}$, 故

$$\left|Ee^{iu\Delta X'_k}-1+\frac{u^2}{2}E\Delta X_k'^2\right| \leqslant \frac{|u|^3}{6}E|\Delta X'_k|^3.$$

又因对一切 $|a_k|\leqslant 1$, $|b_k|\leqslant 1$ 有

$$\left|\prod_{1}^{n} a_k - \prod_{1}^{n} b_k\right| \leqslant \sum_{1}^{n}|a_k-b_k|,$$

故有

$$\left|\prod_{k=1}^{n} Ee^{iu\Delta X'_k} - \prod_{k=1}^{n}\left(1-\frac{u^2}{2}E\Delta X_k'^2\right)\right|$$

$$\leqslant \frac{|u|^3}{6}\sum_{k=1}^{n} E|\Delta X'_k|^3.$$

由此及 (3), 知

$$Ee^{iu(X'_{t_2}-X'_{t_1})} = \lim_{n\to\infty}\prod_{k=1}^{n}\left(1-\frac{u^2}{2}E\Delta X'^2_k\right). \tag{5}$$

但因

$$\left|e^{-\frac{u^2}{2}E\Delta X'^2_k} - 1 + \frac{u^2}{2}E\Delta X'^2_k\right| = O[E\Delta X'^2_k]^2,$$

由此仍照上推导得

$$\left|\prod_{k=1}^{n}\left(1-\frac{u^2}{2}E\Delta X'^2_k\right) - e^{-\frac{u^2}{2}\sum_1^n E\Delta X'^2_k}\right|$$

$$= O\left(\sum_{k=1}^{n}[E\Delta X'^2_k]^2\right)$$

$$= O\left(\sup_k E\Delta X'^2_k \sum_1^n E\Delta X'^2_k\right).$$

考虑到(2): $\lim_{n\to\infty}\sup_k E\Delta X'^2_k = 0$，由上式及(5)得

$$Ee^{iu(X'_{t_2}-X'_{t_1})} = e^{-\frac{u}{2}\lim_{n\to\infty}\sum_1^n E\Delta X'^2_k}$$

$$= e^{-\frac{u}{2}E[X'_{t_2}-X'_{t_1}]^2}.$$

这就证明了 $X'_{t_2}-X'_{t_1}$ 为正态分布．证毕

若令 $m(t)=EX_t$，$\sigma^2(t)=E(X_t-EX_t)^2$，则由定理 4.7.1 知，当 X 的几乎所有样本函数为连续时，其增量的特征函数可以写为

$$Ee^{iu(X_{t_2}-X_{t_1})} = e^{iu(m(t_2)-m(t_1))-\frac{u^2}{2}(\sigma^2(t_2)-\sigma^2(t_1))}. \tag{6}$$

定理 4.7.1 中已经证明 $m(t)$ 是 t 的连续函数．由证明(ii)的过程中也知 $\sigma^2(t)$ 是 t 的连续函数．下面证明其逆也成立．

定理 4.7.2 设 $X=(X_t, t\in[0,b])$ 为可分的独立增量过程，其增量分布的特征函数由(6)给出．于是 X 的几乎所有样本函数为连续的充要条件是 $m(t)$ 及 $\sigma^2(t)$ 为连续函数．

证 必要性已证．为了证明充分性，我们需要证明定理 4.4.5

的条件 (2) 成立，不妨设 $m(t)=EX_t=0$，由正态性知

$$E|X_t-X_s|^4=3(\sigma^2(t)-\sigma^2(s))^2.$$

取 $[0,b]$ 的加密分割 $0=t_0^{(n)}<t_1^{(n)}<\cdots<t_n^{(n)}=b$，

$$\lim_{n\to\infty}\lambda_n=\lim_{n\to\infty}\max_j|t_j^{(n)}-t_{j-1}^{(n)}|=0.$$

于是有

$$\sum_{j=1}^n P\{|X(t_j^{(n)})-X(t_{j-1}^{(n)})|>\varepsilon\}$$

$$\leqslant\frac{1}{\varepsilon^4}\sum_1^n E|X(t_j^{(n)})-X(t_{j-1}^{(n)})|^4$$

$$=\frac{3}{\varepsilon^4}\sum_1^n(\sigma^2(t_j^{(n)})-\sigma^2(t_{j-1}^{(n)}))^2$$

$$\leqslant\frac{3}{\varepsilon^4}\sup_j|\sigma^2(t_j^{(n)})-\sigma^2(t_{j-1}^{(n)})|$$

$$\times\sum_1^n(\sigma^2(t_j^{(n)})-\sigma^2(t_{j-1}^{(n)}))$$

$$=\frac{3}{\varepsilon^4}(\sigma^2(b)-\sigma^2(0))\sup_j|\sigma^2(t_j^{(n)})-\sigma^2(t_{j-1}^{(n)})|.$$

因为 $\sigma^2(t)$ 为连续，故此不等式右方趋于 0，当 $m\to\infty$. 所以由上不等式得

$$\lim_{n\to\infty}\sum_{j=1}^n P\{|X(t_j^{(n)})-X(t_{j-1}^{(n)})|>\varepsilon\}=0.$$

这就是定理 4.4.5 的条件 (2)，从而由该定理知 X 的几乎所有样本函数为连续. 证毕

注 可分的独立正态增量过程的几乎所有样本函数为连续的充要条件是它依概率连续. 事实上，由上定理知，只需证明依概率连续等价于 $m(t)$ 及 $\sigma^2(t)$ 为连续. 由此只需证明，若 X 为依概率连续，则 $m(t)$ 及 $\sigma^2(t)$ 为连续. 为此，对任意 $s<t$ 及 $\varepsilon>0$，有

$$P\{|X_t - X_s| > \varepsilon\} = \frac{1}{\sqrt{2\pi}}\left\{\int_{\frac{\varepsilon-(m_t-m_s)}{\sqrt{\sigma^2(t)-\sigma^2(s)}}}^{\infty} + \int_{-\infty}^{\frac{-\varepsilon-(m_t-m_s)}{\sqrt{\sigma^2(t)-\sigma^2(s)}}} e^{-\frac{u^2}{2}} du\right\}.$$

若当$t \to s$，$\sigma^2(t) - \sigma^2(s) \not\to 0$，则上式右方不趋于 0，从而

$$P\{|X_t - X_s| > \varepsilon\} \not\to 0,$$

这与假设矛盾，故必有 $\lim\limits_{t\to s} [\sigma^2(t) - \sigma^2(s)] = 0$，这就证明了 $\sigma^2(t)$ 为连续；同样若 $\lim\limits_{t\to\infty} [m(t) - m(s)] = c \neq 0$，则可选 ε，使得上式右方不趋于 0，也很矛盾，故 $m(t)$ 也为连续.

为了对一般的依概率连续可分的独立增量过程进行分解，先证明一系列的引理.

引理 4.7.3 对任意 $\varepsilon > 0$，令

$$X_\varepsilon(t) = X_t - X_{v_\varepsilon}(t),$$

此处 $v_\varepsilon = \{x: |x| > \varepsilon\}$. 于是 $X_\varepsilon(t)$ 的各阶矩都有穷.

证 先设对某个 $\varepsilon > 0$，$\Pi(b, \{|x| = \varepsilon\}) = 0$（由于绝对高度大于 $\varepsilon_1(<\varepsilon)$ 的跳的个数为有穷）. 取 $[0, t]$ 的加密分割

$$0 = t_0^{(n)} < t_1^{(n)} < \cdots < t_n^{(n)} = t,$$

则当 $n \to \infty$ 时，有

$$\sum_{i=1}^{n} (X(t_i^{(n)}) - X(t_{i-1}^{(n)})) I_{\{|X(t_i^{(n)}) - X(t_{i-1}^{(n)})| \leqslant \varepsilon\}} \xrightarrow[p]{} X_\varepsilon(t)$$

（参看定理 4.5.3 的证明过程）. 但上式左方各独立加项的绝对值不超过 ε，从而由定理 4.2.4（需由以上依概率极限关系验证上式左方除以 ε 之后为一致依概率有界），有

$$\sup_n E\left|\sum_{i=1}^{n} (X(t_i^{(n)}) - X(t_{i-1}^{(n)})) \right.$$

$$\left. \times I_{\{|X(t_i^{(n)}) - X(t_{i-1}^{(n)})| \leqslant \varepsilon\}}\right|^m \leqslant C_m,$$

此处 m 为任意正数. 再由 Fatou 引理推知 $E|X_\varepsilon(t)|^m \leqslant C_m$.

对一般情形，当 $0 < \varepsilon_1 < \varepsilon_2$ 时

$$|X_{\varepsilon_1}(t) - X_{\varepsilon_2}(t)| \leqslant \varepsilon_2 \mu(t, v_{\varepsilon_1}).$$

由此知 $X_{\varepsilon_1}(t)-X_{\varepsilon_2}(t)$ 的各阶矩有穷. 由此和上边所证的特殊情形就知引理对一般情形也成立. 证毕

引理 4.7.4 我们有

$$\lim_{\varepsilon\to 0}\int_{\varepsilon<|x|\leq 1} x^2\Pi(b,dx)<\infty.$$

证 对 $\mathscr{B}_\varepsilon$ 中任意有界集 A, 往证

$$E|X_A(b)|^2=\int_A x^2\Pi(b,dx)$$
$$+\left|\int_A x\Pi(b,dx)\right|^2. \tag{7}$$

先把 A 分割为不交的 $\mathscr{B}_\varepsilon$ 子集 $A_k, k=1,2,\cdots,n$, 使

$$\sup_k d(A_k)=\lambda.$$

于是当 $x_k\in A_k$, $k=1,2,\cdots,n$ 时, 有

$$E\left|X_A(b)-\sum_{k=1}^n x_k\mu(b,A_k)\right|^2\leq\lambda^2E\mu(b,A)^2,$$

故

$$E|X_A(b)|^2=\lim_{\lambda\to 0}E\left(\sum_{k=1}^n x_k\mu(b,A_k)\right)^2$$
$$=\lim_{\lambda\to 0}\left\{\sum_{k=1}^n x_k^2E\mu(b,A_k)^2\right.$$
$$\left.+\sum_{i\neq j}x_ix_jE\mu(b,A_i)E\mu(b,A_j)\right\}$$
$$=\lim_{\lambda\to 0}\left\{\sum_{k=1}^n x_k^2\Pi(b,A_k)\right.$$
$$\left.+\left(\sum_1^n x_k\Pi(b,A_k)\right)^2\right\}.$$

由此立刻得 (7). 同样可证 $EX_A(t)=\int_A x\Pi(t,dx)$.

令 $A = \{\varepsilon < |x| \leqslant 1\}$，于是 $X_1(t) = X(t) - X_{V_1}(t) = X(t) - X_{V_\varepsilon}(t) + X_A(t) = X_\varepsilon(t) + X_A(t)$，故

$$\sigma^2[X_A(t)] \leqslant \sigma^2[X_1(t)] \leqslant E|X_1(t)|^2.$$

此不等式两端构成下列不等式

$$E|X_A(t)|^2 - (EX_A(t))^2 \leqslant E|X_1(t)|^2.$$

另一方面由上边所证，知此不等式左方等于（取 $t = b$）

$$E|X_A(b)|^2 - (EX_A(b))^2 = \int_A x^2 \Pi(b, dx).$$

所以对任意 $\varepsilon > 0$，有

$$\int_{\varepsilon<|x|\leqslant 1} x^2 \Pi(b, dx) \leqslant E|X_1(b)|^2.$$

由此及引理 4.7.3 推出本引理．证毕

引理 4.7.5 设 $\varepsilon_n \downarrow 0$，记 $\Delta_n = \{\varepsilon_{n+1} < |x| \leqslant \varepsilon_n\}$，于是对任意 t，级数

$$\sum_{n=1}^{\infty} [X_{\Delta_n}(t) - EX_{\Delta_n}(t)] \tag{8}$$

概率为 1 地收敛．若选 (ε_n) 使之再满足（参看引理 4.7.4，这样的序列存在）

$$\sum_{n=1}^{\infty} \int_{|x|\leqslant \varepsilon_n} x^2 \Pi(b, dx) < \infty, \tag{9}$$

则级数 (8) 概率为 1 地一致收敛．

证 因为 $\sum_n E(X_{\Delta_n}(t) - EX_{\Delta_n}(t))^2 = \sum_n \int_{\Delta_n} x^2 \Pi(t, dx)$

$= \lim_{n\to\infty} \int_{\varepsilon_n<|x|\leqslant\varepsilon_1} x^2 \Pi(t, dx) < \infty$（引理 4.7.4），所以由定理 4.3.1 知级数 (8) a.s. 收敛．往证在条件 (9) 下，级数 (8) 为 a.s. 一致收敛．令

$$\eta_n = \sup_{0\leqslant t\leqslant b} \left| \sum_{k=n}^{\infty} (X_{\Delta_k}(t) - EX_{\Delta_k}(t)) \right|,$$

取 $[0, b]$ 的加密分割 $0 = t_0 < t_1 < \cdots < t_r = b$，

$$\lambda = \max_{k\leq r}|t_k - t_{k-1}|,$$

因为过程 $X_{\Delta_k}(t) - EX_{\Delta_k}(t)$ 的几乎所有样本函数没有第二类间断，所以对几乎一切 ω

$$\sup_{0\leq t\leq b}\left|\sum_{k=n}^{\infty}(X_{\Delta_k}(t) - EX_{\Delta_k}(t))\right|$$

$$= \lim_{\lambda\to 0}\sup_{1\leq j\leq r}\left|\sum_{k=n}^{\infty}(X_{\Delta_k}(t_j) - EX_{\Delta_k}(t_j))\right|.$$

于是对任意 $c > 0$，由 Колмогоров 不等式有

$$P\{\eta_n > c\} \leqslant \lim_{\lambda\to 0}\sup P\left\{\sup_{1\leq j\leq r}\left|\sum_{k=n}^{\infty}(X_{\Delta_k}(t_j) - EX_{\Delta_k}(t_j))\right| > \frac{c}{2}\right\}$$

$$\leqslant \lim_{\lambda\to 0}\sup\frac{4}{c^2}E\left(\sum_{k=n}^{\infty}(X_{\Delta_k}(b) - EX_{\Delta_k}(b))\right)^2$$

$$= \frac{4}{c^2}\int_{|X|\leq\varepsilon_n}x^2\Pi(b, dx).$$

由假设 (9) 及上不等式知，对任意 $\varepsilon > 0$，必有

$$\sum_{n=1}^{\infty}P\{\eta_n > \varepsilon\} \leqslant \frac{4}{\varepsilon^2}\sum_{n=1}^{\infty}\int_{|X|\leq\varepsilon_n}x^2\Pi(b, dx) < \infty.$$

故由 Borel-Cantelli 引理知 $P\{\limsup_n[\eta_n > \varepsilon]\} = 0$. 所以当 $\omega \notin \limsup_n[\eta_n > \varepsilon]$ 时，存在取正整数的随机变量 $N_\varepsilon(\omega)$，使得当 $n > N_\varepsilon(\omega)$ 时，$\eta_n(\omega) < \varepsilon$. 这就证明了级数 (8) 一致收敛，若 ω 不属于某个零概集时. 证毕

引理 4.7.6 若选降序列 (ε_n) 使 (9) 成立，则过程

$$X_{\varepsilon_1}(t) - \sum_{k=1}^{\infty}(X_{\Delta_k}(t) - EX_{\Delta_k}(t))(t\in[0, b])$$

的几乎所有样本为连续，且与 $X_A(t)(A\in\mathscr{B}_\varepsilon$, $\varepsilon > 0$ 为任意)独立.

证. 对任意 $\varepsilon>0$，选 $\varepsilon_{n+1}<\varepsilon$. 于是过程

$$\eta_n(t)=X_{\varepsilon_1}(t)-\sum_{k=1}^{n}(X_{\Delta_k}(t)-EX_{\Delta_k}(t))$$

的几乎所有样本函数的跳跃绝对高度不超过 ε，从而它与过程 $X_A(t)$ 独立，此处 $A\in\mathscr{B}_\varepsilon$. 但由假设知当 $n\to\infty$，ω 不属于某个零概集时，$\eta_n(t)$ 一致地趋于 $X_{\varepsilon_1}(t)-\sum_{k=1}^{\infty}(X_{\Delta_k}(t)-EX_{\Delta_k}(t))$，所以这个极限过程也与 $X_A(t)$ 独立. 此外由于 $\eta_n(t)$ 的几乎所有样本函数的跳跃绝对高度不超过 ε（任意），所以其极限

$$X_{\varepsilon_1}(t)-\sum_{k=1}^{\infty}(X_{\Delta_k}(t)-EX_{\Delta_k}(t))$$

的几乎所有样本为连续. 证毕

注 若 Borel 函数 φ 满足条件

$$\int_{|X|\leqslant c}\varphi(x)^2\Pi(t,dx)<\infty,$$

则当 $\varepsilon\to 0$ 时

$$\int_{\varepsilon<|x|\leqslant c}\varphi(x)\mu(t,dx)-\int_{\varepsilon<|x|\leqslant c}\varphi(x)\Pi(t,dx)$$

依概率趋于极限. 事实上，对任意 $0<\varepsilon_1<\varepsilon_2$ 有

$$\begin{aligned}E\Big|&\int_{\varepsilon_1<|x|\leqslant c}\varphi(x)\mu(t,dx)-\int_{\varepsilon_1<|x|\leqslant c}\varphi(x)\Pi(t,dx)\\&-\int_{\varepsilon_2<|x|\leqslant c}\varphi(x)\mu(t,dx)+\int_{\varepsilon_2<|x|\leqslant c}\varphi(x)\Pi(t,dx)\Big|^2\\=&\int_{\varepsilon_1<|x|\leqslant\varepsilon_2}\varphi(x)^2\Pi(t,dx)\\\leqslant&\int_{|x|\leqslant\varepsilon_2}\varphi(x)^2\Pi(t,dx)\to 0,\end{aligned}$$

当 $\varepsilon_2\to 0$. 我们把这个极限记为

$$\int_{|x|\leqslant c}\varphi(x)[\mu(t,dx)-\Pi(t,dx)].$$

定理 4.7.7 若 $X=(X_t,t\in[0,b])$ 为可分的依概率连续的

独立增量过程，则存在一个几乎所有样本为连续的过程 $X^c(t)$，它与随机测度 $\mu(t, A)$ 独立，此处 $A \in \mathscr{B}_\varepsilon$，$\varepsilon > 0$ 为任意，且有下列分解：

$$X_t = X^c(t) + \int_{|x| \leq 1} x[\mu(t, dx) - \Pi(t, dx)] + \int_{|x|>1} x\mu(t, dx). \tag{10}$$

证 取降序列 (ε_n)，$\varepsilon_n \downarrow 0$，$\varepsilon_1 = 1$. 把 X_t 表为

$$X_t = Xv_1(t) + \sum_1^{\infty} (X_{\Delta_k}(t) - EX_{\Delta_k}(t)) + X_1(t) - \sum_1^{\infty} (X_{\Delta_k}(t) - EX_{\Delta_k}(t)). \tag{11}$$

若选序列 (ε_n) 使之还满足条件 (9)，则由引理 4.7.6 知，过程

$$X^c(t) \triangleq X_1(t) - \sum_1^{\infty} (X_{\Delta_k}(t) - EX_{\Delta_k}(t)) \tag{12}$$

的几乎所有样本函数为连续，且与 $\mu(t, A)$ 独立，此处 $A \in \mathscr{B}_\varepsilon$，$\varepsilon$ 为任意. 由定理 4.6.1 知

$$Xv_1(t) = \int_{|x|>1} x\mu(t, dx), \tag{13}$$

$$X_{\Delta_k}(t) - EX_{\Delta_k}(t) = \int_{\varepsilon_{k+1} < |x| \leq \varepsilon_k} x[\mu(t, dx) - \Pi(t, dx)], \tag{14}$$

从而由 (14) 及引理 4.7.4 及 4.7.5 知

$$\begin{aligned}
&\sum_1^{\infty} (X_{\Delta_k}(t) - EX_{\Delta_k}(t)) \\
&\underset{\text{a.s.}}{=} \lim_{n\to\infty} \sum_1^{n} (X_{\Delta_k}(t) - EX_{\Delta_k}(t)) \\
&= \lim_{n\to\infty} \int_{\varepsilon_n < |x| \leq 1} x[\mu(t, dx) - \Pi(t, dx)]
\end{aligned}$$

$$=\int_{|x|\leqslant 1} x[\mu(t, dx) - \Pi(t, dx)]. \tag{15}$$

由(11),(12),(13)及(15)得(10). 证毕

我们知道随机测度$\mu(t, \cdot)$是$\mathscr{B}_\varepsilon$上的随机测度,此处$\varepsilon > 0$为任意. 令$\mathscr{B}_0$包含$\mathscr{B}_\varepsilon$的所有集,$\varepsilon > 0$为任意,而且还包含满足下列条件的集$\bigcup_{k=1}^{\infty} A_k$, 其中$A_k \in \mathscr{B}_{\varepsilon_k}(\varepsilon_k \downarrow 0)$, 且$\limsup_{n\to\infty} \Pi\left(b, \bigcup_1^n A_k\right) < \infty$. (这里$\mathscr{B}_0$为环,即是满足以下性质的集合类: $A, B \in \mathscr{B}_0 \Longrightarrow A \cup B$, $A \cap B$, $A \backslash B$也属于$\mathscr{B}_0$) 这时我们定义$\mu\left(t, \bigcup_1^\infty A_k\right) = \lim_{n\to\infty} \mu\left(t, \bigcup_1^n A_k\right)$. 这样拓展于$\mathscr{B}_0$上的随机测度$\mu(t, \cdot)$仍具有在不交$\mathscr{B}_0$的元素上为独立的性质.

定理 4.7.8 设X为依概率连续的独立增量过程,于是存在对t连续的m_t, $\sigma^2(t)$, $\Pi(t, A)$, 其中$\sigma^2(t)$为增函数, $\Pi(t, \cdot)$为环$\mathscr{B}_0$上的测度,且$\int_{|x|\leqslant 1} x^2 \Pi(t, dx) < \infty$; 当$t_1 < t_2$时

$$\Pi(t_2, A) - \Pi(t_1, A) \geqslant 0,$$

对任意$A \in \mathscr{B}_0$. 而且增量$X_{t_2} - X_{t_1}$的特征函数为:

$$\begin{aligned} E e^{iu(X_{t_2} - X_{t_1})} = \exp\Big\{ & iu(m_{t_2} - m_{t_1}) \\ & - \frac{u^2}{2}(\sigma^2(t_2) - \sigma^2(t_1)) \\ & + \int_{|x|>1} (e^{iux} - 1)[\Pi(t_2, dx) - \Pi(t_1, dx)] \\ & + \int_{|x|\leqslant 1} (e^{iux} - 1 - iux)[\Pi(t_2, dx) \\ & - \Pi(t, dx)] \Big\}. \end{aligned} \tag{16}$$

证 X有可分修正,它们的分布相同,故不失一般性可设X为

可分，于是由定理 4.7.7 知

$$X_t = X^c(t) + \int_{|x|\leqslant 1} x[\mu(t, dx) - \Pi(t, dx)] + \int_{|x|>1} x\mu(t, dx),$$

此处 X^c 与 $\mu(\cdot, A)$ 独立 ($A \in \mathscr{B}_\varepsilon$, $\varepsilon > 0$ 为任意)，而且 X 的分解中的三项相互独立．由此知

$$\begin{aligned} E \exp\{iu(X_{t_2} - X_{t_1})\} &= E \exp\{iu(X^c_{t_2} - X^c_{t_1})\} \\ &\times E \exp\Big\{iu\int_{|x|\leqslant 1} x[\mu(t_2, dx) - \mu(t_1, dx) \\ &- \Pi(t_2, dx) + \Pi(t_1, dx)]\Big\} \\ &\times E \exp\Big\{iu\int_{|x|>1} x[\mu(t_2, dx) - \mu(t_1, dx)]\Big\}. \end{aligned} \tag{17}$$

因为 X^c 的几乎所有样本为连续，如果令 $m_t = EX^c_t$, $\sigma^2(t) = E(X^c(t) - EX^c(t))^2$，则由定理 4.7.1 知

$$\begin{aligned} &E \exp\{iu(X^c_{t_2} - X^c_{t_1})\} \\ &= \exp\Big\{iu(m_{t_2} - m_{t_1}) - \frac{u^2}{2}(\sigma^2(t_2) - \sigma^2(t_1))\Big\}. \end{aligned} \tag{18}$$

由定理 4.6.3 知

$$\begin{aligned} &E \exp\Big\{iu\int_{|x|>1} x[\mu(t_2, dx) - \mu(t_1, dx)]\Big\} \\ &= \exp\Big\{\int_{|x|>1} (e^{iux} - 1)[\Pi(t_2, dx) \\ &\quad - \Pi(t_1, dx)]\Big\}. \end{aligned} \tag{19}$$

同样

$$\begin{aligned} &E \exp\Big\{iu\int_{|x|\leqslant 1} x[\mu(t_2, dx) - \mu(t_1, dx) \\ &\quad - \Pi(t_2, dx) + \Pi(t_1, dx)]\Big\} \\ &= \lim_{\varepsilon\to 0} E \exp\Big\{iu\int_{\varepsilon<|x|\leqslant 1} \cdots\Big\} \end{aligned}$$

$$= \lim_{\varepsilon \to 0} \exp\left\{\int_{\varepsilon < |x| \le 1} (e^{iux} - 1 - iux)[\Pi(t_2, dx) - \Pi(t_1, dx)]\right\}$$

$$= \exp\left\{\int_{|x| \le 1} (e^{iux} - 1 - iux)[\Pi(t_2, dx) - \Pi(t_1, dx)]\right\} \tag{20}$$

(因为 $|e^{iux} - 1 - iux| \le \frac{1}{2} u^2 x^2$，且由引理 4.7.4 知 $\int_{|x| \le 1} x^2 \Pi(t, dx) < \infty$). 由(17),(18),(19),(20)得证(16).

此外，当 $t_1 < t_2$ 时，$\Pi(t_2, A) - \Pi(t_1, A) = E[\mu(t_2, A) - \mu(t_1, A)] \ge 0$. 故 $\Pi(\cdot, A)$ 为非降函数，且为连续(因为 $\mu(\cdot, A)$ 是依概率连续过程). 证毕

公式(16)使用起来不方便，因为测度 $\Pi(t, \cdot)$ 在 O 点附近可以为无穷，所以我们常常采用另一形式，令

$$G(t, A) = \int_A \frac{x^2}{1 + x^2} \Pi(t, dx). \tag{21}$$

因为 $\int_{|x| \le 1} x^2 \Pi(t, dx) < \infty$，所以 $G(t, A) < \infty$ 对一切 A. 这时公式(16)化为

$$\begin{aligned} &E \exp\{iu(X_{t_2} - X_{t_1})\} \\ &= \exp\left\{iu(\alpha_{t_2} - \alpha_{t_1}) - \frac{u^2}{2}(\sigma^2(t_2) - \sigma^2(t_1)) \right. \\ &\quad + \int_{-\infty}^{\infty} \left(e^{iux} - 1 - \frac{iux}{1 + x^2}\right) \\ &\quad \left. \times \frac{1 + x^2}{x^2} [G(t_2, dx) - G(t_1, dx)]\right\}, \end{aligned} \tag{22}$$

此处

$$\alpha_t = m_t + \int_{|x| > 1} \frac{x}{1 + x^2} \Pi(t, dx) - \int_{|x| \le 1} x G(t, dx). \tag{23}$$

公式 (16) 叫做 Levy 形式. 这两种形式所对应的分布叫做无穷可分律. 把可分的依概率连续的独立增量过程分解为连续过程及纯跳过程的最初想法由 Levy 提出，严格的证明是 Ito 所给.

系 4.7.9 设 X 为依概率连续独立增量过程，X 为齐次的充要条件是其增量的特征函数 (16) 里的 $m_t = mt$，$\sigma^2(t) = \sigma^2 t$，$\Pi(t, A) = t\Pi(A)$，其中 $\Pi(\cdot)$ 是环 $\mathscr{B}_0$ 上的测度，且满足

$$\int_{|x|\leqslant 1} x^2 \Pi(dx) < \infty.$$

证 条件是充分的显然，往证必要性. 因为 X 为齐次的，所以在其分解式 (10) 中的 $X^c(t)$ 及随机测度 $\mu(t, A)$ 也是齐次的 (A 为 $\mathscr{B}_0$ 中任意固定集)，这就是说，当 $t_1 < t_2$ 时

$$E[\mu(t_2, A) - \mu(t_1, A)] = E\mu(t_2 - t_1, A),$$

所以有
$$\Pi(t_2, A) - \Pi(t_1, A) = \Pi(t_2 - t_1, A);$$

$$E[X^c(t_2) - X^c(t_1)]^k = E[X^c(t_2 - t_1) - X^c(0)]^k,$$

所以有

$$m(t_2) - m(t_1) = m(t_2 - t_1),$$

$$\sigma^2(t_2) - \sigma^2(t_1) = \sigma^2(t_2 - t_1).$$

但 $m(t)$，$\sigma^2(t)$，$\Pi(t, A)$ 对 t 连续，而它们都满足同一类型 (线性型) 的函数方程，因此它们都是 t 的线性函数. 证毕

从以上的讨论我们看出，对可分的依概率连续的独立增量过程 X，下列三条是等价的，而且它们都是刻划正态独立增量性的:

(i) X 为正态增量;

(ii) X 的几乎所有样本函数为连续;

(iii) $X_b - X_0$ 为正态随机变量.

Poisson 独立增量过程也有与上类似的事实. 先给如下定义.

定义 4.7.10 X 称为 Poisson 独立增量过程，如果它是依概率连续的独立增量过程，$X_0 = 0$，且其特征函数的 Хинчин 形式(22) 里的 $\sigma^2(t) = 0$，而 $G(t, \cdot)$ 只是在 $c \neq 0$ 处有增长. 这时

$$Ee^{iuX_t} = e^{iu\alpha_t} + \left(e^{iuc} - 1 - \frac{iuc}{1 + c^2}\right)\frac{1 + c^2}{c^2}$$

$$\times[G(t,c^+)-G(t,c^-)].$$

令

$$\lambda_t=\frac{1+c^2}{c^2}[G(t,c+)-G(t,c-)]$$

$$=\Pi(t,c+)-\Pi(t,c-),$$

$$\gamma_t=\alpha_t-\frac{c}{1+c^2}\lambda_t,$$

则得

$$Ee^{iuX_t}=e^{iu\gamma_t+\lambda_t(e^{icu}-1)},$$

其中 γ_t 是 t 的连续函数，λ_t 是 t 的连续非降函数.

在本章第一节的例 3 中所提到的齐次 Poisson 过程是它的特例,即 $\gamma_t\equiv 0$, $\lambda_t=\lambda t$, $c=1$ 的情形.

定理 4.7.11 设 $X=(X_t, t\in[0,b])$, 为依概率连续的独立增量过程, $X_0=0$, 下列三条等价:

(Pi) X 为 Poisson 独立增量过程;

(Pii) 存在连续函数 $\gamma(\cdot)$, 使得 $X_t-\gamma(t)$ 的几乎所有样本函数为阶梯函数,其跳跃高度为常数;

(Piii) $X_b-\gamma(b)$ 为 Poisson 随机变量.

证 (Pi)$\Longrightarrow$(Pii). 由 (Pi) 知 X_t 的特征函数 $f_t(u)$ 为

$$f_t(u)=Ee^{iuX_t}=e^{iu\gamma(t)-\lambda(t)(e^{icu}-1)}.$$

令 $Y_t=X_t-\gamma(t)$, 于是

$$Ee^{iuY_t}=e^{\lambda(t)(e^{icu}-1)}.$$

设 $c>0$, 于是

$$P\{Y_t-Y_s=kc\}$$

$$=e^{-(\lambda(t)-\lambda(s))}\frac{(\lambda(t)-\lambda(s))^k}{k!},\quad k=0,1,2,\cdots.$$

所以当 $s<t$ 时, $P\{Y_t\geqslant Y_s\}=1$. 下面和命题 4.1.3 的证明相似, 只需证几乎所有样本 $X_\cdot(\omega)$ 在 $[0,b]$ 内的跳跃高度等于 c. 若 $X_\cdot(\omega)$ 在 $[0,b]$ 内有一跳跃, 其高度大于等于 $2c$, 则对任意 m, $\max\limits_{1<j<m}[X_{\frac{i+1}{m}b}(\omega)-X_{\frac{i-1}{m}b}]\geqslant 2c$, 但是

$$P\{\max_{1\leqslant j<m}[X_{\frac{j}{m}}-X_{\frac{j-1}{m}}]\geqslant 2c\}$$

$$=\sum_{j=1}^{m}\sum_{k=2}^{\infty}e^{-\left(\lambda\left(\frac{j}{m}b\right)-\lambda\left(\frac{j-1}{m}b\right)\right)}$$

$$\cdot\frac{\left(\lambda\left(\frac{j}{m}b\right)-\lambda\left(\frac{j-1}{m}b\right)\right)^{k}}{k!}$$

$$\leqslant K\sum_{j=1}^{m}\left(\lambda\left(\frac{j}{m}b\right)-\lambda\left(\frac{j-1}{m}b\right)\right)^{2}$$

$$\leqslant K\max_{j}\left|\lambda\left(\frac{j}{m}b\right)\right.$$

$$\left.-\lambda\left(\frac{j-1}{m}b\right)\right|\operatorname*{var}_{0\leqslant t\leqslant b}\lambda_t\to 0\quad(m\to\infty).$$

这就证明了当 $c>0$ 时，$X_t-\gamma(t)$ 的几乎所有样本函数为阶梯函数，其跳跃高度为 c. 同样可证 $c<0$ 的情形.

往证 (Pii) $\Longrightarrow$ (Piii). 设 $Y_t=X_t-\gamma(t)$ 的几乎所有样本函数为阶梯函数，跳跃高度为 $c>0$. 这时相应于 Y 的随机测度 $\mu(t, A)$ 只在 c 点有一增长，故 $\Pi(t, A)$ 只在 c 点有一正测度，即 $\Pi[t,(c,+\infty)]=\Pi[t,(-\infty,c)]=0$，$\Pi(t, c+)-\Pi(t, c-)$ = 常数. 于是 Y_t 的特征函数为

$$Ee^{iuY_t}=e^{iu\alpha_t-\frac{u^2}{2}\sigma^2(t)+\left(e^{iuc}-1-\frac{iuc}{1+u^2}\right)(\pi(t,c+)-\pi(t,c-))}$$

$$=e^{iu\gamma'_t-\frac{n}{2}\sigma^2(t)+(e^{iuc}-1)\lambda(t)},$$

此处

$$\lambda(t)=\Pi(t,c+)-\Pi(t,c-),$$

$$\gamma'_t=\alpha_t-\frac{c}{1+c^2}\lambda(t).$$

由这个特征函数的形状可知，Y_t 是两个独立随机变量之和，其中之一为正态分布，均值为 γ'_t，方差为 $\sigma^2(t)$，另外一个为 Poisson 分布，其均值为 $\lambda(t)$，而其可能值是 c 的整数倍. 因为 Y 只能取 c

的整数倍的值，所以 $\gamma'_t = 0$，$\sigma^2(t) = 0$. 这就是说

$$Ee^{iuY_t} = e^{(e^{iuc}-1)\lambda(t)}.$$

故

$$Ee^{iuX_t} = e^{iu\gamma(t)-(e^{iuc}-1)\lambda(t)}.$$

由此特别取 $t = b$，即得 (Piii).

往证 (Piii) $\Longrightarrow$ (Pi). 由 (Piii) 知 $\Pi(b, \cdot)$ 只在 c 处有正测度，但 $\Pi(t, A)$ 对 t 非降，故 $\Pi(t, \cdot)$ 只在 c 处有正测度. 由此立刻推出 (Pi). 证毕

§8. 独立增量过程的样本性质与其特征函数的关系

在 §4 里我们证明了可分的依概率连续的独立增量过程的几乎所有样本函数没有第二类间断点. 现在我们利用其特征函数里的 m_t, $\sigma^2(t)$ 及 $\Pi(t, A)$ 的性质（即分布函数的性质）来进一步讨论其样本性质.

定理 4.8.1 设 $X = (X_t, t \in [0, b])$ 为可分的依概率连续的独立增量过程，为要 X 的几乎所有样本函数为阶梯函数，当且仅当，对每个 $t \in [0, b]$

$$Ee^{iu(X_t - X_0)} = e^{\int_{-\infty}^{\infty}(e^{iux}-1)\Pi(t, dx)}, \tag{1}$$

其中 $\Pi(b, \cdot)$ 满足: $\lim\limits_{\varepsilon \to 0} \Pi(b, v_\varepsilon) < \infty$.

证 必要性. 若 X 的几乎所有样本为阶梯函数，则此过程在 $[0, b]$ 里跳跃高度大于 ε 的计数过程 $\mu(b, v_\varepsilon)$ 概率为一地趋于极限(当 $\varepsilon \to 0$)，这个极限就等于 X 在 $[0, b]$ 里跳跃的个数. 因为 $\mu(b, v_\varepsilon)$ 是遵循 Poisson 分布的，其参数为 $\Pi(b, v_\varepsilon)$，故 $\lim\limits_{\varepsilon \to 0} \mu(b, v_\varepsilon)$ 也遵循 Poissou 分布，其参数等于 $\Pi(b, v_\varepsilon)$ 的极限，所以有

$$\lim_{\varepsilon \to 0} \Pi(b, v_\varepsilon) = E \lim_{\varepsilon \to 0} \mu(b, v_\varepsilon) < \infty.$$

此外因为几乎所有样本为阶梯函数，故

$$X_t - X_0 = \lim_{\varepsilon \to 0} X_{v_\varepsilon}(t).$$

由定理 4.6.3 知

$$E e^{iuX_{v_\varepsilon}(t)} = e^{\int_{|x|>\varepsilon}(e^{iux}-1)\Pi(t,dx)}.$$

令 $\varepsilon \to 0$，由上式推出 (1).

充分性．由假设 $\lim_{\varepsilon \to 0} \Pi(b, v_\varepsilon) < \infty$，对任意 $t \leqslant b$，记

$$\lim_{\varepsilon \to 0} \Pi(t, v_\varepsilon) = F(t),$$

定义分布函数如下：

$$\Pi_1(dx) = \frac{\Pi(t_2, dx) - \Pi(t_1, dx)}{F(t_2) - F(t_1)}$$

令 $\Pi_k(x)$ 满足：

$$\int_{-\infty}^{\infty} e^{iux}\Pi_k(dx) = \left(\int_{-\infty}^{\infty} e^{iux}\Pi_1(dx)\right)^k.$$

因为 $\Pi_1(x)$ 为分布函数，可以认为它是某个随机变量 ξ 的分布函数，所以 $\Pi_k(x)$ 就是 k 个独立的相同 $\Pi_1(x)$ 分布的随机变量和的分布．由条件 (1)，$X_{t_2} - X_{t_1}$ 的特征函数为

$$\begin{aligned}
&\exp\left\{\int_{-\infty}^{\infty}(e^{iux}-1)[\Pi(t_2, dx) - \Pi(t_1, dx)]\right\} \\
&= \exp\left\{(F(t_2) - F(t_1))\left[\int_{-\infty}^{\infty} e^{iux}\Pi_1(dx) - 1\right]\right\} \\
&= \exp\{-(F(t_2) - F(t_1))\} \\
&\quad \cdot \exp\left\{(F(t_2) - F(t_1))\int_{-\infty}^{\infty} e^{iux}\Pi_1(dx)\right\} \\
&= \sum_{k=0}^{\infty} e^{-(F(t_2)-F(t_1))}\frac{(F(t_2) - F(t_1))^k}{k!} \\
&\quad \cdot \int_{-\infty}^{\infty} e^{iux}\Pi_k(dx). \qquad (2)
\end{aligned}$$

由此可见，$X_{t_2} - X_{t_1}$ 的分布等于 S_τ 的分布，此处 $S_0 = 0$，$S_n =$

$\sum_{1}^{n} \xi_i$，(ξ_i) 为独立的相同分布随机变量，其共同分布为 $\Pi_1(x)$，而 τ 也是随机变量，其分布为 Poisson 分布，参数为 $F(t_2)-F(t_1)$，而且 τ 与 $\xi_1, \xi_2, \cdots$ 为独立．事实上

$$
\begin{aligned}
Ee^{iuS_\tau} &= E\{E(e^{iuS_\tau}|\tau)\} \\
&= \sum_{k=0}^{\infty} E(e^{iuS_\tau}|\tau = k)P\{\tau = k\} \\
&= \sum_{k=0}^{\infty} Ee^{iuS_k} \cdot P\{\tau = k\},
\end{aligned}
$$

这就是 (2)．这样一来，我们有

$$
\begin{aligned}
P\{X_{t_2} - X_{t_1} = 0\} = P\{S_\tau = 0\} &\geqslant P\{\tau = 0\} \\
&= e^{-(F(t_2)-F(t_1))}.
\end{aligned}
$$

于是对任意 $t_1 < t_2$，有（根据定理 3.3.2）

$$
\begin{aligned}
&P\{\sup_{t_1 \leqslant s \leqslant t_2} |X_s - X_{t_1}| = 0\} \\
&= \lim_{n\to\infty} P\left\{\sup_{1\leqslant k\leqslant n} \left|X\left(t_1 + \frac{k}{n}(t_2 - t_1)\right) - X(t_1)\right| = 0\right\} \\
&= \lim_{n\to\infty} \prod_{k=1}^{n} P\left\{X\left(t_1 + \frac{k}{n}(t_2 - t_1)\right) - X\left(t_1 + \frac{k-1}{n}(t_2 - t_1)\right) = 0\right\} \\
&\geqslant e^{-(F(t_2)-F(t_1))}.
\end{aligned} \tag{3}
$$

取 $h = b/n$，$t_k = kh$，$k = 0, 1, \cdots, n$，定义

$$
\nu(h) \triangleq \sum_{k=0}^{n-1} I\left\{\sup_{t_k \leqslant t \leqslant t_{k+1}} |X(t) - X(t_k)| > 0\right\},
$$

我们有（用到 (3)）

$$P\{\nu(h)\geqslant l\}\leqslant \sum_{\substack{t_1'<t_2'<\cdots<t_l'\\ (t_j')<(t_k)}}\prod_{j=1}^{l}P\{\sup_{t_j'\leqslant s\leqslant t_j'+h}|X(s)-X(t_j')|>0\}$$

$$\leqslant \sum_{\substack{t_1'<t_2'<\cdots<t_l'\\ (t_j')\subset(t_k)}}\prod_{j=1}^{l}\{1-e^{-(F(t_j'+h)-F(t_j'))}\}$$

$$\leqslant \frac{1}{l!}\left[\sum_{k=0}^{n-1}(1-e^{F(t_k)-F(t_{k+1})})\right]^l$$

$$\leqslant \frac{1}{l!}\left[\sum_{k=0}^{n-1}(F(t_{k+1})-F(t_k))\right]^l$$

$$=\frac{1}{l!}[F(b)-F(0)]^l.$$

因为 $\nu\left(\frac{h}{2}\right)\geqslant\nu(h)$，从而 $\lim\limits_{n\to\infty}\nu\left(\frac{h}{2^n}\right)$ 存在，记之为 ν，所以由上关系，得

$$P\{\nu\geqslant l\}\leqslant\frac{1}{l!}[F(b)-F(0)]^l.$$

事件 $\nu=l$ 就是 X_t 为常数的相邻区间不多于 $l+1$ 个，而恰有 $l+1$ 个（有 l 的跳）。当 $l\to\infty$ 时，$P\{\nu\geqslant l\}\to 0$，故 $P\{\nu=\infty\}=0$，这就是说几乎所有样本函数为常数的相邻区间为有穷个，即样本函数为阶梯函数。证毕

定理 4.8.2 设 $X=(X_t, t\in[0,b])$ 为可分的依概率连续的独立增量过程。为要使其几乎所有样本函数为非降，当且仅当，对每个 $t\in[0,b]$

$$Ee^{iu(X_t-X_0)}=e^{iu\alpha_t+\int_0^\infty(e^{iux}-1)\Pi(t,dx)},\tag{4}$$

此处 α_t 为 t 的非降函数，而 $\Pi(t,\cdot)$ 满足：

$$\int_0^1 x\Pi(b,dx)<\infty.$$

证 必要性. 设 X 非降，则对任意 $t<b$，$X_{t_+}-X_{t_-}\geqslant 0$，这就是说跳跃高度永为正，所以 $\Pi(t,\cdot)$ 在 $(-\infty,0)$ 上为零. 过程 $X_t-X_{v_\varepsilon}(t)$ 仍是 a.s. 非降，故有 $X_t-X_{v_\varepsilon}(t)\geqslant X_0-X_{v_\varepsilon}(0)=X_0$. 另一方面，当 ε 下降时，$X_t-X_{v_\varepsilon}(t)$ 下降，故存在 $\lim\limits_{\varepsilon\to 0}(X_t-X_{v_\varepsilon}(t))$ 记之为 $X^c(t)$，$X^c(t)$ 的几乎所有样本为连续非降，且 $X^c(0)=X_0$. 由此可见 $X^c(t)-X^c(0)$ 为正态分布(定理 4.7.1)，但 $X^c(t)\geqslant X_0=X^c(0)$，故此正态分布的方差必为 0，所以 $X^c(t)-X^c(0)=E[X^c(t)-X^c(0)]\triangleq\alpha_t$，$\alpha_t$ 为 t 的非降函数.

因为 $\lim\limits_{\varepsilon\to 0}X_{v_\varepsilon}(t)=X_t-X^c(t)$，故

$$
\begin{aligned}
Ee^{iu[X_t-X^c(t)]}&=\lim_{\varepsilon\to 0}Ee^{iuX_{v_\varepsilon}(t)}\\
&=\lim_{\varepsilon\to 0}e^{\int_\varepsilon^\infty(e^{iux}-1)\Pi(t,dx)}.
\end{aligned}
$$

如果能证明 $\lim\limits_{\varepsilon\to 0}\int_\varepsilon^1 x\Pi(t,dx)<\infty$，那么条件为必要的就得证. 往证此. 因为

$$
\begin{aligned}
&X_{v_\varepsilon}(t)-X_{v_1}(t)\\
&\quad=X(t)-X_{v_1}(t)-[X(t)-X_{v_\varepsilon}(t)],
\end{aligned}
$$

且 $X(t)-X_{v_\varepsilon}(t)$ 的几乎所有样本函数为非降，故有

$$
\begin{aligned}
&X_{v_\varepsilon}(b)-X_{v_1}(b)\\
&\quad=X(b)-X_{v1}(b)-[X(b)-X_{v_\varepsilon}(b)]\\
&\quad\leqslant X(b)-X_{v_1}(b)-X(0),
\end{aligned}
$$

由此知

$$
E[X_{v_\varepsilon}(b)-X_{v_1}(b)]\leqslant E[X(b)-X_{v1}(b)-X(0)].
$$

由引理 4.7.3 知 $E[X(b)-X_{v_1}(b)-X(0)]<\infty$，所以由上式得

$$
\int_\varepsilon^1 x\Pi(b,dx)=E[X_{v_\varepsilon}(b)-X_{v_1}(b)]<\infty,
$$

从而 $\lim\limits_{\varepsilon\to 0}\int_\varepsilon^1 x\Pi(b,dx)<\infty$.

充分性. 往证 $P\{X_{t_2}-X_{t_1}\geqslant 0\}=1$，当 $t_1<t_2$，为此只需

证明：若随机变量 η 的特征函数为

$$Ee^{iu\eta}=e^{\int_{\varepsilon}^{\infty}(e^{iux}-1)dF(x)}, \quad \varepsilon>0,$$

则 $\eta\geqslant 0$ a.s.，此处 F 为有界非降函数．如上一定理的证明，若取随机变量 ξ 使得

$$P\{\xi\leqslant x\}=\begin{cases}0, & x\leqslant\varepsilon,\\ \dfrac{F(x)-F(\varepsilon)}{F(\infty)-F(\varepsilon)}, & x>\varepsilon,\end{cases}$$

则 η 的分布等于 S_τ 的分布，其中 $S_0=0$，$S_n=\xi_1+\cdots+\xi_n$，且 (ξ_i) 为同分布，其共同分布如上，$\xi_1,\cdots,\xi_n$ 为独立，τ 是取非负整数的 Poisson 随机变量，其参数为 $F(\infty)-F(\varepsilon)$，τ 与 (ξ_i) 独立．由于以上所取的 $\xi\geqslant 0$ a.s.，故 $\eta\geqslant 0$ a.s. 证毕

定理 4.8.3 设 $X=(X_t, t\in[0,b])$ 为可分的依概率连续的独立增量过程．欲使其几乎所有样本函数在 $[0,b]$ 上为有穷变差，当且仅当 X_t-X_0 的特征函数的形状是

$$Ee^{iu(X_t-X_0)}=e^{ium_t+\int_{-\infty}^{\infty}(e^{iux}-1)\Pi(t,dx)}, \tag{5}$$

其中 m_t 为有穷变差函数，且 $\int_{|x|\leqslant 1}|x|\Pi(b,dx)<\infty$．

证 充分性．因为 m_t 为有穷变差函数，故不失一般性可设 $m_t\equiv 0$．往证若增量的特征函数为

$$Ee^{iu(X_t-X_0)}=e^{\int_{-\infty}^{\infty}(e^{iux}-1)\Pi(t,dx)},$$

且 $\int_{|x|\leqslant 1}|x|\Pi(b,dx)<\infty$，则几乎所有样本函数为有穷变差．

对任意分割 $D_n: 0=t_0<t_1<\cdots<t_n=b$，考虑

$$\sum_{j=1}^{n}|X_{t_j}-X_{t_{j-1}}|,$$

令 $\xi_1,\xi_2,\cdots,\xi_n,\xi_1',\xi_2',\cdots,\xi_n'$ 为独立随机变量，它们的特征函数分别为：

$$Ee^{iu\xi_k}=e^{\int_0^{\infty}(e^{iux}-1)[\Pi(t_k,dx)-\Pi(t_{k-1},dx)]},$$

$$E e^{iu\xi'_k} = e^{\int_{-\infty}^{0}(e^{-iux}-1)[\Pi(t_k, dx)-\Pi(t_{k-1}, dx)]}.$$

不难看出 $\xi_k = (X_{t_k} - X_{t_{k-1}})^+$，$\xi'_k = (X_{t_k} - X_{t_{k-1}})^-$.所以 $\xi_k - \xi'_k = X_{t_k} - X'_{t_{k-1}}$. 对于不同的分割相应于不同的 (ξ_k)，(ξ'_k) .于是对任意 $C > 0$ 有

$$P\left\{\sup_D \sum_1^n |X_{t_k} - X_{t_{k-1}}| > C\right\}$$

$$= P\left\{\sup_D \sum_1^n |\xi_k - \xi'_k| > C\right\}$$

$$\leqslant P\left\{\sup_D \sum_1^n (\xi_k + \xi'_k) > C\right\}$$

$$= P\{\eta > C\},$$

此处 η 为非负随机变量，其特征函数为

$$E e^{iu\eta} = e^{\int_{-\infty}^{0}(e^{-iux}-1)\Pi(b, du)+\int_{0}^{\infty}(e^{iux}-1)\Pi(b, dx)},$$

由此立刻推知

$$\lim_{C\to\infty} P\left\{\sup_D \sum_1^n |X_{t_k} - X_{t_{k-1}}| > C\right\} = 0,$$

从而

$$\sup_D \sum_1^n |X_{t_k} - X_{t_{k-1}}| < \infty \text{ a.s.}$$

必要性. 若 X 的几乎所有样本为有穷变差，则过程 $X_\varepsilon(t) = X_t - X_{v_\varepsilon}(t)$ 的几乎所有样本为有穷变差，而且当 $\varepsilon < 1$ 时，有

$$\operatorname*{var}_{[0,t]} [X_s - X_{v_\varepsilon}(s)] \leqslant \operatorname*{var}_{[0,t]} [X_s - X_{v_1}(s)].$$

令

$$Y_1(t) = \operatorname*{var}_{[0,t]} [X_s - X_{v_1}(s)].$$

因为函数的变差的间断只发生在函数本身的间断处，故过程 Y_1 仍是依概率连续的独立增量过程，而且其增量

$$Y_1(t_2) - Y_1(t_1) = \operatorname*{var}_{[t_1,t_2]} [X_s - X_{v_1}(s)].$$

过程 $Y_1(t)$ 在 $X(t) - X_{v_1}(t)$ 的连续点处为连续，在后者的间断点处等于

$$Y_1(t+) - Y_1(t-)$$
$$= |X(t+) - X(t-) - X_{v_1}(t+) + X_{v_1}(t-)|,$$

由此便知 $Y_1(t)$ 的跳跃高度为正不超过 1,而且由此及引理 4.7.3 知 $E|Y_1(t)| < \infty$. 我们易证

$$\operatorname*{var}_{[0,b]} [X_{v_\varepsilon}(t) - X_{v_1}(t)] = \int_{\varepsilon<|x|\leqslant 1} |x| \mu(b, dx),$$

故

$$EY_1(b) \geqslant E \operatorname*{var}_{[0,b]} [X_{v_\varepsilon}(s) - X_{v_1}(s)]$$

$$= \int_{\varepsilon<|x|\leqslant 1} |x| \Pi(b, dx),$$

由此得

$$\lim_{\varepsilon\to 0} \int_{\varepsilon<|x|\leqslant 1} |x| \Pi(b, dx) < \infty. \tag{6}$$

这就证明了定理中的一个条件成立.

由 (6) 对任意 $0<\varepsilon_1<\varepsilon_2$，有

$$P\{|X_{\varepsilon_1}(t) - X_{\varepsilon_2}(t)| > \delta\} = P\{|X_{v_{\varepsilon_1}}(t) - X_{v_{\varepsilon_2}}(t)| > \delta\}$$

$$\leqslant \frac{1}{\delta} E|X_{v_{\varepsilon_1}}(t) - X_{v_{\varepsilon_2}}(t)|$$

$$= \frac{1}{\delta} \int_{\varepsilon_1<|x|\leqslant\varepsilon_2} |x| \Pi(b, dx) \to 0 \quad (\varepsilon_2 \to 0).$$

故 $X_\varepsilon(t) = X_t - X_{v_\varepsilon}(t)$ 依概率极限存在，记之为 $X^c(t)$. 显见 $X^c(0) = X_0$，且 $X^c(t)$ 的几乎所有样本函数为连续，$X_t - X^c(t)$ 的几乎所有样本函数为阶梯函数. 此外，因为

$$\operatorname*{var}_{[0,t]} X^c(s) = \operatorname*{p\lim}_{\varepsilon\to 0} \operatorname*{var}_{[0,t]} [X(s) - X_{v_\varepsilon}(s)],$$ 故知

$$\operatorname*{var}_{[0,t]} X^c(s) \leqslant \operatorname*{var}_{[0,t]} [X_s - X_{v_1}(s)] = Y_1(t),$$

由此知 X^c 的几乎所有样本函数为有穷变差，且

$$E \operatorname*{var}_{[0,t]} X^c(s) \leqslant EY_1(t) < \infty. \tag{7}$$

由定理 4.8.1 及 4.7.1 知存在 m_t 及 $\sigma^2(t)$ 使得

$$Ee^{iu(X_t - X^c(t))} = e^{\int_{-\infty}^{\infty}(e^{iux}-1)\Pi(t,dx)},$$

$$Ee^{iu(X^c(t)-X_0)} = e^{ium_t - \frac{u^2}{2}\sigma^2(t)}.$$

由这两个公式可见，若能证 $X^c(t) = X^c(0) + m_t$（由此知 m_t 为有穷变差函数），则定理的条件的必要性完全证明. 令 $0 = t_0 < t_1 < \cdots < t_n = b$，于是由 (7)

$$E\sum_1^n |X^c(t_j) - X^c(t_{j-1})|$$

$$\leqslant E \operatorname*{var}_{[0,b]} X^c(s) \leqslant EY_1(b) < \infty.$$

我们知道随机变量 $X^c(t_j) - X^c(t_{j-1})$ 为正态分布，其方差等于 $\sigma^2(t_j) - \sigma^2(t_{j-1})$，但易证对任意正态分布的随机变量 ξ 有

$$\sqrt{\sigma^2(\xi)} \leqslant \sqrt{\frac{2}{\pi}}\, E|\xi|,$$

所以由上不等式得知

$$\sum_{j=1}^n \sqrt{\frac{\pi}{2}(\sigma^2(t_j) - \sigma^2(t_{j-1}))}$$

$$\leqslant E\sum_1^n |X^c(t_j) - X^c(t_{j-1})|$$

$$\leqslant E \operatorname*{var}_{[0,b]} X^c(s),$$

但因 $\sigma^2(t)$ 为 t 的连续函数，故对任意 $\varepsilon > 0$，存在 $\delta > 0$，使得 $|\sigma^2(t_j) - \sigma^2(t_{j-1})| < \varepsilon$. 若 $|t_j - t_{j-1}| < \delta$，取诸 (t_j) 使得 $\max_j |t_j - t_{j-1}| < \delta$，于是有

$$\sigma^2(b) = \sum_1^n (\sigma^2(t_j) - \sigma^2(t_{j-1}))$$

$$\leqslant \sqrt{\varepsilon} \sum_1^n \sqrt{\sigma^2(t_j) - \sigma^2(t_{j-1})}$$

$$\leqslant \sqrt{\frac{2\varepsilon}{\pi}}\, E \operatorname*{var}_{[0,t]} X^c(s).$$

因为 ε 为任意,故 $\sigma^2(b)=0$, 从而 $\sigma^2(t)\equiv 0$. 证毕

注 由必要性的证明中知,X可以表为

$$X_t = X_0 + m(t) + \int_{|x|>0} x\mu(t, dx),$$

而且

$$\operatorname*{var}_{[0,t]}(X_s - X_0 - m(s)) = \int_{|x|>0} |x|\mu(t, dx).$$

由此知,若令 $Y_t = \operatorname*{var}_{[0,t]} X_s$, $\gamma(t) = \operatorname*{var}_{[0,t]} m_s$, 则得

$$Y_t = \gamma(t) + \int_{|x|>0} |x|\mu(t, dx),$$

其特征函数为

$$Ee^{iuY_t} = e^{iu\gamma(t)+\int_{|x|>0}|x|\Pi(t,dx)}$$

第五章　鞅

§1. 鞅的定义及鞅不等式

鞅论是概率论中的一个重要分支，这一随机过程是由 Lévy (1937)、Ville (1939) 及 Doob (1940) 等人所提出并加以研究的. Doob 在他的书里提出上鞅分解问题 (1953)，后来由 Meyer 解决 (1962). 由此鞅论进入了新发展的阶段，并且引起了一般过程论的研究，同时也得到了广泛的应用.

首先给定一个基本概率空间 $(\Omega, \mathscr{F}, P)$，其中 $\mathscr{F}$ 为 P 完备化 σ 域，以后提到 $\mathscr{F}$ 的子 σ 域，也都设它是用 P 零概集加以完备化. 令 $(\mathscr{F}_t)$ 为一族子 σ 域，这里 $t\in T$，T 可以取为整数集 $\boldsymbol{Z}$，或非负整数集 $\boldsymbol{N}$，或 $\boldsymbol{R}$ 中任意子集. 设对 $s<t$，必有 $\mathscr{F}_s\subset\mathscr{F}_t$. 随机过程 $(X_t,\ t\in T)$ 称为 $(\mathscr{F}_t)$ 适应的，如果 $X_t\in\mathscr{F}_t, t\in T$. 以后把适应过程简记为 $(X_t,\ \mathscr{F}_t,\ t\in T)$.

定义 5.1.1　适应过程 $(X_t,\ \mathscr{F}_t,\ t\in T)$ 称为上鞅，如果对每个 $t\in T$，X_t 为可积随机变量，且对 T 中任意 $s<t$，有

$$E(X_t\,|\,\mathscr{F}_s)\leqslant X_s,\quad \text{a. s.} \tag{1}$$

它称为下鞅，如果 $-X$ 为上鞅；称为鞅，如果 X 及 $-X$ 都为上鞅. 所以对下鞅，不等式(1)变成相反不等式；对于鞅，不等式 (1) 变成等式.

考虑 T 为非负整数的情形，若 $(X_n,\ \mathscr{F}_n,\ n\in\boldsymbol{N})$ 为鞅列，记其差分 $X_n-X_{n-1}\triangleq x_n, n\geqslant 0$ (约定 $X_{-1}=0$). 于是有 $E|x_n|<\infty$，且

$$E(x_{n+1}\,|\,\mathscr{F}_n)=0,\quad \text{a. s.},\qquad n=0,1,2,\cdots. \tag{2}$$

由此知，当 $(X_n,\ \mathscr{F}_n,\ n\in\boldsymbol{N})$ 为鞅列时，X_n 必表为满足条件(2)的可积随机变量序列 $(x_n, n\geqslant 1)$ 的部分和；反之，满足条件(2)的

可积随机变量序列 $(x_n, n \geqslant 1)$ 的部分和必为鞅列. 若把 $\mathscr{F}_n$ 取为 $\sigma(x_i, i \leqslant n)$, 则条件 (2) 可以写为

$$E(x_{n+1}|x_1, \cdots, x_n) = 0 \quad \text{a.s.} \quad n \geqslant 0. \tag{3}$$

这个条件（即鞅差所满足的条件）很有意思，它是介于零相关性 $(Ex_mx_n = 0, m \neq n)$ 与独立性之间的一个性质. 首先它强于零相关. 事实上对任意有界 Borel 函数 g, 由(3)有

$$\begin{aligned} E[x_{n+1}g(x_1, \cdots, x_n)] &= E[g(x_1, \cdots, x_n)E(x_{n+1}|x_1\cdots x_n)] \\ &= 0, \end{aligned}$$

从而知 $Ex_mx_n = 0$, $m \neq n$. 其次它弱于独立性. 事实上，若 $(x_n, n \geqslant 1)$ 为独立,则对任意有界 Borel 函数 f, g 有

$$\begin{aligned} &E(f(x_{n+1})g(x_1, \cdots, x_n)) \\ &\quad = Ef(x_{n+1})Eg(x_1, \cdots, x_n), \end{aligned}$$

由此对任意 g 有(因为 $Ex_{n+1} = 0$)

$$E(x_{n+1}g(x_1\cdots, x_n)) = 0.$$

由此立刻推出性质(3).

例 1 若 X 为可积随机变量,令

$$X_t = E(X|\mathscr{F}_t) \qquad \text{a.s.}$$

则, $(X_t, \mathscr{F}_t, t \in T)$ 为鞅.

例 2 若 $(x_n, n \geqslant 1)$ 为独立随机变量序列,且 $Ex_n = 0$, 则 $X_n = \sum_1^n x_k$ 为鞅列. (其中 $\mathscr{F}_n = \sigma(x_k, k \leqslant n)$).

例 3 若 $X = (X_n, \mathscr{F}_n, n \in \boldsymbol{N})$, $Y = (Y_n, \mathscr{F}_n, n \in \boldsymbol{N})$ 为上鞅列,则 $(X_n \wedge Y_n, \mathscr{F}_n, n \in \boldsymbol{N})$ 也是上鞅列.

利用条件期望的凸函数不等式，立刻得到下列简单的但经常用到的命题.

命题 5.1.2

(i) 若 $(X_t, \mathscr{F}_t, t \in T)$ 为下鞅,则 $(X_t \vee 0, \mathscr{F}_t, t \in T)$ 为下鞅.

(ii) 若 $(X_t, \mathscr{F}_t, t \in T)$ 为鞅, f 为凸函数,且 $E|f(x_t)| < \infty$,

则 $(f(X_t), \mathscr{F}_t, t\in T)$ 为下鞅. 特别取 $f(x)=|x|^r$, $r\geqslant 1$, $f(x)=|x|\log^+|x|$, 则 $(|X_t|^r, \mathscr{F}_t, t\in T)$ 及 $(|X_t|\log^+|X_t|, \mathscr{F}_t, t\in T)$ 都是下鞅,如果它们可积.

(iii) 若$(X_t, \mathscr{F}_t, t\in T)$为非负下鞅(即每个 $X_t\geqslant 0$, a. s.), 则 $(|X_t|^r, \mathscr{F}_t, t\in T)$ 及 $(|X_t|\log^+|X_t| \mathscr{F}_t, t\in T)$ 也是下鞅, 如果它们可积.

定理 5.1.3 若 $(X_t, \mathscr{F}_t, t\in T)$ 按 t 增排列为鞅,按 t 减排列也为鞅,则对任意 $t_1\neq t_2$, 恒有 $X_{t_1}=X_{t_2}$ a. s.

证 由条件立刻推知: 当 $s<t$ 时有

$$E(X_t-X_s|X_s)=0,$$
$$E(X_t-X_s|X_t)=0.$$

由此知只需证,若 X, Y 为可积随机变量,且对任意 Borel 集 B, 有

$$\int_{(Y\in B)}(Y-X)P(d\omega)=0,$$
$$\int_{(X\in B)}(Y-X)P(d\omega)=0.$$

则 $X=Y$ a. s. 往证此,对每个实数 c 有

$$\begin{aligned}\int_{(Y>c,X<c)}(Y-X)&=\int_{(Y>c)}(Y-X)-\int_{(Y>c,X\geqslant c)}(Y-X)\\&=-\int_{(Y>c, X\geqslant c)}(Y-X)\\&=-\int_{(X\geqslant c)}(Y-X)+\int_{(X\geqslant c,Y\leqslant c)}(Y-X)\\&=\int_{(X\geqslant c,Y\leqslant c)}(Y-X),\end{aligned}$$

但此等式的左方积分大于零,而右方积分不大于零,故此等式的两端都应为零. 对任意 c

$$P(Y>c>X)=P(Y<c<x)=0,$$

于是令 $\boldsymbol{Q}$ 为所有有理数集,便有

$$P(X\neq Y)=\sum_{r\in\boldsymbol{Q}}P(Y>r>X)$$

$$+\sum_{r\in \boldsymbol{Q}} P(Y<r<X)=0.$$

定理 5.1.4（一般可选定理） 设$(X_n, \mathscr{F}_n, n\geqslant 0)$为上鞅，若$\sigma, \tau$为$(\mathscr{F}_n)$可选时且$\sigma\leqslant\tau$ a.s. 于是对任意n恒有

$$EX_\sigma I_{\{\sigma\leqslant n\}}\geqslant EX_\tau I_{\{\tau\leqslant n\}}+EX_n I_{\{\sigma\leqslant n<\tau\}} \tag{4}$$

对鞅的情形等号成立.

证 设$a_0=b_0$, $a_i, b_i\in\mathscr{F}_{i-1}$, $i=1,2,\cdots$, 且$a_i\leqslant b_i$ a.s. 令$x_i=X_i-X_{i-1}(X_{-1}=0)$, 因为$X$为上鞅，故当$i\geqslant 1$时

$$E(b_i-a_i)x_i=E\{(b_i-a_i)E(x_i|\mathscr{F}_{i-1})\}\leqslant 0.$$

由此立刻得到，对任意$n\geqslant 0$

$$E\sum_{i=0}^n b_i x_i\leqslant E\sum_{i=0}^n a_i x_i. \tag{5}$$

因为σ, τ为可选时，故$I_{\{i\leqslant\sigma\}}\in\mathscr{F}_{i-1}$, $I_{\{i\leqslant\tau\}}\in\mathscr{F}_{i-1}$. 又因$\sigma\leqslant\tau$ a.s., 故$I_{\{i\leqslant\sigma\}}\leqslant I_{\{i\leqslant\tau\}}$ a.s.
取$a_i=I_{\{i\leqslant\sigma\}}$, $b_i=I_{\{i\leqslant\tau\}}$, 这些$a_i, b_i$满足使(5)成立的条件，故由(5)得(对任意$n\geqslant 0$)

$$E\sum_{i=0}^n I_{\{i\leqslant\tau\}}(X_i-X_{i-1})\leqslant E\sum_{i=0}^n I_{\{i\leqslant\sigma\}}(X_i-X_{i-1}). \tag{6}$$

现在我们仔细计算(6)的左方.

$$E\sum_{i=0}^n I_{\{i\leqslant\tau\}}(X_i-X_{i-1})=\sum_{i=0}^n\int_{\{i\leqslant\tau\}}(X_i-X_{i-1})P(d\omega)$$

$$=\sum_{i=0}^n\sum_{k=i}^\infty\int_{(\tau=k)}(X_i-X_{i-1})P(d\omega)$$

$$=\sum_{k=0}^n\sum_{i=0}^k\int_{\{\tau=k\}}(X_i-X_{i-1})$$

$$+\sum_{k=n+1}^\infty\sum_{i=0}^n\int_{\tau=k}(X_i-X_{i-1})$$

$$= \int_{(\tau \leqslant n)} X_\tau + \int_{(\tau > n)} X_n = EX_\tau I_{(\tau \leqslant n)}$$

$$+ EX_n I_{(\tau > n)}.$$

同样计算右方,代入(6)即得(4). 证毕

注1 若X为非负上鞅,则由(4)立刻得

$$EX_\sigma I_{\{\sigma \leqslant n\}} \geqslant EX_\tau I_{\{\tau \leqslant n\}},$$

然后由单调收敛定理,令$n \to \infty$得$EX_\sigma \geqslant EX_\tau$.(规定$X_\tau = 0$在$(\tau = +\infty)$上).

注2 若$(\mathscr{F}_n, n \geqslant 1)$为$\sigma$域降序列,即$\mathscr{F}_0 \supset \mathscr{F}_1 \supset \cdots$ $(X_n, \mathscr{F}_n, n \geqslant 0)$称为上鞅反列,如果$E(X_n | \mathscr{F}_{n+1}) \leqslant X_n$ a.s.,同样可以定义下鞅(鞅)反列.

对上鞅反列也有与定理5.1.4的相似结果.若$(\mathscr{F}_n)$可选时,$\sigma \leqslant \tau$ a.s.,则对任意非负整数n有

$$EX_\sigma I_{\{\sigma \leqslant n\}} \leqslant EX_\tau I_{\{\tau \leqslant n\}} + EX_n I_{\{\sigma \leqslant n < \tau\}}. \tag{7}$$

系5.1.5(有界可选定理) 设$(X_n, \mathscr{F}_n, n \geqslant 0)$为上鞅,$\sigma$,$\tau$为有界可选时,$\sigma \leqslant \tau (\leqslant n_0)$ a.s.若此处n_0为可选时τ的上界,则有

$$E(X_\tau | \mathscr{F}_\sigma) \leqslant X_\sigma \qquad \text{a.s.} \tag{8}$$

证 在定理5.1.4的(4)里取$n = n_0$,则得

$$EX_\tau \leqslant EX_\sigma \tag{9}$$

(不难证$E|X_\tau| < \infty$). 下面我们采用一个经常用到的技巧,由(9)推出(8).

对任意$A \in \mathscr{F}_\sigma$,令$\sigma_A = \sigma I_A + \infty I_{A^c}$,$\tau_A = \tau I_A + \infty I_{A^c}$,这时$\sigma_A$,$\tau_A$仍为可选时,且$\sigma_A \wedge n_0$,$\tau_A \wedge n_0$也是可选时,$\sigma_A \wedge n_0 \leqslant \tau_A \wedge n_0 (\leqslant n_0)$,故由(9)知

$$0 \geqslant E(X_{\tau_A \wedge n_0} - X_{\sigma_A \wedge n_0}) = EI_A(X_\tau - X_\sigma),$$

对任意$A \in \mathscr{F}_\sigma$,从而得$E(X_\tau - X_\sigma | \mathscr{F}_\sigma) \leqslant 0$ a.s.,即$E(X_\tau | \mathscr{F}_\sigma) \leqslant X_\sigma$ a.s. 证毕

系5.1.6 (i) 设X为上鞅,σ,τ为有界可选时,$\sigma \leqslant \tau \leqslant n_0$

a. s., 则 $EX_0 \geqslant EX_\sigma \geqslant EX_\tau \geqslant EX_{n_0}$. (ii) 若 X 为下鞅，则有反向不等式: $EX_0 \leqslant EX_\sigma \leqslant EX_\tau \leqslant EX_{n_0}$. (iii) 若 X 为上鞅，可选时 $\tau \leqslant n_0$ a.s., 则 $E|X_\tau| \leqslant EX_0 + 2EX_{n_0}^- \leqslant 3\sup\limits_{n\leqslant n_0}|X_n|$.

证 只需证 (iii). $|X_\tau| = X_\tau + 2X_\tau^-$, 于是由(i)有

$$E|X_\tau| \leqslant EX_0 + 2EX_\tau^-.$$

但 $(X_n \wedge 0, \mathscr{F}_n, n \geqslant 0)$ 也为上鞅，故 $(X_n^-, \mathscr{F}_n, n \geqslant 0)$ 为下鞅，所以由 (ii) 有 $EX_\tau^- \leqslant EX_{n_0}^-$, 结合以上两个不等式便得 (iii). 证毕

系 5.1.7 设 X 为鞅，σ, τ 为有界可选时，$\sigma \leqslant \tau \leqslant n_0$ a. s., 则 $E(X_\tau|\mathscr{F}_\sigma) = X_\sigma$ a. s., 且 $EX_0 = EX_\sigma = EX_\tau = EX_{n_0}$.

对随机序列 $(X_n, n \geqslant 0)$, 令 $X_n^* = \sup\limits_{k\leqslant n} X_k$, 我们对鞅列有一系列的不等式.

定理 5.1.8 (Garsia 不等式) 设 $(X_n, \mathscr{F}_n, n \geqslant 0)$ 为非负下鞅，$F(t)$是$[0, \infty)$上任意非降右连续函数，$F(0) = 0$, 于是有

$$F\int_{(0,X_n^*]} tdF(t) \leqslant E[X_nF(X_n^*)]. \tag{10}$$

证 我们有

$$X_r^* = \begin{cases} X_{r-1}^*, & 若\ X_r \leqslant X_{r-1}^*, \\ X_r, & 若\ X_r > X_{r-1}^*, \end{cases}$$

故有

$$\int_{X_{r-1}^*}^{X_r^*} + dF(t) = \begin{cases} 0, & 若\ X_r \leqslant X_{r-1}^*, \\ \int_{X_{r-1}^*}^{X_r} tdF(t), & 若 X_r > X_{r-1}^*, \end{cases}$$
$$\leqslant X_r\int_{X_{r-1}^*}^{X_r} dF(t),$$

当 $r \leqslant n$ 时，由上不等式得

$$\begin{aligned} E\int_{X_{r-1}^*}^{X_r^*} tdF(t) &\leqslant E[X_r(F(X_r) - F(X_{r-1}^*))] \\ &\leqslant E[E(X_n|\mathscr{F}_r)(F(X_r^*) - F(X_{r-1}^*))] \\ &= E[X_n(F(X_r^*) - F(X_{r-1}^*))]. \end{aligned}$$

上式对 r 从 1 到 n 求和，得 $(X_{-1}^* = X_{-1} = 0)$

$$E\int_0^{\lambda_n^*} t dF(t) \leqslant E[X_n F(X_n^*)].$$ 证毕

定理 5.1.9 设 X 为非负下鞅列,则

(i) (Колмогоров 不等式)对任意 $\lambda > 0$ 有

$$P\{X_n^* \geqslant \lambda\} \leqslant \frac{1}{\lambda} \int_{\{X_n^* \geqslant \lambda\}} X_n P(d\omega) \leqslant \frac{1}{\lambda} EX_n.$$

(ii) 对任意 $1 < p < \infty$, 有

$$E(X_n^*)^p \leqslant \left(\frac{p}{p-1}\right)^p EX_n^p.$$

证

(i) 取 $F(t) = I_{[\lambda,\infty)}(t)$, 利用上一定理得

$$E\lambda I_{\{X_n^* \geqslant \lambda\}} = E\int_0^{X_n^*} t dF(t) \leqslant EX_n F(X_n^*)$$

$$\leqslant EX_n I_{\{X_n^* \geqslant \lambda\}} \leqslant EX_n.$$

(ii) 令 $\alpha = p - 1 > 0$, 取 $F(t) = t^\alpha$, 由上·-定理得

$$E\frac{\alpha}{\alpha+1}(X_n^*)^{\alpha+1} = E\int_0^{X_n^*} \frac{\alpha}{1+\alpha} dt^{\alpha+1}$$

$$= E\int_0^{X_n^*} t dt^\alpha \leqslant E[X_n (X_n^*)^\alpha],$$

故

$$E(X_n^*)^{\alpha+1} \leqslant \frac{\alpha+1}{\alpha} E[X_n(X_n^*)^\alpha]$$

$$\leqslant \frac{\alpha+1}{\alpha} (EX_n^{\alpha+1})^{\frac{1}{\alpha+1}} (E(X_n^*)^{\alpha \cdot \frac{\alpha+1}{\alpha}})^{\frac{\alpha}{\alpha+1}},$$

即 $$E(X_n^*)^p \leqslant \frac{p}{p-1} (EX_n^p)^{\frac{1}{p}} (EX_n^{*p})^{1-\frac{1}{p}}.$$

如果 X 有界,则 $E(X_n^*)^p$ 有穷,从而由以上得

$$E(X_n^*)^p \leqslant \left(\frac{p}{p-1}\right)^p EX_n^p.$$

对一般的 X, 因 $X \wedge N$ 仍为非负下鞅, 可利用以上结果, 然后令

$N \to \infty$ 即得 (ii). 证毕

注 (i) 的另一证法. 令

$$\sigma = \min \{k: X_k \geqslant \lambda\},$$

取 $\tau = \infty$, 由定理 5.1.4 (注意我们考虑的是下鞅)知,对任意正整数 n 有

$$E[X_\sigma I_{\{\sigma \leqslant n\}}] \leqslant E[X_n I_{\{\sigma \leqslant n\}}].$$

因为在 $\{\sigma < \infty\}$ 上 $X_\sigma \geqslant \lambda$, 故上不等式变为

$$\lambda P\{\sigma \leqslant n\} \leqslant E X_n I_{\{\sigma \leqslant n\}} = \int_{\{\sigma \leqslant n\}} X_n P(d\omega),$$

但易知 $\{\sigma \leqslant n\} = \{X_n^* \geqslant \lambda\}$, 上不等式即是 (i).

系 5.1.10 设 $X = (X_n, \mathscr{F}_n, n \geqslant 1)$ 为鞅, 且对每个 n, $EX_n^2 < \infty$, 于是有

$$P\left\{\sup_{k \leqslant n} |X_k| \geqslant \lambda\right\} \leqslant \frac{EX_n^2}{\lambda^2},$$

$$[E \sup_{k \leqslant n} X_k^2] \leqslant 4EX_n^2.$$

证 因为$(X_n^2, \mathscr{F}_n, n \geqslant 1)$是非负下鞅,再引用上定理即可. 证毕

现在给出 Doob 的另一个著名的不等式, Doob 利用这个不等式建立了鞅的收敛定理. 在给出这个不等式之前, 我们还需引进随机序列 $(X_n, \mathscr{F}_n)$, $n = 0, 1, \cdots, N$ 上穿闭区间 $[a, b]$ 的次数. 我们说 (X_n) 的一次上穿 $[a, b]$ 是指当 n 增加时, X_n 从低于 a 水平经过若干步之后首先到达高于 b 水平. 令

$$\sigma_0(\omega) = 0,$$
$$\tau_1(\omega) = \inf\{0 \leqslant n \leqslant N; X_n(\omega) \leqslant a\},$$
$$\sigma_1(\omega) = \inf\{\tau_1(\omega) < n \leqslant N; X_n(\omega) \geqslant b\},$$
$$\tau_l(\omega) = \inf\{\sigma_1(\omega) < n \leqslant N; X_n(\omega) \leqslant a\},$$
$$\vdots$$
$$\tau_m(\omega) = \inf\{\sigma_{m-1}(\omega) < n \leqslant N; X_n(\omega) \leqslant a\},$$
$$\sigma_m(\omega) = \inf\{\tau_m(\omega) < n \leqslant N; X_n(\omega) \geqslant b\},$$
$$\cdots$$

这时如果 $\inf\{0 \leqslant n \leqslant N, X_n(\omega) \leqslant a\}$ 为空集，即

$$\inf_{n \leqslant N} X_n(\omega) > a,$$

则定义 $\tau_1(\omega) \equiv N$，从而 $\sigma_1(\omega), \tau_2(\omega), \cdots$ 就没有意义了．对以下的 $\sigma_1(\omega), \tau_2(\omega), \cdots$ 都作这样的考虑．显见 $\tau_1 < \sigma_1 < \tau_2 < \sigma_2 \cdots$ 都是有界可选时．如果 $\sigma_m(\omega)$ 有意义，而且这个 m 是最大的，那就是说 $\sigma_{m+1}(\omega)$ 没有意义，这时 $(X_0(\omega), X_1(\omega), \cdots, X_N(\omega))$ 上穿 $[a, b]$ m 次．我们定义 $(X_n, n = 0, 1, \cdots, N)$ 上穿 $[a, b]$ 的次数 $v[a, b]$ 如下：

$$v[a, b](\omega) = \max\{k : \sigma_k(\omega) \text{ 有意义}\}.$$

定理 5.1.11（上穿不等式） 设 $(X_n, \mathscr{F}_n, 0 \leqslant n \leqslant N)$ 为下鞅列，则对任意 $a < b$，有

$$Ev[a, b] \leqslant \frac{E(X_N - a)^+}{b - a} \leqslant \frac{EX_N^+ + |a|}{b - a}.$$

证 因为 $(X_0, \cdots, X_N)$ 上穿 $[a, b]$ 的次数等于非负下鞅 $(X_n - a)^+, 0 \leqslant n \leqslant N$ 上穿 $[0, b - a]$ 的次数． 所以不妨设 $a = 0$，且下鞅 $(X_n, 0 \leqslant n \leqslant N)$ 为非负下鞅．这样一来只需证明，对任意 $b > 0$ 有

$$Ev[0, b] \leqslant \frac{FX_N}{b}.$$

令

$$a_i = \begin{cases} 1, & \text{若有 } k \text{ 使得 } \tau_k < i \leqslant \sigma_k, \\ 0, & \text{若有 } k \text{ 使得 } \sigma_k < i \leqslant \tau_{k+1}, \end{cases}$$

于是有

$$bv[0, b] \leqslant \sum_{i=1}^{N} a_i[X_i - X_{i-1}] \qquad \text{a. s.}$$

但 $\{a_i = 1\} = \bigcup_k \{(\tau_k < i) \backslash (\sigma_k < i)\} \in \mathscr{F}_{i-1}$，故 $a_i \in \mathscr{F}_{i-1}$．取 $b_i \equiv 1$, $a_0 = 1$．利用定理 5.1.4 证明中的(5)式，则有（注意这时 X 为下鞅）

$$bEv[0, b] \leqslant E \sum_{i=0}^{N} a_i [X_i - X_{i-1}] \leqslant E \sum_{i=0}^{N} [X_i - X_{i-1}]$$

$$\leqslant EX_N - EX_0 \leqslant EX_N. \text{ 证毕}$$

§2. 鞅列的收敛问题

定理 5.2.1 设 $X = (X_n, \mathscr{F}_n, n \in \boldsymbol{N})$ 为下鞅或鞅，若 $\sup\limits_n EX_n^+ < \infty$, 则当 $n \to \infty$ 时 X_n 概率为一地收敛于可积随机变量,记之为 X_∞, 且 $EX_\infty \leqslant \sup\limits_n EX_n^+, E|X_\infty| \leqslant \sup\limits_n E|X_n| < \infty$.

注意,条件 $\sup\limits_n EX_n^+ < \infty$ 等价于条件 $\sup\limits_n E|X_n| < \infty$. 因为 $|X_n| = 2X_n^+ - X_n$, 故 $E|X_n| = 2EX_n^+ - EX_n \leqslant 2EX_n^+ - EX_0$ (X 为下鞅),从而 $\sup\limits_n E|X_n| < \infty$.我们把满足条件:$\sup\limits_n E|X_n| < \infty$ 的随机序列叫做 L_1 有界序列.

证 令 $\underline{X} \triangleq \liminf\limits_{n \to \infty} X_n$, $\overline{X} \triangleq \limsup\limits_{n \to \infty} X_n$, 对任意有理数 $r_1 < r_2$, 记

$$A_{r_1 r_2} = \{\underline{X} < r_1 < r_2 < \overline{X}\},$$

于是

$$\{\overline{X} \neq \underline{X}\} = \bigcup_{r_1 < r_2} A_{r_1 r_2},$$

此处 $r_1 < r_2$ 取遍所有的有理数. 令 v_n 为 $(X_0, X_1, \cdots, X_n)$ 上穿 $[r_1, r_2]$ 的个数. 当 $\omega \in A_{r_1 r_2}$ 时必有 $v_n(\omega) \uparrow v(\omega) = +\infty$ ($n \to \infty$). 往证 $P\{v = +\infty\} = 0$. 由定理 5.1.11 知

$$Ev = \sup_n Ev_n \leqslant \frac{\sup\limits_n E(X_n - r_1)^+}{r_2 - r_1},$$

但由假设知 $\sup\limits_n E(X_n - r_1)^+ < \infty$, 故 $Ev < \infty$. 由此知

$$P\{v = +\infty\} = 0.$$

另一方面 $A_{r_1 r_2} \subset \{v = +\infty\}$, 所以 $P(A_{r_1 r_2}) = 0$, 对任意

$r_1 < r_2$，从而 $P\{\overline{X} \neq \underline{X}\}=0$，这就是说 a.s. 存在 $\lim\limits_{n\to\infty} X_n(=X_\infty)$。由 Fatou 引理知 $E|X_\infty| \leqslant \sup\limits_n E|X_n| < \infty$。又因 $X_n^+ \to X_\infty^+$ a.s. 故有 $EX_\infty^+ \leqslant \sup EX_n^+$。证毕

注 1 由定理直接推出：若 $(X_n, \mathscr{F}_n, n\in \boldsymbol{N})$ 为负下鞅(或非负上鞅)，则概率为一地存在 $\lim\limits_{n\to\infty} X_n = X_\infty$。若令 $\mathscr{F}_\infty = \bigvee\limits_{n=0}^{\infty} \mathscr{F}_n$，则 $(X_n, \mathscr{F}_n, n\in \overline{\boldsymbol{N}})$ 为负下鞅（或非负上鞅），此处 $\overline{\boldsymbol{N}} = \boldsymbol{N} \cup \{+\infty\}$。

注 2 对上鞅而言，条件 $\sup\limits_n EX_n^- < \infty$ 等价于条件

$$\sup_n E|X_n| < \infty$$

(L_1 有界)。因为 $E|X_n| = EX_n + 2EX_n^- \leqslant EX_0 + 2EX_n^-$。

若 (X_n) 是上鞅，则 $(-X_n)$ 是下鞅，且 $(-X_n)^+ = X_n^-$，所以当上鞅 (X_n) 满足条件 $\sup\limits_n EX_n^- < \infty$ 时，则 a.s. 存在

$$\lim_{\to\infty} X_n(=X_\infty).$$

总之不管 (X_n) 为上鞅或下鞅或鞅，如果它们是 L_1 有界，则 a.s. 存在 $\lim\limits_{n\to\infty} X_n(=X_\infty)$。

定义 5.2.2 设 $X=(X_n, \mathscr{F}_n, n\in \boldsymbol{N})$ 为下鞅(鞅)，我们说 (X_n) 封闭(正则)，如果存在可积随机变量 Y，使得对一切 n 有

$$E(Y|\mathscr{F}_n) \geqslant X_n \text{ a.s.} \ (E(Y|\mathscr{F}_n) = X_n \text{ a.s.}),$$

Y 叫做封闭元素。Y 叫做最近的封闭元素，如果 $Y \in \mathscr{F}_\infty = \bigvee\limits_{n=1}^{\infty} \mathscr{F}_n$，且对任意其它封闭元素 Z 恒有 $Y \leqslant E(Z|\mathscr{F}_\infty)$。

定理 5.2.3 设 $X=(X_n, \mathscr{F}_n, n\in \boldsymbol{N})$ 为下鞅或鞅，于是 $X_n \xrightarrow[n]{} X_\infty (r \geqslant 1)$ 的充要条件是 $(|X_n|^r)$ 为一致可积族。在此条件下必有 $X_n \xrightarrow[\text{a.s.}]{} X_\infty$，且 X_∞ 是最近的封闭元素。

证 若 $X_n \xrightarrow[r]{} X_\infty$，则由定理 1.4.4 知 $(|X_n|^r)$ 为一致可积

族. 反之,若 $(|X_n|^r)$ 为一致可积族,则 $(E|X_n|^r)$ 为一致有界,从而 $\sup_n E|X_n|<\infty$.由上一定理知 $X_n \xrightarrow{a.s.} X_\infty$ 且 $E|X_\infty|<\infty$. 再由定理 1.4.4 知 $X_n \xrightarrow[r]{} X_\infty$.

先证 X_∞ 是封闭元素. 由下鞅的定义性质知，对任意 $B_n\in\mathscr{F}_n$ 有

$$\int_{B_n} X_n P(d\omega) \leqslant \int_{B_n} X_{n+m} P(d\omega),$$

令 $m\to\infty$, 则由 $X_n \xrightarrow[a.s.]{r} X_\infty(\in\mathscr{F}_\infty)$ 有

$$\int_{B_n} X_n P(d\omega) \leqslant \int_{B_n} X_\infty P(d\omega),$$

故 X_∞ 为封闭元素. 往证 X_∞ 为最近的封闭元素,显见 $X_\infty\in\mathscr{F}_\infty$, 往证若 Y 为另外封闭元素，必有 $X_\infty\leqslant E(Y|\mathscr{F}_\infty)$, 也就是证明, 对任意 $B\in\mathscr{F}_\infty$, 有

$$\int_B X_\infty P(d\omega) \leqslant \int_B Y P(d\omega).$$

首先对任意 $B_n\in\mathscr{F}_n\subset\mathscr{F}_{n+m}$, 由 Y 的封闭性知

$$\int_{B_n} X_{n+m} P(d\omega) \leqslant \int_{B_n} Y P(d\omega),$$

令 $m\to\infty$ 得

$$\int_{B_n} X_\infty P(d\omega) \leqslant \int_{B_n} Y P(d\omega).$$

此不等式对任意 n 都成立,所以对任意 $A\in\bigcup_n\mathscr{F}_n$ 也有

$$\int_A X_\infty P(d\omega) \leqslant \int_A Y P(d\omega).$$

令 $\mu(A)=\int_A (Y-X_\infty)P(d\omega)$, $\mu(A)$ 是 $\bigcup_n\mathscr{F}_n$ 上非负有穷测度,所以可以把它扩张到 $\sigma\left(\bigcup_n\mathscr{F}_n\right)=\mathscr{F}_\infty$ 上，而且仍保持非负有穷性,从而上不等式对任意 $A\in\mathscr{F}_\infty$ 都成立. 证毕

定理 5.2.4 令 $X=(X_n, \mathscr{F}_n, n\in \boldsymbol{N})$ 为非负下鞅.

(i) 若 Y 为封闭元素，且 $Y\in L_r(r\geqslant 1)$，则当 $n\to\infty$ 时，$X_n \xrightarrow[r]{} X_\infty$.

(ii) 若对某个 $r>1$，$\sup\limits_n E|X_n|^r<\infty$，则 $(|X_n|^r)$ 为一致可积.

证

(i) 为了证明 $X_n \xrightarrow[r]{} X_\infty$，由定理 5.2.3 知，只需证$(|X_n|^r)$为一致可积族. 对任意常数 $C>0$，令

$$B_n=\{|X_n|\geqslant C\},\ B=\{\sup_n |X_n|\geqslant C\},$$

于是 $\bigcup\limits_n B_n\subset B$. 因为 $(|X_n|^r, \mathscr{F}_n, n\in \boldsymbol{N})$ 仍为非负下鞅，且 $|Y|^r$ 仍为封闭元素，故由定理 5.1.9 知，对一切 n 有

$$P\{X_n^*\geqslant C\}\leqslant \frac{1}{C^r}E|X_n|^r\leqslant \frac{1}{C^2}E|Y|^2,$$

由此知

$$P\{B\}\leqslant \frac{1}{C^r}E|Y|^r.$$

所以当 $C\to\infty$ 时，$P\{B\}\to 0$，从而 $\int_B |Y|^r P(d\omega)\to 0$. 又由下鞅的定义性质知(因为 $B_n\in\mathscr{F}_n$)

$$\int_{B_n}|X_n|^r\leqslant \int_{B_n}|Y|^r\leqslant \int_B |Y|^r\to 0 \qquad (c\to\infty).$$

所以当 $C\to\infty$ 时，有

$$\sup_n \int_{|X_n|\geqslant c}|X_n|^r P(d\omega)\to 0,$$

这就是说$(|X_n|^r)$为一致可积族.

(ii) 对任意 $c>0$

$$\int_{|X_n|\geqslant c}|X_n|=\int_{|X_n|\geqslant C}\frac{|X_n|^r}{|X_n|^{r-1}}\leqslant \frac{1}{c^{r-1}}\int |X_n|^r$$

$$\leqslant \frac{1}{c^{r-1}}\sup_n E|X_n|^r,$$

故

$$\lim_{c\to 0}\sup_{n}\int_{|X_n|\geqslant c}|X_n|P(d\omega)=0,$$

这就是说 $(|X_n|)$ 为一致可积族．故由定理 5.2.3 知 $X_n \xrightarrow[\text{a.s.}]{L_1} X_\infty$，且 $(X_n, \mathscr{F}_n, n\in \bar{\boldsymbol{N}})$ 为下鞅(鞅)，X_∞ 为封闭元素．但由 Fatou 引理知 $EX_\infty^r\leqslant \varliminf_{n\to\infty} EX_n^r<\infty$．于是由上面所证的 (i) 知 $X_n \xrightarrow[r]{} X_\infty$．再由定理 5.2.3 知 $(|X_n|^r)$ 为一致可积族．证毕

定理 5.2.5 设 $X=(X_n, \mathscr{F}_n, n\in \boldsymbol{N})$ 为下鞅（鞅），欲族 (X_n) 为一致可积，当且仅当 $X_n \xrightarrow[p]{} X_\infty$，$X_\infty$ 为封闭元素，

$$EX_n\to EX_\infty<\infty.$$

证 必要性．设 (X_n) 为一致可积下鞅(鞅)，则由定理 5.2.3 知 $X_n \xrightarrow[L_1]{} X_\infty$，$X_\infty$ 为最近的封闭元素，且 $EX_n\to EX_\infty$．

充分性．设 $X_n \xrightarrow[p]{} X_\infty$，$X_\infty$ 为封闭元素，$EX_n\to EX_\infty<\infty$．由此知 $(X_n^+, \mathscr{F}_n, n\in \bar{\boldsymbol{N}})$ 为非负下鞅，且 $EX_\infty^+\leqslant E|X_\infty|<\infty$．所以由定理 5.2.4 知 $X_n^+ L_1$ 趋于极限，此极限必为 X_∞^+．再由定理 5.2.3 知，$X_n^+ \xrightarrow[\text{a. s.}]{} X_\infty^+$，且 (X_n^+) 为一致可积族．由此及假设知 $X_n^- \xrightarrow[p]{} X_\infty^-$，$EX_n^-\to EX_\infty^-<\infty$．因为 $(X_\infty^- - X_n^-)^+\leqslant X_\infty^-$（可积），且 $(X_\infty^- - X_n^-)^+ \xrightarrow[p]{} 0$，故由控制收敛定理知

$$\int (X_\infty^- - X_n^-)^+P(d\omega)\to 0.$$

此外我们有

$$0\leftarrow\int (X_\infty^- - X_n^-)P(d\omega)=\int (X_\infty^- - X_n^-)^+ -\int (X_\infty^- - X_n^-)^-$$

故得

$$\int (X_\infty^- - X_n^-)^-P(d\omega)\to 0.$$

与前式结合,得 $X_n^- \xrightarrow{L_1} X_\infty^-$, 所以 (X_n^-) 也为一致可积族, 但已知 (X_n^+) 为一致可积族,故 (X_n) 为一致可积族. 证毕

定理 5.2.6 设 $X=(X_n, \mathscr{F}_n, n\in \boldsymbol{N})$ 为鞅, 于是下列四条等价:

(a) 存在随机变量 Y, $E|Y|<\infty$, 使得 $X_n=E(Y|\mathscr{F}_n)$ a. s.(这样的鞅叫做正则鞅).

(b) $X_n \xrightarrow[L_1]{} X_\infty$ $(n\to\infty)$.

(c) (X_n) 为一致可积鞅.

(d) $\sup\limits_n E|X_n|<\infty$ (L_1 有界鞅,必有 $X_n \xrightarrow[\text{a.s.}]{} X_\infty$),

且 $X_n=E(X_\infty|\mathscr{F}_n)$ a. s.

证 (a) ⇒ (b) 由 (a) 知 $|X_n|\leqslant E(|Y||\mathscr{F}_n)$ a. s. 故非负下鞅 $(|X_n|, \mathscr{F}_n, n\in \boldsymbol{N})$ 以 $|Y|$ 为封闭元素. 从而由定理 5.2.4 (i) 推出 $X_n \xrightarrow[L_1]{} X_\infty$. (b) ⇒ (c) 是定理 5.2.3 的特款 $r=1$ 时的情形. (c) ⇒ (d) 也由定理 5.2.3 推出. (d) ⇒ (a) 取 $Y=X_\infty$. 证毕

下面我们证明鞅反列的收敛定理. 我们把下降 σ 域列记为 $(\mathscr{G}_n)$: $\mathscr{G}_0\supset\mathscr{G}_1\supset\cdots$

定理 5.2.7 设 $X=(X_n, \mathscr{G}_n, n\geqslant 0)$ 为下鞅(鞅)反列. 若 $EX_0^+<\infty$, 则当 $n\to\infty$ 时, 概率为一地存在 X_n 的极限, 记之为 $\lim X_n=X_\infty$ a. s. $EX_\infty\leqslant EX_\infty^+\leqslant EX_0^+<\infty$.

对鞅反列,若还有 $EX_0^-<\infty$ (即 $E|X_0|<\infty$), 则

$$X_\infty>-\infty \text{ a.s.}$$

证 和定理 5.2.1 的证明一样,可以证明 a. s. 存在

$$\lim_{n\to\infty} X_n(=X_\infty),$$

但 X_∞ 取值于 $\bar{\boldsymbol{R}}$. 此外因为 $X_n^+\to X_\infty^+$ a. s., 故由 Fatou 引理知,

$$EX_\infty^+\leqslant \sup_n EX_n^+\leqslant EX_0^+<\infty \quad (X_\infty\leqslant X_\infty^+<\infty \text{ a.s.}).$$

对鞅反列, 若还有 $EX_0^-<\infty$, 同样可证 $X_\infty^-<\infty$ a. s., 故 $X_\infty>-\infty$ a. s. 证毕

注 对下鞅反列,既或加上条件 $EX_0^- < \infty$,其极限 X_∞ 也可以为$-\infty$. 例如取 $X_n = -n$.

定理 5.2.8 设 $X = (X_n, \mathscr{G}_n, n \geqslant 0)$ 为下鞅(鞅)反列,则 $X_n \xrightarrow[r]{} X_\infty (r \geqslant 1)$ 当且仅当 $(|X_n|^r)$ 为一致可积族. 当条件成立时, $X_n \xrightarrow[\text{a. s}]{} X_\infty$, 且 X_∞ 是最近的封闭元素.

证 完全与定理 5.2.3 的证明一样,可证定理的前半部分. 剩下需证 X_∞ 是最近的封闭元素. 先证 $(X_n, \mathscr{G}_n, n \in \bar{\boldsymbol{N}})$ 为下鞅反列. 此处 $\mathscr{G}_\infty = \bigcap_{n=1}^{\infty} \mathscr{G}_n$. 这需要证明对任意 $B \in \mathscr{G}_\infty$, 下式成立:

$$\int_B X_\infty P(d\omega) \leqslant \int_B X_n P(d\omega). \tag{1}$$

我们知道,对任意 $B \in \mathscr{G}_\infty \subset \mathscr{G}_{n+m}$ 恒有

$$\int_B X_{n+m} P(d\omega) \leqslant \int_B X_n P(d\omega),$$

令 $m \to \infty$ 即得(1),故 X_∞ 为封闭元素. 再证它是最近的封闭元素. 显见 $X_\infty \in \mathscr{G}_\infty$. 设 Y 为另一封闭随机变量,则对任意 $c \in \sigma(Y)$, 有

$$\int_c YP(d\omega) \leqslant \int_c X_n P(d\omega),$$

令 $n \to \infty$, 由上式得

$$\int_c YP(d\omega) \leqslant \int_c X_\infty P(d\omega).$$

这就是说 $(Y, X_\infty \cdots X_1, X_0)$ 为下鞅. 证毕

定理 5.2.9

(i) 设 $(X_n, \mathscr{G}_n, n \in \boldsymbol{N})$ 为非负下鞅反列或鞅反列,若 $X_0 \in L_r (r \geqslant 1)$,则 $(|X_n|^r)$ 一致可积(当然有 $X_n \xrightarrow[r]{} X_\infty$).

(ii) 设 $(X_n, \mathscr{G}_n, n \in \boldsymbol{N})$ 为下鞅(鞅)反列,则 (X_n) 为一致可积族的充要条件是 $\sup\limits_n E|X_n| < \infty$ $\left(从而有 X_n \xrightarrow[\text{a.s.}]{L_1} X_\infty, 且 X_\infty 为封闭元素\right)$.

证 (i) 显然. 往证 (ii). 若 (X_n) 为一致可积,必有

$$\sup_n E|X_n| < \infty.$$

反之若 $\sup_n E|X_n| < \infty$, 往证(X_n) 为一致可积. 令

$$A_n = \{|X_n| \geqslant c\}, \quad c > 0.$$

于是当 $c \to \infty$ 时,有

$$P(A_n) \leqslant \frac{E|X_n|}{c} \leqslant \frac{\sup_n E|X_n|}{c} \to 0,$$

对 n 一致. 故当 $n > m$时, 有

$$\begin{aligned}\int_{A_n} |X_n| &= \int_{A_n} X_n^+ - \int_{A_n} (X_n - X_n^+) \\ &= 2\int_{A_n} X_n^+ + \int_{A_n^c} X_n - EX_n \\ &\leqslant 2\int_{A_n} X_m^+ + \int_{A_n^c} X_m - EX_m \\ &= \int_{A_n} |X_m| + EX_m - EX_n.\end{aligned}$$

但由假设 $\sup_n E|X_n| < \infty$, 且 (EX_n) 为降列, 故当 $n \to \infty$ 时 EX_n 的极限存在. 所以对任意 $\varepsilon > 0$, 可选 m 足够大时, 使得 $0 \leqslant EX_m - EX_n < \varepsilon$. 故由上不等式得:

$$\int_{A_n} |X_n| \leqslant \int_{A_n} |X_m| + \varepsilon, \qquad n > m \geqslant N.$$

因为当 $c \to \infty$ 时 $P(A_n) \to 0$,故当 $c \geqslant K$ 时, 对任意 n 都有 $\int_{A_n} |X_m| < \varepsilon$. 由此及上不等式得

$$\sup_{n \geqslant N} \int_{\{|X_n| \geqslant c\}} |X_n| < 2\varepsilon, \text{ 当 } c \geqslant K,$$

由此立刻推知 (X_n) 为一致可积. 证毕

定理 5.2.10 (Lévy 定理) 设 Y 为随机变量,$(\mathscr{F}_n, n \in \boldsymbol{Z})$ 为非降 σ 域列. 令 $\mathscr{F}_\infty = \bigvee_{n=-\infty}^{+\infty} \mathscr{F}_n$, $\mathscr{F}_{-\infty} = \bigcap_{n=-\infty}^{+\infty} \mathscr{F}_n$. 于是有:

(i) 若 $Y \in L_r$, $r \geqslant 1$, 则

$$E(Y|\mathscr{F}_n) \xrightarrow[r]{} \begin{cases} E(Y|\mathscr{F}_{-\infty}), & (n \to -\infty), \\ E(Y|\mathscr{F}_{\infty}), & (n \to +\infty). \end{cases}$$

(ii) 若 $E|Y| < +\infty$，则

$$E(Y|\mathscr{F}_n) \xrightarrow[\text{a.s.}]{} \begin{cases} E(Y|\mathscr{F}_{-\infty}), & (n \to -\infty), \\ E(Y|\mathscr{F}_{\infty}), & (n \to +\infty). \end{cases}$$

证 往证 (i) 里的第一情形． 令 $X_n = E(Y|\mathscr{F}_n)$，于是 $(X_n, \mathscr{F}_n, -\infty \leqslant n \leqslant 0)$为鞅反列．这时利用定理 5.2.9 (i) 可知 $(|X_n|^r, -\infty \leqslant n \leqslant 0)$ 为一致可积族．再由定理 5.2.8，便得 $X_n = E(Y|\mathscr{F}_n) \xrightarrow[r]{} X'_{-\infty} (n \to -\infty)$． 剩下的要证 $X'_{-\infty} = E(Y|\mathscr{F}_{-\infty})$a. s. 为此，对任意 $B \in \mathscr{F}_{-\infty}$，由鞅性有

$$\int_B X_n = \int_B E(Y|\mathscr{F}_{-\infty}).$$

但当 $n \to -\infty$ 时，$X_n \xrightarrow[r]{} X'_{-\infty}$，由上式推出：

$$\int_B X'_{-\infty} = \int_B E(Y|\mathscr{F}_{-\infty}).$$

因为 B 为任意 $\mathscr{F}_{-\infty}$ 可测集，故由上式知 $X'_{-\infty} = E(Y|\mathscr{F}_{-\infty})$ a. s.

同理可证其余情形．证毕

注 我们给一个例子说明 $(X_n, \mathscr{F}_n, n \in \boldsymbol{N})$ 为鞅，但 $\lim\limits_{n\to\infty} X_n\ (=X_\infty)$ 并不封闭 (X_n)． 由此可见定理 5.2.3 里的条件不可取消．

设 (Y_k) 为独立随机变量，每个 Y_k 都是正态分布，均值为 0，方差为 1．取

$$X_n = \exp\left(\sum_0^n Y_k - \frac{1}{2}(n+1)\right), \quad \mathscr{F}_n = \sigma(Y_k, k \leqslant n).$$

易证 $(X_n, \mathscr{F}_n, n \in \boldsymbol{N})$ 为鞅．但

$$\lim_{n\to\infty} X_n = \lim_{n\to\infty} \exp\left\{(n+1)\left[\frac{\sum_0^n Y_k}{n+1} - \frac{1}{2}\right]\right\} = 0,$$

$\left(\text{强大数法则：} \sum\limits_0^n Y_k/n+1 \to 0 \text{ a. s.}\right)$ 故，$X_\infty = 0$．显见 $X_n \neq$

$E(X_\infty|\mathscr{F}_n)=0$ a. s.

§3. 上鞅列的分解

仿照分析里的调和函数与上调和函数，我们给出下列定义：

定义 5.3.1

(a) 设 $(X_n, \mathscr{F}_n, n\in \boldsymbol{N})$ 为上鞅 $\sup\limits_n EX_n^- < \infty$，则其 a. s. 极限 $X_\infty=\lim\limits_{n\to\infty} X_n$ 叫做上鞅 X 的随机边界函数.

(b) 鞅 $(E(X_\infty|\mathscr{F}_n))$ 叫做与上鞅 X 伴随的随机 Dirichlet 解，或伴随随机边界函数 X_∞ 的 Dirichlet 解.

(c) 随机列 $\Pi=(\Pi_n, \mathscr{F}_n, n\in \boldsymbol{N})$ 称为位势，如果它是非负上鞅，且 $\lim\limits_{n\to\infty} E\Pi_n=0$.

因为 Π 为非负上鞅，故概率为一地存在 $\lim\limits_{n\to\infty}\Pi_n\ (=\Pi_\infty)$，且 $E\Pi_\infty \leqslant \lim\limits_{n\to\infty} E\Pi_n=0$，由此得 $\Pi_\infty=0$ a. s.

定理 5.3.2 (Riesz 分解定理) 设 $X=(X_n, \mathscr{F}_n, n\in \boldsymbol{N})$ 为上鞅，它控制某个下鞅 $Y=(Y_n, \mathscr{F}_n, n\in \boldsymbol{N})$，即 $X_n \geqslant Y_n$ a. s., $n\in \boldsymbol{N}$. 于是存在如下的唯一的分解

$$X_n=M_n+\Pi_n,\ n\in \boldsymbol{N}, \tag{1}$$

此处 $M=(M_n, \mathscr{F}_n, n\in \boldsymbol{N})$ 为鞅，$\Pi=(\Pi_n, \mathscr{F}_n, n\in \boldsymbol{N})$ 为位势.

证 对每个 $n\in \boldsymbol{N}$，令

$$X_{n,p}=E(X_{n+p}|\mathscr{F}_n),\ p=0,1,2,\cdots,$$

由于 X 为上鞅，有

$$X_{n,p+1}=E(X_{n+p+1}|\mathscr{F}_n)\leqslant E(X_{n+p}|\mathscr{F}_n)=X_{n,p},$$

故 $(X_{n,p}, p=0,1,2,\cdots)$ 是降列，且由假设知

$$X_{n,p}=E(X_{n+p}|\mathscr{F}_n)\geqslant E(Y_{n+p}|\mathscr{F}_n)\geqslant Y_n,$$

所以 $(X_{n,p}, p=0,1,2,\cdots)$ 为于下有界的降列，故概率为一地存在 $\lim\limits_{p\to\infty} X_{n,p}(=M_n)$，且 $Y_n\leqslant M_n\leqslant X_n$. 从而 M_n 为可积，且对

每个 n，由单调收敛定理有

$$E(M_{n+1}|\mathscr{F}_n)=E(\lim_{p\to\infty}X_{n+1,p}|\mathscr{F}_n)$$
$$=\lim_{p\to\infty}E(X_{n+1,p}|\mathscr{F}_n)$$
$$=\lim_{p\to\infty}E(X_{n+1+p}|\mathscr{F}_n)=\lim_{p\to\infty}E(X_{n,p+1}|\mathscr{F}_n)$$
$$=\lim_{p\to\infty}X_{n,p+1}=M_n.$$

由此可见M为鞅.

令 $\Pi_n=X_n-M_n$. 因为 $X_n\geqslant M_n$ a.s. 故 $\Pi_n\geqslant 0$ a.s.，显见Π为上鞅. 往证 $E\Pi_n\to 0(n\to\infty)$.

$$E(\Pi_{n+p}|\mathscr{F}_n)=E(X_{n+p}-M_{n+p}|\mathscr{F}_n)$$
$$=E(X_{n+p}|\mathscr{F}_n)-M_n$$
$$=X_{n,p}-M_n\downarrow 0\ (p\to\infty),$$

由单调收敛定理知

$$\lim_{p\to\infty}E\Pi_{n+p}=\lim_{p\to\infty}E(E(\Pi_{n+p}|\mathscr{F}_n))=0.$$

往证分解的唯一性. 设还有同样性质的另一分解: $X_n=M'_n+\Pi_n$，于是

$$E(X_{n+p}|\mathscr{F}_n)=E(M'_{n+p}|\mathscr{F}_n)+E(\Pi'_{n+p}|\mathscr{F}_n)$$
$$=M'_n+E(\Pi'_{n+p}|\mathscr{F}_n),$$

令 $p\to\infty$，由上式推知 $M_n=M'_n$ a.s. $n\in\boldsymbol{N}$，从而 $\Pi=\Pi'$ a.s. 证毕

注 由定理看出，若一个上鞅控制某个下鞅，则此上鞅必控制一个鞅. 由此可见，若一个上鞅有 Riesz 分解，则它必控制一个下鞅.

利用 Riesz 分解可以证明 Doob 的可选定理，它是系 5.1.5 的推广.

定理 5.3.3 设 $X=(X_n,\mathscr{F}_n,n\in\boldsymbol{N})$ 为上鞅，它控制某个正则鞅 $(E(Y|\mathscr{F}_n),\ n\in\boldsymbol{N})$，$E|Y|<\infty$. 设$\sigma$，$\tau$ 为可选时，$\sigma\leqslant\tau$ a.s.，则概率为一地有

$$E(X_\tau|\mathscr{F}_\sigma)\leqslant X_\sigma.$$

证 证明分几步:

(a) 先证明X本身是正则鞅的情形. 对每个$A\in\mathscr{F}_\tau$, 因为$A\cap(\tau=n)\in\mathscr{F}_n$, 所以有

$$\int_A YP(d\omega)=\sum_{n\in\bar{N}}\int_{A\cap(\tau=n)}YP(d\omega)$$
$$=\sum_{n\in\bar{N}}\int_{A\cap(\tau=n)}E(Y|\mathscr{F}_n)P(d\omega)$$
$$=\sum_{n\in\bar{N}}\int_{A\cap(\tau=n)}X_nP(d\omega)=\int_A X_\tau P(d\omega),$$

故$X_\tau=E(Y|\mathscr{F}_\tau)$ a.s. 从而有

$$E(X_\tau|\mathscr{F}_\sigma)=E(E(Y|\mathscr{F}_\tau)|\mathscr{F}_\sigma)=E(Y|\mathscr{F}_\sigma)$$
$$=X_\sigma\qquad \text{a.s.}$$

所以 Doob 可选定理对正则鞅(一致可积鞅)的情形成立.

(b) 再证明当$\sigma\leqslant\tau<\infty$ a.s. 时, 定理成立. 因为$X_n=E(Y|\mathscr{F}_n)+[X_n-E(Y|\mathscr{F}_n)]\triangleq E(Y|\mathscr{F}_n)+\eta_n$, 此处$\eta=(\eta_n,\mathscr{F}_n,n\in\boldsymbol{N})$为非负上鞅(因$X_n\geqslant E(Y|\mathscr{F}_n)$). 由已证的(a)知,只需证明对任意非负上鞅$\eta$,且$\sigma\leqslant\tau<\infty$ a.s. 时,定理成立. 首先有$E\eta_\tau<\infty$. 事实上, 令$\tau_k=\tau\wedge k$, 由系 5.1.6 知$E\eta_{\tau_k}\leqslant E\eta_0$. 因为$\eta_\tau=\eta_\tau I_{(\tau<\infty)}=\lim\limits_{k\to\infty}\eta_{\tau_k}I_{(\tau<\infty)}$, 故由 Fatou 引理得

$$E\eta_\tau\leqslant\liminf_{k\to\infty}E\eta_{\tau_k}\leqslant E\eta_0<\infty.$$

对有界可选时τ_k及$\sigma_k=\sigma\wedge k$, 由系 5.1.5 知

$$E(\eta_{\tau_k}|\mathscr{F}_{\sigma_k})\leqslant\sigma_{\sigma_k}\qquad \text{a.s.}$$

所以当$A\in\mathscr{F}_\sigma$时, 由于$A\cap\{\sigma\leqslant k\}\in\mathscr{F}_{\sigma\wedge k}=\mathscr{F}_{\sigma_k}$, 由上不等式有

$$\int_{A\cap\{\sigma\leqslant k\}}\eta_{\sigma k}P(d\omega)\geqslant\int_{A\cap\{\sigma\leqslant k\}}\eta_{\tau_k}P(d\omega).$$

但$\{\tau\leqslant k\}\subset\{\sigma\leqslant k\}$, 且$\eta\geqslant0$ a.s. 故由上不等式得

$$\int_{A\cap\{\sigma\leqslant k\}}\eta_{\sigma_k}P(d\omega)\geqslant\int_{A\cap\{\tau\leqslant k\}}\eta_{\tau_k}P(d\omega),$$

此即

$$\int_{A\cap\{\sigma\leqslant k\}}\eta_\sigma P(d\omega)\geqslant\int_{A\cap\{\tau\leqslant k\}}\eta_\tau P(d\omega).$$

令 $k\to\infty$, 由上式得

$$\int_{A\cap\{\sigma<\infty\}}\eta_\sigma P(d\omega)\geqslant\int_{A\cap\{\tau<\infty\}}\eta_\tau P(d\omega),\ \forall A\in\mathscr{F}_\sigma.$$

但 $\sigma\leqslant\tau<\infty$ a. s., 上式即是说 $E(\eta_\tau|\mathscr{F}_\sigma)\leqslant\eta_\sigma$ a. s.

(c) 最后证一般情形. 仍如 (b), 令 $X_n=E(Y|\mathscr{F}_n)+\eta_n$, $\eta=(\eta_n,\mathscr{F}_n,n\in\boldsymbol{N})$ 为非负上鞅. 由定理 5.3.2 可把 η 分解为 $\eta_n=M_n+\Pi_n$. 另一方面对非负上鞅, 必存在随机边界函数: $\eta_n\xrightarrow[\text{a. s.}]{}\eta_\infty$, $E\eta_\infty<\infty$. 于是可把 η_n 写作: $\eta_n=E(\eta_\infty|\mathscr{F}_n)+[\eta_n-E(\eta_\infty|\mathscr{F}_n)]$. 但由 Riesz 分解的唯一性知 (因为 $M_n\overset{\text{a. s.}}{=\!=}E(\eta_\infty|\mathscr{F}_n)$), $\Pi_n\overset{\text{a. s.}}{=\!=}\eta_n-E(\eta_\infty|\mathscr{F}_n)$. 由此可见

$$X_n=E(Y+\eta_\infty|\mathscr{F}_n)+\Pi_n.$$

由 (a) 知,只需对 Π 验证定理成立即可. 由 (b) 知,对任意 $A\in\mathscr{F}_\sigma$, 有

$$\int_{A\cap\{\sigma<\infty\}}\Pi_\sigma P(d\omega)\geqslant\int_{A\cap\{\tau<\infty\}}\Pi_\tau P(d\omega).$$

但因 Π 为位势,所以 $\Pi_\infty=0$ a. s. 故上不等式化为

$$\int_A\Pi_\sigma P(d\omega)\geqslant\int_A\Pi_\tau P(d\omega),\ \forall A\in\mathscr{F}_\sigma,$$

此即 $E(\Pi_\tau|\mathscr{F}_\sigma)\leqslant\Pi_\sigma$ a. s. 证毕

由证明里看出 $X_\infty=Y+\eta_\infty$, 它是上鞅 X 的随机边界函数, 鞅 $(E(X_\infty|\mathscr{F}_n),n\in\boldsymbol{N})$ 是上鞅 X 的 Dirichlet 解.

为了讨论上鞅的 Doob 分解,我们引入如下定义

定义 5.3.4 随机序列 $(A_n,\ n\geqslant0)$ 称为增列, 如果 $0=A_0\leqslant A_1\leqslant\cdots$ a. s., 我们也可以称之为增过程.

注意在定义里我们并未涉及它们对上升 σ 域列 $(\mathscr{F}_n)$ 是否适应的问题. 如果增列 $A_n\in\mathscr{F}_{(n-1)\vee0}$, 则称此增列为可料增列.

对增列 (A_n), a. s. 存在 $\lim\limits_{n\to\infty}A_n\triangleq A_\infty$. 若 A_∞ 为可积随机变

量，则说此增列为可积增列，

若增列 (A_n) 为 $(\mathscr{F}_n)$ 适应，且 $EA_n<\infty$, $n\in\boldsymbol{N}$, 则 $(A_n, \mathscr{F}_n, n\geqslant 0)$ 必为非负下鞅. 对每个 n, 定义

$$A_n^p=\sum_{k=0}^{n} E(A_k-A_{k-1}\mid\mathscr{F}_{(k-1)\vee 0})\geqslant 0,\quad A_{-1}=0. \text{ a.s.} \tag{2}$$

增列 $(A_n^p, n\geqslant 0)$ 必是可料增列，它叫做 (A_n) 的可料对偶投影.

命题 5.3.5 设适应增列 $(A_n, \mathscr{F}_n, n\geqslant 0)$ 中的每项为可积. $(A_n^p, n\geqslant 0)$ 为它的可料对偶投影. 于是 $M_n\triangleq A_n-A_n^p$, $n\geqslant 0$ 必为鞅列

证 对每个 $n\geqslant 0$, 我们有

$$\begin{aligned}E(M_{n+1}\mid\mathscr{F}_n)&=E(A_{n+1}-A_{n+1}^p\mid\mathscr{F}_n)\\&=E\Big[A_{n+1}-\sum_{k=0}^{n}E(A_k-A_{k-1}\mid\mathscr{F}_{(k-1)\vee 0})\\&\quad -E(A_{n+1}-A_n\mid\mathscr{F}_{n\vee 0})\mid\mathscr{F}_n\Big]\\&=A_n-A_n^p=M_n\quad \text{a.s.}\end{aligned}$$ 证毕

由此可见非负下鞅增列 (A_n) 可以分解为

$$A_n=M_n+A_n^p,$$

其中 $(M_n, \mathscr{F}_n, n\geqslant 0)$ 为鞅，$(A_n^p, n\geqslant 0)$ 为可料增列. 对于一般的下鞅也有同样的分解. 下面我们叙述上鞅的分解.

定理 5.3.6 (Doob 分解) 设 $X=(X_n, \mathscr{F}_n, n\geqslant 0)$ 为上鞅，于是有唯一的分解：

$$X_n=M_n-A_n,\quad n\geqslant 0\qquad (\text{a.s.}). \tag{3}$$

此处 $(M_n, \mathscr{F}_n, n\geqslant 0)$ 为鞅，$(A_n, n\geqslant 0)$ 为可料增列.

证 取 $A_0=0$, $A_n=\sum_{k=0}^{n-1}E(X_k-X_{k+1}\mid\mathscr{F}_k)$, $n\geqslant 1$. 显见 (A_n) 为可料增列. 令 $M_n=X_n+A_n$, 于是 $M_{n+1}-M_n=X_{n+1}-E(X_{n+1}\mid\mathscr{F}_n)$, 由此知 $(M_n, \mathscr{F}_n, n\geqslant 0)$ 为鞅，从而得分解(3).

往证唯一性. 设另有同样性质的分解 $X_n=M_n'-A_n'$, 于是

有

$$A'_{n+1} - A'_n = (M'_{n+1} - M'_n) + (X_n - X_{n+1}).$$

由可料性知，若把上等式两端对 $\mathscr{F}_n$ 求条件期望，得

$$A'_{n+1} - A'_n = X_n - E(X_{n+1}|\mathscr{F}_n) = A_{n+1} - A_n, \quad n \geqslant 0.$$

但 $A_0 = A'_0 = 0$，用上式递推得 $A_n = A'_n$，$n \geqslant 1$，从而 $M_n = M'_n$ a.s. $n \geqslant 0$. 证毕

系 5.3.7 设 $\Pi = (\Pi_n, \mathscr{F}_n, n \in \boldsymbol{N})$ 为位势，则存在可积可料增列 $(A_n, n \in \boldsymbol{N})$，使得对 $n \geqslant 0$ 有

$$\Pi_n = E(A_\infty|\mathscr{F}_n) - A_n,$$

此处 $A_\infty = \lim\limits_{n\to\infty} A_n$.

证 由 Doob 分解定理得 $\Pi_n = M_n - A_n$，此处M为鞅，A为可料增列. 往证 $M_n = E(A_\infty|\mathscr{F}_n)$ a.s. 我们有 $0 \leqslant A_n \leqslant A_\infty$，且

$$EA_\infty = \lim_{n\to\infty} EA_n = \lim_{n\to\infty}(EM_n - E\Pi_n)$$
$$= \lim_{n\to\infty}(EM_0 - E\Pi_n) = EM_0 < \infty,$$

所以(A_n)为一致可积族. 因为$\Pi_n \geqslant 0$，且当 $n\to\infty$ 时，$E\Pi_n \to 0$（即 $E|\Pi_n - \Pi_\infty| \to 0$），故$(\Pi_n)$也为一致可积族. 从而$(M_n)$是一致可积鞅，且由定理 5.2.6 知概率为一地存在$\lim\limits_{n\to\infty} M_n (= M_\infty)$，及 $E(M_\infty|\mathscr{F}_n) = M_n$. 但由 $\Pi_n = M_n - A_n$ 知，当 $n\to\infty$ 时，$\Pi_\infty = 0$，故 $M_\infty = A_\infty$，所以 $M_n = E(A_\infty|\mathscr{F}_n)$. 证毕

由这个系看出对任意位势 Π，存在可积可料增列(A_n)，使得 $\Pi_n = E(A_\infty|\mathscr{F}_n) - A_n$. 反之易证，若$(A_n, \mathscr{F}_n, n \geqslant 0)$为适应可积增过程$(EA_\infty < \infty)$，则 $E(A_\infty|\mathscr{F}_n) - A_n$，$n \geqslant 0$ 必为位势. 记

$$\Pi'_n \triangleq E(A_\infty|\mathscr{F}_n) - A_n.$$

我们称位势$(\Pi'_n, \mathscr{F}_n, n \geqslant 0)$为适应可积增过程$(A_n)$所产生的位势.

系 5.3.8 设 $X = (X_n, \mathscr{F}_n, n \in \boldsymbol{N})$ 为上鞅，且控制某个下

鞅 $Y=(Y_n, \mathscr{F}_n, n\in \boldsymbol{N})$，于是存在可料增列 (A_n) 及鞅 M，使得对一切 $n\geqslant 0$，

$$X_n = M_n + E(A_\infty|\mathscr{F}_n) - A_n, \qquad \text{a. s.}$$

证 由 Riesz 分解及系 5.3.7 立刻推出本系. 证毕

下面我们给出增列 (A_n) 为可料增列的充要条件.

定理 5.3.9 设增列 (A_n) 为 $(\mathscr{F}_n)$ 适应且可积，为要 (A_n) 是可料增列，当且仅当对每个有界鞅 $M=(M_n, \mathscr{F}_n, n\in \boldsymbol{N})$，恒有

$$E\sum_{n=1}^{\infty} M_{n-1}(A_n - A_{n-1}) = EM_\infty A_\infty,$$

此处 $M_\infty = \lim\limits_{n\to\infty} M_n$.

证 必要性. 设 (A_n) 为可料，$EA_\infty<\infty$. 因为

$$EM_nA_n = E[E(M_nA_n|\mathscr{F}_{n-1})] = EM_{n-1}A_n,$$

故由控制收敛定理知

$$E\sum_{n=1}^{\infty} M_{n-1}(A_n - A_{n-1}) = \lim_{N\to\infty} E\sum_{n=1}^{N} M_{n-1}(A_n - A_{n-1})$$

$$= \lim_{N\to\infty}\sum_{n=1}^{N}[EM_nA_n - EM_{n-1}A_{n-1}]$$

$$= \lim_{N\to\infty} EM_NA_N = EM_\infty A_\infty.$$

充分性. 由条件，对每个有界鞅 M，有

$$E\sum_{n=1}^{\infty} A_n[M_{n-1} - M_n] = 0. \tag{4}$$

对任意可选时 τ，考虑 M 在 τ 处的截尾: $M^\tau \triangleq (M_{\tau\wedge n}, \mathscr{F}_n, n\in \boldsymbol{N})$，由下面的注知 M^τ 仍是有界鞅. 把(4)式应用于 M^τ，得

$$E\sum_{n\leqslant\tau} A_n[M_{n-1} - M_n] = 0. \tag{5}$$

分别取 $\tau=1, \tau=2, \tau=3, \cdots$，则由(5)得

$$EA_1(M_0 - M_1) = 0,$$
$$EA_2(M_1 - M_2) = 0,$$
$$\cdots$$
$$EA_nM_{n-1} - EA_nM_n = 0, \qquad n \geqslant 1.$$

由此,对每个 $n \geqslant 1$ 有

$$E[(M_n - M_{n-1})(A_n - E(A_n | \mathscr{F}_{n-1}))] = 0. \tag{6}$$

现在取

$$M_n = \operatorname{sign}(A_n - E(A_n | \mathscr{F}_{n-1})),$$

定义: $M_k \triangleq E(M_n | \mathscr{F}_k), k < n,$

$M_{n+m} \triangleq M_n, \ m \geqslant 0.$

于是 $(M_k, k \geqslant 0)$ 为有界鞅. 代入(6)得

$$\begin{aligned} 0 &= E\{(\operatorname{sign}[A_n - E(A_n | \mathscr{F}_{n-1})] - M_{n-1})(A_n \\ &\quad - E(A_n | \mathscr{F}_{n-1}))\} = E|A_n - E(A_n | \mathscr{F}_{n-1})| \\ &\quad - E\{M_{n-1}(A_n - E(A_n | \mathscr{F}_{n-1}))\} \\ &= E|A_n - E(A_n | \mathscr{F}_{n-1})|. \end{aligned}$$

由此知 $A_n = E(A_n | \mathscr{F}_{n-1})$ a. s. 换言之,即 A_n 为 $\mathscr{F}_{n-1}$ 可测,对每个 $n \geqslant 0$. 证毕

注 对任意上、下鞅或鞅 X,在可选时 τ 处的截尾 $X_n^\tau = X_{\tau \wedge n}$,仍为上、下鞅或鞅. 这是因为 $X_{\tau \wedge n} \in \mathscr{F}_{\tau \wedge n} \subset \mathscr{F}_n$,且

$$E|X_{\tau \wedge n}| < \infty,$$
$$\begin{aligned} E(X_{\tau \wedge (n+1)} - X_{\tau \wedge n} | \mathscr{F}_n) &= E((X_{n+1} - X_n) I_{(n<\tau)} | \mathscr{F}_n) \\ &= I_{(n<\tau)} E(X_{n+1} - X_n | \mathscr{F}_n) = 0. \end{aligned}$$

§4. 连续参数的鞅

设 $X = (X_t, \mathscr{F}_t, t \in \boldsymbol{R}_+)$ 为上鞅,F 为 $\boldsymbol{R}_+$ 中的子集,$(X_t, t \in F)$ 上穿闭区间 $[a, b]$ 的次数 $v(F, [a, b])$ 如下定义: 考虑 F 里的所有有限子集 $T_n = (t_1, \cdots, t_n)$, $t_1 < t_2 < \cdots < t_n$, n 为任意,序列 $(X_{t_1}, \cdots, X_{t_n})$ 上穿 $[a, b]$ 的次数 $v(T_n, [a, b])$ 已在 §1 中定义,下面我们定义

$$v(F,[a,b])=\sup_{T_n\subset F} v(T_n,[a,b]).$$

引理 5.4.1 对上鞅 X，恒有

$$Ev(S\cap[r,s],[a,b])\leqslant\frac{E(X_s-a)^-}{b-a},$$

此处 S 是 $\boldsymbol{R}_+$ 里的一个可数稠密集.

证 把 r,s 添入 S 里，上穿次数只会增大，故不妨设 $r,s\in S$. 把 $S\cap[r,s]$ 排成 $\{t_1=r,t_2=s\ t_3,\cdots,t_n,\cdots\}$. 取 $T_1=(t_1,t_2,t_3)$，$\cdots$，$T_{n+1}=T_n\cup\{t_{n+3}\}$，$\cdots$，则 $T_n\uparrow S\cap[r,s]$，且 $S\cap[r,s]$ 里的任意有限子集必含于某个 T_n 中. 因此

$$v(S\cap[r,s],[a,b])=\lim_{n\to\infty}v(T_n,[a,b]).$$

若把 T_n 中的元素按大小排列为 $r<t_2^*<\cdots<t_{n+1}^*<s$，则 $(X_r,X_{t_2^*},\cdots,X_{t_{n+1}^*},X_s)$ 是上鞅列，从而由定理 5.1.11 知

$$Ev(T_n,[a,b])\leqslant\frac{E(X_s-a)^-}{b-a}.$$

由此立刻推出引理. 证毕

引理 5.4.2 设 X 为上鞅，S 为 $\boldsymbol{R}_+$ 中任意可数稠密子集，考虑过程 $(X_t,t\in S)$，则对几乎所有 ω，局限于 S 的样本 $X.(\omega)$ 在 $\boldsymbol{R}_+$ 的每个点上都存在左右极限.

证 令

$$H_{n;a,b}=\{v(S\cap[0,n],[a,b])=+\infty\},$$

$$H=\bigcup_{\substack{a<b\\a,b\in\boldsymbol{Q}}}\bigcup_{n=1}^{\infty}H_{n;a,b},$$

由上一引理知 H 是零概集. 同定理 5.2.1 的推理一样，当 $\omega\notin H$，$t\in\boldsymbol{R}_+$ 时，下列极限存在：

$$\lim_{\substack{s\downarrow t\\s\in S}}X_s(\omega)=X_{t+},\ \lim_{\substack{s\uparrow t\\s\in S}}X_s(\omega)=X_{t-}(\omega).$$ 证毕

引理 5.4.3 设 $X=(X_t,\mathscr{F}_t,t\in\boldsymbol{R}_+)$ 为上鞅，令 (t_n) 为 $\boldsymbol{R}_+$ 中的下降列，则 (X_{t_n}) 为一致可积族.

证 由于 $t_n\leqslant t_{n-1}$，由上鞅性知 $E(X_{t_{n-1}}|\mathscr{F}_{t_n})\leqslant X_{t_n}$ a. s.

若记 $Y_n = X_{t_n}$, $\mathscr{G}_n = \mathscr{F}_{t_n}$, 则此不等式可以写为

$$E(Y_{n-1}|\mathscr{G}_n) \leqslant Y_n, \tag{1}$$

所以 $(Y_n, \mathscr{F}_n, n \geqslant 1)$ 构成上鞅反列,而且

$$EX_0 \geqslant EY_n \geqslant EY_{n-1} \geqslant EY_1 = EX_{t_1},$$

从而 $\sup\limits_n EY_n < \infty$. 往证 (Y_n) 为一致可积族. 因为 EY_n 上升, 于上有界,所以存在 $\lim\limits_{n\to\infty} EY_n$, 故对任意 $\varepsilon > 0$, 存在 $k(\varepsilon)$, 使得 $0 \leqslant EY_n - EY_{k(\varepsilon)} < \varepsilon$, 当 $n \geqslant k(\varepsilon)$. 由 (1) 知,当 $n \geqslant k(\varepsilon)$时, 对任意 $c > 0$, 有

$$\begin{aligned}
\int_{\{|Y_n|>c\}} |Y_n| P(d\omega) &= \int_{\{Y_n>c\}} Y_n - \int_{\{Y_n<-c\}} Y_n \\
&= EY_n - \int_{\{Y_n\leqslant c\}} Y_n - \int_{\{Y_n<-c\}} Y_n \\
&\leqslant EY_n - \int_{\{Y_n\leqslant c\}} Y_k - \int_{\{Y_n<-c\}} Y_k \\
&\leqslant EY_k + \varepsilon - \int_{\{Y_n\leqslant c\}} Y_k - \int_{\{Y_n<-c\}} Y_k \\
&= \varepsilon + \int_{\{Y_n>c\}} Y_k - \int_{\{Y_n<-c\}} Y_k = \varepsilon + \int_{\{|Y_n|>c\}} |Y_a|. \quad (2)
\end{aligned}$$

但对一切 n ,有

$$\begin{aligned}
P\{|Y_n| > c\} &\leqslant \frac{E|Y_n|}{c} \leqslant \frac{EY_n + 2EY_n^-}{c} \\
&\leqslant \frac{EX_0 + 2E|X_{t_1}|}{c} \to 0 \ (c \to \infty)
\end{aligned}$$

[(Y_n) 为上鞅反列,此处 $Y_n \in \mathscr{G}_n$, 故 $(Y_n \wedge 0, \mathscr{G}_n)$ 也为上鞅反列,从而 $(Y_n^-, \mathscr{G}_n)$ 为下鞅反列, 于是 $EY_n^- \leqslant EY_1^- = EX_{t_1}^- \leqslant E|X_{t_1}|$], 由此知

$$\sup_{n\geqslant k} \int_{\{|Y_n|\geqslant c\}} |Y_k| P(d\omega) \to 0, \ (c \to \infty),$$

故由(2)得

$$\lim_{c\to\infty} \sup_{n\geqslant k} \int_{\{|Y_n|\geqslant c\}} |Y_n| P(d\omega) \leqslant \varepsilon. \tag{3}$$

此外，因为 $Y_1, \cdots, Y_k$ 为可积，于是对 $\varepsilon > 0$，可以找到 $L > 0$，使得

$$\sup_{i \leqslant k} \int_{(|Y_i|>L)} |Y_i| P(d\omega) \leqslant \varepsilon. \tag{4}$$

(3)，(4) 相结合，便证明了 (Y_n) 为一致可积族. 证毕

注意，由证明里看出 $E|Y_n| \leqslant EX_0 + 2E|X_{t_1}| < \infty$，请读者自己与定理 5.2.9 的证明相比较.

定理 5.4.4 设 $X = (X_t, \mathscr{F}_t, t \in \boldsymbol{R}_+)$ 为上鞅，则有

(i) $X_t \geqslant E(X_{t+} | \mathscr{F}_t)$ a. s.,

$X_{t-} \geqslant E(X_t | \mathscr{F}_{t-})$ a. s.;

(ii) $(X_{t+}, \mathscr{F}_{t+}, t \in \boldsymbol{R}_+)$ 为上鞅;

(iii) 若 $(\mathscr{F}_t)$ 为右连续族，为要 $(X_t, t \in \boldsymbol{R}_+)$ 有右连续修正，当且仅当 $(EX_t, t \in \boldsymbol{R}_+)$ 为右连续函数. 特别言之，每个鞅都有右连续修正.

证

(i) 取任意 $(t_n) \in S$ ($\boldsymbol{R}_+$ 中可数稠密子集) $t_n \downarrow t (n \to \infty)$. 由引理 5.4.3 知 $(X_{t_n}, n \geqslant 1)$ 为一致可积族，由上鞅性知

$$X_t \geqslant E(X_{t_n} | \mathscr{F}_t) \text{ a. s.}$$

令 $n \to \infty$ 得

$$X_t \geqslant E(X_{t+} | \mathscr{F}_t) \text{ a. s.}$$

另一方面，取任意 $(s_n) \subset S$，使得 $s_n \uparrow t (n \to \infty)$，定义 $Y_{s_n} = X_{s_n} - E(X_t | \mathscr{F}_{s_n}) \geqslant 0$，所以 $(Y_{s_n}, n \geqslant 1)$ 为非负上鞅，故概率为一地存在 $\lim\limits_{n \to \infty} Y_{s_n} = X_{t-} - E(X_t | \mathscr{F}_{t-}) \geqslant 0$.

(ii) 设 $s < t$，取 $(s_n) \subset S$，$s_n \downarrow s$，$(t_n) \subset S$，$t_n \downarrow t$. 由引理 5.4.3 知 (X_{s_n})，(X_{t_n}) 都是一致可积族. 对任意 $A \in \mathscr{F}_{s+} \subset \mathscr{F}_{s_n}$，由定义有

$$\int_A X_{t_n} P(d\omega) \leqslant \int_A X_{s_n} P(d\omega).$$

令 $n \to \infty$ 得

$$\int_A X_{t+} P(d\omega) \leqslant \int_A X_{s+} P(d\omega),$$

对任意 $A\in\mathscr{F}_{s+}$. 由此知 $(X_{t+},\mathscr{F}_{t+},t\in\boldsymbol{R}_+)$ 为上鞅.

(iii) 在假设 $\mathscr{F}_t=\mathscr{F}_{t+}$下,由 (i) 知 $X_t\geqslant X_{t+}$ a.s. 由此知,欲 $X_t=X_{t+}$ a.s., 当且仅当 $EX_t=EX_{t+}$. 于是当 $EX_t=EX_{t+}$ 时, $(X_{t+},\mathscr{F}_t,t\in\boldsymbol{R}_+)$ 即为X的右连续修正.

反之设 $Y=(Y_t,\mathscr{F}_t,t\in\boldsymbol{R})$ 为X的右连续修正, 于是由 $X_t=Y_t$ a.s. 知 $EX_t=EY_t$. 但由引理 5.4.3 知,当 $(s_n)\subset S$, $s_n\downarrow t$ 时,

$$\lim_{s_n\downarrow t}EY_{s_n}=EY_{t+}=EY_t(Y\text{ 右连续}).$$

由此知 EX_t 为右连续 证毕

定理 5.4.5 设 $X=(X_t,\mathscr{F}_t,t\leqslant T)$ 为右连续上鞅,则

(i) $Ev([0,T],[a,b])\leqslant\dfrac{E(X_T-a)^-}{b-a}$;

(ii) $\lambda P\{\sup\limits_{t\in[0,T]}X_t\geqslant\lambda\}\leqslant EX_0+EX_T^-$, $(\lambda>0)$;

(iii) $\lambda P\{\inf\limits_{t\in[0,T]}X_t\leqslant-\lambda\}\leqslant EX_T^-$, $(\lambda>0)$;

(iv) 若X为非负右连续下鞅,则对 $1<p<\infty$, 有

$$E(\sup_{t\in[0,T]}X_t)^p\leqslant\left(\frac{p}{p-1}\right)^pEX_T^p.$$

证 这几条的证明都相似,其思路是先把诸不等式右边的$[0,T]$ 换为 $S\cap[0,T]$, 去证明不等式成立(例如引理 5.4.1),然后以此为根据, 利用过程的右连续性知不等式的左边去掉S后不受影响,便得要证的不等式,其中S是包含T的一个可数稠密子集. 对离散参数的情形,不等式 (ii) 以前没有证过,我们就以 (ii) 为例,给出其证明. 把S的元素记为 $(t_1=T,t_2,t_3,\cdots)$, 由右连续性知

$$\lambda P\{\sup_{t\in[0,T]}X_t\geqslant\lambda\}=\lambda P\{\sup_{t\in S\cap[0,T]}X_t\geqslant\lambda\}.$$

但对任意小的 $\varepsilon>0$,

$$\{\sup_{t\in S\cap[0,T]}X_t\geqslant\lambda\}\subset\bigcup_{n=1}^{\infty}\{\sup_{i\leqslant n}X_{t_i}\geqslant\lambda-\varepsilon\},$$

由此知

$$(\lambda-\varepsilon)P\{\sup_{t\in S\cap[0,T]} X_t \geqslant \lambda\} \leqslant (\lambda-\varepsilon)\lim_{n\to\infty} P\{\sup_{i\leqslant n} X_{t_i} \geqslant \lambda-\varepsilon\}.$$

因此,欲证 (ii) 只需证明,对任意 $\lambda>0$, 有

$$\lambda P\{\sup_{i\leqslant n} X_{t_i} \geqslant \lambda\} \leqslant EX_0 + EX_T^-. \tag{5}$$

为此把 $(t_1=T, t_2, \cdots, t_n)$ 由小到大排成 $t_1'<t_2'<\cdots<t_n'=T$, 于是 $(X_{t_j'}, \mathscr{F}_{t_j'}, j=1, \cdots, n)$ 为上鞅. 定义

$$\tau(\omega)=\inf\{k: \sup_{j\leqslant k} X_{t_j'}(\omega) \geqslant \lambda\},$$

如果 $\{\sup_{j\leqslant n} X_{t_j'}<\lambda\}$, 则定义 $\tau(\omega)=n$. 我们有

$$\begin{aligned} EX_0 \geqslant EX_{t_\tau'} &= \int_{\{\sup_{j\leqslant n} X_{t_j'}\geqslant\lambda\}} X_{t_\tau'} P(d\omega) + \int_{\{\sup_{j\leqslant n} X_{t_j'}<\lambda\}} X_{t_\tau'} P(d\omega) \\ &\geqslant \lambda P\{\sup_{j\leqslant n} X_{t_j'} \geqslant \lambda\} + \int_{\{\sup_{j\leqslant n} X_{t_j'}<\lambda\}} X_T P(d\omega), \end{aligned}$$

但

$$\begin{aligned} \int_{\{\sup_{j\leqslant n} X_{t_j'}<\lambda\}} X_T P(d\omega) &\geqslant \int_{\bigcap_{j=1}^{n-1}\{X_{t_j'}<\lambda\}\cap\{X_T<0\}} X_T P(d\omega) \\ &\geqslant \int_{\{X_T<0\}} X_T P(d\omega) = -EX_T^-. \end{aligned}$$

由以上两不等式立刻推出(5). 证毕

如果把定理 5.4.5 里的假设"过程为右连续"换为"过程为可分",定理仍能成立.

定理 5.4.6 若 $X=(X_t, \mathscr{F}_t, t\in \boldsymbol{R}_+)$ 为右连续上鞅(下鞅), 则几乎所有样本没有第二类间断,且在每个紧区间上有界.

证 因为过程为右连续 ,再由引理 5.4.2 及上定理知, 下列集合为零概集

$$H=\bigcup_{\substack{a<b\\ a,b\in \boldsymbol{Q}}} \bigcup_{n=1}^{\infty} \{v([0,n],[a,b])=+\infty\}.$$

所以当 $\omega\notin H$ 时, $X_\cdot(\omega)$ 的左极限存在,从而没有第二类间断. 令

$$\Lambda = \bigcup_{m=1}^{\infty} \bigcap_{n=1}^{\infty} [(\sup_{t \leqslant m} X_t \geqslant n) \cup (\inf_{t \leqslant m} X_t \leqslant -n)],$$

由定理 5.4.5 知 Λ 为零概集，故当 $\omega \notin \Lambda$ 时，$X_\cdot(\omega)$ 在紧区间上有界．证毕．

关于当 $t \to \infty$ 时的鞅收敛性，我们只叙述其结果，其证明与鞅列情形相似，故从略．

定理 5.4.7

(i) 设 $X = (X_t, \mathscr{F}_t, t \in \boldsymbol{R}_+)$ 为右连续下鞅，若

$$\sup_t EX_t^+ < \infty$$

(此条件与 $\sup_t E|X_t| < \infty$ 等价)，则概率为一地存在极限

$$\lim_{t \to \infty} X_t (= X_\infty),$$

且 $E|X_\infty| < \infty$．若 X 为负下鞅，则概率为一地存在 $\lim_{t \to \infty} X_t (= X_\infty)$ 且 $(X_t, t \in \overline{\boldsymbol{R}})$ 为下鞅．

(ii) 设 X 为右连续下鞅(鞅)，于是 $X_t \xrightarrow[r]{} X_\infty (r \geqslant 1)$ 的充要条件是 $(|X_t|^r)$ 为一致可积族．在此条件下，$X_t \xrightarrow{\text{a.s.}} X_\infty$，且 X_∞ 是最近的封闭元素．

(iii) 设 X 为非负的右连续下鞅，若对 $r > 1$，$\sup_t E|X_t|^r < \infty$，则 $(|X_t|^r)$ 为一致可积族，从而 $X_t \xrightarrow[\text{a.s.}]{r} X_\infty$，且

$$E|X_\infty|^r = \sup_t E|X_t|^r.$$

(iv) 设 X 为右连续鞅．欲存在可积随机变量 Y 使 $X_t = E(Y|\mathscr{F}_t)$ a.s.，当且仅当下列三条件之一成立：(a) (X_t) 为一致可积族，(b) $X_t \xrightarrow[L_1]{} X_\infty$，(c) $\sup_t E|X_t| < \infty$，且概率为一地存在 $\lim_{t \to \infty} X_t (= X_\infty)$，使得 $X_t = E(X_\infty|\mathscr{F}_t)$ a. s.（这样的鞅叫做正则鞅）．

和鞅列的情形一样，一个非负右连续上鞅 $\Pi = (\Pi_t, \mathscr{F}_t, t \in \boldsymbol{R}_+)$ 称为位势，如果 $\lim_{t \to \infty} E\Pi_t = 0$．由此立刻推知存在

$$\lim_{t\to\infty} \Pi_t (=\Pi_\infty),$$

且 $\Pi_\infty = 0$ a.s. 我们同样可证 Riesz 分解定理.

定理 5.4.8 (Riesz 分解) 设 $X = (X_t, \mathscr{F}_t, t \in \boldsymbol{R}_+)$ 为右连续上鞅,它控制某个下鞅 $Y = (Y_t, \mathscr{F}_t, t \in \boldsymbol{R}_+)$, 于是它可唯一地分解为:

$$X_t = M_t + \Pi_t \qquad \text{a.s.}$$

此处 $M = (M_t, \mathscr{F}_t, t \in \boldsymbol{R}_+)$ 为鞅, $\Pi = (\Pi_t, \mathscr{F}_t, t \in \boldsymbol{R}_+)$ 为位势.

对连续参数的情形,也有 Doob 可选定理:

定理 5.4.9 (Doob 可选定理) 设 $X = (X_t, \mathscr{F}_t, t \in \boldsymbol{R}_+)$ 为右连续上鞅,且它控制某个正则鞅,于是对任意可选时 $\sigma, \tau, \sigma \leqslant \tau$ a.s., 有

$$E(X_\tau | \mathscr{F}_\sigma) \leqslant X_\sigma \qquad \text{a.s.}$$

证 定义可选时 τ_n 及 σ_n 如下:

$$\tau_n = \sum_{k=1}^{\infty} \frac{k}{2^n} I_{\left\{\frac{k-1}{2^n} \leqslant \tau < \frac{k}{2^n}\right\}} + \infty I_{\{\tau=\infty\}},$$

$$\sigma_n = \sum_{k=1}^{\infty} \frac{k}{2^n} I_{\left\{\frac{k-1}{2^n} \leqslant \sigma < \frac{k}{2^n}\right\}} + \infty I_{\{\sigma=\infty\}},$$

于是对任意 n, 可设 $\sigma_n \leqslant \tau_n$ a.s. (否则以 $\sigma_n \wedge \tau_n$ 代替 σ_n), 显见 $\tau_n \downarrow \tau$, $\sigma_n \downarrow \sigma (n \to \infty)$. 利用鞅列的可选定理有

$$E(X_{\tau_n} | \mathscr{F}_{\sigma_n}) \leqslant X_{\sigma_n} \text{ a.s., } n = 1, 2, \cdots. \tag{6}$$

往证 $(X_{\sigma_n}, n \geqslant 1)$, $(X_{\tau_n}, n \geqslant 1)$ 为一致可积族. 只需对一族去证明,为此,记 $Y_n = X_{\sigma_n}$, $\mathscr{G}_n = \mathscr{F}_{\sigma_n}$, 于是 $(Y_n, \mathscr{G}_n, n \geqslant 1)$ 为上鞅反列,这是因为(由鞅列可选定理)

$$E(Y_n | \mathscr{G}_{n+1}) = E(X_{\sigma_n} | \mathscr{F}_{\sigma_{n+1}}) \leqslant X_{\sigma_{n+1}} = Y_{n+1} \text{ a.s.}$$

由此仿照引理 5.4.3 的证明立刻知 $(Y_n) = (X_{\sigma_n})$ 为一致可积族.

取任意 $A \in \mathscr{F}_\sigma$, 因为 $\mathscr{F}_\sigma \subset \mathscr{F}_{\sigma_n}$, $n = 1, 2, \cdots$, 故 $A \in \mathscr{F}_{\sigma_n}$. 由(6)得

$$\int_A X_{\tau_n} P(d\omega) \leqslant \int_A X_{\sigma_n} P(d\omega).$$

令 $n\to\infty$，上不等式变为(因为 (X_{τ_n}) 及 (X_{σ_n}) 为一致可积，且 X 右连续)

$$\int_A X_\tau P(d\omega)\leqslant\int_A X_\sigma P(d\omega),$$

对任意 $A\in\mathscr{F}_\sigma$. 这就是 $E(X_\tau|\mathscr{F}_\sigma)\leqslant X_\sigma$ a. s. 证毕

注 1 若 $X=(X_t,\ \mathscr{F}_t,\ t\in\boldsymbol{R}_+)$ 为非负右连续上鞅，且 $X_\tau=0$，此处 τ 为可选时，则 $X_t=0$ 在 $\{\tau\leqslant t\}$ 上.

注 2 设 X 为右连续正则鞅，σ, τ 为可选时且 $\sigma\leqslant\tau$ a. s. 则 $E(X_\tau|\mathscr{F}_\sigma)=X_\sigma$ a. s.

注 3 仍在定理 5.4.9 的条件下(或 X 为右连续正则鞅)，则对任意可选时 σ，τ 有

$$E(X_\tau|\mathscr{F}_\sigma)\leqslant X_{\tau\wedge\sigma}.$$

在鞅的情形下等号成立. 特别 $X^\tau=(X_{\tau\wedge t},\ \mathscr{F}_t,\ t\in\boldsymbol{R}_+)$ 为上鞅.

事实上，由右连续性知 $X_\tau\in\mathscr{F}_\tau$ (定理 3.5.7)，故 $X_\tau I_{\{\tau\leqslant\sigma\}}\in\mathscr{F}_\sigma$，再由定理 5.4.9 有

$$\begin{aligned}E(X_\tau|\mathscr{F}_\sigma)&=E(X_\tau I_{(\tau\leqslant\sigma)}+X_{\tau\vee\sigma}I_{(\tau>\sigma)}|\mathscr{F}_\sigma)\\&\leqslant X_\tau I_{(\tau\leqslant\sigma)}+X_\sigma I_{(\tau>\sigma)}=X_{\tau\wedge\sigma}\ \text{a. s.}\end{aligned}$$

§5. 上鞅的 Doob-Meyer 分解

在这一节里我们要把上鞅列的 Doob 分解推广到连续参数的情形，为此需要引进一些概念.

定义 5.5.1 右连续上鞅 $X=(X_t,\ \mathscr{F}_t,\ t\in\boldsymbol{R}_+)$ 称为类 (D) 上鞅，如果 $(X_\tau I_{\{\tau<\infty\}},\ \tau\in\mathscr{T})$ 为一致可积族，此处 $\mathscr{T}$ 为所有可选时组成的族.

如果 X 为类 (D) 上鞅，则族 (X_t) 为一致可积族，于是由定理 5.4.7 知，概率为一地存在 $\lim\limits_{t\to\infty}X_t(=X_\infty)$. 但可以造出例子说明一致可积上鞅不属于类 (D)，参看 Johnson-Helms.

定理 5.5.2

(i) 设 $X=(X_t, \mathscr{F}_t, t\in \boldsymbol{R}_+)$ 为右连续非负下鞅(右连续负上鞅),于是 X 为类 (D) 过程.

(ii) 若 $X=(X_t, \mathscr{F}_t, t\in \boldsymbol{R}_+)$ 为右连续一致可积鞅,则 X 为类 (D) 过程.

(iii) 若 $X=(X_t, \mathscr{F}_t, t\in \boldsymbol{R}_+)$ 为右连续上鞅,则存在上升可选时序列 (τ_n), $\tau_n\uparrow\infty(n\to\infty)$, 使得 X^{τ_n} 为类 (D) 过程.

证

(i) 设 $X=(X_t, \mathscr{F}_t, t\in \bar{\boldsymbol{R}}_+)$ 为右连续非负下鞅,则由 Doob 可选定理知,对任意可选时 τ 有

$$X_\tau \leqslant E(X_\infty|\mathscr{F}_\tau) \quad \text{a. s.}$$

但 $(E(X_\infty|\mathscr{F}_\tau), \tau\in\mathscr{T})$ 为一致可积族,故 $(X_\tau, \tau\in\mathscr{T})$ 也为一致可积族.

(ii) 若 $(X_t,\mathscr{F}_t, t\in \boldsymbol{R}_+)$ 为一致可积鞅,则由定理 5.47 知 $X_t=E(X_\infty|\mathscr{F}_t)$ a. s. 此处 $X_\infty=\lim\limits_{t\to\infty}X_t$ a. s. 故由定理 5.4.9 知,对任意可选时 τ, 有

$$X_\tau=E(X_\infty|\mathscr{F}_\tau) \qquad \text{a. s.}$$

(iii) 令

$$\tau_n=\inf\{t: |X_t|\geqslant n\}\wedge n,$$

τ_n 为可选时, $\tau_n\uparrow\infty(n\to\infty)$, $(X_t^{\tau_n}, \mathscr{F}_t, t\in \boldsymbol{R}_t)$ 仍为上鞅,且 $E|X_{\tau_n}|<\infty$. 故对任意可选时 τ, 有

$$|X_\tau^{\tau_n}|=|X_{\tau_n\wedge\tau}|\leqslant|X_{\tau_n}|+n,$$

由此可见 X^{τ_n} 为类 (D) 过程. 证毕

定理 5.5.3 设 $X=(X_t, \mathscr{F}_t, t\in \boldsymbol{R}_+)$ 为右连续非负上鞅,令

$$R_n(\omega)=\inf\{t: X_t(\omega)\geqslant n\},$$

于是 X 为类 (D) 过程的充要条件是

$$\lim_{n\to\infty}E(X_{R_n}I_{\{R_n<\infty\}})=0.$$

证 由定理 5.4.7 知,概率为一地存在 $\lim\limits_{t\to\infty}X_t$ 且其极限为可积. 又由定理 5.4.6 知几乎所有样本 $X_\cdot(\omega)$ 在 $(0, \infty)$ 上左极限存在,

于是对几乎所有 ω，当 $n\to\infty$ 时，$\{R_n=+\infty\}\uparrow\Omega$. 故有

$$\lim_{n\to\infty} X_{R_n} I_{\{R_n<\infty\}} = 0 \text{ a. s.}$$

下面不妨设 $\mathscr{F}_t=\mathscr{F}_{t+}$ 对一切 t，否则考虑 $(X_t,\mathscr{F}_{t+},t\in \boldsymbol{R}_+)$. 先证必要性. 设 X 为类 (D) 过程，则 $(X_{R_n}I_{\{R_n<\infty\}},n\geqslant 1)$ 为一致可积族. 故必有

$$\lim_{n\to\infty} E[X_{R_n} I_{\{R_n<\infty\}}] = 0.$$

再证充分性. 设 τ 为可选时，令 $A=\{X_\tau\geqslant n\}\in\mathscr{F}_\tau$，故 τ_A 也是可选时，且 $R_n\leqslant\tau_A$. 我们取 $X_\infty=0$ a. s. 于是 $(X_t,t\in\bar{\boldsymbol{R}}_+)$ 仍为右连续上鞅，故

$$\begin{aligned}E(X_\tau I_{\{X_\tau\geqslant n\}}) &= \int_{X_\tau\geqslant n} X_\tau P(d\omega)\\ &= EX_{\tau_A}\leqslant EX_{R_n} = E[X_{R_n}I_{\{R_n<\infty\}}\\ &\quad + X_{R_n}I_{\{R_n=\infty\}}] = E[X_{R_n}I_{\{R_n<\infty\}}].\end{aligned}$$

由条件知，当 $n\to\infty$ 时，$\sup\limits_{\tau} E(X_\tau I_{\{X_\tau\geqslant n\}})\to 0$. 这就是说，族 $(X_\tau I_{\{\tau<\infty\}},\tau\in\mathscr{T})$ 为一致可积. 证毕

今后设 σ 域族 $(\mathscr{F}_t)$ 为右连续.

定义 5.5.4 右连续过程 $(A_t,\mathscr{F}_t,t\in\boldsymbol{R}_+)$ 称为增过程，若对几乎一切 ω，$A_0(\omega)=0$，$A_s(\omega)\leqslant A_t(\omega)$，当 $s\leqslant t$. 若还有 $EA^\infty<\infty$，则称 A 为可积增过程. 增过程 A 称为可料增过程，若对任意左极限存在右连续的有界正鞅 Y，恒有

$$E\int_0^\infty Y_{s-}dA_s = EY_\infty A_\infty. \tag{1}$$

读者可把这个条件与离散参数情形的定理 5.3.9 的条件相对照.

为了今后需要，我们证下列 Lebesgue 引理.

引理 5.5.5 设 a 为 $\boldsymbol{R}_+$ 上定义的非负右连续非降函数，允许取值 $+\infty$，对每个 $t\in\boldsymbol{R}_+$，定义:

$$c(t)=\inf\{s: a(s)>t\},$$

于是 $c(t)$ 必是右连续非降函数，而且

$$a(s)=\inf\{t: c(t)>s\}.$$

若还有 $a(0)=0$，则对 $\boldsymbol{R}_+$ 上任意非负 Borel 可测函数 f，有

$$\int_0^\infty f(t)da(t) = \int_0^{a(\infty)} f(c(t))dt.$$

证 引理前一部分的证明完全和定理 1.1.1 的注里的证明一样，此处从略. 往证后一部分，设 $a(0)=0$，为简单起见可设 a 有界. 特别取 $f(t)=I_{(0,s]}(t)$，我们有

$$\int_0^\infty f(t)da(t) = a(s),$$

$$\int_0^{a(\infty)} f(c(t))dt = \int_0^{a(\infty)} I_{(0,s]}(c(t))dt$$

$$= \inf\{t: c(t) > s\} = a(s),$$

从而得 $\int_0^\infty f(t)da(t) = \int_0^{a(\infty)} f(c(t))dt$. 对一般的非负 Borel 可测函数可用通常办法证明.

定理 5.5.6 欲使可积增过程 $(A_t, \mathscr{F}_t, t\in \boldsymbol{R}_+)$ 为可料，当且仅当对任意左极限存在右连续的有界正鞅 Y 及任意 $T>0$，有

$$E\int_0^T Y_s dA_s = E\int_0^T Y_{s-}dA_s. \tag{2}$$

证 先证对任意右连续正鞅 Y（不需要左极限存在及有界），及增过程 A，有

$$E\int_0^T Y_s dA_s = EY_T A_T. \tag{3}$$

令 $c_t(\omega)=\inf\{s>0: A_s(\omega)>t\}$，因为 $\{t: c_t<T\}=\{t: A_T>t\}$，所以

$$\int_0^T Y_s dA_s = \int_0^{A_T} Y_{c_t}\,dt = \int_0^\infty Y_{c_t} I_{[0,A_T]}(t)dt$$

$$= \int_0^\infty Y_{c_t} I_{\{t: c_t<T\}}dt,$$

由此得 $$E\int_0^T Y_s dA_s = \int_0^\infty E[Y_{c_t} I_{\{c_t<T\}}]dt.$$

但 c_t 为可选时，故 $\{\omega: c_t(\omega)<T\}\in \mathscr{F}_{c_t}$，由定理 5.4.9 的注 3 知

$$E[Y_{c_t} I_{\{c_t<T\}}] = E[Y_{c_t\wedge T} I_{\{c_t<T\}}] = E[I_{\{c_t<T\}}E(Y_T|\mathscr{F}_{c_t})]$$

$$= E[Y_T I_{\{c_t<T\}}],$$

代入上式，得

$$E\int_0^T Y_s dA_s = \int_0^\infty E[Y_T I_{\{c_t<T\}}]dt = EY_T A_T.$$

(3) 式得证。

条件(2)的充分性容易证明。由 (2)，对任意 $T>0$ 有

$$E\int_0^T Y_{s-}dA_s = E\int_0^T Y_s dA_s = EY_T A_T,$$

由此令 $T\to\infty$，便得增过程为可料的定义条件(1)。

往证条件(2)为必要的。 由定义条件 (1) 及 (3) 立刻得到 $E\int_0^\infty Y_{s-}dA_s = E\int_0^\infty Y_s dA_s$，对任意左极限存在右连续的有界正鞅 Y。把 Y 在 T 处截尾得 $Y^T=(Y_{t\wedge T}, \mathscr{F}_t, t\in \boldsymbol{R})$，它仍是左极限存在的有界正鞅。 把以上所得的等式中的 Y 换为 Y^T，就得条件(2)。证毕

定理 5.5.7 设 $\Pi=(\Pi_t, \mathscr{F}_t, t\in \boldsymbol{R}_+)$ 为右连续位势，而且为类 (D) 过程，于是存在可积增过程 $A=(A_t, \mathscr{F}_t, t\in \boldsymbol{R}_+)$，使得对每个 $t\in \boldsymbol{R}_+$ 有

$$\Pi_t = E(A_\infty|\mathscr{F}_t) - A_t \qquad \text{a. s.} \tag{4}$$

增过程 A 可以选为可料增过程。当 A 为可料时，分解 (4) 是唯一的。

和离散参数情形一样，我们称 Π 为 A 所产生的位势。

证 对任意正整数n，考虑由 Π 中抽出的位势列 $(\Pi_{k2^{-n}}, \mathscr{F}_{k2^{-n}}, k\in \boldsymbol{N})$。由系 5.3.7 知，存在可积可料增列 $(A^{(n)}_{i2^{-n}}, i=0, 1, 2\cdots)$，使得

$$\Pi_{k2^{-n}} = E(A^{(n)}_\infty|\mathscr{F}_{k2^{-n}}) - A^{(n)}_{k2^{-n}}, \tag{5}$$

此处

$$A^{(n)}_\infty = \lim_{k\to\infty} A^{(n)}_{k2^{-n}}. \tag{6}$$

下面往证 $(A^{(n)}_\infty, n\in \boldsymbol{N})$ 为一致可积族。令

$$\tau_{n,\lambda} = \inf\{i2^{-n}, A^{(n)}_{(i+1)2^{-n}} > \lambda\},$$

由于 $A^{(n)}_{(i+1)2^{-n}}\in \mathscr{F}_{i2^{-n}}$，故 $\tau_{n,\lambda}$ 是 $(\mathscr{F}_{k2^{-n}}, k\in \boldsymbol{N})$ 可选时。显见 $\{A^{(n)}_\infty > \lambda\} = \{\tau_{n,\lambda}<\infty\}$，且有 $\Pi_{\tau_{n,\lambda}} = E(A^{(n)}_\infty|\mathscr{F}_{\tau_{n,\lambda}}) - A^{(n)}_{\tau_{n,\lambda}}$

a. s. 由此得

$$\int_{\{A_\infty^{(n)}>\lambda\}} A_\infty^{(n)} P(d\omega) = E[A_\infty^{(n)} I_{\{A_\infty^{(n)}>\lambda\}}] = E[A_\infty^{(n)} I_{\{\tau_{n,\lambda}<\infty\}}]$$

$$= E[A_{\tau_{n,\lambda}}^{(n)} I_{\{\tau_{n,\lambda}<\infty\}}] + E[\Pi_{\tau_{n,\lambda}} I_{\{\tau_{n,\lambda}<\infty\}}]$$

$$\leqslant \lambda P\{A_\infty^{(n)} > \lambda\} + E[\Pi_{\tau_{n,\lambda}} I_{\{\tau_{n,\lambda}<\infty\}}]. \tag{7}$$

由(7)得

$$E[(A_\infty^{(n)} - \lambda) I_{\{A_\infty^{(n)}>2\lambda\}}] \leqslant E[(A_\infty^{(n)} - \lambda) I_{\{A_\infty^{(n)}>\lambda\}}]$$

$$\leqslant E[\Pi_{\tau_{n,\lambda}} I_{\{\tau_{n,\lambda}<\infty\}}]. \tag{8}$$

但(8)的左方大于 $\lambda E[I_{\{A_\infty^{(n)}>2\lambda\}}]$，故由(8)得

$$\lambda P\{A_\infty^{(n)} > 2\lambda\} \leqslant E[\Pi_{\tau_{n,\lambda}} I_{\{\tau_{n,\lambda}<\infty\}}]. \tag{9}$$

由(7)(取 2λ 代替 λ) 及(9)得

$$\int_{\{A_\infty^{(n)}>2\lambda\}} A_\infty^{(n)} P(d\omega) \leqslant 2\lambda P\{A_\infty^{(n)} > 2\lambda\} + E[\Pi_{\tau_{n,2\lambda}} I_{\{\tau_{n,2\lambda}<\infty\}}]$$

$$\leqslant 2E[\Pi_{\tau_{n,\lambda}} I_{\{\tau_{n,\lambda}<\infty\}}]$$

$$+ E[\Pi_{\tau_{n,2\lambda}} I_{\{\tau_{n,2\lambda}<\infty\}}]. \tag{10}$$

但

$$P\{\tau_{n,\lambda} < \infty\} = P\{A_\infty^{(n)} > \lambda\} \leqslant \frac{1}{\lambda} EA_\infty^{(n)}$$

$$= \frac{1}{\lambda} E\Pi_0 \to 0 \qquad (\lambda \to \infty),$$

因为 Π 为类 (D) 过程，参看定理 5.5.3 的证明，由上式得

$$\lim_{\lambda\to\infty} \sup_n E[\Pi_{\tau_{n,\lambda}} I_{\{\tau_{n,\lambda}<\infty\}}] = 0,$$

故由此及(10)得

$$\lim_{\lambda\to\infty} \sup_n \int_{\{A_\infty^{(n)}>2\lambda\}} A_\infty^{(n)} P(d\omega) = 0.$$

这就是说族 $(A_\infty^{(n)},\ n \in \boldsymbol{N})$ 为一致可积. 由 Danford-Pettis 弱紧准则定理知，存在子序列 (n_k)，$n_k \to \infty$ 及可积随机变量 A_∞，使得对任意有界随机变量 Z 有

$$\lim_{k\to\infty} EZA_\infty^{(n_k)} = EZA_\infty. \tag{11}$$

令 M 为鞅 $(E(A_\infty | \mathscr{F}_t),\ t \in \boldsymbol{R}_+)$ 的右连续修正(用到了 $(\mathscr{F}_t)$ 为

右连续族). 对任意 ($k2^{-n}$, $k\in \boldsymbol{N}$) 中的两个数 $r\leqslant s$, 我们有 $A_r^{(n)}\leqslant A_s^{(n)}$, 于是由(5)得

$$E(A_\infty^{(n)}|\mathscr{F}_r)-\Pi_r\leqslant E(A_\infty^{(n)}|\mathscr{F}_s)-\Pi_s,$$

取 $n=n_k\to\infty$, 由上不等式得

$$M_r-\Pi_r\leqslant M_s-\Pi_s. \tag{12}$$

令 $A_t\triangleq M_t-\Pi_t$, 过程 A 的几乎所有样本为右连续,故由(12)知 A 为增过程(因为 $\Pi_0=E(A_\infty^{(n)}|\mathscr{F}_0)=E(A_\infty|\mathscr{F}_0)$, $A_0=M_0-\Pi_0=E(A_\infty|\mathscr{F}_0)-E(A_\infty|\mathscr{F}_0)=0$).

因为 $\lim\limits_{t\to\infty}\Pi_t=0$ a. s. 故

$$\lim_{t\to\infty}M_t=\lim_{t\to\infty}E(A_\infty|\mathscr{F}_t)=E(A_\infty|\mathscr{F}_\infty)=A_\infty.$$

所以 $\lim\limits_{t\to\infty}A_t$ 就等于上边所求得的 A_∞. 这样一来,便得分解

$$\Pi_t=M_t-A_t=E(A_\infty|\mathscr{F}_t)-A_t.$$

往证 A 为可料增过程. 令 Y 为任意左极限存在右连续的有界正鞅. 因为 A 为右连续,故由控制收敛定理知

$$\lim_{n\to\infty}\sum_{i=0}^{\infty}E[Y_{i2^{-n}}(A_{(i+1)2^{-n}}-A_{i2^{-n}})]=E\int_0^\infty Y_{s-}dA_s. \tag{13}$$

但由于 $Y_{i2^{-n}}\in\mathscr{F}_{i2^{-n}}$, 所以

$$\begin{aligned}
&\sum_{i=0}^{\infty}E[Y_{i2^{-n}}(A_{(i+1)2^{-n}}-A_{i2^{-n}})]\\
&=\sum_{i=0}^{\infty}E[Y_{i2^{-n}}E(A_{(i+1)2^{-n}}-A_{i2^{-n}}|\mathscr{F}_{i2^{-n}})]\\
&=\sum_{i=0}^{\infty}E[Y_{i2^{-n}}E(\Pi_{i2^{-n}}-\Pi_{(i+1)2^{-n}}|\mathscr{F}_{i2^{-n}})]\\
&=\sum_{i=0}^{\infty}E[Y_{i2^{-n}}(A_{(i+1)2^{-n}}^{(n)}-A_{i2^{-n}}^{(n)})].
\end{aligned}\tag{14}$$

由于 $A_{(i+1)2^{-n}}^{(n)}\in\mathscr{F}_{i2^{-n}}$, 从而有

$$\begin{aligned}
E[Y_{i2^{-n}}A_{(i+1)2^{-n}}^{(n)}]&=E[A_{(i+1)2^{-n}}^{(n)}E(Y_{(i+1)2^{-n}}|\mathscr{F}_{i2^{-n}})]\\
&=E(Y_{(i+1)2^{-n}}A_{(i+1)2^{-n}}^{(n)}).
\end{aligned}\tag{15}$$

故由(13),(14),(15)得

$$E\int_0^\infty Y_{s-}dA_s = \lim_{n\to\infty} EY_\infty A_\infty^{(n)}.$$

但 $Y_\infty = \lim\limits_{t\to\infty} Y_t$ 为有界,故由(11)及上式得

$$E\int_0^\infty Y_{s-}dA_s = EY_\infty A_\infty.$$

这就证明了 A 为可料增过程.

最后,证分解的唯一性. 设另有一个同样性质的分解

$$\Pi_t = E(B_\infty | \mathscr{F}_t) - B_t,$$

其中 B 为可积的可料增过程,于是由可料及右连续性知

$$\begin{aligned} EY_\infty B_\infty &= E\int_0^\infty Y_{s-}dB_s \\ &= \lim_{n\to\infty} E\sum_{i=0}^\infty Y_{i2^{-n}}(B_{(i+1)2^{-n}} - B_{i2^{-n}}) \\ &= \lim_{n\to\infty}\sum_{i=0}^\infty E[Y_{i2^{-n}}(\Pi_{i2^{-n}} - \Pi_{(i+1)2^{-n}})]. \end{aligned}$$

此外也有

$$EY_\infty A_\infty = \lim_{n\to\infty}\sum_{i=0}^\infty E[Y_{i2^{-n}}(\Pi_{i2^{-n}} - \Pi_{(i+1)2^{-n}})].$$

故对一切非负有界随机变量 Y_∞ 都有 $EY_\infty A_\infty = EY_\infty B_\infty$, 从而 $A_\infty = B_\infty$ a. s. 但 $E(A_\infty|\mathscr{F}_t) - A_t = E(B_\infty|\mathscr{F}_t) - B_t$, a. s. 故 $A_t = B_t$ a. s. 对一切 $t\in \boldsymbol{R}_+$. 证毕

注1 在证明里我们证明了当位势 Π 为类 (D) 过程时, $(A_\infty^{(n)}, n\in \boldsymbol{N})$ 为一致可积族. 反之,若 $(A_\infty^{(n)}, n\in \boldsymbol{N})$ 为一致可积族,则由定理证明知 $\Pi_t = E(A_\infty|\mathscr{F}_t) - A_t$, 此处 A_∞ 是 $A_\infty^{(n)}$ 的弱极限(参看(11)). 于是对任意可选时 τ, 有 $\Pi_\tau \leqslant E(A_\infty|\mathscr{F}_\tau)$, 由此知 Π 必为类 (D) 过程.

注2 若子 σ 域族 $(\mathscr{F}_t)$ 为右连续, $A = (A_t, \mathscr{F}_t, t\in \boldsymbol{R}_+)$ 为可积可料增过程, 则对每个 $t\in \boldsymbol{R}_+$, $A_t\in \mathscr{F}_{t-}$ (约定 $\mathscr{F}_{0-} =$

$\mathscr{F}_0$).

为证此，考虑由 A 所生成的位势

$$\Pi_t = E(A_\infty | \mathscr{F}_t) - A_t,$$

这里鞅 $(E(A_\infty|\mathscr{F}_t), \mathscr{F}_t, t \in \boldsymbol{R}_+)$ 取为右连续修正，Π 为类 (D) 位势. 如定理的证明，对每个 n，有增列 $(A_{i2^{-n}}^{(n)}, i = 0, 1, 2, \cdots)$，使得

$$\Pi_{i2^{-n}} = E(A_\infty^{(n)} | \mathscr{F}_{i2^{-n}}) - A_{i2^{-n}}^{(n)}, i = 0, 1, 2, \cdots,$$

此处 $A_{i2^{-n}}^{(n)} \in \mathscr{F}_{(i-1)2^{-n}}$, $i = 0, 1, 2, \cdots$, 且有子序列 (n') 使得 $A_\infty^{(n')}$ 弱收敛于 A_∞.

对每个 $t > 0$，取 n 使得 $t \in (i2^{-n}, (i+1)2^{-n}]$ 时，由上式得

$$E(\Pi_{(i+1)2^{-n}} | \mathscr{F}_t) = E(A_\infty^{(n)} | \mathscr{F}_t) - A_{(i+1)2^{-n}}^{(n)}.$$

另一方面，由 $\Pi_{(i+1)2^{-n}} = E(A_\infty | \mathscr{F}_{(i+1)2^{-n}}) - A_{(i+1)2^{-n}}$，有

$$E(\Pi_{(i+1)2^{-n}} | \mathscr{F}_t) = E(A_\infty | \mathscr{F}_t) - E(A_{(i+1)2^{-n}} | \mathscr{F}_t).$$

比较以上两式得：当 $t \in (i2^{-n}, (i+1)2^{-n}]$ 时，有

$$E(A_\infty^{(n)} | \mathscr{F}_t) = E(A_\infty - A_{(i+1)2^{-n}} | \mathscr{F}_t) + A_{(i+1)2^{-n}}^{(n)}. \quad (*)$$

由于 $A_\infty^{(n')}$ 弱收敛于 A_∞，从而 $E(A_\infty^{(n')}|\mathscr{F}_t)$ 也弱收敛于 $E(A_\infty|\mathscr{F}_t)$. 另一方面，由 A 的右连续性知

$$E|E(A_{(i+1)2^{-n'}} | \mathscr{F}_t) - A_t| \to 0 \quad (n' \to \infty),$$

所以在(*)中取子列 (n') 时，当 $n' \to \infty$，$A_{(i+1)2^{-n'}}^{(n')}$ 弱收敛于 A_t. 但 $A_{(i+1)2^{-n'}}^{(n')} \in \mathscr{F}_{i2^{-n'}}$，又因 $t \in (i2^{-n'}, (i+1)2^{-n'}]$，故 $A_{(i+1)2^{-n'}}^{(n')} \in \mathscr{F}_{t-}$ 对一切 n'. 下面往证 $A_t \in \mathscr{F}_{t-}$. 由 Danford-Pettis 弱紧准则知 $(A_{(i+1)2^{-n'}}^{(n')})$ 为一致可积，而且在完备概率空间 $(\Omega, \mathscr{F}_{t-}, P)$ 中也一致可积，从而存在子列 (n'') 及 $\mathscr{F}_{t-}$ 可测随机变量 A_t'，使得对任意 $\mathscr{F}_{t-}$ 可测的有界随机变量 Y 有

$$EYA_{(i+1)2^{-n''}}^{(n'')} \to EYA_t' \quad (n'' \to \infty).$$

但已知对任意 $\mathscr{F}$ 可测有界随机变量 Y'，$EY'A_{(i+1)2^{-n''}}^{(n'')} \to EY'A_t$，故

$$EY'A_{(i+1)2^{-n''}}^{(n'')} = E[A_{(i+1)2^{-n''}}^{(n'')} E(Y' | \mathscr{F}_{t-})]$$
$$\to E[A_t' E(Y' | \mathscr{F}_{t-})] = EY'A_t'.$$

由此知 $EY'A_t = EY'A_t'$，对一切 $\mathscr{F}$ 可测有界随机变量 Y'，故

$A_t = A'_t$ a.s. 所以 $A_t \in \mathscr{F}_{t-}$.

定理 5.5.8 设 X 为类 (D) 右连续上鞅，则存在唯一的可积可料增过程 A，使得 $M = X + A$ 为一致可积鞅. 分解 $X = M - A$ 叫做上鞅 X 的 Doob-Meyer 分解.

证 因为 X 为类 (D) 上鞅，故 $\sup_t E|X_t| < \infty$. 由定理 5.4.7 知概率为一地存在 $\lim_{t\to\infty} X_t (= X_\infty)$，且 $E|X_\infty| < \infty$. 令 $\Pi_t = X_t - E(X_\infty | \mathscr{F}_t)$，这里取一致可积鞅 $(E(X_\infty | \mathscr{F}_t), \mathscr{F}_t, t \in \boldsymbol{R}_+)$ 的右连续修正，从而 Π 为右连续位势，且为类 (D) 过程. 所以由上定理知，存在唯一的可积可料增过程 A，使得

$$X_t = F(X_\infty | \mathscr{F}_t) + E(A_\infty | \mathscr{F}_t) - A_t.$$

取 $M_t = E(X_\infty | \mathscr{F}_t) + E(A_\infty | \mathscr{F}_t)$ 即得定理. 证毕

定理 5.5.8 还可以推广到比类 (D) 广一些的过程，这时分解里的 A 就不见得是可积的了，为此，先给出如下定义

定义 5.5.9 右连续上鞅 $X = (X_t, \mathscr{F}_t, t \in \boldsymbol{R}_+)$ 称为类 (DL) 上鞅，如果对每个 $a \in [0, \infty)$，$(X_\tau, \tau \in \mathscr{T}_a)$ 为一致可积族，此处 $\mathscr{T}_a$ 表示以 a 为上界的一切可选时构成的类. 显见类 (D) 包含于类 (DL) 中.

用与定理 5.5.2 的相似证明，可证

命题 5.5.10

(a) 每个右连续鞅必是 (DL) 类过程.

(b) 每个负的右连续上鞅必是 (DL) 类过程.

定理 5.5.11 设 X 为类 (DL) 右连续上鞅，则存在唯一的分解：

$$X_t = M_t - A_t,$$

此处 $M = (M_t, \mathscr{F}_t, t \in \boldsymbol{R}_+)$ 为右连续鞅，$A = (A_t, \mathscr{F}_t, t \in \boldsymbol{R}_+)$ 为可料局部可积增过程(存在上升趋于∞的可选时列 (τ_n) 使得 $EA_\infty^{\tau_n} < \infty$. 参看定义 5.5.15).

证 设 n 为任意正整数，令 g_n 为$[0, n)$ 到 $[0, \infty)$ 上的连续严格增映象，h_n 为其逆映象. 对每个 $t \in [0, \infty)$，令

$$\mathscr{G}_t^{(n)} = \mathscr{F}_{h_n(t)}, \quad Y_t^{(n)} = X_{h_n(t)},$$

于是 $(Y_t^{(n)}, \mathscr{G}_t^{(n)}, t \in \boldsymbol{R}_+)$ 为类 (D) 右连续上鞅. 由定理 5.5.8 知存在唯一的可积可料增过程 $B_t^{(n)}$, 使得 $Y_t^{(n)} + B_t^{(n)}$ 为鞅. 令

$$A_t^{(n)} = B_{g_n(t)}^{(n)}, \quad t \in [0, n),$$

则由对 $n+1$ 情形的唯一性知 $(A_t^{(n+1)})$ 与 $(A_t^{(n)})$ 重合, 当 $t \in [0, n)$. 所以存在可料增过程 (A_t), 它在 $[0, n)$ 上与 $(A_t^{(n)})$ 重合, 对每个 $n \in \boldsymbol{N}$, 而且过程 $(X_t + A_t)$ 为鞅. 往证唯一性. 设还存在可料增过程 C, 使得 $(X_t + C_t)$ 为鞅. 令 Y 为 $\mathscr{F}_t$ 可测的有界随机变量, 取鞅 $(E(Y|\mathscr{F}_s), s \leqslant t)$ 的右连续修正 $(Y_s, s \leqslant t)$, 于是由定理 5.5.6 的(2),(3)知

$$EYA_t = E\int_0^t Y_s dA_s = E\int_0^t Y_{s-} dA_s, \tag{15'}$$

$$EYC_t = E\int_0^t Y_s dC_s = E\int_0^t Y_{s-} dC_s, \tag{16}$$

往证(15)',(16)的右端相等. 因为 A, C 为可料, 此外 $C_s - A_s$ 为鞅, 故对任意 $s_1 < s_2$ 有

$$E(C_{s_2} - C_{s_1}|\mathscr{F}_{s_1}) = E(A_{s_2} - A_{s_1}|\mathscr{F}_{s_1}) \text{ a. s.}$$

从而有

$$E\int_0^t Y_{s-} dA_s = \lim_{n \to \infty} \sum_{k=0}^{n-1} E(Y_{\frac{k}{n}t}(A_{\frac{k+1}{n}t} - A_{\frac{k}{n}t}))$$

$$= \lim_{n \to \infty} \sum_{k=0}^{n-1} E(Y_{\frac{k}{n}t}(C_{\frac{k+1}{n}t} - C_{\frac{k}{n}t}))$$

$$= E\int_0^t Y_{s-} dC_s.$$

由此及(15)',(16)知, $EYA_t = EYC_t$ 对一切 $\mathscr{F}_t$ 可测有界随机变量 Y, 从而 $A_t = C_t$ a. s. 证毕

让我们回忆一下, 在上鞅列的分解时, 我们所造的可料增列是:

$$A_0 = 0, \quad A_n = \sum_{k=0}^{n-1} E(X_k - X_{k+1}|\mathscr{F}_k), \quad n \geqslant 1.$$

对连续参数情形，与此相应的是如下的积分：

$$A_t^h = \int_0^t \frac{1}{h}(X_s - E(X_{s+h} | \mathscr{F}_s))ds, \tag{17}$$

其中 h 为任意正数. 可以猜想到有如下的结果：当 $h \to 0$ 时，A_t^h 应在某种意义下趋于 Doob-Meyer 分解里的 A_t. Meyer 的原证明就是从 A_t^h 出发，当 X 为右连续类 (D) 上鞅时，存在可料增过程 A，使得对任意可选时 τ 及任意有界随机变量 Z，$\lim\limits_{h\to 0} EZA_\tau^h = EZA_\tau$，而且 $X = M - A$.

定义 5.5.12 右连续适应过程 X 称为局部上鞅，如果存在上升趋于 $+\infty$ 的可选时序列 (τ_n)，使得对每个 n，

$$X^{\tau_n} I_{\{\tau_n > 0\}} = \{X_{t\wedge\tau_n} I_{\tau_n > 0}, \mathscr{F}_t, t \in \boldsymbol{R}_+\}$$

为类 (D) 上鞅；称为局部下鞅，如果 $-X$ 为局部上鞅；称为局部鞅，如果它同时为局部上及下鞅.

若 X 为右连续适应过程，τ 为可选时使得 $X^\tau I_{\{\tau>0\}}$ 为类 (D) 上鞅(鞅)，则称 τ 上鞅(鞅)化 X.

我们知道，若 X 为类 (D) 上鞅，则 a. s. 存在 $\lim\limits_{t\to\infty} X_t (= X_\infty)$，且 $(X_t, \mathscr{F}_t, t \in \bar{\boldsymbol{R}}_+)$ 仍为上鞅. 因此对任意可选时 τ，X_τ 有明确的意义.

显然，如果可选时 τ 上鞅化右连续适应过程 X，则任意可选时 σ 也上鞅化 X，如果 $\sigma \leqslant \tau$ a. s. 由此知在局部上鞅的定义里，可以限定上升趋于 $+\infty$ 的可选时列 (τ_n) 的每个 τ_n 为有界的（否则用 $\tau_n \wedge n$ 代替 τ_n).

定理 5.5.13 设 X 为右连续适应过程，若可选时 σ 及 τ 都上鞅化 X，则 $\sigma \vee \tau$ 也上鞅化 X.

证 设 μ 为任意可选时，于是

$$\begin{aligned} |X_\mu^{\sigma\vee\tau} I_{\{\sigma\vee\tau>0\}}| &= |X_{(\sigma\wedge\mu)\vee(\tau\wedge\mu)} I_{\{\sigma\vee\tau>0\}}| \\ &= |I_{\{\sigma>\tau\}} I_{\{\sigma>0\}} X_{\sigma\wedge\mu} + I_{\{\sigma\leqslant\tau\}} I_{\{\tau>0\}} X_{\tau\wedge\mu}| \\ &\leqslant |I_{\{\sigma>0\}} X_\mu^\sigma| + |I_{\{\tau>0\}} X_\mu^\tau|. \end{aligned}$$

由此知当 μ 取遍所有的可选时时，随机变量族 $\{X_\mu^{\sigma\vee\tau} I_{\{\sigma\vee\tau>0\}}\}_{\mu\in\mathscr{T}}$ 为

一致可积. 剩下要证过程 $X^{\sigma\vee\tau}I_{\{\sigma\vee\tau>0\}}$ 为上鞅. 对任意 $0\leqslant s\leqslant t$,有

$$
\begin{aligned}
E\{X_{(\sigma\vee\tau)\wedge t}I_{\{\sigma\vee\tau>0\}}|\mathscr{F}_s\} &= E\{X_{(\sigma\vee\tau)\wedge t}I_{\{0<\sigma\vee\tau\leqslant s\}} \\
&\quad + X_{(\sigma\vee\tau)\wedge t}I_{\{\sigma\vee\tau>s\}}|\mathscr{F}_s\} = E\{X_{(\sigma\vee\tau)\wedge s}I_{\{0<\sigma\vee\tau\leqslant s\}} \\
&\quad + X_{\sigma\wedge t}I_{\{\sigma>\tau\vee s\}} + X_{\tau\wedge t}I_{\{\tau\geqslant\sigma,\tau>s\}}|\mathscr{F}_s\} \\
&= X_{(\sigma\vee\tau)\wedge s}I_{\{0<\sigma\vee\tau\leqslant s\}} + E\{E(X_{\sigma\wedge t}I_{\{\sigma>\tau\vee s\}}|\mathscr{F}_{\tau\vee s})|\mathscr{F}_s\} \\
&\quad + E\{X_{\tau\wedge t}I_{\{\tau\geqslant\sigma,\tau>s\}}|\mathscr{F}_s\} \\
&\leqslant X_{(\sigma\vee\tau)\wedge s}I_{\{0<\sigma\vee\tau\leqslant s\}} + E\{I_{\{\sigma>\tau\vee s\}}X^{\sigma}_{(\tau\vee s)\wedge t}|\mathscr{F}_s\} \\
&\quad + E\{X_{\tau\wedge t}I_{\{\tau\geqslant\sigma,\tau>s\}}|\mathscr{F}_s\} \\
&= X_{(\sigma\vee\tau)\wedge s}I_{\{0<\sigma\vee\tau\leqslant s\}} \\
&\quad + E\{I_{\{\sigma>\tau\vee s\}}X_{(\tau\vee s)\wedge t} + I_{\{\tau\geqslant\sigma,\tau>s\}}X_{\tau\wedge t}|\mathscr{F}_s\} \\
&= X_{(\sigma\vee\tau)\wedge s}I_{\{0<\sigma\vee\tau\leqslant s\}} + E\{I_{\{\tau>s\}}I_{\{\sigma>\tau\vee s\}}X_{(\tau\vee s)\wedge t} \\
&\quad + I_{\{\tau\leqslant s\}}I_{\{\sigma>\tau\vee s\}}X_{(\tau\vee s)\wedge t} + I_{\{\tau\geqslant\sigma,\tau>s\}}X_{\tau\wedge t}|\mathscr{F}_s\} \\
&= X^{\sigma\vee\tau}_s I_{\{0<\sigma\vee\tau\leqslant s\}} + E\{I_{\{\tau>s\}}X_{\tau\wedge t} + I_{\{\tau\leqslant s<\sigma\}}X_s|\mathscr{F}_s\} \\
&\leqslant X^{\sigma\vee\tau}_s I_{\{0<\sigma\vee\tau\leqslant s\}} + I_{\{\tau>s\}}X_{\tau\wedge s} + I_{\{\tau\leqslant s<\sigma\}}X_s \\
&= X^{\sigma\vee\tau}_s I_{\{0<\sigma\vee\tau\leqslant s\}} + I_{\{\tau\vee\sigma>s\}}X_s \\
&= X^{\sigma\vee\tau}_s I_{\{\sigma\vee\tau>0\}}.
\end{aligned}
$$

证毕

注 1 由此立刻推知, 为要右连续适应过程 X 是局部上鞅(鞅),当且仅当存在趋于 $+\infty$ 的(注意不必上升)可选时列 (τ_n), 使得过程 $X^{\tau_n}I_{\{0<\tau_n\}}$ 是类 (D) 上鞅(一致可积鞅).

注 2 每个右连续上鞅为局部上鞅, 每个右连续鞅为局部鞅. 事实上,若令

$$\tau_n = \inf\{t: |X_t| \geqslant n\} \wedge n,$$

由右连续性知可选时列 (τ_n) 上升趋于 $+\infty$, τ_n 有界. 对任意可选时 σ, 有

$$
\begin{aligned}
|X^{\tau_n}_\sigma| = |X_{\tau_n\wedge\sigma}| &= |X_{\tau_n}|I_{\{\tau_n\leqslant\sigma\}} + |X_\sigma|I_{\{\sigma<\tau_n\}} \\
&\leqslant |X_{\tau_n}| + n,
\end{aligned}
$$

故 $(X^{\tau_n}_\sigma, \sigma\in\mathscr{T})$ 为一致可积族,而且 $X^{\tau_n}I_{\{\tau_n>0\}}$ 为上鞅.

定理 5.5.14 设 X 为非负右连续局部上鞅, 于是存在唯一的右连续局部鞅 M 及可料可积增过程 A, 使得

$$X_t = M_t - A_t \text{ a.s. } t \geqslant 0.$$

证 因为 X 为局部上鞅，故存在上升趋于 $+\infty$ 的可选时序列 (τ_n)，使得 X^{τ_n} 为类 (D) 上鞅．由 Doob-Meyer 分解知，

$$X_t^{\tau_n} = M_t^n - A_t^n,$$

其中 M^n 为一致可积鞅，A^n 为可积可料增过程．

因为 $X_{\tau_n \wedge t}^{\tau_{n+1}} = X_t^{\tau_n}$，又因 M^{n+1} 为一致可积鞅，故 $(M_{\tau_n \wedge t}^{n+1}, t \geqslant 0)$ 也是一致可积鞅，$(A_{\tau_n \wedge t}^{n+1}, t \geqslant 0)$ 恰是可积可料增过程 A^{n+1} 于 τ_m 处的截尾增过程．不难证明 $(A_{\tau_n \wedge t}^{n+1}, t \geqslant 0)$ 仍是可料，所以有

$$X_t^{\tau_n} = X_{\tau_n \wedge t}^{\tau_{n+1}} = M_{\tau_n \wedge t}^{n+1} - A_{\tau_n \wedge t}^{n+1}.$$

由分解的唯一性知

$$M_{\tau_n \wedge t}^{n+1} = M_t^n,\ A_{\tau_n \wedge t}^{n+1} = A_t^n.$$

我们定义

$$M_t = M_t^n,\ t \leqslant \tau_n,$$

$$A_t = A_t^n,\ \ t \leqslant \tau_n,$$

于是有 $X_t = M_t - A_t$．显见 $M = (M_t, \mathscr{F}_t, t \in \boldsymbol{R}_+)$ 为局部鞅，A 为增过程．往证 A 为可积．对任意 $N > 0$，

$$\begin{aligned} EA_t \wedge N &= \lim_{n \to \infty} E[(A_t \wedge N) I_{\{\tau_n > t\}}] \\ &= \lim_{n \to \infty} E[(A_t^n \wedge N) I_{\{\tau_n > t\}}] \\ &\leqslant \lim_{n \to \infty} E(A_t^n \wedge N) \leqslant \lim_{n \to \infty} [EX_0^{\tau_n} - EX_t^{\tau_n}] \\ &\leqslant \lim_{n \to \infty} EX_0^{\tau_n} = EX_0 < \infty. \end{aligned}$$

由 Fatou 引理，令 $N \to \infty$ 得 $EA_t \leqslant EX_0 < \infty$，故 $EA_\infty \leqslant EX_0 < \infty$．往证 A 为可料．对任意有界左极限存在右连续的鞅 Y，由定理 5.5.6 知，对任意 $t > 0$，

$$\begin{aligned} E\int_0^t Y_s dA_s &= \lim_{n \to \infty} E\left[I_{\{\tau_n > t\}} \int_0^t Y_s dA_s\right] \\ &= \lim_{n \to \infty} E\left[I_{\{\tau_n > t\}} \int_0^t Y_s dA_s^n\right] \\ &= \lim_{n \to \infty} E\left[I_{\{\tau_n > t\}} \int_0^t Y_{s-} dA_s^n\right] \end{aligned}$$

$$= E\int_0^t Y_{s-}dA_s.$$

至于分解的唯一性，其证明和定理 5.5.11 的证明相似. 证毕

注意，若在假设里只设 X 为右连续局部上鞅(不要非负)，仍有 Doob-Meger 分解，但 A 不见得可积.

定义5.5.15 设 A 为右连续适应增过程，若存在上升趋于 $+\infty$ 的可选时列 (τ_n)，使得 A^{τ_n} (A 在 τ_n 处截尾)为可积，则称 A 为局部可积增过程.

当 A 为局部可积增过程时，$-A$ 为右连续局部上鞅，所以由上注知，存在可料增过程$\tilde{A}$，使得 $-A+\tilde{A}$ 为局部鞅 ($A-\tilde{A}$ 也为局部鞅)，这样的 $\tilde{A}$ 唯一，它叫做局部可积增过程 A 的可料对偶投影.

§6. 平方可积鞅

设 $(\Omega, \mathscr{F}, P)$ 为完备概率空间，在其中有一族上升的右连续子 σ 域族 $(\mathscr{F}_t)$，$t\in \boldsymbol{R}_+$，约定 $\mathscr{F}_{0-}=\mathscr{F}_0$，而且设每个 $\mathscr{F}_t$ 也用 P 零概集加以完备化. 一个右连续鞅 $X=(X_t, \mathscr{F}_t, t\in \boldsymbol{R}_+)$ 称为平方可积鞅，如果 $\sup\limits_{t\in \boldsymbol{R}_+} EX_t^2<\infty$. 今后用 μ^2 记为所有的右连续平方可积鞅类. 若 $X\in\mu^2$，则 $|X|=(|X_t|, \mathscr{F}_t, t\in \boldsymbol{R}_+)$ 为非负下鞅，因为 $\sup\limits_{t\in \boldsymbol{R}_t} E|X_+|^2<\infty$，故由定理 5.4.7 知 $(|X_t|^2, t\in \boldsymbol{R}_+)$ 为一致可积族，从而有 $X_t \xrightarrow[\text{a.s.}]{L_2} X_\infty (t\to\infty)$，且 $EX_\infty^2=\sup\limits_t EX_t^2<\infty$，这时 X 必为一致可积鞅. 反之若 X 为一致可积鞅，且 $EX_\infty^2<\infty$，则 $X\in\mu^2$. 事实上，X^2 为非负下鞅，故有 $\sup\limits_{t\in \boldsymbol{R}_+} EX_t^2\leqslant EX_\infty^2<\infty$. 由以上讨论可知，若 μ^2 赋以内积 $(X, Y)\triangleq E(X_\infty Y_\infty)$，则 μ^2 为一 Hilbert 空间，且通过同构映象 $X\to X_\infty$，它与 $L^2(\Omega, \mathscr{F}_\infty, P)$ 同构.

命题 5.6.1 设 $(X^n)_{n\geqslant 1}$ 为 μ^2 中一串平方可积鞅，$X\in\mu^2$，若

$\lim\limits_{n\to\infty}\|X_\infty^n - X_\infty\|_2 = \lim\limits_{n\to\infty}[E(X_\infty^n - X_\infty)^2]^{\frac{1}{2}} = 0$，则存在子序列 $(X^{n_k})_{k\geq 1}$，使得对几乎所有 ω，$X_t^{n_k}(\omega)$ 一致收敛于 $X_t(\omega)$.

证 取子序列 (X^{n_k}) 使得 $\sum\limits_{k=1}^{\infty}\|X_\infty^{n_k} - X_\infty\|_2 < \infty$，于是由 Doob 不等式有

$$E\left(\sum_{k=1}^{\infty}\sup_t|X_t^{n_k} - X_t|\right) = \sum_{k=1}^{\infty}E\sup_t|X_t^{n_k} - X_t|$$

$$\leqslant \sum_{k=1}^{\infty}(E\sup_t|X_t^{n_k} - X_t|^2)^{\frac{1}{2}}$$

$$\leqslant 2\sum_{k=1}^{\infty}(E(X_\infty^{n_k} - X_\infty)^2)^{\frac{1}{2}} < \infty.$$

由此立刻得本定理. 证毕

定义 5.6.2 设 $X\in\mu^2$，于是 $(X_t^2, \mathscr{F}_t, t\in \boldsymbol{R}_+)$ 为下鞅，且 $EX_\infty^2 < \infty$. 由定理 5.5.2 知，X^2 为类 (D) 下鞅. 故由 Doob-Meyer 分解知，存在唯一的可料可积增过程（记为 $\langle X, X\rangle$），使得 $X^2 - \langle X, X\rangle$ 为一致可积鞅. 我们称 $\langle X, X\rangle$ 为与 X 相应的可料增过程. 对 $X, Y\in\mu^2$，我们令

$$\langle X, Y\rangle_t = \frac{1}{4}(\langle X+Y, X+Y\rangle_t - \langle X-Y, X-Y\rangle_t),$$

这是由两个可料增过程之差构成的有界变差过程.

定理 5.6.3 设 $X, Y\in\mu^2$，则 $\langle X, Y\rangle$ 是唯一的可料可积变差过程，使得 $XY - \langle X, Y\rangle$ 为一致可积鞅.

证 因为 $(X+Y)^2 - \langle X+Y\rangle$，$(X-Y)^2 - \langle X-Y\rangle$ 为鞅，故对 $s<t$ 有(简记 $\langle X\pm Y, X\pm Y\rangle = \langle X\pm Y\rangle$)

$$E[X_tY_t - X_sY_s|\mathscr{F}_s] = E[(X_t - X_s)(Y_t - Y_s)|\mathscr{F}_s]$$

$$= \frac{1}{4}E[((X_t+Y_t) - (X_s+Y_s))^2 - ((X_t - Y_t)$$

$$-(X_s - Y_s))^2|\mathscr{F}_s]$$

$$= \frac{1}{4} E[(\langle X+Y\rangle_t - \langle X+Y\rangle_s) - (\langle X-Y\rangle_t - \langle X-Y\rangle_s) | \mathscr{F}_s]$$

$$= \frac{1}{4} E[(\langle X+Y\rangle_t - \langle X-Y\rangle_t) - (\langle X+Y\rangle_s - \langle X-Y\rangle_s) | \mathscr{F}_s]$$

$$= E[\langle X, Y\rangle_t - \langle X, Y\rangle_s | \mathscr{F}_s] \quad \text{a.s.}$$

由此推出 $XY - \langle X, Y\rangle$ 为鞅.

至于唯一性,可仿照定理 5.5.11 的证明. 证毕

注 一般说来,$\langle X+Y\rangle_t \neq \langle X\rangle_t + \langle Y\rangle_t$. 欲使等号 a.s. 成立,其充分条件是 $\langle X, Y\rangle_t = 0$. 此条件等价于 $(X_tY_t, \mathscr{F}_t, t \in \boldsymbol{R}_+)$ 为鞅. 满足这一条件的两个平方可积鞅称为相互正交.

为了定义依平方可积鞅的随机积分,我们先对被积的随机函数进行讨论. 令 Φ_1 表示适应的可测随机过程所构成的类,Φ_2 表示循序可测随机过程所构成的类,当然 $\Phi_2 \subset \Phi_1$.

定义 5.6.4 $\boldsymbol{R}_+ \times \Omega$ 上由全体左连续适应过程产生的子 σ 域. 叫做可料 σ 域,记为 $\mathscr{P}$.

可料 σ 域 $\mathscr{P}$ 可测的随机过程叫做可料随机过程. 可以证明前面所说的可料增过程(定义 5.5.4)就是对 $\mathscr{P}$ 可测的(参看 Dellacherier[3]). 我们令 Φ_3 表示可料随机过程的全体. 因为左连续适应过程为循序可测,所以可料随机过程必是循序可测,从而 $\Phi_3 \subset \Phi_2$.

记 $L_A^2(\Phi_i)$ 为 Φ_i 中的一个子类,每个随机过程 $(f_s) \in L_A^2(\Phi_i)$ 意味着:$(f_s) \in \Phi_i$,且满足下列条件

$$E\int_0^\infty f_s^2(\omega) dA_s(\omega) < \infty,$$

此处 A 为增过程.

定义 5.6.5 若随机函数 $f_t(\omega) \in \Phi_1$,且存在 $0 = t_0 < \cdots < t_n < \infty$,使得

$$f_t(\omega) = \sum_{k=0}^{n-1} f(t_k, \omega) I_{(t_k, t_{k+1}]}(t),$$

则称这样的随机过程为简单过程．简单过程的全体记作 $\mathscr{S}$．

若 $f\in\Phi_2$，且存在可选时 $0=\tau_0<\tau_1<\cdots<\tau_m<\infty$ a.s.，使得

$$f_t(\omega)=\sum_{k=0}^{n-1}f(\tau_k,\omega)I_{(\!(\tau_k,\tau_{k+1}]\!]}(t),$$

则称 f 为循序简单函数，这一类函数记为 $\mathscr{S}_\tau$．

引理 5.6.6 设 X 为平方可积鞅，$\langle X\rangle$ 为其相应的可料增过程，于是 $\mathscr{S}$ 稠密于 $L^2_{\langle X\rangle}(\Phi_3)$．

证 先证

$$\mathscr{P}=\sigma\{[0]\times A,(a,b]\times B,\ B\in\mathscr{F}_a,A\in\mathscr{F}_0,a,b\in\boldsymbol{R}_+\}.\quad(1)$$

显见，$I_{(a,b]\times B}(t,\omega)$ 为左连续适应过程，所以(1)的右方每个集合属于 $\mathscr{P}$．另一方面，设 f 为左连续适应过程，它就是下列随机函数的极限：

$$f_n(t,\omega)=\sum_{k=0}^{n-1}f(t_k^{(n)},\omega)I_{(t_k^{(n)},t_{k+1}^{(n)}]}(t),$$

此处 $0=t_0^{(n)}<t_1^{(n)}<\cdots<t_n^{(n)}<\infty$，$\lim\limits_{n\to\infty}\max\limits_k|t_{k+1}^{(n)}-t_k^{(n)}|=0$．$f_n$ 里的每个加项为(1)的右方 σ 域可测，从而 f 为右方可测，这就证明了 $\mathscr{P}$ 属于(1)式右方的 σ 域．

由上讨论知，欲证本引理，只需证 $[a,b]\times\Omega$ 里的某个 $\mathscr{P}$ 可测子集 M 的示性函数 $I_M(t,\omega)$ 可用 $\mathscr{S}$ 里的函数依 $L^2_{\langle X\rangle}$ 逼近即可．在 $(\boldsymbol{R}_+\times\Omega,\mathscr{P})$ 上定义测度 ν：

$$\nu(S\times B)=\int_B\left[\int_S d\langle X\rangle_t\right]P(d\omega),$$

此处 $S\in\boldsymbol{R}_+$，$B\in\Omega$．因为 $M\in\mathscr{P}$，所以对任意正整数 n，可以找到子集 M_n，

$$M_n=\bigcup_{i=0}^{n-1}(t_i,t_{i+1}]\times B_i,$$

此处 $a=t_0<t_1<\cdots<t_n=b$，$B_i\in\mathscr{F}_{t_i}$，使得 $\nu(M\triangle M_n)\leqslant$

$\frac{1}{n}$. 这就是

$$\int_{R_+\times\Omega} |I_M(t, \omega) - I_{M_n}(t, \omega)|^2 d\nu(t, \omega) \leqslant \frac{1}{n},$$

亦即

$$E\int_0^\infty |I_M(t, \omega) - I_{M_n}(t, \omega)|^2 d\langle X\rangle_t \leqslant \frac{1}{n}.$$

所以 $I_M(t, \omega)$ 可用简单函数 $I_{M_n}(t, \omega)$ 在 $L^2_{\langle X\rangle}$ 意义下逼近. 证毕

引理 5.6.7 设 $(f(t, \omega), t\in \boldsymbol{R}_+)$ 为可测适应随机函数,且

$$E\int_0^T |f(t, \omega)|^2 dt < \infty \qquad (T \leqslant \infty),$$

于是可以找到简单函数列 $f_n(t, \omega) = \sum f_n(t_k^{(n)}, \omega) I_{[t_k^{(n)}, t_{k+1}^{(n)}]}(t)$, 它满足 $E\int_0^T |f_n(t, \omega)|^2 dt < \infty$, 对一切 n, 使得当 $n\to\infty$时,

$$E\int_0^T |f(t, \omega) - f_n(t, \omega)|^2 dt \to 0.$$

证 可设 $|f(t, \omega)| \leqslant C < \infty$, 对一切 $(t, \omega)\in[0, T]\times\Omega$. 否则考虑 $f(t, \omega) I_{\{|f(t,\omega)|\leqslant N\}} = f^{(N)}(t, \omega)$, 这样的 $f^{(N)}$ 满足定理的条件,且 $E\int_0^T |f(t, \omega) - f^{(N)}(t, \omega)|^2 dt \to 0 (N\to\infty)$. 此外若 $T = \infty$, 可设 f 在某个有穷区间外为零; 当 $t\leqslant 0$ 时, 定义 $f(t, \omega) = f(0, \omega)$. 令

$$\phi_n(t) = \frac{j}{2^n}, \ \frac{j}{2^n} < t \leqslant \frac{j+1}{2^n}.$$

考虑 $f(\phi_n(t-s)+s, \omega)$, 当 s 固定时,它作为 (t, ω) 的函数是简单函数. 欲证本引理只需证,存在 $\tilde{s}$ 及子序列 (n_j) 使得

$$\lim_{j\to\infty} E\int_{-\infty}^\infty |f(\phi_{n_j}(t-\tilde{s})+\tilde{s}, \omega) - f(t, \omega)|^2 dt = 0. \quad (2)$$

为此,先证对任意有界 Lebesgue 可测且在有穷区间外为零的函数 $\varphi(t)$, 有

$$\lim_{h\to 0}\int_{-\infty}^\infty |\varphi(s+h) - \varphi(s)|^2 ds = 0.$$

事实上，对任意 $\varepsilon > 0$，存在连续函数 φ_ε，在某个有穷区间外为零，使得

$$\int_{-\infty}^{\infty}|\varphi(s)-\varphi_\varepsilon(s)|^2 ds \leqslant \varepsilon^2,$$

于是由 Minkowski 不等式

$$\limsup_{h\to 0}\left[\int_{-\infty}^{\infty}|\varphi(s+h)-\varphi(s)|^2 ds\right]^{\frac{1}{2}}$$
$$\leqslant \limsup_{h\to 0}\left[\int_{-\infty}^{\infty}|\varphi_\varepsilon(s+h)-\varphi_\varepsilon(s)|^2 ds\right]^{\frac{1}{2}} + 2\varepsilon$$
$$= 2\varepsilon,$$

由此知，对几乎一切 ω，有

$$\lim_{h\to 0}\int_{-\infty}^{\infty}|f(s+h,\omega)-f(s,\omega)|^2 ds = 0.$$

故对几乎一切 ω，及每个 t，有

$$\lim_{n\to\infty}\int_{-\infty}^{\infty}|f(\phi_n(t)+s,\omega)-f(t+s,\omega)|^2 ds = 0,$$

从而有

$$\lim_{n\to\infty}\int_{\Omega}\int_{-\infty}^{\infty}\int_{-\infty}^{\infty}|f(\phi_n(t)+s,\omega)-f(t+s,\omega)|^2 ds\,dt\,P(d\omega)$$
$$= 0.$$

这就是说，当 $n\to\infty$ 时，$|f(\phi_n(t)+s,\omega)-f(t+s,\omega)|$ 依测度 $ds\,dt\,P(d\omega)$ 趋于零，所以存在子序列 (n_j) 及 $\tilde{s}$ 使得

$$\lim_{j\to\infty}\int_{\Omega}\int_{-\infty}^{\infty}|f(\phi_{n_j}(t)+\tilde{s},\omega)-f(t+\tilde{s},\omega)|^2 dt\,P(d\omega) = 0.$$

由此得(2). 证毕

引理 5.6.8 设 X 为平方可积鞅，其相应的可料增过程 $\langle X\rangle$ 的几乎所有样本为绝对连续，于是 $\mathscr{S}$ 稠密于 $L^2_{\langle X\rangle}(\Phi_1)$.

证 仍如引理 5.6.7 的证明，不妨设 $f(f\in L^2_{\langle X\rangle}(\Phi_1))$ 为有界且在有穷区间外为零，于是 $E\int_0^{\infty}|f(s,\omega)|^2 dt < \infty$. 由上引理可以找到满足同样条件的简单函数列

$$f_n(t,\omega) = \sum_{k=0}^{\infty} f(t_k^{(n)},\omega) I_{(t_k^{(n)},t_{k+1}^{(n)}]}(t),$$

使得

$$\lim_{n\to\infty} E\int_0^\infty |f(t,\omega)-f_n(t,\omega)|^2 dt = 0,$$

从而可以找到子序列 (n_j)，使得对几乎一切 (t,ω)（按测度 $dtP(d\omega)$ 而言），$\lim\limits_{j\to\infty}|f(t,\omega)-f_{n_j}(t,\omega)|=0$，所以对几乎一切 (t,ω)

$$\lim_{j\to 0}|f(t,\omega)-f_{n_j}(t,\omega)|^2\frac{d\langle X\rangle_t(\omega)}{dt}=0,$$

且 $$|f(t,\omega)-f_{n_j}(t,\omega)|^2\frac{d\langle X\rangle_t(\omega)}{dt}\leqslant 4|f(t,\omega)|^2\frac{d\langle X\rangle_t(\omega)}{dt}$$

$$\leqslant 4C^2\frac{d\langle X\rangle_t(\omega)}{dt},$$

此处 C 为 $|f|$ 的上界，$\dfrac{d\langle X\rangle_t(\omega)}{dt}\geqslant 0$ a.s.，而且对测度 $dtP(d\omega)$ 为可积(因为 $E\langle X\rangle_\infty<\infty$)．故由控制收敛定理知

$$\lim_{j\to 0}E\int_0^\infty|f(t,\omega)-f_{n_j}(t,\omega)|d\langle X\rangle_t(\omega)=0.$$

由此知，对 $f\in L^2_{\langle X\rangle}(\Phi_1)$，可以找到简单函数序列 (f_{n_j}) 在 $L^2_{\langle X\rangle}$ 意义下逼近 f．证毕

引理 5.6.9 设 X 为平方可积鞅，$\langle X\rangle$ 的几乎所有样本为连续，于是 $\mathscr{S}$ 在 $L^2_{\langle X\rangle}(\Phi_2)$ 里稠密．

证 取 $f\in L^2_{\langle X\rangle}(\Phi_2)$，仍如前两个引理的证明，可设 f 有界且在有穷区间 $[a,b]$ 外为零．定义

$$\beta_u(\omega)=\begin{cases}\inf\{a\leqslant t\leqslant b,\ \langle X\rangle_t(\omega)>u\},\\ b,\ \text{若上集为空集}.\end{cases}$$

由引理 5.5.5．知对几乎一切 ω，$(\beta_u(\omega),u\in[a,b])$ 为右连续非降函数，且 $\beta_u(\omega)$ 为可选时．令 $\tilde{\mathscr{F}}_u=\mathscr{F}_{\beta_u}$，$\tilde{f}(u,\omega)=f(\beta_u(\omega),\omega)$．因为 $f\in\Phi_2$，故 $\tilde{f}(u,\omega)$ 为 $\mathscr{F}_{\beta_u}=\tilde{\mathscr{F}}_u$ 可测．由定义知 $\langle X\rangle_b(\omega)\leqslant u\Rightarrow\beta_u(\omega)=b$，$\langle X\rangle_a(\omega)>u\Rightarrow\beta_u(\omega)=a$，故若令 $\sup\limits_{t,\omega}|f(t,\omega)|\leqslant C$，且由 $f(t,\omega)=0$，$t\notin[a,b]$，则有

$$
\begin{aligned}
E\int_0^\infty |\tilde{f}(u,\omega)|^2du &= E\int_0^\infty |f(\beta_u(\omega),\omega)|^2du \\
&= E\int_0^\infty |f(\beta_u(\omega),\omega|^2 I_{\{\beta_u(\omega)\in[a,b]\}}du \\
&= E\int_{\langle X\rangle_a(\omega)}^{\langle X\rangle_b(\omega)} |f(\beta_u(\omega),\omega)|^2du \\
&\leqslant C^2E[\langle X\rangle_b - \langle X\rangle_a] < \infty.
\end{aligned}
$$

于是由引理 5.6.7 知，对任意 $\varepsilon > 0$，可以找到有穷个分割点 $0 = u_0 < u_1 < \cdots < u_n < \infty$，使得

$$
E\int_0^\infty |\tilde{f}(u,\omega) - \tilde{f}_n(u,\omega)|^2du < \varepsilon, \tag{3}
$$

此处

$$
\begin{aligned}
\tilde{f}_n(u,\omega) &= \sum_{k=0}^{n-1} \tilde{f}(u_k,\omega)I_{(u_k,u_{k+1}]}(u) \\
&= \sum_{k=0}^{n-1} f(\beta_{u_k}(\omega),\omega)I_{(u_k,u_{k+1}]}(u).
\end{aligned}
$$

往证对任意 $\varepsilon > 0$，存在 n，令 $\varphi_n(t,\omega)=\tilde{f}_n(\langle X\rangle_t(\omega),\omega)I_{(a,b]}(t)$，则有

$$
E\int_0^\infty |f(t,\omega) - \varphi_n(t,\omega)|^2d\langle X\rangle_t \leqslant \varepsilon. \tag{4}
$$

欲证此，我们知道当 $a < t \leqslant b$ 时

$$
\{\omega: u_k < \langle X\rangle_t(\omega) \leqslant u_{k+1}\} = \{\omega: \beta_{u_k}(\omega) < t \leqslant \beta_{u_{k+1}}(\omega)\},
$$

因此，可以认为 $\beta_{u_k}(\omega)\in[a,b]$ 对一切 $\omega\in\Omega$ 及 $k = 0, 1, \cdots, n-1$. 于是

$$
\begin{aligned}
\varphi_n(t,\omega) &= \tilde{f}_n(\langle X\rangle_t(\omega),\omega)I_{(a,b]}(t) \\
&= I_{(a,b]}(t)\sum_{k=0}^{n-1} f(\beta_{u_k}(\omega),\omega)I_{(u_k,u_{k+1}]}(\langle X\rangle_t(\omega)) \\
&= I_{(a,b]}(t)\sum_{k=0}^{n-1} f(\beta_{u_k}(\omega),\omega)I_{(\beta_{u_k}(\omega),\beta_{u_{k+1}}(\omega)]}(t).
\end{aligned}
$$

但当 $\langle X\rangle_a \leqslant u \leqslant \langle X\rangle_b$ 时，$\langle X\rangle_{\beta_u} = u$（这时 $\beta_u\in[a,b]$）. 所以当

$\langle X\rangle_a \leqslant u \leqslant \langle X\rangle_b$ 时，

$$\varphi_n(\beta_u(\omega), \omega) = I_{(a,b]}(\beta_u(\omega))\tilde{f}_n(\langle X\rangle_{\beta_u}(\omega), \omega)$$
$$= I_{(a,b]}(\beta_u(\omega))\tilde{f}_n(u, \omega) = \tilde{f}_n(u, \omega),$$

于是又由引理 5.5.5 知

$$E\int_0^\infty |f(t, \omega) - \varphi_n(t, \omega)|^2 d\langle X\rangle_t$$
$$= E\int_{\langle X\rangle_a}^{\langle X\rangle_b} |f(\beta_u(\omega), \omega) - \varphi_n(\beta_u(\omega), \omega)|^2 du$$
$$= E\int_{\langle X\rangle_a}^{\langle X\rangle_b} |f(\beta_u(\omega), \omega) - \tilde{f}_n(u, \omega)|^2 du$$
$$= E\int_{\langle X\rangle_a}^{\langle X\rangle_b} |\tilde{f}(u, \omega) - \tilde{f}_n(u, \omega)|^2 du$$
$$\leqslant E\int_0^\infty |\tilde{f}(u, \omega) - \tilde{f}_n(u, \omega)|^2 du,$$

故(4)得证．这就是说当 $f\in L^2_{\langle X\rangle}(\Phi_2)$ 时，它可用如下形状的随机函数在 $L^2_{\langle X\rangle}$ 意义下逼近：

$$\varphi_n(t, \omega) = \sum_{k=0}^{n-1} f(\tau_k, \omega) I_{(\tau_k(\omega), \tau_{k+1}(\omega)]}(t) \in \mathscr{S}_\tau,$$

此处 $\tau_k = \beta_{u_k} \leqslant b$．由此可知，欲证本引理还需证明上式右方每一加项可用简单函数逼近．为此只需证明，对任意可选时 $\tau,\tau \leqslant b < \infty$ a.s. 函数 $I_{[0,\tau]}$ 可用简单函数逼近即可．取

$$I_n(t, \omega) = \sum_{k\geqslant 0} I_{\{\tau(\omega) \geqslant \frac{k}{2^n}\}} I_{(\frac{k}{2^n}, \frac{k+1}{2^n}]}(t),$$

这样，我们有：

$$E\int_0^\infty |I_{[0,\tau]}(t, \omega) - I_n(t, \omega)|^2 d\langle X\rangle_t$$
$$\leqslant E[\langle X\rangle_{\tau+\frac{1}{2^n}} - \langle X\rangle_\tau] \to 0,$$

当 $n\to\infty$．证毕

设 X，$Y \in \mu^2$，于是存在唯一的右连续可积变差可料过程 $\langle X, Y\rangle$．对几乎一切 ω，它在 $\boldsymbol{R}_+$ 上定义一个符号测度 $\langle X, Y\rangle(E, \omega)$，$E\in \mathscr{B}(\boldsymbol{R}_+)$，而且 $\langle X, Y\rangle(E, \omega)$ 是 μ^2 上非负对称双

线性形式，所以 Schwarz 不等式成立

$$|\langle X, Y\rangle(E, \omega)| \leqslant \langle X\rangle^{\frac{1}{2}}(E, \omega)\langle Y\rangle^{\frac{1}{2}}(E, \omega) \quad \text{a.s.}$$

这一不等式可以推广：

命题 5.6.10 (Kunita-Watanabe) 设 $X, Y \in \mu^2$，f, g 为可测随机函数，于是 a.s. 有

$$\int_0^\infty |f_s g_s|\,|d\langle X, Y\rangle_s| \leqslant \left(\int_0^\infty f_s^2 d\langle X\rangle_s\right)^{\frac{1}{2}}\left(\int_0^\infty g_s^2 d\langle Y\rangle_s\right)^{\frac{1}{2}}.$$

证 若 f, g 为简单函数：

$$f_t(\omega) = \sum_{k=0}^{n-1} f_{t_k}(\omega) I_{(t_k, t_{k+1}]}(t),$$

则有

$$\begin{aligned}
&|f_{t_k}(\omega)g_{t_k}(\omega)|(\langle X, Y\rangle_{t_{k+1}}(\omega) - \langle X, Y\rangle_{t_k}(\omega)) \\
&\quad \leqslant [f_{t_k}^2(\omega)(\langle X\rangle_{t_{k+1}} - \langle X\rangle_{t_k})]^{\frac{1}{2}}[g_{t_k}^2(\omega)(\langle Y\rangle_{t_{k+1}} \\
&\qquad - \langle Y\rangle_{t_k})]^{\frac{1}{2}},
\end{aligned}$$

故

$$\begin{aligned}
\left|\int_0^\infty |f_s g_s| d\langle X, Y\rangle_s\right| &\leqslant \sum_k [f_{t_k}^2(\omega)(\langle X\rangle_{t_{k+1}} - \langle X\rangle_{t_k})]^{\frac{1}{2}} \\
&\qquad \times [g_{t_k}^2(\omega)(\langle Y\rangle_{t_{k+1}} - \langle Y\rangle_{t_k})]^{\frac{1}{2}} \\
&\leqslant \left[\sum_k f_{t_k}^2(\omega)(\langle X\rangle_{t_{k+1}} - \langle X\rangle_{t_k})\right]^{\frac{1}{2}} \\
&\qquad \times \left[\sum_k g_{t_k}^2(\omega)(\langle Y\rangle_{t_{k+1}} - \langle Y\rangle_{t_k})\right]^{\frac{1}{2}} \\
&= \left(\int_0^\infty f_s^2 d\langle X\rangle_s\right)^{\frac{1}{2}}\left(\int_0^\infty g_s^2 d\langle Y\rangle_s\right)^{\frac{1}{2}}. \quad \text{a.s.}
\end{aligned}$$

对一般的可测随机函数情形，可用通常办法去逼近. 证毕

命题 5.6.11 设 $X, Y \in \mu^2$，于是 $\langle X, Y\rangle(\cdot, \omega) \ll \langle X\rangle(\cdot, \omega)$ a.s. ω. 且存在可料过程 f 使得

$$\langle X, Y\rangle(E, \omega) = \int_E f_t(\omega) d\langle X\rangle_t(\omega),\ E \in \mathscr{B}(\boldsymbol{R}_+), \tag{5}$$

$$\int_0^t f_s^2 d\langle X\rangle_s(\omega) \leqslant \langle Y\rangle_t(\omega). \tag{6}$$

证 由 Schwarz 不等式知道 $\langle X, Y\rangle(\cdot, \omega) \ll \langle X\rangle(\cdot, \omega)$ a.s. 由此便知存在 Radon-Nikodym 微分 f，使之满足(5)，f 可以取为

$$f(t, \omega) = \limsup_{n\to\infty} \frac{\langle X, Y\rangle_t(\omega) - \langle X, Y\rangle_{t-\frac{1}{n}}(\omega)}{\langle X\rangle_t(\omega) - \langle X\rangle_{t-\frac{1}{n}}(\omega)} \text{ a. s. w.}$$

$\left(约定 \dfrac{0}{0} = 0\right)$，显见 f 也是可料过程.

为了证明(6)，对任意 $N > 0$，记 $f_N = fI_{\{|f|\leqslant N\}}$，我们有

$$\begin{aligned}\left|\int_0^t f_N^2(s)d\langle X\rangle_s\right| &= \left|\int_0^t f_N(s, \omega)f(s, \omega)d\langle X\rangle_s(\omega)\right| \\ &= \left|\int_0^t f_N(s, \omega)d\langle X, Y\rangle_s(\omega)\right| \\ &\leqslant \left(\int_0^t f_N^2(s, \omega)d\langle X\rangle_s(\omega)\right)^{\frac{1}{2}} \langle Y\rangle_t^{\frac{1}{2}}(\omega) \text{ a. s.}\end{aligned}$$

由此得 $\int_0^t f_N^2(s, \omega)d\langle X\rangle_s(\omega) \leqslant \langle Y\rangle_t(\omega)$ a. s. 令 $N\to\infty$ 便得不等式 (6). 证毕

现在我们定义 $f \in L^2_{\langle X\rangle}(\Phi_t)\cap\mathscr{S}$ 的依右连续平方可积鞅 X 的随机积分. 当

$$f(t, \omega) = \sum_{k=0}^{n-1} f(t_k, \omega)\, I_{(t_k, t_{k+1}]}(t), \quad t \in \boldsymbol{R}_+$$

时，我们定义

$$\int_0^\infty f(t, \omega)dX_t = \sum_{k=0}^{n-1} f(t_k, \omega)\,(X_{t_{k+1}} - X_{t_k}).$$

若 σ, τ 为可选时，$\sigma \leqslant \tau$，我们定义

$$\int_\sigma^\tau f(t, \omega)dX_t = \int_0^\infty f(t, \omega)I_{(\!(\sigma,\tau]\!]}(t, \omega)dX_t.$$

特别有：

$$\begin{aligned}\int_0^t f(s, \omega)dX_s = &\sum_{k=0}^{p-1} f(t_k, \omega)(X_{t_{k+1}} - X_{t_k}) \\ &+ f(t_p, \omega)\,(X_t - X_{t_p}),\end{aligned}$$

当 $t\in(t_p, t_{p+1}]$, $p<n$. 显见 $\left(\int_0^t f_s dX_s,\ t\in \boldsymbol{R}_+\right)$ 为右连续平方可积鞅，$E\int_0^t f_s dX_s=0$. 此外对任意 $Y\in\mu^2$，有

$$\left\langle \int_0^{\cdot} f_s dX_s,\ Y\right\rangle_t=\int_0^t f_s d\langle X, Y\rangle_s. \tag{7}$$

往证(7)，对任意 $s<t$

$$\begin{aligned}
&E\left((Y_t-Y_s)\int_s^t f_u dX_u \mid \mathscr{F}_s\right)\\
&\quad=\sum_{k,l} E\left((Y_{t_{k+1}}-Y_{t_k})\int_{t_l}^{t_{l+1}} f_u dX_u \mid \mathscr{F}_s\right),
\end{aligned}$$

但当 $k>l$ 时 $E\left((Y_{t_{k+1}}-Y_{t_k})\int_{t_l}^{t_{l+1}} f_u dX_u \mid \mathscr{F}_s\right)=0$，故

$$\begin{aligned}
&E\left((Y_t-Y_s)\int_s^t f_u dX_u \mid \mathscr{F}_s\right)\\
&\quad=\sum E(f_{t_k}(X_{t_{k+1}}-X_{t_k})(Y_{t_{k+1}}-Y_{t_k})\mid \mathscr{F}_s)\\
&\quad=\sum E[E(f_{t_k}(X_{t_{k+1}}-X_{t_k})(Y_{t_{k+1}}-Y_{t_k})\mid \mathscr{F}_{t_k})\mid \mathscr{F}_s]\\
&\quad=\sum E[f_{t_k}(\langle X, Y\rangle_{t_{k+1}}-\langle X, Y\rangle_{t_k})\mid \mathscr{F}_s]\\
&\quad=E\left[\int_s^t f_u d\langle X, Y\rangle_u \mid \mathscr{F}_s\right],
\end{aligned}$$

此即(7).

由(7)特别有 $E\left(\int_0^t f_s dX_s\right)^2=E\int_0^t f_s^2 d\langle X\rangle_s$, $t\in\boldsymbol{R}_+$.

当我们对 $f\in\mathscr{S}$ 的依平方可积鞅 X 的随机积分定义之后，我们可把被积随机函数的范围扩大到满足条件 $E\int_0^\infty f_s^2 d\langle X\rangle_s<\infty$ 的 f，这时 $\int_0^\infty f_s dX_s$ 就是 $Z_\infty^{(n)}=\int_0^\infty f_n(s)dX_s$ 的均方极限，其中 $f_n\in\mathscr{S}$，而 $Z_t^{(n)}=\int_0^t f_n(s)dX_s$，且

$$E\int_0^\infty |f(s)-f_n(s)|^2 d\langle X\rangle_s\to 0 \qquad (n\to\infty).$$

事实上，若 f_n 满足上式，则

$$E\left[\int_0^\infty [f_n(s)-f_m(s)]dX_s\right]^2=E\int_0^\infty (f_n(s)-f_m(s))^2 d\langle X\rangle_s,$$

此即$E|Z_\infty^{(n)}-Z_\infty^{(m)}|^2\to 0$，从而由命题 5.6.1 知，存在子序列$(n_k)$使得$Z_t^{(n_k)}\xrightarrow[\text{a. s.}]{L_2}Z_t\triangleq\int_0^t f_s dX_s$，对$t$一致．过程$Z\in\mu$，且对任意$Y\in\mu^2$，有

$$\langle Z, Y\rangle_t=\lim_{n\to\infty}\langle Z^{(n)}, Y\rangle_t=\lim_{n\to\infty}\int_0^t f_n(s)d\langle X, Y\rangle_s$$

$$=\int_0^t f_s d\langle X, Y\rangle_s.$$

Z唯一，即与所选的序列(f_n)无关．因为若还有$Z'\in\mu^2$，使得$\langle Z', Y\rangle_t=\int_0^t f_s d\langle X, Y\rangle_s$，对每个$Y\in\mu^2$，于是$\langle Z-Z', Y\rangle\equiv 0$对一切$Y\in\mu^2$．故特别有

$$\langle Z-Z', Z-Z'\rangle=0,$$

由此知$Z-Z'=0$ a. s.（因为$Z_0-Z_0'=0$）．

由以上讨论我们得到：

定理 5.6.12 设X为平方可积鞅，$\langle X\rangle$为其相应的可料增过程，且下列条件之一成立

(i) $f\in L^2_{\langle X\rangle}(\Phi_3)$，

(ii) $f\in L^2_{\langle X\rangle}(\Phi_2)$，且$\langle X\rangle$的几乎所有样本连续，

(iii) $f\in L^2_{\langle X\rangle}(\Phi_1)$，且$\langle X\rangle$的几乎所有样本绝对连续，

于是在概率等价意义下，可唯一地定义$Z_t=\int_0^t f_s dX_s$，使得$(Z_t, \mathscr{F}_t, t\in \boldsymbol{R}_+)\in\mu^2$，且对任意$Y\in\mu^2$，

$$\langle Z, Y\rangle_t=\int_0^t f_s d\langle X, Y\rangle_s.$$

注 1 若平方可积鞅X为连续，则对每个$f\in L^2_{\langle X\rangle}(\Phi_i)$，平方可积鞅$Z_t=\int_0^t f(s)dX_s$有连续修正．事实上，若选$f_n\in\mathscr{S}$使得

$$E\int_0^\infty (f_n(s)-f(s))^2 d\langle X\rangle_s\to 0\qquad (n\to\infty),$$

显见$\int_0^t f_n(s)dX_s$对t连续．但由命题 5.6.1 知，可如此选(f_n)，使得当$n\to\infty$时

$$\int_0^t f_n(s)dX_s \xrightarrow[\text{a. s.}]{} \int_0^t f(s)dX_s,$$

且对 t 一致. 故 Z_t 的几乎所有样本连续.

引理 5.6.13 设 X 为平方可积鞅，其相应的可料增过程 $\langle X\rangle$ 的几乎所有样本为连续,若 Φ_2 中的过程 f 满足

$$\int_0^\infty f^2(s)d\langle X\rangle_s < \infty \text{ a. s.}$$

于是可以找到一串过程 (f_n), $f_n \in L^2_{\langle X\rangle}(\Phi_2)$, 使得当 $n\to\infty$时

$$\int_0^\infty [f(s)-f_n(s)]^2 d\langle X\rangle_s \xrightarrow[p]{} 0;$$

存在简单函数序列 (f_n) 使得以上的极限在依概率及概率为一地意义下成立.

证 设 $f\in\Phi_2$ 且 $\int_0^\infty f^2(s)d\langle X\rangle_s < \infty$ a. s. 不妨设 f 在 $[0, T]$ 外为零. 令

$$\tau_N(\omega)=\begin{cases}\inf\left\{t\leqslant T: \int_0^t f^2(s)d\langle X\rangle_s \geqslant N\right\},\\ T, \text{若 } \int_0^T f^2(s)d\langle X\rangle_s < N,\end{cases}$$

τ_N 为可选时. 令 $f_N(s,\omega)=f(s,\omega)I_{[0,\tau_N]}\in\Phi_2$. 于是由 $\langle X\rangle$ 的连续性知

$$E\int_0^T |f_N(s,\omega)|^2 d\langle X\rangle_s \leqslant N < \infty,$$

故由引理 5.6.9 知,存在 $(f_N^{(n)}, n\geqslant 1)$, $f_N^{(n)}\in\mathscr{S}$, 使得

$$E\int_0^T |f_N(s,\omega)-f_N^{(n)}(s,\omega)|^2 d\langle X\rangle_s \to 0 \qquad (n\to\infty),$$

而且

$$P\left\{\int_0^T |f(s,\omega)-f_N(s,\omega)|^2 d\langle X\rangle_s > 0\right\}$$
$$\leqslant P\left\{\int_0^T f^2(s)d\langle X\rangle_s \geqslant N\right\}.$$

于是,对任意 $\varepsilon>0$

$$P\left\{\int_0^T |f(s)-f_N^{(n)}(s)|^2 d\langle X\rangle_t > \varepsilon\right\}$$
$$\leqslant P\left\{\int_0^T |f(s)-f_N(s)|^2 d\langle X\rangle_t > 0\right\}$$
$$+P\left\{\int_0^T |f_N(s)-f_N^{(n)}(s)|^2 d\langle X\rangle_t > \varepsilon\right\}$$
$$\leqslant P\left\{\int_0^T f^2(s)d\langle X\rangle_t \geqslant N\right\}$$
$$+\frac{1}{\varepsilon}E\int_0^T |f_N(s)-f_N^{(n)}(s)|^2 d\langle X\rangle_t.$$

由此不等式可以推出本引理. 证毕

由此引理得到

定理 5.6.14 若平方可积鞅 X 相应的可料增过程 $\langle X\rangle$ 的几乎所有样本连续,当 $f\in\Phi_2$ 时,且满足:

$$\int_0^\infty f^2(s)d\langle X\rangle_t < \infty \text{ a. s.}$$

则 f 依 X 的随机积分存在.

证 由引理 5.6.13 知,存在随机函数列 (f_n), $f_n\in L^2_{\langle X\rangle}(\Phi_2)$, 使得 $\int_0^\infty (f(s)-f_n(s))^2 d\langle X\rangle_t \xrightarrow[P]{} 0\ (n\to\infty)$. 故对任意 $\delta>0$ 有

$$\lim_{m,n\to\infty} P\left\{\int_0^\infty (f_m(s)-f_n(s))^2 d\langle X\rangle_t \geqslant \delta\right\}=0.$$

令

$$\tau^\delta(\omega)=\inf\left\{t: \int_0^t (f_m(s)-f_n(s))^2 d\langle X\rangle_t \geqslant \delta\right\},$$

于是

$$E\left[\int_0^\infty (f_m(s)-f_n(s))I_{[0,\tau^\delta]}(s,\omega)dX_t\right]^2$$
$$=E\int_0^\infty (f_m(s)-f_n(s))^2 I_{[0,\tau^\delta]}(s)d\langle X\rangle_t \leqslant \delta < \infty.$$

另一方面, 当 $\omega\in\left\{\int_0^\infty (f_m(s)-f_n(s))^2 d\langle X\rangle_t < \delta\right\}$ 时, $\tau^\delta(\omega)=\infty$,故对这样的 ω, 有

$$\sup_t \left|\int_0^t [f_m(s) - f_n(s) - (f_m(s) - f_n(s))I_{[0,\tau^\delta]}(s)]dX_s\right| = 0.$$

由此及下鞅不等式得

$$\begin{aligned}
&P\left\{\left|\int_0^\infty (f_m(s) - f_n(s))dX_s\right| > \varepsilon\right\} \\
&\leqslant P\left\{\sup_t \left|\int_0^t (f_m - f_n)dX_s\right| > \varepsilon\right\} \\
&= P\left\{\sup_t \left|\int_0^t (f_m - f_n)I_{[0,\tau^\delta]}dX_s\right.\right. \\
&\quad \left.\left. + \int_0^t \{(f_m - f_n) - (f_m - f_n)I_{[0,\tau^\delta]}\}dX_s\right| > \varepsilon\right\} \\
&\leqslant P\left\{\sup_t \left|\int_0^t (f_m - f_n)I_{[0,\tau^\delta]}dX_s\right| > \varepsilon\right\} \\
&\quad + P\left\{\sup_t \left|\int_0^t [(f_m - f_n) - (f_m - f_n)I_{[0,\tau^\delta]}]dX_s\right| > 0\right\} \\
&\leqslant \frac{1}{\varepsilon^2} E\left[\int_0^\infty (f_m - f_n)I_{[0,\tau^\delta]}dX_s\right]^2 \\
&\quad + P\left\{\int_0^\infty (f_m - f_n)^2 d\langle X\rangle_s \geqslant \delta\right\} \\
&\leqslant \frac{\delta}{\varepsilon^2} + P\left\{\int_0^\infty (f_m - f_n)^2 d\langle X\rangle_s \geqslant \delta\right\}.
\end{aligned} \tag{8}$$

由此不等式知

$$\lim_{m,n\to\infty} \sup P\left\{\left|\int_0^\infty f_n(s)dX_s - \int_0^\infty f_m(s)dX_s\right| > \varepsilon\right\} \leqslant \frac{\delta}{\varepsilon^2}.$$

这就是说 $\int_0^\infty f_n(s)\,dX_s$ 的依概率极限存在，我们定义此极限为 $\int_0^\infty f(s)dX_s$，它不依赖于所取的序列 (f_n). 证毕

注 1 由此定理所定义的随机积分 $\int_0^t f(s)dX_s$ 的几乎所有样本连续，若 X 本身为连续.

注 2 若 $\langle X\rangle$ 连续，且 f 满足定理的条件，则随机积分 $\int_0^t f_s dX_s$

有意义，但 $\left(\int_0^t f_s dX_s,\ \mathscr{F}_t,\ t\in\boldsymbol{R}_+\right)$ 不是鞅，而只是局部鞅．事实上，令

$$\tau_n=\inf\left\{t:\int_0^t f_s^2 d\langle X\rangle_s\geqslant n\right\}\wedge n,$$

于是 $\tau_n\leqslant n$ a. s.，$\tau_n\uparrow\infty$ a. s. 故 $\int_0^{t\wedge\tau_n} f_s dX_s=\int_0^t f_s I_{[0,\tau_n]} dX_s$．但因

$$E\int_0^\infty f_s^2 I_{[0,\tau_n]} d\langle X\rangle_s\leqslant n<\infty,$$

所以 $\left(\int_0^{t\wedge\tau_n} f_s dX_s\right)$ 为平方可积鞅，且

$$E\left(\int_0^{\tau_n} f_s dX_s\,\middle|\,\mathscr{F}_t\right)=\int_0^{t\wedge\tau_n} f_s dX_s.$$

由此知 $\left(\int_0^t f_s dX_s,\ \mathscr{F}_t,\ t\in\boldsymbol{R}_+\right)$ 为局部鞅。

第六章　Brown 运动及随机微分方程

§1. 定义及样本性质

随机过程 $W=(W_t,\ t\in \boldsymbol{R}_+)$, $W_0 \overset{\text{a.s.}}{=\!=} 0$, 称为 Brown 运动，如果它是可分的齐次独立增量过程，且其增量 $W_{t+h}-W_t$ 的分布是正态分布，均值为 0，方差为 $\sigma^2 h$, $h>0$. 由定理 4.7.2 知，Brown 运动的几乎所有样本函数为连续. 若令 $\mathscr{F}_t^w \triangleq \sigma(W_s,\ s\leqslant t)$，则对每个 $t\in \boldsymbol{R}_+$, W_t 为 $\mathscr{F}_t^w$ 可测，所以由独立增量性易知：当 $s\leqslant t$ 时，有

$$E(W_t|\mathscr{F}_s^w)=W_s,\ \text{a.s.}$$

$$\begin{aligned}E(W_t^2-W_s^2|\mathscr{F}_s^w)&=E((W_t-W_s)^2|\mathscr{F}_s^w)\\&=\sigma^2(t-s)\ \text{a.s.}\end{aligned}$$

令 $T_n\uparrow\infty$，于是 $\sup\limits_{t\leqslant T_n} EW_t^2=\sigma^2 T_n$，所以 $(W_t,\ \mathscr{F}_t^w,\ t\in \boldsymbol{R}_+)$ 为局部平方可积鞅. (X 为局部平方可积鞅，就是指存在一列上升趋于 ∞ 的可选时 (τ_n)，使得 X^{τ_n} 为平方可积鞅).

有人用下列表面上看来更一般的定义.

定义 6.1.1　设基本概率空间 $(\Omega,\ \mathscr{F},\ P)$ 里有一族上升子 σ 域 $(\mathscr{F}_t)$，随机过程 $W=(W_t,\ \mathscr{F}_t,\ t\in \boldsymbol{R}_+)$, $W_0=0$，称为 Brown 运动，如果 W 的几乎所有样本连续，且对任意 $s<t$ 有

$$E(W_t|\mathscr{F}_s)=W_s,$$

$$E(W_t^2-W_s^2|\mathscr{F}_s)=\sigma^2(t-s).$$

这就是说 W 为局部平方可积鞅，$(W_t^2-\sigma t,\ \mathscr{F}_t,\ t\in \boldsymbol{R}_+)$ 为局部鞅. Lévy 证明由 6.1.1 所定义的 Brown 运动是齐次独立增量过程，且其增量 W_t-W_s 为正态分布，其均值为零，方差为 $\sigma^2(t-s)$. 为证此，我们先证一个今后要用到的伊藤微分公式.

定理 6.1.2 设$f(x,y)$为一函数，关于x一次连续可微，及y二次连续可微，设$Y=M+A$，其中$M=(M_t,\mathscr{F}_t,t\in T)$为连续平方可积鞅，$A$为零初值适应有限变差连续过程. 于是 a. s. 有

$$f(t,Y_t)=f(0,Y_0)+\int_0^t f'_x(s,Y_s)ds$$
$$+\int_0^t f'_y(s,Y_s)(dM_s+dA_s)$$
$$+\frac{1}{2}\int_0^t f''_{yy}(s,Y_s)d\langle M\rangle_s,$$

对一切$0\leqslant t\leqslant T$.

证 首先在公式里的积分都有意义，因为$f'_x(s,Y_s)$，$f'_y(s,Y_s)$，$f''_{yy}(s,Y_s)$都是连续过程. 不妨假定存在常数K，使得

$$\int_0^T|dA_s|\leqslant K,\ |M|\leqslant K,\ \langle M\rangle_T\leqslant K,\ T\leqslant K.$$

否则取可选时$\tau_n\uparrow T$使得A^{τ_n}，M^{τ_n}，$\langle M\rangle^{\tau_n}$满足以上条件. 这时$Y$在$[-2K,2K]$中取值.

我们有如下的 Taylor 公式：对任意$|t|,|t'|,|t''|\leqslant K,|y|,|y'|,|y''|\leqslant 2K$

$$f(t'',y)-f(t',y)=f'_x(t',y)(t''-t')+h_1(t',t'',y),$$
$$f(t,y'')-f(t,y')=f'_y(t,y')(y''-y')$$
$$+\frac{1}{2}f''_{yy}(t,y')(y''-y')^2+h_2(t,y',y'').$$

由于f'_x，f''_{yy}在$[-K,K]\times[-2K,2K]$上一致连续，所以对一切$t',t'',t\in[-K,K]$及$y',y'',y\in[-2K,2K]$有

$$|h_1(t',t'',y)|\leqslant\varepsilon(|t'-t''|)|t'-t''|,$$
$$|h_2(t,y',y'')|\leqslant\varepsilon(|y'-y''|)|y'-y''|^2,$$

此处$\varepsilon(s)$为$\boldsymbol{R}_+$上增函数，且$\lim\limits_{s\downarrow 0}\varepsilon(s)=0$. 此外，由于$f'_x$，$f'_y$，$f''_{yy}$在$[-K,K]\times[-2K,2K]$上一致连续，故可找到常数$C>0$使得

$$\sup_{x,y}|f'_x(x,y)|\leqslant C,\ \sup_{x,y}|f'_y(x,y)|\leqslant C,$$
$$\mathrm{Aup}_{x,y}|f''_{yy}(x,y)|\leqslant C.$$

现在对任意 t，定义可选时 $\tau_0=0$. 给定 $a>0$，我们归纳地定义

$$\tau_{i+1}=t\wedge(\tau_i+a)\wedge\inf\{s>\tau_i:|M_s-M_{\tau_i}|+|A_s-A_{\tau_i}|$$
$$+(\langle M\rangle_s-\langle M\rangle_{\tau_i})>a\},\qquad i=0,1,2,\cdots.$$

容易看出对固定的 ω，存在正整数 $n=n(\omega)$ 使得

$$\tau_n(\omega)=\tau_{m+1}(\omega)=\cdots=t,$$

且 $\sup_k|\tau_{k+1}-\tau_k|\leqslant a$，而且由 M，A 及 $\langle M\rangle$ 的连续性知

$$|M_{\tau_{i+1}}-M_{\tau_i}|+|A_{\tau_{i+1}}-A_{\tau_i}|+(\langle M\rangle_{\tau_{i+1}}-\langle M\rangle_{\tau_i})\leqslant a.$$

所以用此分割可把 $f(t,Y_t)-f(0,Y_0)$ 写为

$$\begin{aligned}f(t,Y_t)-f(0,Y_0)&=\sum_{i=0}^{n}[f(\tau_{i+1},Y_{\tau_{i+1}})-f(\tau_i,Y_{\tau_i})]\\&=\sum_i[f(\tau_{i+1},Y_{\tau_{i+1}})-f(\tau_i,Y_{\tau_{i+1}})]\\&\quad+\sum_i[f(\tau_i,Y_{\tau_{i+1}})-f(\tau_i,Y_{\tau_i})]\\&=\sum_i f'_x(\tau_i,Y_{\tau_{i+1}})(\tau_{i+1}-\tau_i)\\&\quad+\sum_i h_1(\tau_i,\tau_{i+1},Y_{\tau_{i+1}})\\&\quad+\sum_i f'_y(\tau_i,Y_{\tau_i})(Y_{\tau_{i+1}}-Y_{\tau i})\\&\quad+\frac{1}{2}\sum_i f''_{yy}(\tau_i,Y_{\tau_i})(Y_{\tau_{i+1}}-Y_{\tau_i})^2\\&\quad+\sum_i h_2(\tau_i,Y_{\tau_i},Y_{\tau_{i+1}}).\end{aligned}\tag{1}$$

对几乎所有 ω，当 $n\to 0$ 时，有

$$\sum_i f'_x(\tau_i, Y_{\tau_{i+1}})(\tau_{i+1}-\tau_i) \to \int_0^t f'_x(s, Y_s)ds. \tag{2}$$

由定理 5.6.14 知，当 $a\to 0$ 时，有

$$\begin{aligned}
&\sum_i f'_y(\tau_i, Y_{\tau_i})(Y_{\tau_{i+1}}-Y_{\tau_i}) \\
&\quad = \sum_i f'_y(\tau_i, Y_{\tau_i})(M_{\tau_{i+1}}-M_{\tau_i}) \\
&\qquad + \sum_i f'_y(\tau_i, Y_{\tau_i})(A_{\tau_{i+1}}-A_{\tau_i}) \\
&\qquad \xrightarrow[p]{} \int_0^t f'_y(s, Y_s)dM_s + \int_0^t f'_y(s, y_s)dA_s \\
&\qquad = \int_0^t f'_y(s, Y_s)dY_s.
\end{aligned} \tag{3}$$

但

$$\begin{aligned}
&\left|\sum_i h_1(\tau_i, \tau_{i+1}, Y_{\tau_{i+1}})\right| \\
&\qquad \leqslant \sum_i \varepsilon(\tau_{i+1}-\tau_i)|\tau_{i+1}-\tau_i| \\
&\qquad \leqslant \varepsilon(a)\, t \to 0 \qquad (a\to 0),
\end{aligned} \tag{4}$$

$$\begin{aligned}
&\left|\sum_i h_2(\tau_i, Y_{\tau_i}, Y_{\tau_{i+1}})\right| \\
&\quad \leqslant \sum_i \varepsilon(|Y_{\tau_{i+1}}-Y_{\tau_i}|)(Y_{\tau_{i+1}}-Y_{\tau_i})^2 \\
&\quad \leqslant 2\varepsilon(a) \sum_i [(M_{\tau_{i+1}}-M_{\tau_i})^2+(A_{\tau_{i+1}}-A_{\tau_i})^2] \\
&\quad \leqslant 2\varepsilon(a) \left[\sum_i (M_{\tau_{i+1}}-M_{\tau_i})^2 + a\int_0^t |dA_s|\right].
\end{aligned}$$

因为 $E(M_{\tau_{i+1}}-M_{\tau_i})^2 = EM^2_{\tau_{i+1}} - EM^2_{\tau_i}$，故当 $a\to 0$ 时有

$$E\left|\sum_i h_2(\tau_i, Y_{\tau_i}, Y_{\tau_{i+1}})\right| \leqslant 2\varepsilon(a)(EM_t^2 + aK) \to 0.$$

因此可知

$$\sum_i h_2(\tau_i, Y_{\tau_i}, Y_{\tau_{i+1}}) \xrightarrow[p]{} 0 \quad (a \to 0). \tag{5}$$

最后考虑

$$\sum_i f''_{yy}(\tau_i, Y_{\tau i})(Y_{\tau_{i+1}} - Y_{\tau_i})^2 = V_1^{(a)} + V_2^{(a)} + V_3^{(a)}, \tag{6}$$

其中

$$V_1^{(a)} = \sum_i f''_{yy}(\tau_i, Y_{\tau_i})(M_{\tau_{i+1}} - M_{\tau_i})^2, \tag{7}$$

$$V_2^{(a)} = 2\sum_i f''_{yy}(\tau_i, Y_{\tau_i})(M_{\tau_{i+1}} - M_{\tau_i})(A_{\tau_{i+1}} - A_{\tau_i}), \tag{8}$$

$$V_3^{(a)} = \sum_i f''_{yy}(\tau_i, Y_{\tau_i})(A_{\tau_{i+1}} - A_{\tau_i})^2. \tag{9}$$

易知

$$|V_2^{(a)}| \leqslant 2Ca\int_0^t |dA_s| \leqslant 2CKa \to 0 \quad (a \to 0), \tag{10}$$

$$|V_3^{(a)}| \leqslant Ca\int_0^t |dA_s| \leqslant CKa \to 0 \quad (a \to 0). \tag{11}$$

令
$$J_1^{(a)} = \sum_i f''_{yy}(\tau_i, Y_{\tau_i})(\langle M\rangle_{\tau_{i+1}} - \langle M\rangle_{\tau_i}), \tag{12}$$

当 $a \to 0$ 时，我们有

$$J_1^{(a)} \xrightarrow{\text{a. s.}} \int_0^t f''_{yy}(s, Y_s)d\langle M\rangle_s. \tag{13}$$

现在考虑

$$V_1^{(a)} - J_1^{(a)} = \sum_i f''_{yy}(\tau_i, Y_{\tau_i})[(M_{\tau_{i+1}} - M_{\tau_i})^2 - (\langle M\rangle_{\tau_{i+1}} - \langle M\rangle_{\tau_i})].$$

因为 $M^2 - \langle M\rangle$ 为一致可积鞅，所以

$$E[(M_{\tau_{i+1}} - M_{\tau_i})^2 - (\langle M\rangle_{\tau_{i+1}} - \langle M\rangle_{\tau_i}) | \mathscr{F}_{\tau_i}] = 0,$$

于是当 $i < j$ 时

$$E[f''_{yy}(\tau_i, Y_{\tau_i})f''_{yy}(\tau_j, Y_{\tau_j})((M_{\tau_{i+1}} - M_{\tau_i})^2$$
$$- (\langle M\rangle_{\tau_{i+1}} - \langle M\rangle_{\tau_i}) \times ((M_{\tau_{j+1}} - M_{\tau_j})^2$$
$$- (\langle M\rangle_{\tau_{j+1}} - \langle M_{\tau_j}\rangle))|\mathscr{F}_{\tau_j}]$$
$$= [f''_{yy}(\tau_i, Y_{\tau_i})f''_{yy}(\tau_j, Y_{\tau_j})((M_{\tau_{i+1}} - M_{\tau_i})^2$$
$$- (\langle M\rangle_{\tau_{i+1}} - \langle M\rangle_{\tau_i})] \times E\{(M_{\tau_{j+1}} - M_{\tau_j})^2$$
$$- (\langle M\rangle_{\tau_{j+1}} - \langle M\rangle_{\tau_j})|\mathscr{F}_{\tau_j}\} = 0,$$

故

$$E(V_1^{(a)} - J_1^{(a)})^2 = E\sum_i \Big\{ f''_{yy}(\tau_i, Y_{\tau_i})^2[(M_{\tau_{i+1}} - M_{\tau_i})^2$$
$$- (\langle M\rangle_{\tau_{i+1}} - \langle M\rangle_{\tau_i})]^2 \Big\}$$
$$\leqslant 2C^2E\sum_i [(M_{\tau_{i+1}} - M_{\tau_i})^4 + (\langle M\rangle_{\tau_{i+1}} - \langle M\rangle_{\tau_i})^2]$$
$$\leqslant 2C^2 \Big\{Ea^2\sum_i (M_{\tau_{i+1}} - M_{\tau_i})^2$$
$$+ Ea\sum_i (\langle M\rangle_{\tau_{i+1}} - \langle M\rangle_{\tau_i}) \Big\}$$
$$\leqslant 2C^2\{a^2EM_t^2 + aE\langle M\rangle_t\} \to 0 \qquad (a \to 0).$$

由此特别有

$$V_1^{(a)} - J_1^{(a)} \xrightarrow[p]{} 0 \qquad (a \to 0). \tag{14}$$

所以由 (13),(14) 知

$$V_1^{(a)} \xrightarrow[p]{} \int_0^t f''_{yy}(s, Y_s)d\langle M\rangle_s. \tag{15}$$

故由 (1),(2),(3),(4),(5),(6),(10),(11),(15) 得到：对一切 $t \leqslant T$

$$f(t, Y_t) = f(0, Y_0) + \int_0^t f'_x(s, Y_s)\,ds + \int_0^t f'_y(s, Y_s)dY_s$$
$$+ \frac{1}{2}\int_0^t f''_{yy}(s, Y_s)d\langle M\rangle_s. \qquad \text{证毕} \tag{16}$$

下面我们证明 Lévy 定理. 今后永设 $\sigma = 1$.

定理 6.1.3 设 $W=(W_t, \mathscr{F}_t, t\in \boldsymbol{R}_+)$ 的几乎所有样本连续,且对 $s\leqslant t$ 有

$$E(W_t|\mathscr{F}_s)=W_s,$$

$$E((W_t-W_s)^2|\mathscr{F}_s)=E(W_t^2-W_s^2|\mathscr{F}_s)=t-s,$$

则W为齐次独立增量过程,且其增量 W_t-W_s 的分布为正态,其均值为 0,方差为 $(t-s)$.

证 由假设知 W 为平方可积鞅,且 $\langle W\rangle_t=t$. 在伊藤公式里,取 $f(x,y)=e^{i\lambda y}$, λ 为常数,于是对 $s<t\leqslant T<\infty$ 有

$$e^{i\lambda W_t}=e^{i\lambda W_s}+i\lambda\int_s^t e^{i\lambda W_u}dW_u-\frac{1}{2}\lambda^2\int_s^t e^{i\lambda W_u}du.$$

但过程 $\left(\int_0^t e^{i\lambda W_u}dW_u, \mathscr{F}_t, t\leqslant T\right)$ 为平方可积鞅,所以对上式依 $\mathscr{F}_s$ 取条件期望时,得

$$E(e^{i\lambda W_t}|\mathscr{F}_s)=e^{i\lambda W_s}-\frac{1}{2}\lambda^2\int_s^t E(e^{i\lambda W_u}|\mathscr{F}_s)du.$$

若令 $Z_t=E(e^{i\lambda W_t}|\mathscr{F}_s)$, $s\leqslant t$, 上式变为

$$\frac{dZ_t}{dt}=-\frac{1}{2}\lambda^2 Z_t, \text{ 且 } Z_s=e^{i\lambda W_s},$$

此微分方程的唯一解是 $Z_t=Z_s e^{-\frac{\lambda^2}{2}(t-s)}$, 从而知

$$E(e^{i\lambda(W_t-W_s)}|\mathscr{F}_s)=e^{-\frac{\lambda^2}{2}(t-s)}.$$

由此知增量 W_t-W_s 与 $\mathscr{F}_s$ 独立,故W为独立增量过程,而且其增量 W_t-W_s 的特征函数为$\exp\left\{-\frac{\lambda^2}{2}(t-s)\right\}$, 此即 W_t-W_s 为正态分布,均值为零,方差为$(t-s)$,而且过程为齐次的. 证毕

虽然 Brown 运动的几乎所有样本函数为连续,但它的样本函数还是不规则的,下面我们将讨论它的样本性质. 先证一个关于独立的对称随机变量序列部分和的不等式.

引理 6.1.4 设 $X_1, X_2, \cdots, X_n$ 为独立的对称随机变量,令 $S_k=\sum_{i=1}^{k}X_i$, 于是有

$$2P\{S_n \geqslant c + 2\varepsilon\} - 2\sum_{j=1}^{n} P(X_i \geqslant \varepsilon)$$

$$\leqslant P\{\sup_{i \leqslant n} S_i \geqslant c\} \leqslant 2P\{S_n \geqslant c\}, \tag{17}$$

对任意 $c > 0$ 及 $\varepsilon > 0$.

证 不等式(17)的右方不等式由系 4.2.3 推出，往证(17)的左方不等式. 当 $k < n$ 时

$$P\{\sup_{i \leqslant k-1} S_i < c, S_k \geqslant c, S_n - S_k < -\varepsilon\}$$

$$\leqslant P\{\sup_{i \leqslant k-1} S_i < c, S_k \geqslant c \ S_n < c + X_k - \varepsilon\}$$

$$\leqslant P\{\sup_{i \leqslant k-1} S_i < c, S_k \geqslant c, S_n < c + X_k - \varepsilon,$$

$$X_k < \varepsilon\} + P\{X_k \geqslant \varepsilon\}$$

$$\leqslant P\{\sup_{i \leqslant k-1} S_i < c, S_k \geqslant c, S_n < c\} + P\{X_k \geqslant \varepsilon\},$$

还有

$$P\{\sup_{i \leqslant k-1} S_i < c, S_k \geqslant c, S_n \geqslant c + 2\varepsilon\}$$

$$\leqslant P\{\sup_{i \leqslant k-1} S_i < c, S_k \geqslant c, S_n > S_k + 2\varepsilon - X_k\}$$

$$\leqslant P\{\sup_{i \leqslant k-1} S_i < c, S_k \geqslant c, S_n - S_k > 2\varepsilon$$

$$- X_k, X_k < \varepsilon\} + P\{X_k \geqslant \varepsilon\}$$

$$\leqslant P\{\sup_{i \leqslant k-1} S_i < c, S_k \geqslant c, S_n - S_k > \varepsilon\}$$

$$+ P\{X_k \geqslant \varepsilon\}.$$

由以上两个不等式及 X_i, $i = 1, \cdots, n$ 为独立的对称随机变量，可以导出:

$$P\{\sup_{i \leqslant n} S_i \geqslant c, S_n < c\} = \sum_{k=1}^{n-1} P\{\sup_{i \leqslant k-1} S_i < c, S_k \geqslant c, S_n < c\}$$

$$\geqslant \sum_{k=1}^{n-1} P\{\sup_{i \leqslant k-1} S_i < c, S_k \geqslant c, S_n - S_k < -\varepsilon\}$$

$$- \sum_{k=1}^{n-1} P\{X_k \geqslant \varepsilon\}$$

$$= \sum_{k=1}^{n-1} P\{ \sup_{i \leqslant k-1} S_i < c, S_k \geqslant c, S_n - S_k > \varepsilon\}$$

$$- \sum_{k=1}^{n-1} P\{X_k \geqslant \varepsilon\}$$

$$\geqslant \sum_{k=1}^{n-1} P\{ \sup_{i \leqslant k-1} S_i < c, S_k \geqslant c, S_n \geqslant c + 2\varepsilon\}$$

$$- 2 \sum_{k=1}^{n-1} P\{X_k \geqslant \varepsilon\}.$$

另一方面有

$$P\{ \sup_{i \leqslant n} S_i \geqslant c, S_n \geqslant c\} = P\{S_n \geqslant c\} \geqslant P\{S_n \geqslant c + 2\varepsilon\}.$$

把以上两个不等式相加,即得(17)的左方不等式. 证毕

注 1 若X为可分的依概率连续的独立增量过程，且对每个t, X_t, $-X_t$为相同分布. 这时取$X_1 = X\left(\frac{T}{n}\right)$, $X_k = X\left(\frac{k}{n} T\right) - X\left(\frac{k-1}{n} T\right)$, 利用上引理的右方不等式,得

$$P\left\{\sup_{k \leqslant n} X\left(\frac{k}{n} T\right) \geqslant c\right\} \leqslant 2P\{X(T) \geqslant c\}.$$

利用可分性知,当$n \to \infty$时, $\lim\limits_{n\to\infty} \sup\limits_{k\leqslant n} X\left(\frac{k}{n} T\right) = \sup\limits_{0\leqslant t\leqslant T} X_t$,从而得

$$P\{ \sup_{0 \leqslant t \leqslant T} X_t \geqslant c\} \leqslant 2P\{X_T \geqslant c\}.$$

注2 若特别取X为 Brown 运动,则等式成立,即有下列的等式(它叫做 Lévy 等式).

$$P\{ \sup_{0 \leqslant t \leqslant T} W_t \geqslant c\} = 2P\{W_T \geqslant c\}.$$

这是因为由引理知

$$P\{ \sup_{0 \leqslant t \leqslant T} W_t \geqslant c\} \geqslant P\{ \sup_{i \leqslant n} W_{\frac{i}{n}T} \geqslant c\}$$

$$\geqslant 2P\{W_T \geqslant c + 2\varepsilon\} - 2nP\{W_{\frac{1}{n}} \geqslant \varepsilon\}$$

$$\geqslant 2P\{W_T \geqslant c + 2\varepsilon\} - \frac{2n\sqrt{T}}{\varepsilon\sqrt{2\pi n}} e^{-\frac{\varepsilon^2 n}{2T}}$$

$$\to 2P\{W_T \geqslant c\} \qquad (n \to \infty, \varepsilon \to 0).$$

利用上引理的注意，可以证明下列定理.

定理 6.1.5 设 $(W_t, \mathscr{F}_t, t \in \boldsymbol{R}_+)$ 为 Brown 运动，于是对任意 t_0，有

$$P\left\{\limsup_{t\to t_0} \frac{W_t - W_{t0}}{t - t_0} = +\infty\right\} = 1.$$

注 此定理告诉我们 Brown 运动的几乎所有样本函数在任意给定 t_0 处的上微分为 $+\infty$. 由可测性及 Fubini 定理知有 $T_0 \times N_0 \subset [0, T] \times \Omega$, $P(N_0) = 0$, $\lambda(T_0) = 0$, 使得当 $(t_0, \omega) \notin T_0 \times N_0$ 时，$\limsup\limits_{t\to t_0} \dfrac{W(t, \omega) - W(t_0, \omega)}{t - t_0} = +\infty$.

证 只需证，对任意 $c > 0$，有

$$P\left\{\sup_{t_0 < t \leqslant t_0 + \delta} \frac{W_t - W_{t_0}}{t - t_0} \geqslant c\right\} \to 1 \qquad (\delta \to 0).$$

由 Lévy 等式有

$$P\left\{\sup_{t_0 < t \leqslant t_0 + \delta} \frac{W_t - W_0}{t - t_0} \geqslant c\right\} \geqslant P\{\sup_{t_0 < t \leqslant 0 + \delta} (W_t - W_{t_0}) \geqslant c\delta\}$$

$$= 2P\{W_{t_0+\delta} - W_{t_0} \geqslant c\delta\}$$

$$= 2\frac{1}{\sqrt{2\pi}} \int_{c\sqrt{\delta}}^{\infty} e^{-\frac{x^2}{2}} dx \to 1 \qquad (\delta \to 0).$$ 证毕

由对称性还有

$$P\left\{\liminf_{t\to t_0} \frac{W_t - W_{t_0}}{t - t_0} = -\infty\right\} = 1.$$

定理 6.1.6 设 W 为 Brown 运动. 考虑任意闭区间 $[0, b]$ 内任意可数稠密子集 $\{t_j\}$，对任意 n，令 $t_0, t_1, \cdots, t_n$ 依大小排列为 $t_0^{(n)} < t_1^{(n)} < \cdots < t_n^{(n)}$. 于是对几乎所有 ω

$$\lim_{n\to\infty} \sum_{j=0}^{n-1} [W(t_{j+1}^{(n)}) - W(t_j^{(n)})]^2 = b.$$

此极限在均方收敛意义下也成立.

证 令 $S_n = \sum_{j=0}^{n-1}[W_{t_{j+1}^{(n)}} - W_{t_j^{(n)}}]^2$, 先考虑 $t_0 = 0, t_1 = b$ 的情形,往证 $(S_n, \mathscr{F}_n^S, n \geqslant 1)$ 为鞅反列. 即证 对任意正整数 m 及 n, 有

$$E(S_n | S_{n+1}, \cdots, S_{n+m}) = S_{n+1} \text{ a.s.}$$

亦即

$$E(S_n - S_{n+1} | S_{n+1}, \cdots, S_{n+m}) = 0 \text{ a.s.} \tag{18}$$

我们只证 $m = 2$ 的情形,对任意 $m > 2$ 的情形证法相同(假定(18)对 $m = 2$ 时成立,必对 $m = 1$ 成立). 当 $m = 2$ 时,就分点来说,在 $t_0, \cdots, t_n$ 上又要添进 t_{n+1}, t_{n+2}. 这时或者 t_{n+1}, t_{n+2} 同时塞入一个子区间 $(t_j^{(n)}, t_{j+1}^{(n)})$ 里, 或者分别塞入不同的两个子区间里. 处理这两种情形的方法相似, 我们只考虑前一种情形: $t_j^{(n)} < t_{n+2} < t_{n+1} < t_{j+1}^{(n)}$, 对某个固定的 j, 于是 S_{n+1} 是把 S_n 中的项 $(W_{t_{j+1}^{(n)}} - W_{t_j^{(n)}})^2$ 换为 $(W_{t_{j+1}^{(n)}} - W_{t_{n+1}})^2 + (W_{t_{n+1}} - W_{t_j^{(n)}})^2$ 得到的. S_{n+2} 是把 S_n 中的项 $(W_{t_{j+1}^{(n)}} - W_{t_j^{(n)}})^2$ 换为

$$(W_{t_{n+2}} - W_{t_j^{(n)}})^2 + (W_{t_{n+1}} - W_{t_{n+2}})^2 + (W_{t_{j+1}^{(n)}} - W_{t_{n+1}})^2$$

得到的. 如果令

$$S = S_n - (W_{t_{j+1}^{(n)}} - W_{t_j^{(n)}})^2,$$

$$Y_1 = W_{t_{n+2}} - W_{t_j^{(n)}},$$

$$Y_2 = W_{t_{n+1}} - W_{t_{n+2}},$$

$$Y_3 = W_{t_{j+1}^{(n)}} - W_{t_{n+1}},$$

则 $S_n = S + (Y_1 + Y_2 + Y_3)^2$, $S_{n+1} = S + (Y_1 + Y_2)^2 + Y_3^2$, $S_{n+2} = S + Y_1^2 + Y_2^2 + Y_3^2$. 从而所要证明的(18)可以写为

$$\begin{aligned} &E\{[S + (Y_1 + Y_2 + Y_3)^2] - [S + (Y_1 + Y_2)^2 \\ &\quad + Y_3^2] | (Y_1 + Y_2)^2 + Y_3^2 + S, Y_1^2 + Y_2^2 + Y_3^2 + S\} \\ &= E\{2(Y_1 + Y_2)Y_3 | (Y_1 + Y_2)^2 + Y_3^2 + S, Y_1^2 + Y_2^2 \\ &\quad + Y_3^2 + S\} = 0. \end{aligned} \tag{19}$$

但 Y_1, Y_2, Y_3 都是零均值正态分布的，它们是对称随机变量，故

$$E\{(Y_1+Y_2)Y_3|Y_1, Y_2, Y_3^2\}$$
$$= E\{-(Y_1+Y_2)Y_3|Y_1, Y_2, Y_3^2\} \quad \text{a.s.}$$

从而

$$E\{2(Y_1+Y_2)Y_3|Y_1, Y_2, Y_3^2\}=0 \quad \text{a.s.}$$

又因 Y_1, Y_2, Y_3 与 S 为独立，故由上式得

$$E\{2(Y_1+Y_2)Y_3|Y_1, Y_2, Y_3^2, S\}=0.$$

由此利用平滑性知

$$E\{2(Y_1+Y_2)Y_3|Y_1^2+Y_2^2+Y_3^2+S, (Y_1+Y_2)^2+Y_3^2+S\}$$
$$=E\{E[2(Y_1+Y_2)Y_3|Y_1, Y_2, Y_3^2, S]|Y_1^2+Y_2^2$$
$$+Y_3^2+S, (Y_1+Y_2)^2+Y_3^2+S\}=0.$$

由此证明了(19)，亦即证明了 $m=2$ 时的(18)．这时 $(S_n, m\geqslant 1)$ 为鞅反列．于是由定理 5.2.9 知，当 $n\to\infty$ 时，概率为一地(均方)存在 $\lim\limits_{n\to\infty} S_n$．下面往证此极限等于 b．我们有

$$E(S_n-b)^2=E\left[\sum_{j=0}^{n-1}(W_{t_{j+1}^{(n)}}-W_{t_j^{(n)}})^2-\sum_{j=0}^{n-1}(t_{j+1}^{(n)}-t_j^{(n)})\right]^2$$

$$=2\sum_{j=0}^{n-1}(t_{j+1}^{(n)}-t_j^{(n)})^2\leqslant 2b\max(t_{j+1}^{(n)}-t_j^{(n)}).$$

由此可见，当 $n\to\infty$ 时 $E(S_n-b)^2\to 0$．这就是说 $\lim\limits_{n\to\infty} S_n=b$ a.s.(均方)．

以上所证是对 $t_0=0, t_1=b$ 的特殊情形，对一般情形，我们考虑

$$S_n'=(W_{t_0^{(n)}}-W_0)^2+S_n+(W_b-W_{t_n^{(n)}})^2,$$

这时序列 (S_n') 化为上述情形，故 $\lim\limits_{n\to\infty} S_n'=b$ a.s.(均方)．但当 $n\to\infty$ 时，$W_{t_0^{(n)}}\to W_0, W_{t_{(n)}^{(n)}}\to W_b$ a.s. 所以仍得 $\lim\limits_{n\to\infty} S_n=b$ a.s.(均方)．证毕

定理 6.1.7 设 W 为 Brown 运动，在任意闭区间 $[0, b]$ 内 W 的几乎所有样本不是有穷变差的．

证 用反证法，假定在一个正概集 A 上样本为有穷变差，即假定 $\underset{0\leq t\leq b}{\text{var}} W(t,\omega) < C(\omega)$ 于是对 $[0, b]$ 的加密分割 $0 = t_0^{(n)} < t_1^{(n)} < \cdots < t_n^{(n)} = b$, $\lim\limits_{n\to\infty} \max\limits_j |t_j^{(n)} - t_{j-1}^{(n)}| = 0$, 有

$$\begin{aligned}
&\sum_{j=0}^{n-1} (W_{t_{j+1}^{(n)}}(\omega) - W_{t_j^{(n)}}(\omega))^2 \\
&\leq \max_j |W_{t_{j+1}^{(n)}}(\omega) - W_{t_j^{(n)}}(\omega)| \sum_{j=0}^{n-1} |W_{t_{j+1}^{(n)}}(\omega) - W_{t_j^{(n)}}(\omega)| \\
&\leq \max_j |W_{t_j^{(n)}}(\omega) - W_{t_j^{(n)}}(\omega)| \underset{0\leq t\leq b}{\text{var}} W_t(\omega).
\end{aligned}$$

但由于W的几乎所有样本为连续，故当 $\omega \in A\cap N^c$, $P(N) = 0$ 时，

$$\lim_{n\to\infty} \max_j |W_{t_j^{(n)}}(\omega) - W_{t_j^{(n)}}(\omega)| = 0,$$

所以

$$\lim_{n\to\infty} \sum_{0}^{n-1} (W_{t_{j+1}^{(n)}}(\omega) - W_{t_j^{(n)}}(\omega))^2 = 0.$$

这与定理 6.1.6 矛盾．故几乎所有样本不是有穷变差． 证毕

定理 6.1.8 设W为 Brown 运动，于是W的几乎所有样本函数在任何区间上都不单调． 对几乎所有 ω, $W_\cdot(\omega)$ 的局部极大集合是稠密的．

证 此定理的第一断言是上一定理的推论．这里再另给一证法．往证对任意 $a > 0$，几乎所有样本函数在 $[0, a]$ 上不单调下降．令

$$A_n = \left\{W\left(\frac{i+1}{n}a\right) - W\left(\frac{i}{n}a\right) \geq 0,\right.$$

$$\left. i = 0, 1, \cdots n-1.\right\},$$

则 $P(A_n) = \dfrac{1}{2^n} \to 0\ (n\to\infty)$． 但 $\bigcap\limits_n A_n = \{\omega: W(\cdot, \omega)$ 在 $[0, a]$ 上不降$\}$，故 $P\left(\bigcap\limits_n A_n\right) \leq P(A_n) \to 0$，所以

$$P\left(\bigcap_n A_n\right)=0.$$

欲证第二断言，需证：若函数 f 在任意闭区间上连续且不单调，则 f 在此区间有局部极大. 请读者自己证明. 证毕

定理 6.1.9 Brown 运动的几乎所有样本函数的局部极大是严格的.（若 $W(\cdot,\omega)$ 在 t_0 处取极大，此极大称为严格地，如果存在 $\varepsilon>0$，使得：当 $|s-t_0|<\varepsilon$ 时，$W(s,\omega)<W(t_0,\omega)$.）

证 当

$$\omega\in\bigcap_{\substack{0\leqslant r_1<r_2<r_3<r_4\\ r_i\in Q}}\{\max_{r_1\leqslant s\leqslant r_2}W_s\neq\max_{r_3\leqslant s\leqslant r_4}W_s\}$$

时，$W(\cdot,\omega)$ 的局部极大必是严格的. 如果能证：对任意 $0\leqslant a<b<c<d$ 有

$$P\{\max_{a\leqslant s\leqslant b}W_s\neq\max_{c\leqslant s\leqslant d}W_s\}=1,\tag{20}$$

则对几乎所有 ω，$W(\cdot,\omega)$ 的局部极大必是严格的. 往证(20). 令

$$X=W_c-W_b,\ Y=\max_{0\leqslant t\leqslant d-c}[W_{c+t}-W_c],$$

于是

$$\max_{c\leqslant s\leqslant d}W_s=Y+W_c=Y+X+W_b,$$

由此知

$$\{\max_{a\leqslant s\leqslant b}W_s\neq\max_{c\leqslant s\leqslant d}W_s\}=\{X\neq\max_{a\leqslant s\leqslant b}W_s-W_b-Y\}.$$

因为 X，Y，$\mathscr{F}_b^w$ 为独立，而 $W_b\in\mathscr{F}_b^w$，$\max\limits_{a\leqslant s\leqslant b}W_s\in\mathscr{F}_b^w$，故

$$\begin{aligned}P\{\max_{a\leqslant s\leqslant b}W_s\neq\max_{c\leqslant s\leqslant d}W_s\}&=EI_{\{X\neq\max\limits_{a\leqslant s\leqslant b}W_s\}}\\&=E\{E[I_{\{X\neq\max\limits_{a\leqslant s\leqslant b}W_s\}}|W_b,Y,\max_{a\leqslant s\leqslant b}W_s]\}\\&=E\{E[I_{X\neq\alpha-\beta-\gamma}|\max_{a\leqslant s\leqslant b}W_s=\alpha,W_b=\beta,Y=\gamma]\}\\&=E\{P[X\neq\alpha-\beta-\gamma]\}=1.\end{aligned}$$

证毕

最后，请读者自证若定义于 $[0,\infty)$ 上的实函数 f 的每个局部极大都是严格的，则 f 只有可数个局部极大，从而 Brown 运动的几乎所有样本的局部极大集是可数稠密集.

§ 2. 样本的渐近性质

下面我们讨论，当 $T\to\infty$ 时，$\sup\limits_{0\leqslant t\leqslant T} W_t$ 及 $\sup\limits_{0\leqslant t\leqslant T}|W_t|$ 的增长速度，及当 $T\to 0$ 时，它们趋于零的速度．为此让我们先对一般的独立增量过程证明这种类型的定理．

单调增的连续非负函数 $g(t)$，$t\geqslant 0$ 称为正则增的，如果存在函数 $K_1(x)$，$K_2(x)$，$\lim\limits_{x\to\infty}K_1(x)\to\infty$，$\lim\limits_{x\to 1}K_2(x)=1$，使得

$$K_1(x)\leqslant\frac{g(x_t)}{g(t)}\leqslant K_2(x),\ x\geqslant 0,\ t>0.$$

定理 6.2.1 设 $X=(X_t,t\in\boldsymbol{R}_+)$ 为齐次可分依概率连续的独立增量过程，X_t 为对称随机变量，$t\in\boldsymbol{R}_+$．$g(t)$ 为正则增函数，使得

$$\int_1^\infty\frac{1}{t}P\{X_t>g(t)\}dt<\infty. \tag{1}$$

便有：对任意 $\lambda>1$

$$P\left\{\limsup_{t\to\infty}\frac{X_t}{\lambda g(t)}<1\right\}=1. \tag{2}$$

证 对任意 $a>1$，记

$$A_k=\{\sup_{0\leqslant t\leqslant a^k}X_t\geqslant g(a^{k+1})\},$$

由引理 6.1.4 知

$$P(A_k)\leqslant 2P\{X(a^k)\geqslant g(a^{k+1})\}.$$

当 $t\in[a^k,a^{k+1}]$ 时，$g(t)\leqslant g(a^{k+1})$，且由对称性知

$$P\{X_t+X(a^k)\geqslant 0\}\geqslant\frac{1}{2},$$

故由上式得

$$\begin{aligned}P(A_k)&\leqslant 4P\{X(a^k)\geqslant g(a^{k+1})\}P\{X_t-X(a^k)\geqslant 0\}\\&\leqslant 4P\{X_t\geqslant g(t)\},\end{aligned}$$

于是有

$$\int_{a^k}^{a^{k+1}} \frac{1}{t} P(A_k)dt \leqslant 4\int_{a^k}^{a^{k+1}} \frac{1}{t} P\{X_t \geqslant g(t)\}dt.$$

由此及假设知

$$\sum_{k=0}^{\infty} P(A_k) \leqslant \frac{4}{\log a}\int_1^{\infty} \frac{1}{t} P\{X_t \geqslant g(t)\}dt < \infty.$$

由 Borel-Cantelli 引理得 $P\{\liminf_k A_k^c\} = 1$. 当 $\omega \in \liminf_k A_k^c$ 时，存在 $n_0(\omega)$ 使得

$$\sup_{0\leqslant t\leqslant a^k} X_t(\omega) < g(a^{k+1}),\quad k \geqslant n_0(\omega),$$

从而

$$\sup_{a^{k-1}\leqslant t\leqslant a^k} X_t(\omega) < g(a^{k+1}),\quad k \geqslant n_0(\omega),$$

即

$$\limsup_{k\to\infty} \frac{\sup\limits_{a^{k-1}\leqslant t\leqslant a^k} X_t(\omega)}{g(a^{k+1})} \leqslant 1.$$

但当 $a^{k-1} \leqslant t \leqslant a^k$ 时，有

$$\frac{X_t(\omega)}{K_2(a^2)g(t)} \leqslant \frac{X_t(\omega)}{K_2(a')g(a^{k-1})}$$

$$\leqslant \frac{\sup\limits_{a^{k-1}\leqslant t\leqslant a^k} X_t(\omega)}{g(a^{k+1})} < 1.$$

对任意 $\lambda > 1$，可选 $a > 1$ 使得 $K_2(a^2) < \lambda$，由上关系得到：当 $\omega \in \liminf_k A_k^c$ 时，

$$\limsup_{t\to\infty} \frac{X_t(\omega)}{\lambda g(t)} < 1.$$

这就证明了(2)式成立. 证毕

定理 6.2.2 设 $X = (X_t, t \in \boldsymbol{R}_+)$ 为齐次可分依概率连续的独立增量过程，X_t 为对称随机变量，$t \in \boldsymbol{R}_+$. $g(t)$ 为正则增函数，使得对任意 $a > 1$，

$$\sum_{k=1}^{\infty} P\{X(a^k) > g(a^k)\} = \infty. \tag{3}$$

则对任意 $\lambda < 1$ 有

$$P\left\{\limsup_{t\to\infty} \frac{X_t}{\lambda g(t)} > 1\right\} = 1. \tag{4}$$

证 分两种情形.

(i) 若 $\limsup\limits_{t\to\infty} P\{X_t > g(t)\} \geqslant \frac{1}{2}$,

这时可以找到序列 (t_k), $t_k \uparrow \infty$, 使得

$$P\{X_{t_k} > g(t_k)\} \geqslant \frac{1}{2} - \frac{1}{k^2},$$

于是

$$\sum_{k=1}^{\infty} P\{0 < X_{t_k} \leqslant g(t_k)\} \leqslant \sum_{k=1}^{\infty}\left[\frac{1}{2} - P\{g(t_k) < X_{t_k}\}\right]$$

$$\leqslant \sum_{k=1}^{\infty} \frac{1}{k^2} < \infty.$$

故由 Borel-Cantelli 引理知,对几乎一切 ω, 存在 $n_0(\omega)$, 使得当 $n \geqslant n_0(\omega)$ 时, $X_{t_k}(\omega) > g(t_k)$. 从而 $X_{t_k}(\omega) > \lambda g(t_k)$, 对任意 $\lambda < 1$. 由此得

$$P\left\{\limsup_{k\to\infty} \frac{X_{t_k}(\omega)}{\lambda g(t_k)} > 1\right\} = 1.$$

(ii) 若 $\limsup\limits_{t\to\infty} P\{X_t > g(t)\} \leqslant \frac{1}{2} - \delta$, 对某个 $\delta > 0$. 于是当 t 足够大时,有

$$P\{|X_t| \leqslant g(t)\} \geqslant 2\delta.$$

令

$$B_k = \{X(a^{k+1}) - X(a^k) > g(a^{k+1}) - g(a^k)\}, \quad a > 1,$$

当 k 足够大时,若令 $F(x)$ 为 $X(a^k)$ 的分布,则有

$$
\begin{aligned}
P(B_k) &= E[P(B_k | X(a^k))] \\
&\geqslant \int_{-g(a^k)-}^{g(a^k)} P\{X(a^{k+1}) - X(a^k) > g(a^{k+1}) \\
&\quad - g(a^k) | X(a^k) = x\} dF(x) - g(a^k)^-.
\end{aligned}
$$

由独立增量性推知，当 k 足够大时有

$$
\begin{aligned}
P(B_k) &\geqslant \int_{-g(a^k)-}^{g(a^k)} P\{X(a^{k+1}) > g(a^{k+1})\} dF(x) \\
&= P\{X(a^{k+1}) > g(a^{k+1})\} P\{|X(a^k)| \leqslant g(a^k)\} \\
&\geqslant 2\delta P\{X(a^{k+1}) > g(a^{k+1})\},
\end{aligned}
$$

故由假设知 $\Sigma P(B_k) = +\infty$. 但诸 (B_k) 为独立事件，所以由 Borel-Cantelli 引理得到

$$
P\{\limsup_{k \to \infty} B_k\} = 1.
$$

但

$$
\begin{aligned}
B_k &= B_k(-X(a^k) > g(a^k)) \cup B_k(-X(a^k) \leqslant g(a^k)) \\
&\subset (-X(a^k) > g(a^k)) \cup (X(a^{k+1}) > g(a^{k+1}) - 2g(a^k)) \\
&\subset (-X(a^k) > g(a^k) - 2g(a^{k-1})) \cup (X(a^{k+1}) \\
&\quad > g(a^{k+1}) - 2g(a^k)),
\end{aligned}
$$

对任意 $\lambda < 1$，选 $a > 1$ 使得

$$
\begin{aligned}
g(a^k) - 2g(a^{k-1}) &= g(a^k)\left(1 - \frac{2g(a^{k-1})}{g(a^k)}\right) \\
&\geqslant g(a^k)\left(1 - \frac{2}{K_1(a)}\right) \\
&> \lambda g(a^k),
\end{aligned}
$$

所以

$$
B_k \subset (-X(a^k) > \lambda g(a^k)) \cup (X(a^{k+1}) > \lambda g(a^{k+1})).
$$

于是对几乎一切 ω

$$
\begin{aligned}
\Omega = \limsup_{k \to \infty} B_k &= \bigcap_{n=1}^{\infty} \bigcup_{k \geqslant n} [(-X(a^k) > \lambda g(a^k)) \\
&\quad \cup (X(a^{k+1}) > \lambda g(a^{k+1}))] \\
&= \bigcap_{n=1}^{\infty} \bigcup_{k \geqslant n} (|X(a^k)| > \lambda g(a^k)).
\end{aligned}
$$

由此知，对任意 $\lambda<1$，有

$$P\left\{\limsup_{t\to\infty}\frac{|X_t|}{\lambda g(t)}>1\right\}=1.$$

考虑事件

$$C=\left\{\limsup_{t\to\infty}\frac{X_t}{\lambda g(t)}>1\right\},\ D=\left\{\limsup_{t\to\infty}\frac{-X_t}{\lambda g(t)}>1\right\},$$

由以上结果知 $P(C\cup D)=1$，又由对称性知 $P(C)=P(D)$. 但 C 为尾事件，故由 Колмогоров 零一律知，$P(C)=0$ 或 1，从而必有 $P(C)=P(D)=1$. 证毕

注 完全和定理 6.2.1 及 6.2.2 的证明过程一样，但需把证明里的 $a>1$ 换为 $a<1$，把正则增函数 $g(t)$ 换为 $\varphi(t)=1\Big/g\left(\frac{1}{t}\right)$，就可证明下列事实：

若 X 为可分的依概率连续齐次独立增量过程，且每个随机变量 X_t 为对称的，则

$$\int_0^1\frac{1}{t}P\{X_t>\varphi(t)\}dt<\infty$$

$$\Rightarrow P\left\{\limsup_{t\to 0}\frac{X_t}{\lambda\varphi(t)}<1\right\}=1,\ \text{对任意}\ \lambda>1.$$

$$\text{对任意}\ a<1,\ \sum_1^\infty P\{X(a^k)>\varphi(a^k)\}=\infty$$

$$\Rightarrow P\left\{\limsup_{t\to 0}\frac{X_t}{\lambda\varphi(t)}>1\right\}=1,\ \text{对任意}\ \lambda<1.$$

现在把以上两个定理应用于 Brown 运动. 为此，先估计下式：对任意 $z>0$

$$\frac{1}{\sqrt{2\pi}}\int_z^\infty e^{-\frac{x^2}{2}}dx\leqslant\frac{1}{\sqrt{2\pi}\,z}\int_z^\infty xe^{-\frac{x^2}{2}}dx=\frac{1}{\sqrt{2\pi}\,z}e^{-\frac{z^2}{2}},$$

$$\frac{1}{\sqrt{2\pi}}\int_z^\infty e^{-\frac{x^2}{2}}dx\geqslant\frac{1}{\sqrt{2\pi}}\int_z^{z+1}e^{-\frac{x^2}{2}}dx\geqslant\frac{1}{\sqrt{2\pi}}e^{-\frac{(z+1)^2}{2}},$$

由此得

$$\frac{1}{\sqrt{2\pi}}e^{-\frac{1}{2}\left(\frac{z}{\sqrt{t}}+1\right)^2} \leqslant P(W_t > z) \leqslant \frac{\sqrt{t}}{\sqrt{2\pi}\,z}e^{-\frac{1}{2}\frac{z^2}{t}}.$$

取 $g(t)=(1+\varepsilon)\sqrt{2t\log\log t}$， $0<\varepsilon<1$， $K_1(x)=x$， $K_2(x)=x^2$, $0<\varepsilon<1$，我们有

$$\begin{aligned}
&P\{W_t>(1+\varepsilon)\sqrt{2t\log\log t}\}\\
&\leqslant \frac{1}{\sqrt{2\pi(1+\varepsilon)^2 2t\log\log t}}e^{-(1+\varepsilon)^2\log\log t}\\
&= O(\log t)^{-(1+\varepsilon)^2}.
\end{aligned}$$

但 $\int_c^{\infty}\frac{dt}{t(\log t)^{(1+\varepsilon)^2}}<\infty\ (c>1)$，故由定理 6.2.1 知

$$\limsup_{t\to\infty}\frac{W_t}{\sqrt{2t\log\log t}}<1+\delta \text{ a.s.} \tag{5}$$

此处 $\delta>0$ 为任意.

同样,若取 $g(t)=(1-\varepsilon)\sqrt{2t\log\log t}$，对 $a>1$，有

$$\begin{aligned}
&P\{W(a^k)>(1-\varepsilon)\sqrt{2a^k\log\log a^k}\}\\
&\geqslant \frac{1}{\sqrt{2\pi}}e^{-\frac{1}{2}\left[\frac{(1-\varepsilon)^2\sqrt{2a^k\log\log t^k}}{a^{k/2}}+1\right]^2}\\
&\geqslant \frac{1}{\sqrt{2\pi}}e^{-\frac{(1-\varepsilon)^2}{2}\left[2\log\log a^k+2\sqrt{2\log\log a^k}+1\right]}\\
&\geqslant Ce^{-\alpha\log\log a^k}=C(\log a^k)^{-\alpha}.
\end{aligned}$$

如果 $(1-\varepsilon)^2\left[1+\frac{\sqrt{2}}{\sqrt{\log\log a^k}}\right]<\alpha<1$（取 k 足够大即可），则由此知

$$\Sigma P\{W(a^k)>(1-\varepsilon)\sqrt{2a^k\log\log a^k}\}\geqslant C\Sigma\frac{1}{(k\log a)^{\alpha}}=\infty.$$

故由定理 6.2.2 知,对任意 $\delta'>0$，有

$$\limsup_{t\to\infty}\frac{W_t}{\sqrt{2t\log\log t}}>1-\delta' \text{ a.s.} \tag{6}$$

于是由(5),(6)得到 Хинчин 的叠对数法则:

定理 6.2.3 若W为 Brown 运动,则

$$P\left\{\limsup_{t\to\infty}\frac{W_t}{\sqrt{2t\log\log t}}=1\right\}=1. \tag{7}$$

利用定理 6.2.2 的注,可以用同上推理得到:

定理 6.2.4 若W为 Brown 运动,则

$$P\left\{\limsup_{t\to 0}\frac{W_t}{\sqrt{2t\log|\log t|}}=1\right\}=1. \tag{8}$$

因为过程W为对称,故由以上两定理得

$$P\left\{\liminf_{t\to\infty}\frac{W_t}{\sqrt{2t\log\log t}}=-1\right\}=1, \tag{9}$$

$$P\left\{\liminf_{t\to 0}\frac{W_t}{\sqrt{2t\log|\log t|}}=-1\right\}=1. \tag{10}$$

由此可以看出,对几乎一切ω, $\limsup\limits_{t\to\infty}W_t(\omega)=+\infty$,

$$\liminf_{t\to 0}W_t(\omega)=-\infty.$$

把(7),(8),(9),(10)结合起来,得

$$P\left\{\limsup_{t\to\infty}\frac{|W_t|}{\sqrt{2t\log\log t}}=1\right\}=1,$$

$$P\left\{\limsup_{t\to 0}\frac{|W_t|}{\sqrt{2t\log|\log t|}}=1\right\}=1.$$

显见 W_t,当 $t\to 0$ 时的性质和 $W_{t+h}-W_t$ 当 $h\to 0$ 时的性质一样,所以有

$$P\left\{\limsup_{h\downarrow 0}\frac{|W_{t+h}-W_t|}{\sqrt{2h\log|\log h|}}=1\right\}=1.$$

最后,让我们讨论 W_t 在任意闭区间 $[0,T]$ $(T<\infty)$ 中的连续模的变化情况. 令

$$\Delta_h(T)=\sup_{\substack{|s-t|\leqslant h\\ s,t\leqslant T}}|W_t-W_s|,$$

因为W的几乎所有样本函数为连续,所以当 $h\to 0$ 时 $\Delta_h(T)\to 0$

a.s. 我们讨论 $\Delta_h(T)$ 趋于零的速度，有下列定理.

定理 6.2.5 设W为 Brown 运动，有

$$P\left\{\limsup_{h\to 0}\frac{\Delta_h(T)}{\sqrt{h\log\frac{1}{h}}}<\infty\right\}=1.$$

证 当 $\frac{1}{2^{n+1}}\leqslant h\leqslant\frac{1}{2^n}$ 时，$\Delta_h(T)\leqslant 2\Delta_{\frac{1}{2^{n+1}}}(T)$，由此知

$$\frac{1}{\sqrt{h\log\frac{1}{h}}}\Delta_h(T)\leqslant\frac{2}{\sqrt{\frac{1}{2^{n+1}}\log^{2^{n+1}}}}\Delta_{\frac{1}{2^{n+1}}}(T).$$

令

$$\eta_n=\frac{1}{\sqrt{\frac{1}{2^n}\log 2^n}}\sup_{\frac{k}{2^{n+1}}\leqslant T}\sup_{\frac{k-1}{2^{n+1}}\leqslant s\leqslant\frac{k}{2^{n+1}}}\left|W_s-W\left(\frac{k}{2^{n+1}}\right)\right|,$$

欲证本定理只需证

$$P\{\limsup_{n\to\infty}\eta_n<\infty\}=1.$$

由定理 4.2.3. 知

$$P\{\eta_n>x\}\leqslant\sum_{k\leqslant 2^{n+1}T}P\left\{\sup_{\frac{k-1}{2^{n+1}}\leqslant s\leqslant\frac{k}{2^{n+1}}}\left|W_s-W\left(\frac{k}{2^{n+1}}\right)\right|\right.$$

$$\left.>x\sqrt{\frac{1}{2^n}\log 2^n}\right\}$$

$$\leqslant 2\,(2^{n+1}T+1)P\left\{\sup_{0\leqslant s\leqslant\frac{1}{2^{n+1}}}|W_s|>x\sqrt{\frac{1}{2^n}\log 2^n}\right\}$$

$$\leqslant 4\,(2^{n+1}T+1)P\left\{W\left(\frac{1}{2^{n+1}}\right)>x\sqrt{\frac{1}{2^n}\log 2^n}\right\}$$

$$\leqslant\frac{4(2^{n+1}T+1)}{\sqrt{\pi}\sqrt{n\log 2}\;x}e^{-x^2\log 2^n}=\frac{\left(8T+\frac{4}{2^n}\right)}{\sqrt{\pi\log 2}\,x}\frac{2^{(1-x^2)n}}{\sqrt{n}}$$

$$\leqslant K\frac{2^{(1-x^2)n}}{\sqrt{n}},\ \text{当}\ x>1,$$

故 $\Sigma P\{\eta_n > x\} \leqslant K\Sigma \frac{2^{(1-x^2)n}}{\sqrt{n}} < \infty$. 所以由 Borel-Cantelli 引理知 $\limsup\limits_{n\to\infty} \eta_n < \infty$ a.s. 证毕

系 6.2.6 设W为 Brown 运动,于是存在随机变量 Y,使得对一切 $t_1, t_2 \in [0, T]$ 有

$$|W_{t_1} - W_{t_2}| \leqslant Y \sqrt{|t_1 - t_2| \log \frac{1}{|t_1 - t_2|}}.$$

由这个不等式推知 Brown 运动的几乎所有样本函数满足 $\mathrm{Lip}\,\alpha\left(\alpha < \frac{1}{2}\right)$, 但由叠对数法则知, 几乎所有样本函数不满足 $\mathrm{Lip}\,\frac{1}{2}$.

§ 3. Brown 运动的强马氏性及其应用

熟知随机过程 $(X_t, t \in \boldsymbol{R}_+)$ 称为马尔柯夫过程(简称马氏过程),如果已知过程的"过去"和"现在", 则过程"将来"的条件概率只依赖于"现在". 这就是说,若 B 为 $\sigma(X_t, t \geqslant s)$ 上的可测集,则

$$P\{B | X_u, u \leqslant s\} = P\{B | X_s\}. \tag{1}$$

Brown 运动就是马氏过程,因为它是独立增量的,所以对任意 Borel 集 A, $t > s$, 有

$$\begin{aligned} P\{W_t - W_s \in A | W_u, u \leqslant s\} &= P\{W_t - W_s \in A\} \\ &= P\{W_t - W_s \in A | W_s\}. \end{aligned}$$

设 τ 为 $(\mathscr{F}_t)$ 可选时,因为 Brown 运动W的几乎所有样本函数为连续,故 W_τ 为 $\mathscr{F}_\tau$ 可测. 现在考虑从 τ 开始的过程 $(W_{\tau+t}, t \in \boldsymbol{R}_+)$, 如果把随机过程 $W_{\tau+\cdot}$ 看作映象

$$(t, \omega) \to W_{\tau(\omega)+t}(\omega),$$

则此映象对 σ 域 $\mathscr{B}(\boldsymbol{R}_+) \otimes \mathscr{F} \cap [\tau < \infty]$ 可测. 这是因为此映象是下列两个可测映象的复合:

$$(t, \omega) \to (\tau(\omega) + t, \omega),$$

$$(s, \omega) \to W_s(\omega).$$

所谓强马氏性就是说当我们把可选时 τ 作为"现在"，过程仍具有马氏性，即对任意 $A \in \mathscr{B}(\boldsymbol{R})$，有

$$P\{W_{\tau+t} - W_\tau \in A \mid W_u, u \leqslant \tau\} = P\{W_{\tau+t} - W_\tau \in A \mid W_\tau\}.$$

由上讨论可知，如果能证对任意 $t \geqslant 0$，$W_{\tau+t} - W_\tau$ 与 $\mathscr{F}_\tau$ 独立，则上式两端都等于 $P\{W_{\tau+t} - W_\tau \in A\}$，从而上式成立。

下面证明 Brown 运动具有强马氏性。

定理 6.3.1 设 $W = (W_t, \mathscr{F}_t, t \in \boldsymbol{R}_+)$ 为 Brown 运动，τ 为可选时，于是在 $\{\tau < \infty\}$ 上，$\sigma(W_{\tau+t} - W_\tau, t \in \boldsymbol{R}_+)$ 与 $\mathscr{F}_\tau$ 独立，而且令 $X_t = W_{\tau+t} - W_\tau$ 时，$(X_t, \mathscr{F}_{\tau+t}, t \in \boldsymbol{R}_+)$ 为 Brown 运动。

证 取 $\sigma(W_{\tau+t} - W_\tau, t \in \boldsymbol{R}_+)$ 上任意有界连续函数 $\gamma = \gamma(W_{\tau+\cdot} - W_\tau)$ 及 $\mathscr{F}_\tau$ 可测集 A，$A \subset \{\tau < \infty\}$，欲证本定理，需证

$$\begin{aligned} E[\gamma(W_{\tau+\cdot} - W_\tau) I_A] &= E[\gamma(W_{\tau+\cdot} - W_\tau)] E I_A \\ &= E[\gamma(W(\cdot))] E I_A. \end{aligned}$$

令

$$\tau_n = \sum_k \frac{k}{2^n} I_{\left\{\frac{k-1}{2^n} < \tau \leqslant \frac{k}{2^n}\right\}} + \infty I_{\{\tau=\infty\}},$$

τ_n 为可选时，且 $\tau_n \downarrow \tau$ a. s. 记 $A_k = A \cap \left\{\tau_n = \frac{k}{2^n}\right\}$，这时 $A_k \in \mathscr{F}_{\frac{k}{2^n}}$。于是

$$\begin{aligned} & E[\gamma(W(\tau_n + \cdot) - W(\tau_n)) I_{A_k}] \\ &= E\left[\gamma\left(W\left(\frac{k}{2^n} + \cdot\right) - W\left(\frac{k}{2^n}\right)\right) I_{A_k}\right] \\ &= E\,\gamma\left(W\left(\frac{k}{2^n} + \cdot\right) - W\left(\frac{k}{2^n}\right)\right) E I_{A_k} \\ &= E[\gamma(W(\cdot))] E I_{A_k} = E[\gamma(W(\tau_n + \cdot) \\ &\quad - W(\tau_n))] E I_{A_k}. \end{aligned}$$

因为 $W\left(\frac{k}{2^n} + t\right) - W\left(\frac{k}{2^n}\right)$ 的分布与 $W(t)$ 的分布相同，所以把此式对 k 求和，得

$$E[\gamma(W(\tau_n + \cdot) - W(\tau_n)) I_A] = E[\gamma(W(\cdot))] E I_A,$$

令 $n \to \infty$，由控制收敛定理即得本定理. 证毕

下面我们给出 Desiré André 的反射原理. 设 τ 为可选时，我们定义W在 τ 处的反射过程 Y 如下:

$$Y(t,\omega)=\begin{cases}W(t,\omega), & \tau(\omega)=\infty,\\ W(t,\omega), & 0\leqslant t\leqslant\tau(\omega)<\infty,\\ 2W(\tau(\omega),\omega)-W(t,\omega), & \tau(\omega)\leqslant t<\infty.\end{cases}\tag{2}$$

从下图看，从 0 直到时刻 τ，Y 与 W 相同，过了 τ 以后，把 W 对于与横轴距离为 W_τ 的水平直线作镜反射就得到 Y，这就是说当 $t\geqslant\tau(\omega)$ 时，下式成立:

$$Y(t,\omega)-W(\tau(\omega),\omega)=-[W(t,\omega)-W(\tau(\omega),\omega)].$$

参看下图

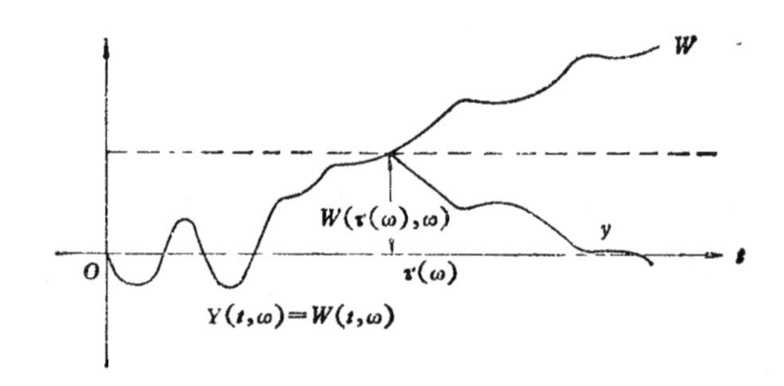

反射原理叙述如下:

定理 6.3.2 设W为 Brown 运动，则 Y 也是 Brown 运动.

证 令 $C[0,\infty]$ 表示定义于 $[0,\infty)$ 上所有连续函数空间，$\mathscr{B}(C[0,\infty))$ 为其上的 Borel σ 域. 对 $A\in\mathscr{B}(C[0,\infty))$，我们有

$$P\{Y\in A,\tau=\infty\}=P\{W\in A,\tau=\infty\},\tag{3}$$

剩下的需证:

$$P\{Y\in A,\tau<\infty\}=P\{W\in A,\tau<\infty\}.\tag{4}$$

令

$$W_t^\tau=W_tI_{[t\leqslant\tau]}+W_\tau I_{[\tau\leqslant t<\infty]},$$

$$g(t,\omega)=W(\tau(\omega)+t,\omega)-W(\tau(\omega),\omega),\ t\geqslant 0,$$

显见 $W_t^\tau \in \mathscr{F}_\tau$. 由上定理知 $(g(t,\omega), t\in \boldsymbol{R}_+)$ 与 $\mathscr{F}_\tau$ 独立，而且它是 Brown 运动，故 $(-g(t,\omega), t\in \boldsymbol{R}_+)$ 也与 $\mathscr{F}_\tau$ 独立，同时它也是 Brown 运动，从而 $(W_t^\tau, \tau, g(t))$ 的分布与 $(W_t^\tau, \tau, -g(t))$ 的分布相同. 但当 $\tau<\infty$ 时，我们有

$$W_t = W_t^\tau + g(t-\tau) I_{[\tau\leqslant t<\infty]},$$
$$Y_t = W_t^\tau - g(t-\tau) I_{[\tau\leqslant t<\infty]},$$

所以 W 与 Y 的分布相同. 由此知(4)成立. 证毕

定理 6.3.3 令 $M_t=\sup\limits_{0\leqslant s\leqslant t} W_s$，对任意 $x\geqslant 0$，$b\geqslant 0$，有

$$P\{W_t<b-x, M_t\geqslant b\} = P\{W_t>b+x\}.$$

证 定义可选时 τ 如下

$$\tau(\omega)=\inf\{s\geqslant 0\ W_s\geqslant b\}.$$

因为 W 的几乎所有样本函数为连续，故 $W_\tau=b$，且 $\{M_t\geqslant b\}=\{\tau\leqslant t\}$. 我们有

$$P\{\tau\leqslant t, W_t>b+x\}=P\{\tau\leqslant t, W_t<b-x\}. \tag{5}$$

事实上，若令 Y 为 W 在 τ 处的反射过程，且令 $\sigma(\omega)=\inf\{s\geqslant 0, Y_s\geqslant b\}$，则由于 Y 与 W 相同分布，故 σ 视为 Y 的可测函数和 τ 视为 W 的可测函数是相同的，所以 σ 与 τ 的分布也相同，从而有

$$P\{\sigma\leqslant t, Y_t<b-x\}=P\{\tau\leqslant t, W_t<b-x\}.$$

但 $W_\tau=b$, $Y_t=2W_\tau-W_t(\tau\leqslant t<\infty)$，于是有

$$P\{\sigma\leqslant t, Y_t<b-x\}=P\{\tau\leqslant t, W_t>b+x\}.$$

由以上两式得(5).

此外 $\{W_t\geqslant b\}\subset\{\tau\leqslant t\}$，从而 $\{W_t>b+x\}\subset\{\tau\leqslant t\}$，于是由(5)得

$$\begin{aligned}P\{W_t>b+x\}&=P\{\tau\leqslant t, W_t<b-x\}\\&=P\{M_t\geqslant b, W_t<b-x\}.\end{aligned}$$

定理得证. 证毕

利用本定理又可以推出引理 6.1.4 的注 2 里所提到的等式:

$$P\{M_t\geqslant b\}=2P\{W_t\geqslant b\},\ b\geqslant 0.$$

事实上，因为 $P\{W_t=b\}=0$，在定理中取 $x=0$，就得

$$P\{M_t\geqslant b\}=P\{M_t\geqslant b, W_t<b\}+P\{M_t\geqslant b, W_t\geqslant b\}$$

$$= P\{W_t > b\} + P\{W_t \geq b\}$$
$$= 2P\{W_t \geq b\}.$$

特别有 $P\{M_t \geq 0\} = 1$.

系 6.3.4 W_t 与 M_t 的联合分布密度 $p(x, b)$ 为

$$p(x, b) = \begin{cases} 0, x > b \text{ 或 } b < 0, \\ \sqrt{\frac{2}{\pi}} \frac{2b - x}{t^{3/2}} e^{-\frac{(2b-x)^2}{2t}}, b \geq 0, b \geq x. \end{cases}$$

证 由定理 6.3.3 知

$$P\{W_t < x, M_t \geq b\} = P\{W_t > 2b - x\}.$$

由此立刻算出 $p(x, b)$. 证毕

令 $m_t = \inf\limits_{0 \leq s \leq t} W_s$, 下面我们寻求 m_t, M_t 的分布, 为此, 定义可选时

$$\tau_x(\omega) = \inf\{s: W_s(\omega) = x\}, \qquad x \in \boldsymbol{R}.$$

记 x 对 y 的反射为 $r_y(x)$:

$$r_y(x) = 2y - x.$$

记 $\boldsymbol{R}$ 中任意 Borel 集 H 对 y 的反射为 $r_y(H)$:

$$r_y(H) = \{r_y(x): x \in H\}.$$

引理 6.3.5 对 $a < 0 < b$, 有

(1) 若 Borel 集 $H \subset (-\infty, a]$, 则

$$P\{\tau_b \leq \tau_a, W_t \in H\} = P\{W_t \in r_b(H)\} - P\{\tau_a < \tau_b, W_t \in r_b(H)\}.$$

(2) 若 Borel 集 $H \subset [b, +\infty)$, 则

$$P\{\tau_a \leq \tau_b, W_t \in H\} = P\{W_t \in r_a(H)\} - P\{\tau_b < \tau_a, W_t \in r_a(H)\}.$$

证 为了帮助思考, 我们对 (1), (2) 分别画出示意图如下:

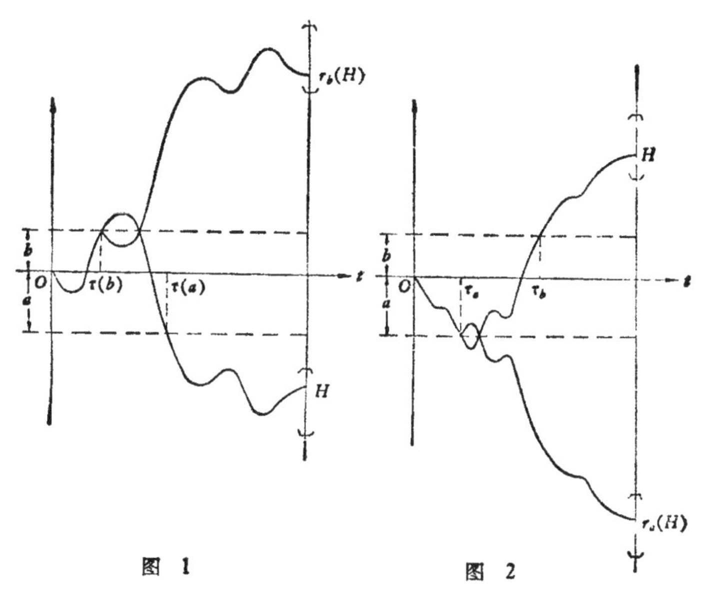

图 1　　　　图 2

往证 (1). 因为 $\{W_t \in H\} \subset \{\tau_a \leqslant t\}$ (由于 $H \subset (-\infty, a]$), 所以 $\{\tau_b \leqslant \tau_a, W_t \in H\} \subset \{\tau_b \leqslant t\}$. 此外,因为 $r_b(H) \subset [b, \infty)$, 所以 $\{W_t \in r_b(H)\} \subset \{\tau_b \leqslant t\}$. 对 $W_{\tau_b} = b$ 作镜反射,并且利用反射原理得到

$$P\{\tau_b \leqslant \tau_a, W_t \in H\} = P\{\tau_b \leqslant \tau_a, W_t \in r_b(H)\}$$

$$= P\{W_t \in r_b(H)\} - P\{\tau_a < \tau_b, W_t \in r_b(H)\}.$$

这就证明了(1). 同样可证明(2).

定理 6.3.6 设 J 为 $[a, b]$ 里的一个 Borel 集,此处 $a < 0 < b$. 于是对 $t > 0$, 有

$$P\{a < m_t \leqslant M_t < b, W_t \in J\} = \int_J k(y) dy, \tag{6}$$

此处

$$k(y) = k(a, b, t; y) = \frac{1}{\sqrt{2\pi t}} \sum_{n=-\infty}^{\infty} \left\{ e^{-\frac{(y-2nc)^2}{2t}} - e^{-\frac{(y-2a+2nc)^2}{2t}} \right\}, \tag{7}$$

这里 $c = b - a$.

证

$$P\{a < m_t \leqslant M_t < b,\, W_t \in J\} = P\{W_t \in J,\, t < \tau_a,\, t < \tau_b\}$$
$$= P\{W_t \in J\} - P\{\tau_a \leqslant \tau_b,\, \tau_a \leqslant t,\, W_t \in J\}$$
$$- P\{\tau_b \leqslant \tau_a,\, \tau_b \leqslant t,\, W_t \in J\}.$$

现在计算 $P\{\tau_a \leqslant \tau_b,\ \tau_a \leqslant t,\, W_t \in J\}$. 我们以 $W_{\tau_a} = a$ 为反射线,由反射原理知

$$P\{\tau_a \leqslant \tau_b,\, \tau_a \leqslant t,\, W_t \in J\} = P\{\tau_a \leqslant \tau_b,\, \tau_a \leqslant t,\, W_t \in r_a(J)\}.$$

因为 $r_a(J) \subset (-\infty,\, a]$, 故 $\{W_t \in r_a(J)\} \subset \{\tau_a \leqslant t\}$, 于是上式变为

$$P\{\tau_a \leqslant \tau_b,\, \tau_a \leqslant t,\, W_t \in J\} = P\{\tau_a \leqslant \tau_b,\, W_t \in r_a(J)\}$$
$$= P\{W_t \in r_a(J)\} - P\{\tau_b \leqslant \tau_a,\, W_t \in r_a(J)\}.$$

这里要注意 $\tau_a \neq \tau_b$ a. s. 反复应用引理 6.3.5, 我们得到

$$P\{\tau_a \leqslant \tau_b,\, \tau_a \leqslant t,\, W_t \in J\}$$
$$= P\{W_t \in r_a(J)\} - P\{W_t \in r_b r_a(J)\}$$
$$+ P\{\tau_a \leqslant \tau_b, W_t \in r_b r_a(J)\}$$
$$= P\{W_t \in r_a(J)\} - P\{W_t \in r_b r_a(J)\}$$
$$+ P\{W_t \in r_a r_b r_a(J)\} - \cdots.$$

由于

$$(r_a r_b)^n(x) = x - 2nc,\ (r_b r_a)^n(x) = x + 2nc,\ c = b - a,$$

故集 $r_a(J)$, $r_b r_a(J)$, $r_a r_b r_a(J)$, $\cdots$逐次远离原点,而且离开的速度很快,且不相交,所以上式右方的级数必为绝对收敛. 因为

$$P\{W_t \in (r_b r_a)^n(J)\} = P\{W_t - 2nc \in J\}$$
$$= \frac{1}{\sqrt{2\pi t}} \int_J e^{-\frac{(y+2nc)^2}{2t}}\, dy,$$

$$P\{W_t \in (r_a r_b)^n r_a(J)\} = P\{W_t + 2nc \in r_a(J)\}$$
$$= P\{W_t - 2a + 2nc \in (-J)\}$$
$$= \frac{1}{\sqrt{2\pi t}} \int_J e^{-\frac{1}{2t}(y-2a+2nc)^2}\, dy,$$

于是

$$P\{\tau_a \leqslant \tau_b, \tau_a \leqslant t, W_t \in J\}$$

$$= -\sum_{n=1}^{\infty} \frac{1}{\sqrt{2\pi t}} \int_J e^{-\frac{(y+2nc)^2}{2t}} dy$$

$$+ \sum_{n=0}^{\infty} \frac{1}{\sqrt{2\pi t}} \int_J e^{-\frac{(y-2a+2nc)^2}{2t}} dy.$$

同理可证(或由上式 a, b 对换)

$$P\{\tau_b \leqslant \tau_a, \tau_b \leqslant t, W_t \in J\}$$

$$= -\sum_{n=1}^{\infty} \frac{1}{\sqrt{2\pi t}} \int_J e^{-\frac{(y-2nc)^2}{2t}} dy$$

$$+ \sum_{n=1}^{\infty} \frac{1}{\sqrt{2\pi t}} \int_J e^{-\frac{(y-2a-2nc)^2}{2t}} dy.$$

从而得

$$P\{a < m_t \leqslant M_t < b, W_t \in J\}$$

$$= \int_J \frac{1}{\sqrt{2\pi t}} \sum_{n=-\infty}^{\infty} [e^{-\frac{1}{2t}(y-2nc)^2} - e^{-\frac{1}{2t}(y-2a+2nc)^2}]dy.$$ 证毕

注 若取 $a = -\infty$, 则得

$$P\{M_t < b, W_t < b\} = \int_{-\infty}^{b} \frac{1}{\sqrt{2\pi t}} [e^{-\frac{y^2}{2t}} - e^{-\frac{(y-2b)^2}{2t}}]dy$$

$$= \frac{2}{\sqrt{2\pi t}} \int_0^b e^{-\frac{y^2}{2t}} dy.$$

由此就得

$$P\{M_t < b\} = \sqrt{\frac{2}{\pi t}} \int_0^b e^{-\frac{y^2}{2t}} dy. \tag{8}$$

这个公式也可以由引理 6.1.4 的注 2 直接推出.

下面我们讨论 Brown 运动样本函数的根集. 固定 ω, 对任意常数 c, $W(t, \omega) = c$ 的根构成一个集合 $S_c(\omega)$,

$$S_c(\omega) \triangleq \{t: W_t(\omega) = c\},$$

$S_c(\omega)$ 叫做 c 水平集. 我们讨论 $S_c(\omega)$ 的结构,只需研究 $S_0(\omega)$ 的

结构性质就够了.

定理 6.3.7 对几乎所有 ω, 有

(a) 0 为 $S_0(\omega)$ 的极限点;

(b) $S_0(\omega)$ 为闭集;

(c) $S_0(\omega)$ 为无界集;

(d) $S_0(\omega)$ 为 Lebesgue 零测集,即 $\lambda(S_0(\omega)) = 0$;

(e) $S_0(\omega)$ 为自稠密集.

证

(a) 因为对任意 $t > 0$, $P\{M_t > 0 > m_t\} = 1$, 故在 $[0, t]$ 里 W 变号,即在 $[0, t]$ 里必有 $S_0(\omega)$ 的点,对几乎一切 ω.

(b) 因为对几乎一切 ω, $W(\cdot, \omega)$ 为连续函数.

(c) 因为对几乎一切 ω, $\limsup\limits_{t\to\infty} W_t(\omega) = +\infty$,

$$\liminf_{t\to\infty} W_t(\omega) = -\infty.$$

(d) 因为对任意 t, $P\{W_t = 0\} = 0$. 由 Fubini 定理知

$$E\lambda(S_0(\omega)) = E\int_0^\infty I_{\{s, W_s(\omega)=0\}}(t)dt$$

$$= \int_0^\infty P\{W_t(\omega) = 0\}dt = 0.$$

(e) 对任意有理数 r, 定义可选时

$$\tau_r(\omega) = \inf\{s \geqslant r, W_s(\omega) = 0\},$$

$\tau_r(\omega) \in S_0(\omega)$. 利用强马氏性知 $(W_{\tau_r+s}, s \geqslant 0)$ 为 Brown 运动. 同 (a) 的推理一样可知,对几乎一切 ω, $\tau_r(\omega)$ 是 $S_0(\omega)$ 的极限点. 令

$$A_r = \{\omega: \tau_r(\omega) \text{ 为 } S_0(\omega) \text{ 的极限点}\},$$

于是得

$$P\left(\bigcap_{r\in Q} A_r\right) = 1.$$

但 $\omega \in \bigcap\limits_{r\in Q} A_r$ 当且仅当 $S_0(\omega)$ 为自稠密. 证毕

由此定理可知 $[0, \infty]\backslash S_0(\omega) = \bigcup_{\alpha} e_\alpha$ 为不相交的开区间 e_α 的可列并，每个区间 e_α 叫做 W 的离零漫游区间 (excursion interval)，限于 e_α 的 Brown 运动 $\{W_t, t \in e_\alpha\}$ 叫做 W_t 在 $\boldsymbol{R}^1\backslash\{O\}$ 的漫游．欲研究 Brown 运动的样本函数的细致结构，有时需要把它分解为漫游．

§4. Brown 运动的局部时

设 $(W_t, \mathscr{F}_t, t \in \boldsymbol{R}_+)$ 为 Brown 运动，对任意 $a \geqslant 0$ 定义可选时：

$$\tau_a = \inf\{s: W_s = a\} = \inf\{s: W_s \geqslant a\}. \tag{1}$$

显见，当 $b > a > 0$ 时，$\tau_b \geqslant \tau_a$，且 $\tau_0 = 0$．所以随机过程 $(\tau_a, a \geqslant 0)$ 的几乎所有样本是增函数．此外当 $b > a > 0$ 时

$$\tau_b = \tau_a + \inf\{s: W_{\tau_a+s} - W_{\tau_a} = b - a\},$$

但由强马氏性知 $(W_{\tau_a+s} - W_{\tau_a}, s \geqslant 0)$ 仍为 Brown 运动，且与 $\mathscr{F}_{\tau_a}$ 独立，故

$$\inf\{S: W_{\tau_a+s} - W_{\tau_a} = b - a\} = \inf\{S: W_s = b - a\} = \tau_{b-a},$$

所以 $\tau_b - \tau_a$ 与 τ_{b-a} 同分布，从而 $(\tau_a, \mathscr{F}_{\tau_a}, a \geqslant 0)$ 为齐次独立增量过程，而且几乎所有样本为增函数．由定理 4.8.2 知，过程 τ_a 可以表为

$$\tau_a = ma + \int_0^\infty u\mu(a, du), \quad a \geqslant 0, \tag{2}$$

此处

$$\mu(a, A) = \sum_{\alpha \leqslant a} I_{\{\Delta\tau_\alpha \in A\}}, \quad A \in \mathscr{B}(\boldsymbol{R}_+). \tag{3}$$

τ_a 的特征函数为

$$Ee^{i\lambda\tau_a} = \exp\left\{ima + \int_0^\infty (e^{i\lambda u} - 1)\Pi(a, du)\right\}, \tag{4}$$

此处

$$\Pi(a, A) = E\mu(a, A), \quad A \in \mathscr{B}(\boldsymbol{R}_+). \tag{5}$$

为了具体地把参数m及 $\Pi(a, A)$ 求出，我们先计算 $f(a) = Ee^{-z\tau_a}$，此处 $z = u + iv$, $u \geqslant 0$. 记 τ_a 的分布为 $F(\cdot)$:

$$F(t) = P\{\tau_a \leqslant t\} = P\{M_t \geqslant a\} = 2P\{W_t \geqslant a\}$$
$$= \frac{2}{\sqrt{2\pi t}} \int_a^\infty e^{-\frac{x^2}{2t}} dx,$$

由此得

$$\frac{dF(t)}{dt} = \frac{a}{\sqrt{2\pi t^3}} e^{-\frac{a^2}{2t}},$$

故 $F(t)$ 也可以表为

$$F(t) = \frac{2}{\sqrt{2\pi t}} \int_a^\infty e^{-\frac{x^2}{2t}} dx = \int_0^t \frac{a}{\sqrt{2\pi s^3}} e^{-\frac{a^2}{2s}} ds. \tag{6}$$

于是

$$f(a) = Ee^{-z\tau_a} = \int_0^\infty e^{-zt} dF(t)$$
$$= \int_0^\infty e^{-zt} \frac{a}{\sqrt{2\pi t^3}} e^{-\frac{a^2}{2t}} dt, \tag{7}$$

或

$$f(a) = \int_0^\infty e^{-zt} dF(t) = z \int_0^\infty F(t) e^{-zt} dt$$
$$= 2z \int_0^\infty e^{-zt} dt \int_a^\infty \frac{1}{\sqrt{2\pi t}} e^{-\frac{x^2}{2t}} dx. \tag{8}$$

依(8)，对 a 求导数，得

$$f'(a) = -2z \int_0^\infty e^{-zt} \frac{1}{\sqrt{2\pi t}} e^{-\frac{a^2}{2t}} dt,$$

$$f''(a) = 2z \int_0^\infty e^{-zt} \frac{a}{\sqrt{2\pi t^3}} e^{-\frac{a^2}{2t}} dt.$$

由此及(7)得下列微分方程

$$f''(a) = 2zf(a). \tag{9}$$

但 $f(0) = Ee^{-z\tau_0} = 1$, $f(+\infty) = 0$ (因为 $\tau_\infty = \infty$). 所以微分方程(9)的唯一解为:

$$f(a) = e^{-\sqrt{2z}\, a}. \tag{10}$$

取 $z = -i\lambda$，得 τ_a 的特征函数

$$\begin{aligned} Ee^{i\lambda\tau_a} &= e^{(-1+i)\sqrt{\lambda}a} \\ &= \exp\left\{\frac{a}{\sqrt{2\pi}}\int_0^\infty (e^{i\lambda u} - 1)u^{-3/2}\,du\right\} \end{aligned}$$

$$\left(\int_0^\infty (e^{i\lambda u} - 1)u^{-3/2}du = 2\int_0^\infty (e^{i\lambda u} - 1)d\left(\frac{-1}{u^{1/2}}\right)\right.$$

$$\left.= 2i\lambda\int_0^\infty e^{i\lambda u}\frac{du}{\sqrt{u}} = (-1+i)\sqrt{2\pi\lambda}\right).$$

由此与(4)式比较，得知 $m = 0$，于是有下列定理

定理 6.4.1 过程 $(\tau_a, \mathscr{F}_{\tau_a}, a \geqslant 0)$ 为齐次独立增量过程，几乎所有样本函数为非降函数，且

$$\tau_a = \int_0^\infty u\mu(a, du),$$

此处

$$\mu(a, A) = \sum_{\alpha \leqslant a} I_{\{\Delta\tau_\alpha \in A\}},\ A \in \mathscr{B}(\boldsymbol{R}_+),$$

$$\Pi(a, A) = E\mu(a, A) = \frac{a}{\sqrt{2\pi}}\int_A u^{-3/2}du,$$

其特征函数为

$$Ee^{i\lambda\tau_a} = \exp\left\{\frac{a}{\sqrt{2\pi}}\int_0^\infty (e^{i\lambda u} - 1)u^{-3/2}du\right\}.$$

以往讨论的 Brown 运动都设它从 0 点出发，现在我们考虑从 b 点出发的 Brown 运动，而 $b \geqslant 0$.

定义 6.4.2 设 $b \geqslant 0$，令 ${}_bW \triangleq ({}_bW_t, \mathscr{F}_t, t \in \boldsymbol{R}_+)$，且 ${}_bW_0 = b$ a. s.，同时它是几乎所有样本为连续的齐次独立增量过程，其增量 ${}_bW_t - {}_bW_s \sim N(0, t-s)$，$0 \leqslant s < t$. 此过程叫做从 b 出发的 Brown 运动.

设 $B \in \mathscr{B}(\boldsymbol{R}^n)$，取 $0 \leqslant t_1 < t_2 < \cdots < t_n$ 我们计算 ${}_bW_{t_1}, \cdots, {}_bW_{t_n}$，的分布 $P\{({}_bW_{t_1}, \cdots, {}_bW_{t_n}) \in B\}$. 若记 $t_0 = 0$，$x_0 = b$，

则有

$$P_b(B) \triangleq P\{({}_bW_{t_1}, \cdots, {}_bW_{t_n}) \in B\}$$

$$= \int_{(x_1,\cdots,x_n \in B)} \frac{1}{2\pi^{\frac{n}{2}}\sqrt{t_1(t_2-t_1)\cdots(t_n-t_{n-1})}}$$

$$\times e^{-\frac{1}{2}\sum_{i=1}^{n}\frac{(x_i-x_{i-1})^2}{2(t_i-t_{i-1})}} dx_1\cdots dx_n. \tag{11}$$

显见 $P_b(B) = P\{(W_{t_1}+b, W_{t_2}+b, \cdots, W_{t_n}+b) \in B\}$，而且由(11)知，当 $t > t_n > \cdots > t_1 > 0$，且 ${}_bW_{t_n} = c$ 时

$$P_b\{{}_bW_t \in dx \mid {}_bW_{t_1}, \cdots, {}_bW_{t_n}\}$$

$$= P_c[{}_cW_{t-t_n} \in dx] = \frac{1}{\sqrt{2\pi(t-t_n)}} e^{\frac{(x-{}_bW_{t_n})^2}{2(t-t_n)}} dx. \tag{12}$$

上式也可写为：当 $t_2 \geqslant t_1, {}_bW_{t_1} = c$ 时，有

$$P_b\{{}_bW_{t_2} \in dx \mid \mathscr{F}_{t_1}\} = P_c\{{}_cW_{t_2-t_1} \in dx\}. \tag{13}$$

式(13)显示出从不同点出发的 Brown 运动可以粘连在一起，也就是说 Brown 运动点在时刻 t_1 处重新起步. 用更严格的话说，以现在时刻 t_1 上 ${}_bW_{t_1} = c$ 的值为条件，$({}_bW_{t+t_1}, t \geqslant 0)$ 是一个从 c 出发的 Brown 运动，而且与过去 $({}_bW_s, s < t_1)$ 独立.

为了考虑从任意点出发的 Brown 运动的今后发展，我们把这个过程记作 X_t，于是(13)式可以写为当 $X_{t_1} = c$ 时

$$P_{\cdot}\{X_{t_2} \in dx \mid \mathscr{F}_{t_1}\} = P_c\{X_{t_2-t_1} \in dx\}. \tag{14}$$

在这个记号里左边的 P 下面一点表示弧号内的 X 是从任意点出发的 Brown 运动，而右边弧号内的 X 是从 c 出发的 Brown 运动.

对任意可选时 τ，由强马氏性立刻知道(14)对 τ 也成立，即

$$P_{\cdot}\{X_{\tau+t} \in B \mid \mathscr{F}_\tau\} = P_c\{X_t \in B\}, \tag{15}$$

当 $\tau < \infty, c = X_\tau, B \in \mathscr{B}(\boldsymbol{R})$.

考虑从 $a \geqslant 0$ 出发的 Brown 运动 ${}_aW$，我们定义

$${}_aW_t^- = \begin{cases} {}_aW_t, & t \leqslant \tau_0, \\ \max\limits_{\tau_0 \leqslant s \leqslant t} {}_aW_s - {}_aW_t, & t > \tau_0, \end{cases}$$

此处 $\tau_0 = \inf\{s : {}_aW_s = 0\}$.

定理 6.4.3 $|{}_aW_t|$与${}_aW_t^-$的分布相同.

证 当$t\leqslant\tau_0$时,由定义知${}_aW_t\geqslant 0$,故

$$ {}_aW_t^- = {}_aW_t = |{}_aW_t|. $$

由此知,只需对由 0 出发的 Brown 运动证 $|W_t|$ 与 M_t-W_t 为相同分布. 由系 6.3.4 知,当$\beta\geqslant 0$, $\alpha\leqslant\beta$时

$$ P_0\{W_t\in d\alpha,\ M_t\in d\beta\} = \sqrt{\frac{2}{\pi t^3}}\, e^{-\frac{(2\beta-\alpha)^2}{2t}}(2\beta-\alpha)d\alpha d\beta. $$

由此,当$s\leqslant t$时$(W_t^-=M_t-W_t)$,

$$ \begin{aligned} P_0\{M_t-W_t\leqslant c\,|\,\mathscr{F}_s\} &= P_0\{W_t^-\leqslant c\,|\,\mathscr{F}_s\} \\ &= P_0\{M_s-W_t\leqslant c,\ \max_{0\leqslant\theta\leqslant t-s} W_{s+\theta}-W_t\leqslant c\,|\,\mathscr{F}_s\} \\ &= P_0\{M_s-W_s-(W_t-W_s)\leqslant c, \\ &\qquad \max_{0\leqslant\theta\leqslant t-s}(W_{s+\theta}-W_s)-(W_t-W_s)\leqslant c\,|\,\mathscr{F}_s\} \\ &= \iint\limits_{\substack{M_s-W_s-\alpha\leqslant c\\ 0\leqslant\beta-\alpha\leqslant c\\ -\infty<\alpha\leqslant\beta,\ 0\leqslant\beta}} \sqrt{\frac{2}{\pi(t-s)^3}}(2\beta-\alpha)e^{-\frac{(2\beta-\alpha)^2}{2(t-s)}}d\alpha d\beta \\ &= \left[\int_0^{M_s-W_s}d\beta\int_{M_s-W_s-c}^{\beta}d\alpha+\int_{M_s-W_s}^{\infty}d\beta\int_{\beta-c}^{\beta}d\alpha\right] \\ &\quad\times\left(\sqrt{\frac{2}{\pi(t-s)^3}}(2\beta-\alpha)e^{-\frac{(2\beta-\alpha)^2}{2(t-s)}}\right) \\ &= \sqrt{\frac{2}{\pi(t-s)}}\left\{\int_0^{W_s^-}\left(e^{-\frac{\beta^2}{2(t-s)}}-e^{-\frac{(2\beta-W_s^-+c)^2}{2(t-s)}}\right)d\beta\right. \\ &\quad\left.+\int_{W_s^-}^{\infty}\left(e^{-\frac{\beta^2}{2(t-s)}}-e^{-\frac{(\beta+c)^2}{2(t-s)}}\right)d\beta\right\} \\ &= \sqrt{\frac{1}{2\pi(t-s)}}\left\{2\int_0^{\infty}-\int_{-W_s^-+c}^{W_s^-+c}-2\int_{W_s^-+c}^{\infty}\right\} \\ &\quad\times e^{-\frac{\beta^2}{2(t-s)}}d\beta \end{aligned} $$

$$= \frac{1}{\sqrt{2\pi(t-s)}} \int_{|W_s^- + \beta| \leqslant c} e^{-\frac{\beta^2}{2(t-s)}} d\beta$$

$$= P_{W_s^-}\{|W_{t-s}| \leqslant c\}.$$

但由上式知

$$P_0\{W_t^- \leqslant c \mid \mathscr{F}_s^{W^-}\} = E\{P_0(W_t^- \leqslant c \mid \mathscr{F}_s) \mid \mathscr{F}_s^{W^-}\}$$

$$= E\{P_{W_s^-}(|W_{t-s}| \leqslant c) \mid \mathscr{F}_s^{W^-}\}$$

$$= P_{W_s^-}(|W_{t-s}| \leqslant c),$$

取 $s = 0$ 上式化为

$$P_0\{W_t^- \leqslant c\} = P_0\{|W_t| \leqslant c\}.$$

这就证明了对从 0 出发的 Brown 运动 W, $|W_t|$ 与 $W_t^- = M_t - W_t$ 的分布相同. 证毕

下面我们定义 Brown 运动的局部时 L_t, 所谓局部时 L_t 就是 Brown 运动 W 在时刻 t 以前取 0 值的时间长短的一个适当的度量,为此先证:

定理 6.4.4 设 W 为从零出发的 Brown 运动,于是对任意 $a \geqslant 0$, 概率为 1 地有

$$\lim_{\varepsilon \downarrow 0} \frac{\mu\{a, (\varepsilon, +\infty)\}}{\sqrt{2/\pi\varepsilon}} = a, \tag{16}$$

此处

$$\mu(a, A) = \sum_{\alpha \leqslant a} I_{\{\Delta\tau_\alpha \in A\}},$$

τ_a 由(1)式给出, $\Delta\tau_\alpha$ 为 τ_a 在时刻 α 时的跳值.

证 熟知 $\mu(a, A)$ 为 Poisson 分布,且由定理 6.4.1 知

$$E\mu(a, A) = \Pi(a, A) = \frac{a}{\sqrt{2\pi}} \int_A u^{-3/2} du,$$

记 $E\mu\{a, (l, \infty)\} \triangleq \Pi_l = a\sqrt{\frac{2}{\pi l}}$, 于是

$$E[\mu\{a, (l, \infty)\} - \Pi_l]^2 = \Pi_l = a\sqrt{\frac{2}{\pi l}}.$$

对任意 $q: 0 < q < 1$，记 $l_p = q^{2p}$，从而 $\Pi_{l_p} = a\sqrt{\frac{2}{\pi q^{2p}}}$. 对任意 $r: q^2 < r^2 < q$，由 Чебышев 不等式，有

$$P\left\{|\mu\{a, (l_p, \infty)\} - \Pi_{l_p}| > \frac{1}{r^p}\right\}$$

$$\leqslant r^{2p}\Pi_{l_p} = a\sqrt{\frac{2}{\pi}}\left(\frac{r^2}{q}\right)^p,$$

但 $\frac{r^2}{q} < 1$，故由上不等式知

$$\sum_{p=1}^{\infty} P\left\{\left|\mu\{a, (l_p, \infty)\} - a\sqrt{\frac{2}{\pi}}\frac{1}{q^p}\right| > \frac{1}{r^p}\right\} < \infty.$$

从而由 Borel-Cantelli 引理知，对几乎一切 ω，存在正整数 $p_0(\omega)$，使得当 $p \geqslant p_0(\omega)$ 时

$$\left|\mu\{a, (l_p, \infty)\} - a\sqrt{\frac{2}{\pi}}\frac{1}{q^p}\right| \leqslant \frac{1}{r^p} = \left(\frac{q}{r}\right)^p\frac{1}{q^p} = 0\left(\frac{1}{q^p}\right),$$

由此知对几乎一切 ω，有

$$\lim_{p\to\infty}\frac{\mu\{a, (l_p, \infty)\}}{\sqrt{\frac{2}{\pi l_p}}} = a.$$

对任意小的 $\varepsilon > 0$，存在 p，使得 $q^{2p} < \varepsilon < q^{2(p-1)}$，故

$$q\frac{\mu\{a, (l_{p-1}, \infty)\}}{\sqrt{2/\pi l_{p-1}}} \leqslant \frac{\mu\{a, (\varepsilon, \infty)\}}{\sqrt{2/\pi\varepsilon}}$$

$$\leqslant \frac{\mu\{a, (l_p, \infty)\}}{q\sqrt{2/\pi l_p}}.$$

由以上两关系式知：对几乎一切 ω 有

$$qa \leqslant \lim_{\varepsilon\to 0}\inf\frac{\mu\{a, (\varepsilon, \infty)\}}{\sqrt{2/\pi\varepsilon}}$$

$$\leqslant \lim_{\varepsilon\to 0}\sup\frac{\mu\{a, (\varepsilon, \infty)\}}{\sqrt{2/\pi\varepsilon}} = \frac{a}{q},$$

但 q 为 $(0,1)$ 内的任意数，由此立刻得证(16). 证毕

在公式(16)里取 $a = M_t = \max\limits_{0\leqslant s\leqslant t} W_s$，则得

$$\lim_{\varepsilon\to 0}\frac{\mu\{M_t,(\varepsilon,\infty)\}}{\sqrt{2/\pi\varepsilon}} = M_t \text{ a. s.}$$

此处 $\mu\{M_t,(\varepsilon,\infty)\} = \sum\limits_{a\leqslant M_t} I_{\{\Delta\tau_a>\varepsilon\}}$，而它就是 $\{\tau_a, a\geqslant 0\}$ 这个过程在时刻 M_t 之前其跳值大于 ε 的跳的个数. 但图形 (a,τ_a) 与图形 (t,M_t) 是互为反函数(参看引理 V. 5.5)，故 $(\tau_a, a\geqslant 0)$ 的每一个跳与 $(M_t, t\geqslant 0)$ 的每一个取水平值段(不增段)之间是一一对应的，相应的跳跃值 $\Delta\tau_a$ 等于 $\lambda\{s: M_s = a\}$，λ 为 Lebsegue 测度. 所以 $\mu\{M_t,(\varepsilon,\infty)\}$ 与非降过程 M 在时刻 t 以前，其长度大于 ε 的不增段的个数最多相差一个，于是由上式得

$$\lim_{\varepsilon\downarrow 0}\sqrt{\frac{\pi\varepsilon}{2}}\sum_{a<M_t} I_{\{\lambda(s:M_s=a)>\varepsilon\}} = M_t, \text{ a. s. } (P_0)$$

亦即

$$\lim_{\varepsilon\downarrow 0}\sqrt{\frac{\pi\varepsilon}{2}}\sum_{s\leqslant t} I_{\{\lambda(s:M_s\text{不增})>\varepsilon\}} = M_t, \text{ a.s. } (P_0) \tag{17}$$

往证：

$$\lim_{\varepsilon\downarrow 0}\sqrt{\frac{\pi}{2\varepsilon}}\sum_{\substack{s\leqslant t\\ \lambda(s:M_s\text{不增})\leqslant\varepsilon}} \lambda(s:M_s\text{不增}) = M_t, \text{ a. s. } (P_0) \tag{18}$$

对任意 $a>0$ 有

$$\int_0^\varepsilon u\mu(a,du) = -\int_0^\varepsilon u\mu(a,(du,\infty))$$

$$= -\varepsilon\mu(a,(\varepsilon,\infty)) + \int_0^\varepsilon \mu(a,(u,\infty))du,$$

由此知

$$\sqrt{\frac{\pi}{2\varepsilon}}\int_0^\varepsilon u\mu(a,du) = -\sqrt{\frac{\pi\varepsilon}{2}}\ \mu(a,(\varepsilon,\infty))$$

$$+\sqrt{\frac{\pi}{2\varepsilon}}\int_0^\varepsilon \mu(a,(u,\infty))du$$

$$=-\sqrt{\frac{\pi\varepsilon}{2}}\mu(a,(\varepsilon,\infty))$$

$$+\sqrt{\frac{\pi}{2\varepsilon}}\int_0^\varepsilon\left[\sqrt{\frac{\pi u}{2}}\mu(a,(u,\infty))-a\right]\sqrt{\frac{2}{\pi u}}du$$

$$+\sqrt{\frac{\pi}{2\varepsilon}}\int_0^\varepsilon a\sqrt{\frac{2}{\pi u}}du.$$

但由定理 6.4.4 知,对几乎一切 ω, $\lim\limits_{\varepsilon\downarrow 0}\sqrt{\frac{\pi\varepsilon}{2}}\mu(a,(\varepsilon,\infty))=a$,

所以由上式立刻推知,对几乎一切 ω 有

$$\lim_{\varepsilon\downarrow 0}\sqrt{\frac{\pi}{2\varepsilon}}\int_0^\varepsilon u\mu(a,du)=a.$$

从而

$$\lim_{\varepsilon\downarrow 0}\sqrt{\frac{\pi}{2\varepsilon}}\int_0^\varepsilon u\mu(M_t,du)=M_t,\ \text{a. s. }(P_0),\tag{19}$$

但

$$\int_0^\varepsilon u\mu(M_t,du)=\sum_{\substack{\Delta\tau_a\leqslant\varepsilon\\ a\leqslant M_t}}\Delta\tau_a$$

$$=\sum_{\substack{\lambda(s:M_s\text{不增})\leqslant\varepsilon\\ s\leqslant t}}\lambda(s:M_s\text{不增}),$$

此式代入(19)便得(18).

现在我们分别画出 W_t, M_t 及 $W_t^-=M_t-W_t$ 的样本示意图形,用它们来解释(17):

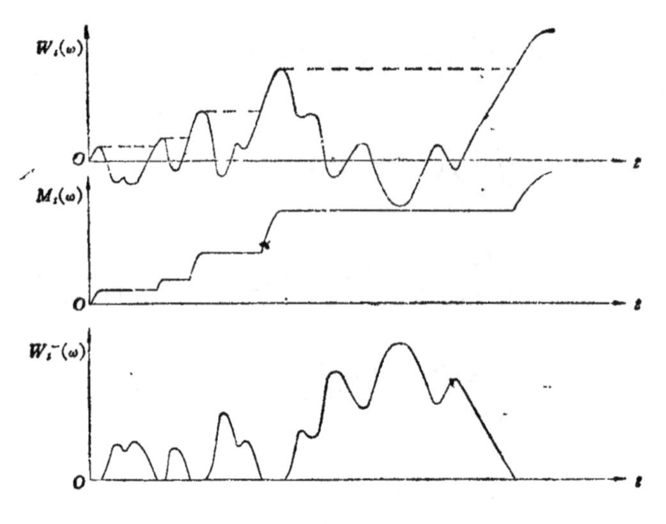

记

$$S_0^- = \{t: W_t^- = 0\}, \quad S_0^{|W|} = \{t, |W_t| = 0\} = \{t: W_t = 0\}.$$

由以上示意图看出，非降过程M的不增处，恰是过程 W^- 的非零值处，而 M 为增的地方恰是过程 W^- 取零值的地方．所以过程 M 在 S_0^- 上增长，而在 S_0^- 外取常值（即其图形为平的）．此外由定理 6.4.3 知，W^- 与$|W|$ 为相同分布．因此对 S_0^- 与过程 M 之间的一切关系可以用到 $S_0^{|W|}$ 上，即存在一个非降随机过程 $L=(L_t)$，使得L在 $S_0^{|W|}$ 上增长，在 $\boldsymbol{R}\backslash S_0^{|W|}$ 上不增；同时关系(17)也对 L 成立．但由上节讨论知 $\boldsymbol{R}\backslash S_0^{|W|} = \sum\limits_{n=1}^{\infty} e_n$，此处 (e_n) 为不相交的开区间，故相应于(17)的关系可以表为

$$\lim_{\varepsilon \downarrow 0} \sqrt{\frac{\pi\varepsilon}{2}} \sum_{e_n \in [0, t]} I_{\{\lambda(e_n) > \varepsilon\}} = L_t, \text{ a. s. } (P_0) \tag{20}$$

此外，因为 W^- 与$|W|$同分布，所以L与 M 也是同分布的，若把 L_t 的反函数记为 $(\sigma_a, a \geqslant 0)$ (M_t 的反函数为 $(\tau_a, a \geqslant 0)$)，则

$$\nu(a, A) \triangleq \sum_{\alpha \leqslant a} I_{(\Delta\sigma_\alpha \in A)}.$$

与 $\mu(a, A)$ 相对应. 由于 $\nu(a, A)$ 与 $\mu(a, A)$ 也是同分布，故仿照(18)式的证明可得：

定理 6.4.5 对任意 $t \geqslant 0$，有

$$\lim_{\varepsilon \downarrow 0} \sqrt{\frac{\pi}{2\varepsilon}} \sum_{\substack{e_n \subset [0, t] \\ \lambda(e_n) \leqslant \varepsilon}} \lambda(e_n) = L_t, \text{ a. s. } (P_0) \tag{21}$$

下面证明一个定理，由此定理可以看出 L_t 的直观意义. 如上所定义的过程 (L_t) 叫做 Brown 运动W的局部时或W的留滞于 0 处时间的密度 (Sojourn time density).

定理 6.4.6 对任意 $t \geqslant 0$，有

$$\lim_{\varepsilon \downarrow 0} \frac{\lambda(s: |W_s| \leqslant \varepsilon, s \leqslant t)}{2\varepsilon} = L_t, \text{ a. s. } (P_0) \tag{22}$$

注意：$\lambda(s: |W_s| \leqslant \varepsilon, s \leqslant t) = \int_0^t I_{[-\varepsilon,\varepsilon]}(W_s)\, ds$，所以(22)可写为

$$L_t = \lim_{\varepsilon \downarrow 0} \frac{1}{2\varepsilon} \int_0^t I_{[-\varepsilon,\varepsilon]}(W_s) ds, \text{ a. s. } (P_0)$$

由此显见 $\int_0^t I_{\{0\}}(W_s) dL_s = L_t$，$(\lambda(s: I_{\{0\}}(W_s)) = 0)$.

证 因为 $W_s^- = M_s - W_s$ 与$|W_s|$同分布，M_s 与 L_s 同分布，故

$$P\{|W_s| \in da, L_s \in db\} = P\{W_s^- \in da, M_s \in db\}.$$

但由系 6.3.4 知，当 $x \leqslant y$，$y \geqslant 0$ 时，

$$P\{W_s \in dx, M_s \in dy\} = \sqrt{\frac{2}{\pi s^3}} (2y - x) e^{-\frac{(2y-x)^2}{2s}} dxdy.$$

由以上两个等式得

$$\begin{aligned} P\{|W_s| \in da, L_s \in db\} &= P\{M_s - W_s \in da, M_s \in db\} \\ &= \sqrt{\frac{2}{\pi s^3}} (b + a) e^{-\frac{(b+a)^2}{2s}} dadb. \end{aligned} \tag{23}$$

我们估算

$$D_t \triangleq E_0 \left| \frac{\lambda(s: |W_s| \leqslant \varepsilon, s \leqslant t)}{2\varepsilon} - L_t \right|^2. \tag{24}$$

先算

$$E_0 \left(\frac{\lambda(s: |W_s| \leqslant \varepsilon, s \leqslant t)}{2\varepsilon} \right)^2$$

$$= \frac{1}{4\varepsilon^2} \int_0^t ds \int_0^t du E_0(I_{\{|W_s| \leqslant \varepsilon, |W_u| \leqslant \varepsilon\}})$$

$$= \frac{1}{\varepsilon^2} \int_0^t ds \int_0^s du \int_0^\varepsilon db \int_0^\varepsilon da \frac{e^{-\frac{a^2}{2u}}}{\sqrt{\pi u}} \frac{e^{-\frac{(b-a)^2}{2(s-u)}}}{\sqrt{\pi(s-u)}}$$

$$\leqslant \frac{1}{\pi} \int_0^t ds \int_0^s du \frac{1}{\sqrt{u(s-u)}} = t; \tag{25}$$

$$E_0 L_t^2 = E_0 M_t^2 = \sqrt{\frac{2}{\pi t}} \int_0^\infty x^2 e^{-\frac{x^2}{2t}} dx = t; \tag{26}$$

$$\frac{1}{\varepsilon} E_0[L_t \lambda(s: |W_s| \leqslant \varepsilon, s \leqslant t)]$$

$$= \frac{1}{\varepsilon} \int_0^t ds E_0[L_t I_{|W_s| \leqslant \varepsilon}]. \tag{27}$$

但

$$E_0[L_t I_{\{|W_s| \leqslant \varepsilon\}}] = E_0[M_t I_{\{W_s^- \leqslant \varepsilon\}}]$$
$$= E_0[M_s I_{\{W_s^- \leqslant \varepsilon\}}] + E_0[(M_t - M_s) I_{\{W_s^- \leqslant \varepsilon\}}]. \tag{28}$$

由(23)知

$$E_0[M_s I_{\{W_s^- \leqslant \varepsilon\}}] = \sqrt{\frac{2}{\pi s^3}} \int_0^\varepsilon da \int_0^\infty b(b+a) e^{-\frac{(b+a)^2}{2s}} db. \tag{29}$$

此外

$$E_0[(M_t - M_s) I_{(W_s^- \leqslant \varepsilon)}] = E_0\{I_{(W_s^- \leqslant \varepsilon)} E_0(M_t - M_s | \mathscr{F}_s)\}$$

$$= \int_0^\varepsilon \sqrt{\frac{2}{\pi s}} e^{-\frac{a^2}{2s}} da E_0(M_t - W_s - a | \mathscr{F}_s),\text{因}$$

$$W_s^- = M_s - W_s,$$

令

$$\sigma=\begin{cases}\inf\{0\leqslant\theta\leqslant t-s,\ W_{\theta+s}-W_s=a\},\\ t-s,\ 若\ \{0\leqslant\theta\leqslant t-s,\ W_{\theta+s}-W_s=a\}\ 为空集,\end{cases}$$

于是上式可以写为 $(W_{\sigma+s}-W_s=a)$

$$E_0[(M_t-M_s)I_{\{W_s^-\leqslant\varepsilon\}}]$$

$$=\int_0^\varepsilon\sqrt{\frac{2}{\pi s}}\,e^{-\frac{a^2}{2s}}\,da E_0[E_0(M_t-M_{s+\sigma}\mid\mathscr{F}_{s+\sigma})\mid\mathscr{F}_s]$$

$$=\int_0^\varepsilon\sqrt{\frac{2}{\pi}}\,e^{-\frac{a^2}{2s}}\,da\int_0^{t-s}\frac{a}{\sqrt{2\pi\sigma^3}}\,e^{-\frac{a^2}{2\sigma}}\,d\sigma$$

$$\times\int_0^\infty\frac{2b}{\sqrt{2\pi(t-s-\sigma)}}\,e^{-\frac{b^2}{2(t-s-\sigma)}}\,db \tag{30}$$

(这里用到 τ_a 的分布(6)). 所以由 (28)、(29)、(30) 并经过计算得到

$$E_0[L_tI_{\{|W_s|\leqslant\varepsilon\}}]=\sqrt{\frac{2}{\pi}}\int_0^\varepsilon da\int_{a/\sqrt{s}}^\infty e^{-\frac{t^2}{2}}\,dt$$

$$+\int_0^\varepsilon\sqrt{\frac{2}{\pi s}}\,e^{-\frac{a^2}{2s}}\,da\int_0^{t-s}\frac{a}{\pi\sigma^{3/2}}\sqrt{t-s-\sigma}$$

$$\times e^{-\frac{a^2}{2\sigma}}\,d\sigma. \tag{31}$$

再由(27)及(31)得

$$\frac{1}{\varepsilon}E_0[L_t\lambda(s:|W_s|\leqslant\varepsilon,s\leqslant t)]$$

$$=\frac{1}{\varepsilon}\sqrt{\frac{2}{\pi}}\int_0^t ds\int_0^\varepsilon da\int_{a/\sqrt{s}}^\infty e^{-\frac{t^2}{2}}\,dt$$

$$+\frac{1}{\varepsilon}\int_0^t ds\int_0^\varepsilon\sqrt{\frac{2}{\pi s}}\,e^{-\frac{a^2}{2s}}\,da\int_0^{t-s}\frac{a\sqrt{t-s-\sigma}}{\pi\sigma^{3/2}}$$

$$\times e^{-\frac{a^2}{2\sigma}}\,d\sigma\triangleq C_t. \tag{32}$$

从而由 (24), (25), (26), (32) 得

$$D_t = E_0 \left| \frac{\lambda(s: |W_s| \leqslant \varepsilon, s \leqslant t)}{2\varepsilon} - L_t \right|^2$$

$$\leqslant 2t - C_t \triangleq \Delta_t. \tag{33}$$

现在计算 C_t 的 Laplace 变换:

$$\int_0^\infty C_t e^{-zt} dt = \frac{1}{z} \int_0^\infty e^{-zt} \frac{dC_t}{dt} dt$$

$$= \sqrt{\frac{2}{\pi}} \frac{1}{\varepsilon z} \int_0^\infty e^{-zt} dt \int_0^\varepsilon da \int_{a/\sqrt{\frac{1}{t}}}^\infty e^{-\frac{x^2}{2}} dx$$

$$+ \frac{1}{\varepsilon z} \int_0^\infty e^{-zt} dt \int_0^t ds \int_0^\varepsilon \sqrt{\frac{2}{\pi s}} e^{-\frac{a^2}{2s}} da$$

$$\times \int_0^{t-s} \frac{a}{2\pi\sigma^{3/2} \sqrt{t-s-\sigma}} e^{-\frac{a^2}{2\sigma}} d\sigma$$

$$= I_1 + I_2. \tag{34}$$

由(8)及(10)可知

$$I_1 = \sqrt{\frac{2}{\pi}} \frac{1}{\sqrt{\varepsilon z}} \int_0^\varepsilon da \int_0^\infty e^{-zt} dt \int_0^\infty e^{-\frac{y^2}{2t}} \frac{1}{\sqrt{t}} dy$$

$$= \frac{1}{\varepsilon z^2} \int_0^\varepsilon e^{-\sqrt{2z}a} da, \tag{35}$$

$$I_2 = \frac{1}{\varepsilon z} \int_0^\varepsilon a da \int_0^\infty e^{-zt} dt \int_0^t ds \sqrt{\frac{2}{\pi s}} e^{-\frac{a^2}{2s}}$$

$$\times \int_0^{t-s} \frac{e^{-\frac{a^2}{2\sigma}}}{2\pi\sigma^{3/2} \sqrt{t-s-\sigma}} d\sigma$$

$$= \frac{1}{\varepsilon z} \int_0^\varepsilon a da \int_0^\infty \sqrt{\frac{2}{\pi s}} e^{-\frac{a^2}{2s}} ds \int_s^\infty e^{-zt} dt$$

$$\times \int_0^{t-s} \frac{e^{-\frac{a^2}{2\sigma}}}{2\pi\sigma^{3/2} \sqrt{t-s-\sigma}} d\sigma$$

$$= \frac{1}{\varepsilon z}\int_0^{\varepsilon} a da \int_0^{\infty}\sqrt{\frac{2}{\pi s}}\, e^{-\frac{a^2}{2s}} ds \int_0^{\infty}\frac{e^{-\frac{a^2}{2\sigma}}}{2\pi\sigma^{3/2}}$$

$$\times d\sigma \int_0^{\infty}\frac{e^{-z(y+s+\sigma)}}{\sqrt{y}} dy$$

$$= \frac{1}{\varepsilon z}\int_0^{\varepsilon} a da \int_0^{\infty}\frac{\sqrt{2}}{\pi s}\, e^{-\frac{a^2}{2s}-sz} ds \int_0^{\infty}\frac{e^{-\frac{a^2}{2\sigma}-\sigma z}}{2\sqrt{\pi\sigma^3 z}} d\sigma$$

$$= \frac{1}{\varepsilon z}\int_0^{\varepsilon} a da \frac{1}{\sqrt{2z}\, a} e^{-\sqrt{2z}\, a}\int_0^{\infty}\sqrt{\frac{2}{\pi s}}\, e^{-\frac{a^2}{2s}-sz} ds$$

$$= \frac{1}{\varepsilon z^2}\int_0^{\varepsilon} e^{-2\sqrt{2z}\, a} da. \tag{36}$$

故由(34),(35),(36)知

$$\int_0^{\infty} e^{-zt} C_t dt = \frac{1}{\varepsilon z^2}\int_0^{\varepsilon}\left(e^{-\sqrt{2z}\, a} + e^{-2\sqrt{2z}\, a}\right) da. \tag{37}$$

由此及(33),知

$$\int_0^{\infty} e^{-zt}\Delta_t dt = \int_0^{\infty} 2t e^{-zt} dt - \frac{1}{\varepsilon z^2}\int_0^{\varepsilon}\left(e^{-\sqrt{2z}\, a} + e^{-2\sqrt{2z}\, a}\right) da$$

$$= \frac{2}{z^2} - \frac{3}{2\sqrt{2}\,\varepsilon} z^{-\frac{5}{2}} + \frac{1}{2\sqrt{2}\,\varepsilon} z^{-\frac{5}{2}}$$

$$\times\left(e^{-2\sqrt{2z}\,\varepsilon} + 2e^{-\sqrt{2z}\,\varepsilon}\right)$$

$$= \frac{1}{\varepsilon z^2}\int_0^{\varepsilon}\left(1 - e^{-\sqrt{2z}\, a}\right)\left(2 + e^{-\sqrt{2z}\, a}\right) da, \tag{38}$$

由此还知

$$\int_0^{\infty} e^{-zt}\frac{d\Delta_t}{dt} dt = \frac{2}{z} - \frac{3}{2\sqrt{2}\,\varepsilon} z^{-\frac{3}{2}} + \frac{z^{-\frac{3}{2}}}{2\sqrt{2}\,\varepsilon}$$

$$\times\left(e^{-2\sqrt{2z}\,\varepsilon} + 2e^{-\sqrt{2z}\,\varepsilon}\right). \tag{39}$$

但由 Laplace 反演公式易得

$$\frac{d\Delta_t}{dt} = 2 - \frac{3}{2\sqrt{2}\,\varepsilon} 2\left(\frac{t}{\pi}\right)^{\frac{1}{2}} + \frac{1}{2\sqrt{2}\,\varepsilon}$$

$$\times\left\{2\sqrt{\frac{t}{\pi}}e^{-\frac{2\varepsilon^2}{t}}-\frac{4\varepsilon}{\sqrt{\pi}}\int_{\varepsilon/\sqrt{t}}^{\infty}e^{-\frac{u^2}{2}}du\right.$$

$$\left.+2\sqrt{\frac{t}{\pi}}e^{-\frac{\varepsilon^2}{2t}}-\frac{4\varepsilon}{\sqrt{\pi}}\int_{2\varepsilon/\sqrt{t}}^{\infty}e^{-\frac{u^2}{2}}du\right\}$$

$$=\frac{2}{\sqrt{2\pi}}\left(\int_0^{\varepsilon/\sqrt{t}}+\int_0^{2\varepsilon/\sqrt{t}}e^{-\frac{u^2}{2}}du\right)$$

$$-\frac{\sqrt{t}}{\sqrt{2\pi}\,\varepsilon}\left(3-e^{-\frac{2\varepsilon^2}{t}}-e^{-\frac{\varepsilon^2}{2t}}\right)$$

$$=\frac{2}{\sqrt{2\pi}}\left(\int_0^{\varepsilon/\sqrt{t}}+\int_0^{2\varepsilon/\sqrt{t}}e^{-\frac{u^2}{2}}du\right)$$

$$-\frac{\sqrt{t}}{\sqrt{2\pi}\,\varepsilon}\left(\int_0^{2\varepsilon/\sqrt{t}}+2\int_0^{\varepsilon/\sqrt{t}}\right)ue^{-\frac{u^2}{2}}\,du$$

$$=\frac{2}{\sqrt{2\pi}}\int_0^{\varepsilon/\sqrt{t}}\left(1-\frac{\sqrt{t}}{\varepsilon}u\right)e^{-\frac{u^2}{2}}\,du$$

$$+\frac{1}{\sqrt{2\pi}}\int_0^{2\varepsilon/\sqrt{t}}\left(2-\frac{\sqrt{t}}{\varepsilon}u\right)e^{-\frac{u^2}{2}}\,du\geqslant 0.$$

由此可知 Δ_t 是 t 的增函数，故

$$\Delta_t=\Delta_t\frac{e}{t}\int_t^{\infty}e^{-\frac{s}{t}}ds$$

$$\leqslant\frac{e}{t}\int_0^{\infty}e^{-\frac{s}{t}}\Delta_s ds$$

$$\leqslant\frac{e}{t}\int_0^{\infty}e^{-\frac{1}{t}s}\Delta_s ds=O(\varepsilon\sqrt{t}).$$

所以由(33)及此不等式得

$$E_0\left|\frac{\lambda(s:|W_s|\leqslant\varepsilon,s\leqslant t)}{2\varepsilon}-L_t\right|^2=O(\varepsilon\sqrt{t}).$$

由此立刻推出本定理．证毕

可用鞅论方法讨论局部时，请读者参看[21]．

§5. 伊藤过程，扩散过程(随机微分方程)

设 $(\Omega, \mathscr{F}, P)$ 为完备概率空间，$(\mathscr{F}_t)$ 为一族右连续上升子 σ 域，每个 $\mathscr{F}_t$ 也用 $\mathscr{F}$ 零概集完备化.

定义 6.5.1 连续随机过程 $X = (X_t, \mathscr{F}_t, t \in \boldsymbol{R}_+)$ 称为伊藤过程，若 X 可以表为

$$X_t = X_0 + \int_0^t a_s ds + \int_0^t b_s dW_s \text{ a. s.} \tag{1}$$

此处 $W = (W_t, \mathscr{F}_t, t \in \boldsymbol{R}_+)$ 为 Brown 运动. $(a_t, \mathscr{F}_t, t \in \boldsymbol{R}_+)$ 及 $(b_t, \mathscr{F}_t, t \in \boldsymbol{R}_+)$ 满足如下条件:

$$\int_0^\infty |a_s(\omega)| ds < \infty, \int_0^\infty |b_s(\omega)|^2 ds < \infty, \text{ a. s.} \tag{2}$$

由随机函数 $(b_t, \mathscr{F}_t, t \in \boldsymbol{R}_+)$ 所满足的条件(2)知，b 依 W 的随机积分 $\int_0^t b_s dW_s$ 存在，而且它的几乎所有样本为连续. 但由定理 5.6.14 及其注 2 知，$\left(\int_0^t b_s dW_s, \mathscr{F}_t, t \in \boldsymbol{R}_+\right)$ 为局部鞅.

今后简称满足条件(1)的过程 X 具有随机微分，记之为

$$dX_t = a_t dt + b_t dW_t, \quad X_0 \text{ 为初值} \tag{3}$$

局部鞅 $\left(\int_0^t b_s dW_s, \mathscr{F}_t, t \in \boldsymbol{R}_+\right)$ 也是局部平方可积鞅. 正如定理 5.6.14 的注 2，定义一列可选时如下:

$$\tau_n = \inf\left\{t: \int_0^t b_s^2 ds \geq n\right\} \wedge n,$$

于是 $\tau_n \leq n$ a. s. $\tau_n \uparrow \infty$ a. s. 且 $\int_0^\infty b_s^2 I_{\llbracket 0, \tau_n \rrbracket} ds \leq n$，从而

$$E \int_0^\infty b_s^2 I_{\llbracket 0, \tau_n \rrbracket} ds < \infty.$$

$\left(\int_0^{t\wedge\tau_n} b_s dW_s, t \in \boldsymbol{R}_+\right)$ 为平方可积鞅，其相应的可料增过程为

$$\int_0^{t\wedge\tau_n} b_s^2 ds,$$

所以对一切 $T<\infty$，当 $t\leqslant T$ 时，由定理 6.1.2 知，伊藤微分公式成立：

$$f(t, X_t)=f(0, X_0)+\int_0^t f'_x(s, X_s)ds$$
$$+\int_0^t f'_y(s, X_s)[a(s)ds+b(s)dW_s]$$
$$+\frac{1}{2}\int_0^t f''_{yy}(s, X_s)b_s^2 ds. \tag{4}$$

简记为

$$df(t, X_t)=f'_x(t, X_t)dt+f'_y(t, X_t)dX_t$$
$$+\frac{1}{2}f''_{yy}(t, X_t)b_t^2 dt. \tag{5}$$

在应用里，常常考虑多维伊藤过程及其相应的微分公式. 所谓 m 维伊藤过程，指的是

$$X_t=X_0+\int_0^t A(s, \omega)ds+\int_0^t B(s, \omega)dW_s, \tag{6}$$

其中 $W=(W_t, \mathscr{F}_t, t\in \boldsymbol{R}_+)$ 为 m 维的 Brown 运动，即 $W=(W^{(1)}, W^{(2)}, \cdots, W^{(n)})'$，每个分量 $W^{(i)}=(W_t^{(i)}, \mathscr{F}_t, t\in \boldsymbol{R}_+)$ 为 Brown 运动，各分量相互独立. 同样 $(A(t), \mathscr{F}_t, t\in \boldsymbol{R}_+)$ 也是 m 维向量过程，$B(t)$ 为 $m\times m$ 矩阵，其第 i 行第 j 列的元素 $B_{ij}(t)$ 为适应过程，A_t 及 $B(t)$ 满足如下条件：

$$\int_0^\infty |A_i(t)|dt<\infty \text{ a.s.} \quad \int_0^\infty |B_{ij}(t)|^2 dt<\infty \text{ a.s.}$$

于是 X 的每个分量可以写为

$$X_t^{(i)}=X_0^{(i)}+\int_0^t A_i(s)\,ds+\sum_{j=1}^m \int_0^t B_{ij}(s)dW_s^{(j)}. \tag{7}$$

设 $f(\alpha, \beta_1\cdots\beta_m)$ 为一连续函数，且 $f'_\alpha, f'_{\beta_i}, f''_{\beta_i\beta_j}$ 也为连续函数，则对 f 有如下的伊藤微分公式：

$$f(t, X_t^{(1)}, \cdots, X_t^{(m)})=f(0, X_0^{(1)}, \cdots, X_0^{(m)})$$
$$+\int_0^t f'_\alpha(s, X_s^{(1)}, \cdots, X_s^{(m)})ds$$

$$
+ \sum_{i=1}^{m} \int_0^t f'_{\beta_i}(s, X_s^{(1)}, \cdots, X_s^{(m)})
$$

$$
\times \left[A_i(s)\, ds + \sum_{j=1}^{m} B_{ij}(s) dW_s^{(j)} \right]
$$

$$
+ \frac{1}{2} \sum_{ij=1}^{m} \int_0^t \left[f''_{\alpha_i \alpha_j}(s, X_s^{(1)}, \cdots, X_s^{(m)}) \right.
$$

$$
\left. \times \sum_{k=1}^{m} B_{ik}(s) B_{jk}(s) \right] ds. \qquad (8)
$$

例 1 考虑过程

$$
Z_t = \exp\left\{ \int_0^t a_s dW_s - \frac{1}{2} \int_0^t a_s^2 ds \right\}, \quad t \leqslant T、T < \infty,
$$

此处过程 $a = (a_t, \mathscr{F}_t, t \leqslant T)$ 满足

$$
\int_0^T a_t^2 dt < \infty \quad \text{a. s.}
$$

求 Z_t 的随机微分方程. 令 $X_t = \int_0^t a_s dW_s - \frac{1}{2}\int_0^t a_s^2 ds$, 则 $Z_t = e^{X_t}$, 利用伊藤公式,得

$$
Z_t = 1 + \int_0^t Z_s a_s dW_s, \; t \leqslant T.
$$

例 2 过程 a 仍如上,考虑

$$
X_t = 1 + \int_0^t X_s a_s dW_s,
$$

$$
Y_t = 1 + \int_0^t Y_s a_s dW_s.
$$

由伊藤公式可证 $\frac{X_t}{Y_t} = 1$.

例 3 设 a_t, b_t 为决定性的函数,且满足

$$
\int_0^T a_s ds < \infty, \int_0^T b_s^2 ds < \infty.
$$

考虑过程

$$
X_t = e^{\int_0^t a_s ds} \left\{ \xi + \int_0^t e^{-\int_0^s a_u du} b_s dW_s \right\},
$$

则由伊藤公式可证

$$X_t = \xi + \int_0^t a_s X_s ds + \int_0^t b_s dW_s, \ t \leqslant T.$$

设随机过程 $b = (b_t, \mathscr{F}_t, t \leqslant T)$ 满足条件

$$E\int_0^T b_s^2 ds < \infty,$$

于是下列过程有意义（W 为 Brown 运动）

$$X_t = X_0 + \int_0^t b_s dW_s, \ t \leqslant T.$$

这个过程是平方可积鞅，其相应的可料增过程 $\langle X\rangle_t = \int_0^t b_s^2 ds$. 下面我们证明这一事实之逆，它是定理 6.1.3 的推广.

定理 6.5.2 (Doob 定理) 设 $X = (X_t, \mathscr{F}_t, t \leqslant T), T < \infty$ 为连续平方可积鞅，而且

$$\langle X\rangle_t = \int_0^t b_s^2 ds, \tag{9}$$

此处适应过程 $b(t, \omega) > 0$ 对几乎一切 (t, ω) (对测度 $\lambda \times P$ 而言). 于是存在 Brown 运动 $W = (W_t, \mathscr{F}_t, t \leqslant T)$, 使得

$$X_t = X_0 + \int_0^t b_s dW_s \text{ a. s.} \tag{10}$$

特别 $b \equiv 1$ 时，这就化为定理 6.1.3

证 定义过程W如下

$$W_t(\omega) = \int_0^t \frac{1}{b_s(\omega)} dX_s, \tag{11}$$

当 $b(s, \omega) = 0$ 时，规定 $1/b(s, \omega) = 0$. 由于 $\langle X\rangle$ 为绝对连续，且

$$E\int_0^T \left(\frac{1}{b_s(\omega)}\right)^2 d\langle X\rangle_s = T < \infty,$$

所以随机积分(11)有意义，而且因为X为连续，这个随机积分也连续，即W的几乎所有样本函数为连续. 由随机积分的性质知

$$E(W_t | \mathscr{F}_s) = W_s \text{ a. s.}$$

$$E((W_t - W_s)^2 | \mathscr{F}_s) = t - s \text{ a. s.}, \ s \leqslant t.$$

从而由定理 6.1.3 知 $(W_t, \mathscr{F}_t, t \leqslant T)$ 为 Brown 运动，而且对任

意满足下列条件的可测适应过程 $f(t,\omega)$

$$E\int_0^T f^2(s)ds < \infty,$$

必有

$$\int_0^t f(s)dW_s = \int_0^t \frac{f(s)}{b_s}dX_s \text{ a. s.},\ t \leqslant T.$$

事实上这个等式当 f 为简单函数时成立. 特别取 $f(s)=b_s$, 得到

$$X_t = X_0 + \int_0^t b_s dW_s \text{ a. s.}$$

定理得证. 证毕

扩散型过程是一类特殊的伊藤过程,其定义如下

定义 6.5.3 过程 $X=(X_t,\mathscr{F}_t,t\leqslant T)$ 称为扩散型过程,如果它是伊藤过程,而且其中的过程 $(a_t,\mathscr{F}_t,t\leqslant T)$ 及 $(b_t,\mathscr{F}_t,t\leqslant T)$ 满足条件: 对几乎一切 $t\leqslant T$, a_t 及 b_t 为 $\mathscr{F}_t^X$ 可测.

令 C_T 为定义于 $[0,T]$ 上所有连续函数 $X=(X_t,0\leqslant t\leqslant T)$ 构成的空间,令 $\mathscr{B}_T=\sigma(X: X_t,t\leqslant T)$, 于是 $(C_T,\mathscr{B}_T)$ 为一可测空间,在此可测空间引进$\mathscr{B}_T$的子 σ 域族 $(\mathscr{B}_t,t\leqslant T)$, 其中 $\mathscr{B}_t=\sigma(X:X_s,s\leqslant t)$. 子 σ 域族 $(\mathscr{B}_{t+},t\leqslant T)$ 为右连续(约定 $\mathscr{B}_{T+}=\mathscr{B}_T$).

可以证明, 当可测过程 $a_t(\omega)$, $b_t(\omega)\in\mathscr{F}_t^X$, 对几乎一切 $t\leqslant T$, 则可在可测空间 $([0,T]\times C_T,\mathscr{B}[0,T]\otimes\mathscr{B}_T)$ 上找到 (t,x) 可测泛函 $A(t,x)$, $B(t,x)$, 它们是 $(\mathscr{B}_{t+})$ 适应的,使得

$$\lambda\times P((t,\omega):a(t,\omega)\neq A(t,X(\omega)))=0,$$

$$\lambda\times P((t,\omega):b(t,\omega)\neq B(t,X(\omega)))=0.$$

我们不去证明此定理,可参看 Ершов [8].

由此知扩散型过程 X 可以表为: 对一切 $t\leqslant T$,

$$X_t = X_0 + \int_0^t A(s,x)ds + \int_0^t B(s,x)dW_s \text{ a. s.} \qquad (12)$$

其中 (s,x) 可测泛函 $A(s,x)$, $B(s,x)$ 为 $(\mathscr{B}_{t+})$ 适应.

下面我们讨论如下形状的随机微分方程的解的存在及唯一的问题:

$$dX_t = a(t, X)dt + b(t, X)dW_t, \ t \leqslant T, \tag{13}$$

其初值为 $\mathscr{F}_0$ 可测随机变量 η，而 $a(t, x)$，$b(t, x)$ 是 $(C_T, \mathscr{B}_T(\mathscr{B}_t))$ 上的泛函，使得对每个 t，$a(t, x)$及 $b(t, x)$ 为 $\mathscr{B}_t$ 可测. 此处设 $(\mathscr{B}_t)$ 为右连续族.

定义 6.5.4 称几乎所有样本连续的过程 $X = (X_t, \mathscr{F}_t, t \leqslant T)$ 为随机微分方程(13)的解，如果

$$\int_0^T |a(t, X)| dt < \infty, \quad \int_0^T b^2(t, X)dt < \infty \ \text{a. s.}$$

而且对每个 $t \leqslant T$，有

$$X_t = \eta + \int_0^t a(s, X)ds + \int_0^t b(s, X)dW_s \ \text{a. s.}$$

我们说解是唯一的，即是说若 X 及 $\widetilde{X}$ 都是解，则必有

$$P\{\sup_{0 \leqslant t \leqslant T} |X_t - \widetilde{X}_t| > 0\} = 0.$$

为了证明在某些条件下，随机微分方程 (13) 的解的存在和唯一，我们先证明

引理 6.5.5 设 $u(t)$为$[0, T]$上非负有界函数，$v(t)$为$[0, T]$上非负可积函数，$K(t)$为$[0, T]$上非降右连续函数，且 $0 \leqslant K(t) \leqslant 1$. 若有非负常数 c_0，c_1，c_2 使得

$$u(t) \leqslant c_0 + c_1 \int_0^t u(s)v(s)ds + c_2 \int_0^t \times \left(\int_0^s u(\tau)dK(\tau) \right) v(s)ds,$$

则

$$u(t) \leqslant c_0 \exp\left\{(c_1 + c_2) \int_0^t v(s)ds\right\}.$$

证 令

$$f(t) = c_0 + c_1 \int_0^t u(s)v(s)ds + c_2 \int_0^t \int_0^s u(\tau)dK(\tau)v(s)ds \geqslant 0,$$

由假设知 $u(t) \leqslant f(t)$，故由上式得 ($f(t)$ 非降)

$$df(t)=c_1u(t)v(t)dt+c_2\left(\int_0^t u(\tau)dK(\tau)\right)v(t)dt$$
$$\leqslant(c_1+c_2)f(t)v(t)dt,$$

从而
$$\log f(t)-\log f(0)\leqslant(c_1+c_2)\int_0^t v(s)ds.$$

故
$$f(t)\leqslant c_0\exp\left\{(c_1+c_2)\int_0^t v(s)ds\right\},$$

因此得
$$u(t)\leqslant f(t)\leqslant c_0\exp\left\{(c_1+c_2)\int_0^t v(s)ds\right\}.$$ 证毕

引理 6.5.6 设 $u(t)$ 为 $[0,T]$ 上非负有界函数，$K(t)$ 为非降右连续函数，且 $0\leqslant K(t)\leqslant 1$. 若有正常数 c, d 使得
$$u(t)\leqslant d+c\left[t+\int_0^t u(s)ds+\int_0^t\int_0^s u(\tau)dK(\tau)ds\right],$$

则
$$u(t)\leqslant(1+d)e^{2ct}-1.$$

证 在上引理里，取 $v(t)\equiv 1$, $c_0=1+d$, $c_1=c_2=c$, 应用于
$$u(t)+1\leqslant 1+d+c\left[\int_0^t(u(s)+1)ds\right.$$
$$\left.+\int_0^t\int_0^s u(\tau)dK(\tau)ds\right]$$
$$\leqslant(1+d)+c\left[\int_0^t(u(s)+1)ds\right.$$
$$\left.+\int_0^t\int_0^s(u(s)+1)dK(\tau)ds\right],$$

便得本引理. 证毕

定理 6.5.7 考虑随机微分方程
$$dX_t=a(t,x)dt+b(t,x)dW_t,\quad t\leqslant T,\tag{14}$$

其中 $a(t,x)$, $b(t,x)$ 是 $[0,T]\times C_T$ 上泛函，对每个 t, $a(t,x)$, $b(t,x)$ 为 $\mathscr{B}_t$ 可测，且满足下列的 Lipschitz 条件

$$|a(t, x) - a(t, y)|^2 + |b(t, x) + b(t, y)|^2$$
$$\leqslant L_1 \int_0^t |x_s - y_s|^2 dK_s + L_2 |x_t - y_t|^2, \tag{15}$$

及

$$a(t, 0)^2 + b(t, 0) = L_1 K_t + L_2, \tag{16}$$

此处 L_1, L_2 为常数，K_s 为 s 的非降右连续函数，$0 \leqslant K_s \leqslant 1$，$x$，$y \in \boldsymbol{C}_T$.

设 η 为 F_0 可测随机变量，于是

(i) 方程(14)有唯一解，其初值 $X_0 = \eta$.

(ii) 此外，若还有 $E\eta^{2m} < \infty$，则存在与 m 有关的常数 C_m，使得其解 X_t 满足

$$EX_t^{2m} \leqslant (1 + E\eta^{2m}) e^{C_m t} - 1. \tag{17}$$

证 首先注明，对任意 $x \in \boldsymbol{C}_T$ 有

$$a^2(t, x) + b^2(t, x)^2 = (a(t, x) - a(t, 0)$$
$$+ a(t,0))^2 + (b(t,x) - b(t,0) + b(t,0))^2$$
$$\leqslant 2L_1 \int_0^t (1 + x_s^2) dK_s + 2L_2(1 + x_t^2). \tag{18}$$

我们先证唯一性．设有两个解 $X, \widetilde{X}$，$X_0 = \widetilde{X}_0 = \eta$（解当然是几乎所有样本连续的），于是对 $0 \leqslant t \leqslant T$，有

$$X_t - \widetilde{X}_t = \int_0^t [a(s, X) - a(s, \widetilde{X})] ds$$
$$+ \int_0^t [b(s, X) - b(s, \widetilde{X})] dW_s.$$

令

$$I_t^N = I_{\left\{\sup\limits_{s \leqslant t}(X_s^2 + \widetilde{X}_s^2) \leqslant N\right\}},$$

当 $s \leqslant t$ 时，$I_t^N = I_t^N I_s^N$，故

$$I_t^N [X_t - \widetilde{X}_t]^2 \leqslant 2 I_t^N \left\{ \left[\int_0^t (a(s, X) - a(s, \widetilde{X})) I_s^N ds \right]^2 \right.$$
$$\left. + \left[\int_0^t (b(s, X) - b(s, \widetilde{X})) I_s^N dW_s \right]^2 \right\}. \tag{19}$$

由假设及 I_t^N 的定义知，$(X_t - \widetilde{X}_t) I_t^N$，$(a(s, X) - a(s, \widetilde{X})) I_s^N$，

$(b(s, X) - b(s, \widetilde{X}))I_s^N$ 都是有界的，从而 (19) 式的两边的期望都存在. 故由 Lipschitz 条件得

$$
\begin{aligned}
EI_t^N[X_t - \widetilde{X}_t]^2 \leqslant 2\int_0^t EI_s^N[(a(s,X) - a(s,\widetilde{X}))^2 \\
+ (b(s,X) - b(s,\widetilde{X}))^2]ds \\
\leqslant 2\left\{L_1\int_0^t EI_s^N\int_0^s (X_u - \widetilde{X}_u)^2 dK_u ds\right. \\
\left. + L_2\int_0^t EI_s^N(X_s - \widetilde{X}_s)^2 ds\right\} \\
\leqslant 2\left\{L_1\int_0^t EI_s^N\int_0^s I_u^N(X_u - \widetilde{X}_u)^2 dK_u ds\right. \\
\left. + L_2\int_0^t EI_s^N(X_s - \widetilde{X}_s)^2 ds\right\} \\
\leqslant 2\left\{L_1\int_0^t\int_0^s EI_u^N(X_u - \widetilde{X}_u)dK_u ds\right. \\
\left. + L_2\int_0^t EI_s^N(X_s - \widetilde{X}_s)^2 ds\right\}.
\end{aligned}
$$

应用引理 6.5.5,取 $c_0 = 0$, $c_1 = 2L_1$, $c_2 = 2L_2$, $v(t) \equiv 1$, $u(t) = EI_t^N(X_t - \widetilde{X}_t)^2$, 由上式得:

$$EI_t^N(X_t - \widetilde{X}_t)^2 = 0$$

由此知,对 $0 \leqslant t \leqslant T$, 令 $N \to \infty$, 得 $E(X_t - \widetilde{X}_t)^2 = 0$ (因为 X 及 $\widetilde{X}$ 的几乎所有样本为连续),故

$$P\{|X_t - \widetilde{X}_t| > 0\} = 0,\ 0 \leqslant t \leqslant T,$$

于是对 $[0, T]$ 里的可数稠密集 S 有

$$P\{\sup_{s \in S}|X_s - \widetilde{X}_s| > 0\} = 0.$$

但因 X 及 $\widetilde{X}$ 的几乎所有样本函数为连续，从而对几乎一切 ω, $X_t(\omega) = \widetilde{X}_t(\omega)$, $0 \leqslant t \leqslant T$.

往证解的存在. 我们采用逐次逼近法,为简便计不妨令 $T = 1$. 先设 $E\eta^2 < \infty$, 定义

$$X_t^{(0)} = \eta,\ 0 \leqslant t \leqslant 1,$$

依次定义(对 $n = 1, 2, \cdots$)

$$X_t^{(n)} = \eta + \int_0^t a(s, X^{(n-1)})ds + \int_0^t b(s, X^{(n-1)})dW_s,$$

由(18)得

$$E(X_t^{(n+1)})^2 \leqslant 3\left\{E\eta^2 + \int_0^t E[a^2(s, X^{(n)}) + b^2(s, X^{(n)})]\, ds\right\}$$

$$\leqslant 3E\eta^2 + 6L_1\int_0^t\int_0^s [1 + E(X_u^{(n)})^2]dK_u ds$$

$$+ 6L_2\int_0^t [1 + E(X_u^{(n)})^2]du$$

$$\leqslant 3(E\eta^2 + 2L_1 + 2L_2) + 6L_1\int_0^t\int_0^s E(X_u^{(n)})^2 dK_u ds$$

$$+ 6L_2\int_0^t E(X_u^{(n)})^2 du.$$

记 $L = 2L_1 + 2L_2$，用归纳法，由上不等式得

$$E(X_t^{(n)})^2 \leqslant 3(E\eta^2 + L)e^{3Lt} \leqslant 3(E\eta^2 + L)e^{3L} = d. \quad (20)$$

又由 Lipschitz 条件，得

$$E(X_t^{(n+1)} - X_t^{(n)})^2 \leqslant 2\int_0^t E[(a(s, X^{(n)}) - a(s, X^{(n-1)}))^2$$

$$+ (b(s, X^{(n)}) - b(s, X^{(n-1)}))^2]ds$$

$$\leqslant 2\left\{L_1\int_0^t\int_0^s E(X_u^{(n)} - X_u^{(n-1)})^2 dK_u ds\right.$$

$$\left.+ L_2\int_0^t E(X_u^{(n)} - X_u^{(n-1)})^2 du\right\}.$$

和(20)的证法相同可证

$$E\sup_{0\leqslant t\leqslant 1}(X_t^{(1)} - X_t^{(0)})^2 \leqslant c\ (\text{常数}).$$

于是由以上诸不等式递推得

$$E(X_t^{(2)} - X_t^{(1)})^2 \leqslant 2c(L_1 + L_2)t \leqslant Lct,$$

$$E(X_t^{(n+1)} - X_t^{(n)})^2 \leqslant \frac{cL^{n-1}}{(n-1)!}\left\{2L_1\int_0^t\int_0^s u^{n-1}dK_u ds\right.$$

$$\left.+ 2L_2\int_0^t u^{n+1}du\right\} \leqslant \frac{c(Lt)^n}{n!}. \quad (21)$$

此外

$$\sup_{0\leqslant t\leqslant 1}|X_t^{(n+1)}-X_t^{(n)}|\leqslant\int_0^1|a(s,X^{(n)})-a(s,X^{(n-1)})|ds$$

$$+\sup_{0\leqslant t\leqslant 1}\left|\int_0^t[b(s,X^{(n)})-b(s,X^{(n-1)})]dW_s\right|.$$

利用鞅不等式、Lipschitz 条件及不等式(21)，对以上不等式两边求期望得

$$E[\sup_{0\leqslant t\leqslant 1}|X_t^{(n+1)}-X_t^{(n)}|^2]$$

$$\leqslant 10L_1\int_0^1\int_0^t E(X_s^{(n)}-X_s^{(n-1)})^2dK_sdt$$

$$+10L_2\int_0^t E(X_s^{(n)}-X_s^{(n-1)})^2ds$$

$$\leqslant 10L_1\frac{cL^{n-1}}{(n-1)!}\int_0^1\int_0^t s^{n-1}dK_sdt$$

$$+10L_2\frac{cL^{n-1}}{(n-1)!}\int_0^1 s^{n-1}ds\leqslant 5c\frac{L^n}{n!},$$

于是

$$\sum_{n=1}^{\infty}P\left\{\sup_{0\leqslant t\leqslant 1}|X_t^{(n+1)}-X_t^{(n)}|>\frac{1}{n^2}\right\}$$

$$\leqslant 5c\sum_{n=1}^{\infty}n^4\frac{L^n}{n!}<\infty.$$

由 Borel-Cantelli 引理知，对几乎一切 ω，级数

$$X_t^{(0)}+\sum_{n=0}^{\infty}|X_t^{(n+1)}-X_t^{(n)}|$$

对 t 一致收敛. 这就是说，序列，$X_t^{(n)}$，$n=1,2,\cdots$ 概率为一地一致对 t 收敛于连续过程：

$$X_t=X_t^{(0)}+\sum_{n=0}^{\infty}(X_t^{(n+1)}-X_t^{(n)}).$$

又由不等式(20)及 Fatou 引理知

$$EX_t^2\leqslant d.$$

往证，这样得到的 X 是随机微分方程的解，其初值为 η. 即需证对

每个 $0 \leqslant t \leqslant 1$ 有

$$X_t - \eta - \int_0^t a(s, X)ds - \int_0^t b(s, X)dW_s = 0 \text{ a.s.} \tag{22}$$

由 $X^{(n+1)}$ 的递推式，我们有

$$\begin{aligned} X_t - \eta - \int_0^t a(s, X)ds - \int_0^t b(s, X)dW_s \\ = (X_t - X_t^{(n+1)}) + \int_0^t (a(s, X^{(n)}) - a(s, X))ds \\ + \int_0^t (b(s, X^{(n)}) - b(s, X))dW_s. \end{aligned} \tag{23}$$

但

$$\begin{aligned} &\left|\int_0^t (a(s, X^{(n)}) - a(s, X))ds\right|^2 \\ &\leqslant L_1 \int_0^t \int_0^s (X_u^{(n)} - X_u)^2 dK_u ds + L_2 \int_0^t (X_u^{(n)} - X_u)^2 du \\ &\leqslant L \sup_{0 \leqslant u \leqslant 1} |X_u^{(n)} - X_u|^2, \end{aligned} \tag{24}$$

又由定理 5.6.14 的证明中所得到的(8)，对 $\delta > 0$ 及 $\varepsilon > 0$，有

$$\begin{aligned} &P\left\{\left|\int_0^t (b(s, X^{(n)}) - b(s, X))dW_s\right| > \varepsilon\right\} \\ &\leqslant \frac{\delta}{\varepsilon^2} + P\left\{\int_0^t (b(s, X^{(n)}) - b(s, X))^2 ds \geqslant \delta\right\} \\ &\leqslant \frac{\delta}{\varepsilon^2} + P\left\{L_1 \int_0^t \int_0^s |X_u^{(n)} - X_u|^2 dK_u ds \right. \\ &\qquad \left. + L_2 \int_0^t |X_u^{(n)} - X_u|^2 ds \geqslant \delta\right\} \\ &\leqslant \frac{\delta}{\varepsilon^2} + P\{L \sup_{0 \leqslant s \leqslant 1} |X_s^{(n)} - X_s|^2 \geqslant \delta\}. \end{aligned} \tag{25}$$

因 $\sup_{0 \leqslant s \leqslant 1} |X_s^{(n)} - X_s| \to 0$ a.s. $(n \to \infty)$，故由(24)，(25)知

$$\begin{aligned} (X_t - X_t^{(n+1)}) + \int_0^t (a(s, X^{(n)}) - a(s, X))ds \\ + \int_0^t (b(s, X^{(n)}) - b(s, X))dW_s \xrightarrow[P]{} 0. \end{aligned}$$

从而由(23)知(22)成立.

由 $X^{(n)}$ 的定义知 $X_t^{(n)} \in \mathscr{F}_t^{\eta,W}$，这样我们证明了当 $E\eta^2 < \infty$ 时随机微分方程的解存在. 下面我们把条件 $E\eta^2 < \infty$ 取消,去证明解存在.

记 $\eta_n = \eta I_{\{|\eta| \leqslant n\}}$. 由上证知若随机微分方程的初值为 η_n 时，解一定存在，记这个解为 $X_n(t)$，$0 \leqslant t \leqslant 1$，$X_n(0) = \eta_n$. 对 $m > n$, 有

$$
\begin{aligned}
&E|X_m(t) - X_n(t)|^2 I_{\{|\eta| \leqslant n\}} \\
&= E\left[I_{\{|\eta| \leqslant n\}}\left|\int_0^t (a(s, X_m) - a(s, X_n))ds\right.\right. \\
&\qquad \left.\left. + \int_0^t (b(s, X_m) - b(s, X_n))dW_s\right|^2\right] \\
&\leqslant 2\int_0^t E[I_{\{|\eta| \leqslant n\}}((a(s, X_m) - a(s, X_n))^2 \\
&\qquad + (b(s, X_m) - b(s, X_n))^2)]ds \\
&\leqslant 2L_1 \int_0^t \int_0^s E(X_m(u) - X_n(u))^2 I_{\{|\eta| \leqslant n\}} dK_u ds \\
&\qquad + 2L_2 \int_0^t E(X_m(u) - X_n(u))^2 I_{\{|\eta| \leqslant n\}} du.
\end{aligned}
$$

仿照唯一性的证明,应用引理 6.4.5，取 $c_0 = 0$，$c_1 = 2L_1$，$c_2 = 2L_2$, $v(t) \equiv 1$, $u(t) = EI_{\{|\eta| \leqslant n\}}(X_m(t) - X_n(t))^2$, 得

$$E|X_m(t) - X_n(t)|^2 I_{\{|\eta| \leqslant n\}} = 0.$$

由此知

$$P\{|X_m(t) - X_n(t)| > 0\} \leqslant P\{|\eta| > n\} \to 0 \quad (n \to \infty),$$

故序列 $(X_n(t), n = 1, 2, \cdots)$ 依概率构成 Cauchy 序列,从而此序列依概率收敛,令其极限记为 X_t. 重复上面的证明,可证这个极限是微分方程的解,且 $X_0 = \eta$.

往证 (ii). 设 $E\eta^{2m} < \infty, m > 1$.

由伊藤微分公式有

$$
\begin{aligned}
X_t^{2m} = \eta^{2m} &+ 2m\int_0^t X_s^{2m-1} a(s, X)ds + 2m\int_0^t X_s^{2m-1} b(s, X)dW_s \\
&+ m(2m-1)\int_0^t X_s^{2m-2} b^2(s, X)ds.
\end{aligned}
$$

令

$$I_N(t) = I_{\{\sup_{s\leqslant t}|X_s|\leqslant|\eta|+N\}}, \quad \psi_n = I_{\{|\eta|\leqslant n\}},$$

于是当 $s \leqslant t$ 时 $I_N(t)\psi_n = I_N(t)I_N(s)\psi_n$. 由上式得

$$\begin{aligned} X_t^{2m}I_N(t)\psi_n = I_N(t)\Big[&\psi_n\eta^{2m} + 2m\int_0^t \psi_n I_N(s)X_s^{2m-1}a(s,X)ds \\ &+ m(2m-1)\int_0^t \psi_n I_N(s)X_s^{2m-2}b^2(s,X)ds \\ &+ 2m\int_0^t \psi_n I_N(s)X_s^{2m-1}b(s,X)dW_s\Big] \\ \leqslant \psi_n\eta^{2m} &+ 2m\int_0^t \psi_n I_N(s)X_s^{2m-1}a(s,X)ds \\ &+ m(2m-1)\int_0^t \psi_n I_N(s)X_s^{2m-2}b^2(s,X)ds \\ &+ 2m\int_0^t \psi_n I_N(s)X_s^{2m-}b(s,X)dW_s. \end{aligned}$$

但上式最后一项为鞅,因为

$$\begin{aligned} &E\left|\int_0^1 \psi_n I_N(s)X_s^{4m-2}b^2(s,X)ds\right| \\ &\qquad \leqslant E\int_0^1 (n+N)^{4m-2}L(1+(n+N)^2)ds < \infty, \end{aligned}$$

所以

$$\begin{aligned} E[X_t^{2m}I_N(t)\psi_n] \leqslant E\eta^{2m} &+ 2m\int_0^t E\psi_n I_N(s)|X_s^{2m-1}a(s,X)|ds \\ &+ m(2m-1)\int_0^t E\psi_n I_N(s)|X_s^{2m-2}b^2(s,X)|ds. \end{aligned} \tag{26}$$

利用不等式: $a^{1/p}b^{1/q} \leqslant \frac{a}{p} + \frac{b}{q}\left(\frac{1}{p} + \frac{1}{q} = 1, \ a \geqslant 0, \ b \geqslant 0, \ p > 1\right)$, 取 $p = \frac{2m}{2m-1}$, $q = 2m$ 得

$$\begin{aligned} |X_s^{2m-1}a(s,X)| &\leqslant |X_s^{2m}|^{1/p}|a^{2m}(s,X)|^{1/q} \\ &\leqslant \frac{2m-1}{2m}X_s^{2m} + \frac{1}{2m}a^{2m}(s,X). \end{aligned}$$

取 $p=\frac{m}{m-1}$, $q=m$ 得

$$|X_s^{2m-2}b^2(s,X)|\leqslant\frac{m-1}{m}X_s^{2m}+\frac{1}{m}b^{2m}(s,X).$$

代入(26)得

$$E[X_t^{2m}I_N(t)\phi_n]\leqslant E\eta^{2m}+a_m\int_0^t E\left\{\phi_n I_N(s)\right.$$
$$\left.\times\left(X_s^{2m}+\left[\int_0^s(1+X_u^2)dK_u+(1+X_s^2)\right]^m\right)\right\}ds,\qquad(27)$$

此处 a_m 是一个常数，与 m 有关．但

$$\left[1+X_s^2+\int_0^s(1+X_u^2)dK_u\right]^m$$
$$\leqslant b_m\left[1+X_s^{2m}+\int_0^s(1+X_u^{2m})dK_u\right],$$

此处 b_m 也是一个常数，与 m 有关．由此及(27)得

$$EX_t^{2m}I_N(t)\phi_n\leqslant E\eta^{2m}+\frac{c_m}{2}\left[t+\int_0^t E(I_N(s)\phi_n X_s^{2m})ds\right.$$
$$\left.+\int_0^t\int_0^s E(I_N(s)\phi_n X_u^{2m})dK_u ds\right].$$

应用引理 6.5.6 于上不等式，得

$$EX_t^{2m}I_N(t)\phi_n\leqslant(1+E\eta^{2m})e^{c_m t}-1,$$

故

$$EX_t^{2m}\leqslant\liminf_{\substack{N\to\infty\\ n\to\infty}}EX_t^{2m}I_N(t)\phi_n\leqslant(1+E\eta^{2m})e^{c_m t}-1.$$ 证毕

系 6.5.8 考虑下列随机微分方程

$$dX_t=a(t,X_t)dt+b(t,X_t)dW_t,\ 0\leqslant t\leqslant 1,\qquad(28)$$

此处二元函数 $a(t,x),b(t,x)$ 为定义于 $[0,1]\times\boldsymbol{R}$ 上的 Borel 可测函数，且满足:

$$[a(t,x)-a(t,y)]^2+[b(t,x)-b(t,y)]^2\leqslant L|x-y|^2,$$
$$x,y\in\boldsymbol{R},$$
$$a^2(t,0)+b^2(t,0)\leqslant L,$$

于是当初值为 $\mathscr{F}_0$ 可测的随机变量 X_0 时，此方程有唯一解.

下面我们讨论方程(28)的解的性质．在系 6.5.8 的条件下，我们往证它的唯一解是马氏过程，为此记

$$\mathscr{F}_{[t,t+h]}^{W}=\sigma(W_u-W_t,u\in[t,t+h]),$$

$$\mathscr{F}_{[t]}^{X}=\sigma(X_t),$$

$$\mathscr{F}^{X_0,W}=\sigma(X_0,W_u,u\leqslant t).$$

由存在性的证明显见对任意 $s\leqslant t$，$X_s\in\mathscr{F}_t^{X_0,W}$．对固定的 t，考虑

$$g(h,x,\omega)=x+\int_0^h a(t+s,g(s,x,\omega))ds$$

$$+\int_0^h b(t+s,g(s,x,\omega))dW_{s+t},$$

此处 $h>0$，$x\in\boldsymbol{R}$．由此方程知 $g(h,x,\omega)$ 为 $\mathscr{F}_{[t,t+h]}^{W}$ 可测．与方程(28)对比则知 $g(h,X_t,\omega)=X_{t+h}$．

欲证 X_t 为马氏过程，只需证对任意有界的 Borel 函数 $f(\cdot)$ 有

$$E(f(X_{t+h})|\mathscr{F}_t^{X_0,W})=E(f(X_{t+h})|\mathscr{F}_{[t]}^{X}),$$

亦即证：

$$E(f(g(h,X_t,\omega))|\mathscr{F}_t^{X_0,W})=E(f(g(h,X_t,\omega))|\mathscr{F}_{[t]}^{X}).$$

为此只需证：若 $\phi(x,\omega)$ 为 $\boldsymbol{R}\times\Omega$ 上任意有界可测函数，且对任意 $x\in\boldsymbol{R}$，$\phi(x,\omega)\in\mathscr{F}_{[t,t+h]}^{W}$，则有

$$EY\phi(X_t,\omega)=EYC(X_t),$$

此处 Y 为任意 $\mathscr{F}_t^{X_0,W}$ 可测的有界随机变量，$C(x)=E\phi(x,\omega)$．

我们知道这样的 $\phi(x,\omega)$ 可用如下形状的简单函数逼近

$$\sum_{i=1}^{k}\phi_i I_{A_i}(x),$$

此处 $A_i\in\mathscr{B}(\boldsymbol{R})$，诸 A_i 不相交，且 $\sum\limits_{i=1}^{k}A_i=\boldsymbol{R}$，而 $\phi_i(\omega)\in\mathscr{F}_{[t,t+h]}^{W}$．所以只需证：对任意有界的 $\mathscr{F}_{t_0}^{X_0,W}$ 可测的随机变量 Y，有：

$$E\left[Y\sum_{i=1}^{k}\phi_i I_{A_i}(X_t)\right]=E\left[Y\left(E\sum_{i=1}^{k}\phi_i I_{A_i}(x)\right)_{x=X_t}\right].$$

往证此，我们有

$$E\left[Y\sum_{i=1}^{k}\phi_i I_{A_i}(X_t)\right]=E\left[Y\sum_{i=1}^{k}I_{A_i}(X_t)E(\phi_i|\mathscr{F}_t^{X_0,W})\right].$$

因为 ϕ_i 与 $\mathscr{F}_t^{X_0,W}$ 独立，故上式化为

$$E\left[Y\sum_{i=1}^{k}\phi_i I_{A_i}(X_t)\right]=E\left[Y\sum_{i=1}^{k}I_{A_i}(X_t)E\phi_i\right]$$

$$=E\left[Y\left(E\sum_{i=1}^{k}\phi_i I_{A_i}(x)\right)_{x=X_t}\right],$$

得所欲证.

下面我们考虑另外一类随机微分方程

$$X_t=\varphi_t+\int_0^t\lambda_1(s)a(s,X)ds+\int_0^t\lambda_2(s)b(s,X)dW_s,\quad(29)$$

此处 $a(s,x)$, $b(s,x)$ 是 $[0,1]\times\boldsymbol{C}_1$ 上的泛函，对每个 t, $a(t,x)$, $b(t,x)$ 为 $\mathscr{B}_t$ 可测. φ_t 为一随机过程，适应于 $(\mathscr{F}_t)$，且其几乎所有样本函数为连续，$\lambda_i(t)$ 也是 $(\mathscr{F}_t)$ 适应的随机过程.

定理 6.5.9 设 $a(t,x)$, $b(t,x)$ 满足定理 6.5.7 里的假设 (15), (16) $(\varphi(t),\mathscr{F}_t,t\in[0,1])$ 的几乎所有样本函数为连续，$(\lambda_i(t),\mathscr{F}_t,t\in[0,1])$ 满足条件 $|\lambda_i(t)|\leqslant 1$, $i=1,2$. 于是随机微分方程(29)有唯一解.

证 先证唯一性. 设有两个解 X 及 $\widetilde{X}$，令

$$I_t^N=I\{\sup_{s\leqslant t}(X_s^2+\widetilde{X}_s^2)\leqslant N\},$$

于是和定理 6.5.7 的推导相似，得

$$\begin{aligned}E[(X_t-\widetilde{X}_t)^2I_t^N]&\leqslant 2\int_0^t E[I_s^N((a(s,X)-a(s,\widetilde{X}))^2\\&\quad+(b(s,X)-b(s,\widetilde{X}))^2)]ds\\&\leqslant 2\left\{L_1\int_0^t\int_0^s E[I_s^N(X_u-\widetilde{X}_u)^2]dK_u ds\right.\\&\quad\left.+L_2\int_0^t E[I_s^N(X_s-\widetilde{X}_s)^2]ds\right\}.\end{aligned}$$

由此完全按照定理 6.5.7 的证明得到：对几乎一切 ω 及一切 t,

$X_t = \tilde{X}_t$.

往证解的存在. 先考虑特殊情形: $E\sup\limits_{t\leqslant 1}\varphi_t^2 < \infty$. 仍用逐次逼近法. 令 $X_t^{(0)} = \varphi_t$, 定义

$$X_t^{(n)} = \varphi_t + \int_0^t \lambda_1(s)a(s,\ X^{(n+1)})ds + \int_0^t \lambda_2(s)b(s,\ X^{(n-1)})dW_s.$$

仍如定理 6.5.7 的证明,存在两个常数 c_1, c_2, 使得

$$E\sup_{0\leqslant t\leqslant 1}\ (X_t^{(n+1)} - X_t^{(n)})^2 \leqslant c_1\frac{c_2^n}{n!}.$$

由此推知,除了一个零概集外, $X_t^{(n)}(\omega)$ 对 t 一致收敛, 令其极限为 X_t, 于是 X 必然是方程(29)的解,且 $EX_t^2 \leqslant d < \infty$.

对一般情形,令

$$\tau_m\begin{cases}\inf(t\leqslant 1:\sup\limits_{s\leqslant t}\ |\varphi_s| \geqslant m),\\ 1,\text{若}\sup\limits_{s\leqslant 1}|\varphi_s| < m.\end{cases}$$

再令 $\varphi_m(t) = \varphi_{t\wedge\tau_m}$, 考虑方程

$$\begin{aligned}X_m(t) = \varphi_m(t) &+ \int_0^t \lambda_1(s)a(s,\ X_m)ds\\ &+ \int_0^t \lambda_2(s)b(s,\ X_m)dW_s,\end{aligned}$$

因 $|\varphi_m(t)| \leqslant m$, 由上证明知,对每个 m,上方程有唯一解 X_m. 仍如定理 6.5.7 的证明一样, 可证当 $m\to\infty$ 时, X_m 依概率趋于极限,记此极限为 X, 它就是方程(29)的解. 证毕

下面我们再讨论在滤波问题中经常遇到的随机微分方程:

$$dX_t = [a(t,X) + c(t,X)X_t]dt + b(t,\ X)dW_t,\ X_0 = \eta, \tag{30}$$

η 为 $\mathscr{F}_0$ 可测随机变量.

定理 6.5.10 设 $[0, 1]\times \boldsymbol{C}_1$ 上的泛函 $a(t,x)$, $b(t,x)$ 及 $c(t,x)$ 为 $(\mathscr{B}_t)$ 适应, $a(t,x)$, $b(t,x)$ 及 $c(t,x)$ 都满足定理 6.5.7 里的条件(15), (16),而且 $|c(t,x)| \leqslant c < \infty$, η 为 $\mathscr{F}_0$ 可测随机变量, $E\eta^2 < \infty$. 于是

(i) 方程(30) 有唯一解.

(ii) 若 $E\eta^{2m} < \infty$, $m \geqslant 1$, 则

$$EX_t^{2m} \leqslant (1 + E\eta^{2m})e^{C_m t} - 1,$$

此处 C_m 是与m有关的常数.

证 唯一性的证明和定理 6.5.7 里的证明相似. 往证存在性. 方程里的 $c(t, x)x_t$ 并不满足 Lipschitz 条件,为此对任意 n, 令

$$g_n(Z) = ZI_{\{|Z| \leqslant n\}} + nI_{\{|Z| > n\}}.$$

我们考虑方程

$$dX_t^{(n)} = [a(t, X^n) + c(t, X^n)g_n(X_t^{(n)})]dt + b(t, X^n)dW_t, \quad (31)$$

其初值为 $X_0^{(n)} = \eta$. 这时 $c(t, X^n)g_n(X_t^{(n)})$ 满足 Lipschitz 条件, 从而方程(31)有唯一解,且

$$E(X_t^{(n)})^2 \leqslant (1 + E\eta^2)e^{c_1 t} - 1.$$

于是

$$\sup_n \sup_{0 \leqslant t \leqslant 1} E(X_t^{(n)})^2 \leqslant (1 + E\eta^2)e^{c_1} - 1 < \infty.$$

但

$$(X_t^{(n)})^2 \leqslant 3\left\{\eta^2 + \int_0^t [a(s, X^{(n)}) + c(s, X^{(n)})g_n(X_s^{(n)})]^2 ds + \left|\int_0^t b(s, X^{(n)})dW_s\right|^2\right\},$$

故

$$E(\sup_{0 \leqslant t \leqslant 1} (X_t^{(n)})^2) \leqslant 3\left\{E\eta^2 + \int_0^1 E[a(s, X^{(n)}) + c(s, X^{(n)})g_n(X_s^{(n)})]^2 ds + E\sup_{0 \leqslant t \leqslant 1}\left|\int_0^t b(s, X^{(n)})dW_s\right|^2\right\}$$

$$\leqslant 3\left\{E\eta^2 + \int_0^1 E[a(s, X^{(n)}) + c(s, X^{(n)})g_n(X_t^{(n)})]^2 ds + 4\int_0^1 b^2(s, X^{(n)})ds\right\} < \infty,$$

从而

$$\sup_n E(\sup_{0 \leqslant t \leqslant 1} (X_t^{(n)})^2) < \infty,$$

故

$$P\{\sup_{0 \leqslant t \leqslant 1} |X_t^{(n)}| > n\} \leqslant \frac{1}{n^2} \sup_n E \sup_{0 \leqslant t \leqslant 1} (X_t^{(n)})^2 \to 0 \quad (n \to \infty). \quad (32)$$

令

$$\tau_n = \begin{cases} \inf\{t \leqslant 1, \sup\limits_{0\leqslant s\leqslant t} |X_t^{(n)}| \geqslant n\}, \\ 1\text{，若} \sup\limits_{0\leqslant s\leqslant 1} |X_s^{(n)}| < n. \end{cases}$$

τ_n 为可选时，对 $n' > n$，$(\tau_n \leqslant \tau_{n'}$ a. s.) 记 $\sigma = \tau_n \wedge \tau_{n'}$，于是

$$X_{t\wedge\sigma}^{(n')} - X_{t\wedge\sigma}^{(n)} = \int_0^{t\wedge\sigma} [a(s, X^{(n')}) - a(s, X^{(n)})]ds$$

$$+ \int_0^{t\wedge\sigma} [c(s, X^{(n')})g_{n'}(X_s^{(n')}) - c(s, X^{(n)})g_n(X_s^{(n)})]ds$$

$$+ \int_0^{t\wedge\sigma} [b(s, X^{(n')}) - b(s, X^{(n)})]dW_s.$$

由 Lipschitz 条件，得

$$E(X_{t\wedge\sigma}^{(n')} - X_{t\wedge\sigma}^{(n)})^2 \leqslant c_1 \int_0^t \int_0^s E(X_{u\wedge\sigma}^{(n')} - X_{u\wedge\sigma}^{(n)})^2 dK_u ds$$

$$+ c_2 \int_0^t E(X_{u\wedge\sigma}^{(n')} - X_{u\wedge\sigma}^{(n)})^2 ds,$$

此处 c_1，c_2 为常数．应用引理 6.5.5，得

$$E(X_{t\wedge\sigma}^{(n')} - X_{t\wedge\sigma}^{(n)})^2 = 0.$$

由此知，当 $t \leqslant \sigma = \tau_n \wedge \tau_{n'}$ 时，$X_t^{(n')} = X_t^{(n)}$ a. s. 故对任意 t：$0 \leqslant t \leqslant 1$ 时

$$P\{|X_t^{(n')} - X_t^{(n)}| > 0\} \leqslant P\{\sigma < t\} = P\{\tau_n \wedge \tau_{n'} < t\}$$

$$\leqslant P\{\tau_n < t\} + P\{\tau_{n'} < t\}$$

$$\leqslant P\{\sup_{0\leqslant s\leqslant t} |X_s^{(n)}| > n\} + P\{\sup_{0\leqslant s\leqslant t} |X_s^{(n')}| > n'\}$$

$$\to 0 \qquad (n, n' \to \infty).$$

由此知，当 $n \to \infty$ 时，$X_t^{(n)}$ 的依概率极限存在，记此极限为 X_t．往证 $\{X_t, 0 \leqslant t \leqslant 1\}$ 为方程的解．当 $t \leqslant \sigma = \tau_n \wedge \tau_{n'}$ 时，$X_t^{(n')} = X_t^{(n)}$，取子序列 (n_k) 使 $X_t^{(n_k)} \to X_t$ a.s. 但当 $t \leqslant \tau_{n_1}$ 时，有

$$X_t^{(n_1)} = X_t^{(n_2)} = \cdots (= X_t),$$

故

$$P\left\{\left|X_t - \eta - \int_0^t [a(s,X) + c(s,X)X_s]ds\right.\right.$$

$$-\int_0^t b(s, X)dW_s\Big| > 0\Big\}$$

$$\leqslant P\{\tau_{n_1} < t\} = P\{\sup_{0\leqslant s\leqslant t} |X_s^{(n_1)}| > n_1\}.$$

但 n_1 是任意选的,故上式右方为零,所以 X 满足方程.

关于 (ii) 的证明完全和定理 6.5.7 的证明一样. 证毕

最后,我们讨论常见的线性的向量随机微分方程.

定理 6.5.11 设 $a(t)$ 为 n 维向量, $b(t)$, $c(t)$ 为 $n\times n$ 矩阵,其中每个分量都是可测函数,且满足:

$$\int_0^1 |a_i(t)|\,dt < \infty,\quad \int_0^1 b_{ij}^2(t)dt < \infty,\quad \int_0^1 |c_{ij}(t)|\,dt < \infty.$$

$W = (W_t, \mathscr{F}_t, t\in[0, 1])$ 为 n 维 Brown 运动,考虑随机微分方程组

$$dX_t = [a(t) + c(t)X_t]dt + b(t)dW_t,\ X_0 = \eta. \tag{32}$$

此方程组有唯一解,且其解表为:

$$X_t = F_t\left[\eta + \int_0^t F_s^{-1}a(s)ds + \int_0^t F_s^{-1}b(s)dW_s\right], \tag{33}$$

此处 $n\times n$ 矩阵 F_t (叫做基本矩阵)满足

$$F_t = I + \int_0^t c(s)F_s ds. \tag{34}$$

证 先证唯一性. 设有两个解 X 及 $\widetilde{X}$, 于是

$$X_t - \widetilde{X}_t = \int_0^t c(s)(X_s - \widetilde{X}_s)ds,$$

从而

$$\sum_{i=1}^n |X_i(t) - \widetilde{X}_i(t)| \leqslant \int_0^t \sum_{i,j=1}^n |c_{ij}(s)|\,|X_j(s) - \widetilde{X}_j(s)|\,ds$$

$$\leqslant \int_0^t \sum_{ij} |c_{ij}(s)| \sum_j |X_j(s) - \widetilde{X}_j(s)|\,ds.$$

应用引理 6.5.5 知

$$\sum_{i=1}^n |X_i(t) - \widetilde{X}_i(t)| = 0\ \text{a. s.}$$

所以 $X_t = \widetilde{X}_t$ a. s.

欲证由(33)所给的X满足方程(32)，我们利用伊藤公式于(33)就得(32).

最后需证矩阵方程(34)有唯一解 F_t，且 F_t 可逆. 为此我们采用逐次逼近法. 令

$$F_0(t) = I,$$

$$F_{n+1}(t) = I + \int_0^t c(s) F_n(s) ds, \ n = 1, 2, \cdots, \tag{35}$$

于是

$$F_{k+1}(t) - F_k(t) = \int_0^t c(s)[F_k(s) - F_{k-1}(s)]ds,$$

所以

$$\begin{aligned} &\sum_{i,j=1}^{n} |F_{k+1}^{(i,j)}(t) - F_k^{(i,j)}(t)| \\ &\leqslant \int_0^t \sum_{i,j=1}^{n} \left| \sum_{l=1}^{n} c_{il}(s)[F_k^{lj}(s) - F_{k-1}^{lj}(s)] \right| ds \\ &\leqslant \int_0^t \sum_{i,l=1}^{n} |c_{il}(s)| \sum_{l,j=1}^{n} |F_k^{lj}(s) - F_{k-1}^{lj}(s)| ds, \end{aligned}$$

其中 $F_k^{ij}(t)$为 $F_k(t)$的 (i,j) 元素. 但由定义有

$$\sum_{i,j=1}^{n} |F_1^{ij}(t) - F_0^{ij}(t)| \leqslant \int_0^t \sum_{i,j=1}^{n} |c_{ij}(s)| ds,$$

逐步代入上式知

$$\sum_{i,j=1}^{n} |F_{k+1}^{ij}(t) - F_k^{ij}(t)| \leqslant \frac{1}{k!} \left(\int_0^t \sum_{i,j=1}^{n} |c_{ij}(s)| ds \right)^k,$$

这样,便知级数

$$F_0(t) + \sum_{k=0}^{\infty} [F_{k+1}(t) - F_k(t)]$$

绝对且一致收敛，记其极限为 F_t，且 F_t 的元素为连续函数. 在(35)里,令 $n \to \infty$ 即得(34). 对几乎一切 t，F_t 的元素可微,且行

列式 $|F_{ij}(t)|$ 的导数为

$$\frac{d|F_{ij}(t)|}{dt} = Trc(t)\cdot|F_{ij}(t)|,\ |F_0| = 1 \text{ a. e. t.}$$

由此知

$$|F_{ij}(t)| = e^{\int_0^t Trc(s)ds},\ 0 \leqslant t \leqslant 1,$$

所以 F_t 为非退化，往证(34)的解唯一．为此，对等式 $F_tF_t^{-1} = I$ 微分，得

$$\frac{dF_t^{-1}}{dt} = -F_t^{-1}\frac{dF_t}{dt}F_t^{-1} = -F_t^{-1}c(t) \text{ a. e. t.} \tag{36}$$

设有两个矩阵 $F_t, \tilde{F}_t$ 都是解，$F_0 = \tilde{F}_0 = I$．于是由(34)及(36)，有

$$\frac{d}{dt}(F_t^{-1}\tilde{F}_t) = \frac{dF_t^{-1}}{dt}\tilde{F}_t + F_t^{-1}\frac{d\tilde{F}_t}{dt}$$

$$= -F_t^{-1}c(t)\tilde{F}_t + F_t^{-1}c(t)\tilde{F}_t = 0.$$

这就证明了 $F_t = \tilde{F}_t$ 对一切 t．证毕

参考文献

[1] Bruno de Finetti, Sulle funzioni a incremento aleatorio. *Rend. Accad. Naz Lincei Cl Sci. Fis Mat'. Nat.*, (6) **10**(1929), 163—168.

[2] Скороход, А. В., Случайные Процессы с независимыми Приращениями, Физматгиз, Москва 1963.

[3] Dellacherier, Capacités et processus stochastique, Springer, Berlin, 1972.

[4] Dobrushin, R. L., The continuity condition for sample martingale function, *Теор. Веря п ее прям.*, **3**(1958).

[5] Doob, J. L., Regularity properties of certain families of chance variables, *Tnans. Amer. Math. Soc.*, **47**(1940), 455—486.

[6] Doob, J. L., Stochastic processes, John Wiley and Son 1953.

[7] Dynkin, E. B., Criteria of continuity and of absence of discontinuities of second kind for trajectories of a Markov random process, *Izv. Akad.Nauk SSSR* **16** (1952).

[8] Ершов, М. П., О Представлениях процессов Ито, Теор. *Верояи ее прем.* **1**(1972), 167—172.

[9] Freedman, D., Brownian Motion and Diffussion, Holden-Day, Inc., 1971.

[10] Itô, K., On stochastic processes, *Japan J. Math.* **18**(1942), 261—301.

[11] Itô, K and McKean, H. P. JR., Diffnssion processes and their sample paths, Springer-Verlag 1974.

[12] Johnson, G and Helms, L. L., Class (D) supermartingales, *Bull. Am. Math. Soc.*, **69**(1963), 59—62.

[13] Kinney, R., Contiuuity properties of sample functions of Markov processes, *Trans Am. Math. Soc.* **74**(1953), 280—302.

[14] Kolmogorov, A., Grundbegriffe der Wahrscheinlichkeitrechnung. Erg. d. Mat. **2**(1933), no. 3.

[15] Lévy, P., Théorie de l'addition des variables alćatoines, Gauther-Villars, Paris 1937.

[16] Lévy, P., Processus stochastiques et mouvement Brownien, Gauthier-Villars,Paris 1948.

[17] Loeve, M., Probability Theory, D. van Nostrand Company, Inc., 1960.

[18] Meyer, P. A., Probalility and Potential, Blaisdell Publishing Company 1966.

[19] Meyer, P. A. A deconposition theorem of supermartingales, *Illinois J. Math.* **6**(1962), 193—205

[20] Meyer, P. A. Decomposition of Super martingales:The Uniqueness Theorem. *Illinois J. Math.*, **7**(1963), 1—17.

[21] Azema, J-Yor, M., En guise d'introduction, Sociéte mathématique de france, astérique 52—53, 3—17 (1978).

名 词 索 引

一 画

三 画

四 画

五 画

六 画

七 画

《现代数学基础丛书》已出版书目

1 数理逻辑基础(上册) 1981.1 胡世华 陆钟万 著
2 数理逻辑基础(下册) 1982.8 胡世华 陆钟万 著
3 紧黎曼曲面引论 1981.3 伍鸿熙 吕以辇 陈志华 著
4 组合论(上册) 1981.10 柯 召 魏万迪 著
5 组合论(下册) 1987.12 魏万迪 著
6 数理统计引论 1981.11 陈希孺 著
7 多元统计分析引论 1982.6 张尧庭 方开泰 著
8 有限群构造(上册) 1982.11 张远达 著
9 有限群构造(下册) 1982.12 张远达 著
10 测度论基础 1983.9 朱成熹 著
11 分析概率论 1984.4 胡迪鹤 著
12 微分方程定性理论 1985.5 张芷芬 丁同仁 黄文灶 董镇喜 著
13 傅里叶积分算子理论及其应用 1985.9 仇庆久 陈恕行 是嘉鸿 刘景麟 蒋鲁敏 编
14 辛几何引论 1986.3 J.柯歇尔 邹异明 著
15 概率论基础和随机过程 1986.6 王寿仁 编著
16 算子代数 1986.6 李炳仁 著
17 线性偏微分算子引论(上册) 1986.8 齐民友 编著
18 线性偏微分算子引论(下册) 1992.1 齐民友 徐超江 编著
19 实用微分几何引论 1986.11 苏步青 华宣积 忻元龙 著
20 微分动力系统原理 1987.2 张筑生 著
21 线性代数群表示导论(上册) 1987.2 曹锡华 王建磐 著
22 模型论基础 1987.8 王世强 著
23 递归论 1987.11 莫绍揆 著
24 拟共形映射及其在黎曼曲面论中的应用 1988.1 李 忠 著
25 代数体函数与常微分方程 1988.2 何育赞 萧修治 著
26 同调代数 1988.2 周伯壎 著
27 近代调和分析方法及其应用 1988.6 韩永生 著
28 带有时滞的动力系统的稳定性 1989.10 秦元勋 刘永清 王 联 郑祖庥 著
29 代数拓扑与示性类 1989.11 [丹麦] I.马德森 著
30 非线性发展方程 1989.12 李大潜 陈韵梅 著

31　仿微分算子引论　1990.2　陈恕行　仇庆久　李成章　编
32　公理集合论导引　1991.1　张锦文　著
33　解析数论基础　1991.2　潘承洞　潘承彪　著
34　二阶椭圆型方程与椭圆型方程组　1991.4　陈亚浙　吴兰成　著
35　黎曼曲面　1991.4　吕以辇　张学莲　著
36　复变函数逼近论　1992.3　沈燮昌　著
37　Banach 代数　1992.11　李炳仁　著
38　随机点过程及其应用　1992.12　邓永录　梁之舜　著
39　丢番图逼近引论　1993.4　朱尧辰　王连祥　著
40　线性整数规划的数学基础　1995.2　马仲蕃　著
41　单复变函数论中的几个论题　1995.8　庄圻泰　杨重骏　何育赞　闻国椿　著
42　复解析动力系统　1995.10　吕以辇　著
43　组合矩阵论(第二版)　2005.1　柳柏濂　著
44　Banach 空间中的非线性逼近理论　1997.5　徐士英　李　冲　杨文善　著
45　实分析导论　1998.2　丁传松　李秉彝　布　伦　著
46　对称性分岔理论基础　1998.3　唐　云　著
47　Gel'fond-Baker 方法在丢番图方程中的应用　1998.10　乐茂华　著
48　随机模型的密度演化方法　1999.6　史定华　著
49　非线性偏微分复方程　1999.6　闻国椿　著
50　复合算子理论　1999.8　徐宪民　著
51　离散鞅及其应用　1999.9　史及民　编著
52　惯性流形与近似惯性流形　2000.1　戴正德　郭柏灵　著
53　数学规划导论　2000.6　徐增堃　著
54　拓扑空间中的反例　2000.6　汪　林　杨富春　编著
55　序半群引论　2001.1　谢祥云　著
56　动力系统的定性与分支理论　2001.2　罗定军　张　祥　董梅芳　著
57　随机分析学基础(第二版)　2001.3　黄志远　著
58　非线性动力系统分析引论　2001.9　盛昭瀚　马军海　著
59　高斯过程的样本轨道性质　2001.11　林正炎　陆传荣　张立新　著
60　光滑映射的奇点理论　2002.1　李养成　著
61　动力系统的周期解与分支理论　2002.4　韩茂安　著
62　神经动力学模型方法和应用　2002.4　阮　炯　顾凡及　蔡志杰　编著
63　同调论——代数拓扑之一　2002.7　沈信耀　著
64　金兹堡-朗道方程　2002.8　郭柏灵　黄海洋　蒋慕容　著

65 排队论基础 2002.10 孙荣恒 李建平 著
66 算子代数上线性映射引论 2002.12 侯晋川 崔建莲 著
67 微分方法中的变分方法 2003.2 陆文端 著
68 周期小波及其应用 2003.3 彭思龙 李登峰 谌秋辉 著
69 集值分析 2003.8 李 雷 吴从炘 著
70 强偏差定理与分析方法 2003.8 刘 文 著
71 椭圆与抛物型方程引论 2003.9 伍卓群 尹景学 王春朋 著
72 有限典型群子空间轨道生成的格(第二版) 2003.10 万哲先 霍元极 著
73 调和分析及其在偏微分方程中的应用(第二版) 2004.3 苗长兴 著
74 稳定性和单纯性理论 2004.6 史念东 著
75 发展方程数值计算方法 2004.6 黄明游 编著
76 传染病动力学的数学建模与研究 2004.8 马知恩 周义仓 王稳地 靳 祯 著
77 模李超代数 2004.9 张永正 刘文德 著
78 巴拿赫空间中算子广义逆理论及其应用 2005.1 王玉文 著
79 巴拿赫空间结构和算子理想 2005.3 钟怀杰 著
80 脉冲微分系统引论 2005.3 傅希林 闫宝强 刘衍胜 著
81 代数学中的 Frobenius 结构 2005.7 汪明义 著
82 生存数据统计分析 2005.12 王启华 著
83 数理逻辑引论与归结原理(第二版) 2006.3 王国俊 著
84 数据包络分析 2006.3 魏权龄 著
85 代数群引论 2006.9 黎景辉 陈志杰 赵春来 著
86 矩阵结合方案 2006.9 王仰贤 霍元极 麻常利 著
87 椭圆曲线公钥密码导引 2006.10 祝跃飞 张亚娟 著
88 椭圆与超椭圆曲线公钥密码的理论与实现 2006.12 王学理 裴定一 著
89 散乱数据拟合的模型、方法和理论 2007.1 吴宗敏 著
90 非线性演化方程的稳定性与分歧 2007.4 马 天 汪宁宏 著
91 正规族理论及其应用 2007.4 顾永兴 庞学诚 方明亮 著
92 组合网络理论 2007.5 徐俊明 著
93 矩阵的半张量积:理论与应用 2007.5 程代展 齐洪胜 著
94 鞅与 Banach 空间几何学 2007.5 刘培德 著
95 非线性常微分方程边值问题 2007.6 葛渭高 著
96 戴维-斯特瓦尔松方程 2007.5 戴正德 蒋慕蓉 李栋龙 著
97 广义哈密顿系统理论及其应用 2007.7 李继彬 赵晓华 刘正荣 著
98 Adams 谱序列和球面稳定同伦群 2007.7 林金坤 著

99 矩阵理论及其应用 2007.8 陈公宁 编著
100 集值随机过程引论 2007.8 张文修 李寿梅 汪振鹏 高 勇 著
101 偏微分方程的调和分析方法 2008.1 苗长兴 张 波 著
102 拓扑动力系统概论 2008.1 叶向东 黄 文 邵 松 著
103 线性微分方程的非线性扰动(第二版) 2008.3 徐登洲 马如云 著
104 数组合地图论(第二版) 2008.3 刘彦佩 著
105 半群的 S-系理论(第二版) 2008.3 刘仲奎 乔虎生 著
106 巴拿赫空间引论(第二版) 2008.4 定光桂 著
107 拓扑空间论(第二版) 2008.4 高国士 著
108 非经典数理逻辑与近似推理(第二版) 2008.5 王国俊 著
109 非参数蒙特卡罗检验及其应用 2008.8 朱力行 许王莉 著
110 Camassa-Holm 方程 2008.8 郭柏灵 田立新 杨灵娥 殷朝阳 著
111 环与代数(第二版) 2009.1 刘绍学 郭晋云 朱 彬 韩 阳 著
112 泛函微分方程的相空间理论及应用 2009.4 王 克 范 猛 著
113 概率论基础(第二版) 2009.8 严士健 王隽骧 刘秀芳 著
114 自相似集的结构 2010.1 周作领 瞿成勤 朱智伟 著
115 现代统计研究基础 2010.3 王启华 史宁中 耿 直 主编
116 图的可嵌入性理论(第二版) 2010.3 刘彦佩 著
117 非线性波动方程的现代方法(第二版) 2010.4 苗长兴 著
118 算子代数与非交换 L_p 空间引论 2010.5 许全华 吐尔德别克 陈泽乾 著
119 非线性椭圆型方程 2010.7 王明新 著
120 流形拓扑学 2010.8 马 天 著
121 局部域上的调和分析与分形分析及其应用 2011. 4 苏维宜 著
122 Zakharov 方程及其孤立波解 2011. 6 郭柏灵 甘在会 张景军 著
123 反应扩散方程引论(第二版) 2011. 9 叶其孝 李正元 王明新 吴雅萍 著
124 代数模型论引论 2011. 10 史念东 著
125 拓扑动力系统——从拓扑方法到遍历理论方法 2011. 12 周作领 尹建东 许绍元 著
126 Littlewood-Paley 理论及其在流体动力学方程中的应用 2012. 3 苗长兴 吴家宏 章志飞 著
127 有约束条件的统计推断及其应用 2012. 3 王金德 著
128 混沌、Mel′nikov 方法及新发展 2012. 6 李继彬 陈凤娟 著
129 现代统计模型 2012. 6 薛留根 著
130 金融数学引论 2012. 7 严加安 著
131 零过多数据的统计分析及其应用 2013. 1 解锋昌 韦博成 林金官 著

132　分形分析引论　2013.6　胡家信　著
133　索伯列夫空间导论　2013.8　陈国旺　编著
134　广义估计方程估计方程　2013.8　周　勇　著
135　统计质量控制图理论与方法　2013.8　王兆军　邹长亮　李忠华　著
136　有限群初步　2014.1　徐明曜　著
137　拓扑群引论(第二版)　2014.3　黎景辉　冯绪宁　著
138　现代非参数统计　2015.1　薛留根　著